MW01000673

AUSTRALIAN-ROMANIAN ACADEMY
PUBLISHING

EDITORS

DANIEL IONITA

DANIEL REYNAUD | ADRIANA PAUL | EVA FOSTER

Romanian Poetry

FROM ITS ORIGINS TO THE PRESENT

•

Poezia Românească

DE LA ORIGINI ȘI PÂNĂ ÎN PREZENT

2020

ROMANIAN POETRY from its Origins to the Present
POEZIA ROMÂNEASCĂ de la origini și până în prezent

Editor: Daniel Ionita

Translators: Daniel Ionita, Daniel Reynaud,
Adriana Paul, Eva Foster

Cover design: Daniel Ionita, Cristina Dumitrescu
Layout and DTP: Cristina Dumitrescu
Corrections: Daniel Ionita, Daniel Reynaud,
Adriana Paul, Laura Udrea, Eva Foster

Library of Congress Cataloguing-in-Publication Data

Names: Ionita, Daniel, 1960 - principal editor and translator|Reynaud, Daniel - translator|
Adriana Paul - translator| Eva Foster - translator
Title: Romanian Poetry - from its Origins to the Present / Poezia românească de la origini
și până în prezent - Daniel Ionita, Daniel Reynaud, Adriana Paul, Eva Foster
Description: Sydney | Australian-Romanian Academy Publishing, 2020.|
Includes bibliographical references and index.
Identifiers: ISBN (hardcover) - 978-0-9953502-8-1|LCCN - 2020907831
Subjects: Poetry anthology| Translation| Bilingual: English & Romanian

For the love of poetry, which, transcending culture and language, reveals humanity's soul.

Din dragoste pentru poezie, care transcende limba și cultura, dezvăluind astfel sufletul umanității.

REFLECȚII DE DEPARTE

Martin Langford

Toate culturile prezintă perspective și moduri diferite de exprimare, astfel încât este minunat să avem acces la această antologie a unei culturi poetice prea puțin reprezentate în limba engleză și, probabil, nu suficient de coerent. Pentru vorbitorul de limbă engleză, această lucrare oferă un set de soluții la problemele care apar peste tot, împreună cu răspunsuri la circumstanțele specific românești. Antologia începe cu poezia veche, două minunate balade anonime – și se încheie cu o largă reprezentare a poeților contemporani.

Prin urmare, care sunt acele caracteristici prin care se diferențiază poezia românească? Pentru acest profan – locuiesc la 16 000 de kilometri distanță, geografică și culturală față de București –, ele se disting mai întâi printr-o imaginație înrădăcinată adânc în spiritualitate, probabil în mare parte din creștinismul autohton. Dar aceasta nu pare a fi singura sursă – se pot sesiza efecte ale sferelor de cultură europeană importante, de la influențele latine și grecești antice la cele vest-europene – probabil datorită rădăcinilor latine ale limbii române – dar și influențele ruse.

REFLECTIONS FROM AFAR

MARTIN LANGFORD

All cultures have distinctive perspectives and distinctive ways of expressing them, and it is wonderful to have access to this anthology of a poetry culture which has hitherto been represented too infrequently in English and, perhaps, not coherently enough. For the English speaker, this work offers both a unique set of solutions to problems which occur everywhere, together with responses to circumstances which are specifically Romanian. It begins with the earliest Romanian work, with ancient poems, a couple of wonderful anonymous ballads – and ends with a broad representation of contemporary poets.

So, what are the distinctive characteristics of Romanian poetry? To this outsider – I live 16000 kilometers away, geographically and culturally, from Bucharest – they begin with an imagination grounded in spirituality, stemming partly from its autochthonous form of Christianity. But that doesn't appear to be the only source, as one can sense the effects of all main European cultural spheres of influences, from classical Greek and Latin to Western-European influences – perhaps due to the Latin roots of the Romanian language – but also Russian.

Există, de asemenea, destul de devreme, teme provenind de la distanțe mult mai mari, cum ar fi aluziile lui Eminescu la vechea filosofie răsăriteană.

Înainte de toate însă, poezia românească trebuie să se fi luptat pentru dreptul de „a vorbi" – alfabetul latin a început să fie folosit de abia după mijlocul secolului al XIX-lea (cel chirilic fusese folosit până la 1862). De fapt, în locuri cum ar fi Republica Moldova (în trecut parte din România), după al Doilea Război Mondial autoritățile sovietice au impus nu doar alfabetul slavic, dar au descurajat în mod activ folosirea limbii române. Poeții de acolo (Grigore Vieru este figura emblematică, dar sunt mulți alții) au luptat și au suferit în lupta pentru limba și identitatea românească în acele teritorii cunoscute de secole sub numele de Basarabia.

La mijlocul secolului al XX-lea, într-un timp în care poezia românească era, pur și simplu, înfloritoare – influențată fiind de personalități excepționale, precum Tudor Arghezi, Vasile Voiculescu, Ion Barbu, George Bacovia și alții, care produceau poezie la nivelul celor mai mari literaturi –, poeții s-au trezit brusc sub ocupația sovietică și au fost nevoiți să se confrunte cu guverne care forțau asupra lor un anume tip de gândire. România nu era singura țară care se confrunta cu aceste probleme – unele țări trebuie să le facă față chiar și în ziua de azi – așa că, dacă anumite soluții au fost specifice culturii, altele erau generice. Problemele-cheie se concentrau pe găsirea unui impuls pentru poezie în care poetul (dar și cititorul) să poată avea încredere, dar și un fel de a exprima textele poetice care să fi fost acceptabil în discursul public din acele timpuri pline de constrângeri. Pentru o vreme, și din motive complexe (unele având de a face chiar cu supraviețuirea), unii scriitori au furnizat lucrări convenabile pentru autorități, această antologie are doar unul sau două exemple de acest gen – probabil (și este de înțeles) – calitatea poetică scăzută a unei poezii ale cărei norme erau impuse ideologic nu au făcut-o demnă de reprezentare într-o lucrare precum cea de față.

Dar indiferent de punctul de plecare al poemului, o anumită exprimare indirectă pare să fi fost necesară în această perioadă (vezi, de exemplu, poemul Norei Iuga din acest volum), pentru ca cenzura impusă de regimul comunist să fie învinsă prin metode subtile. Interesant, acest „noroc" al modernismului a încurajat un fel de joc al inventivității oblice, care s-a dovedit a fi semnificativ pentru acel timp. Unele din poeme – cum ar fi cele ale lui Arghezi, Nicolae Labiș, ale Anei Blandiana sau ale lui Adrian Păunescu – pot fi exemple în acest sens. Ca să nu mai vorbim de poeme care chemau la răzvrătire, precum *Ridică-te, Gheorghe! Ridică-te, Ioane!* de Radu Gyr – considerate în afara legii împreună cu poetul, fiind adevărate declarații sfidătoare, directe și dure față de regimul totalitar.

From early on, there are also influences from further away, such as Eminescu's allusions to old Eastern philosophy.

First, however, Romanian poetry had to grapple with the right to speak – the Latin alphabet only started to be used after the mid nineteenth century (the Cyrillic was in use until 1862). In fact, in places such as the current Republic of Moldova (former part of Romania) after the Second World War the Soviet authorities imposed not just a Slavic alphabet, but actively discouraged the use of the Romanian language. There, poets (the poster-boy for this is Grigore Vieru, but there were many others) actively fought and suffered in the battle for the Romanian language and identity in those territories, known for centuries under the name of Bessarabia.

In the middle of the twentieth century, however, just as Romanian poetry was flourishing, with exceptional figures such as Tudor Arghezi, Vasile Voiculescu, Ion Barbu, George Bacovia – and others – producing world-class work, the poets found themselves suddenly under Soviet occupation, and were confronted by governments that wanted to do their thinking for them. Romania was not the only country that had to deal with this – some countries still do to this day – so while some solutions were unique to the culture, others were generic. The key problems were to find an impulse for the poem that the writer (and reader) could trust, and a way of conveying it that was acceptable in the public discourse at that constraining time. For a while and for complex reasons (some having to do with plain survival) some writers, simply provided work which was acceptable to the powers of the day, although this collection has only one or two examples of this – I assume the quality of such ideologically forced poetry was probably, and understandably, not at the level acceptable for an anthology.

Irrespective of the poem's starting point, a certain indirectness of expression seems to have been necessary during this period (see as an example Nora Iuga's poem in this book), the censorship imposed by the communist regime had to be defeated in subtle ways. Interestingly, the "lucky" fact that modernism encouraged play and inventiveness, and even obliquity, turned out to have a particularly timely significance. Some of the poems – such as those by Arghezi, Nicolae Labiș, Ana Blandiana or Adrian Păunescu provide examples of this. Not to mention poems going directly against-the-grain, for the times, such as *Rise up you Gheorghe! Rise up you Ion!* by Radu Gyr – considered outside the law along with the poet, a statement of open and blunt defiance to the totalitarian authorities, if ever there was one.

Dacă istoria literaturii poate apărea uneori ca o cronică a indivizilor care își proclamă dreptul de a explora împotriva forțelor care voiau să-i limiteze între linii narative convenabile, poezia românească ne dă o mulțime de astfel de exemple: de la Eminescu, cel care a revoluționat limba și gândirea românească în felul în care Shakespeare a făcut-o pentru limba engleză, la generațiile de după război, care încercau să-și fundamenteze imaginația în surse credibile atunci când guvernele nu puteau oferi decât explicații autoritare – pentru ca apoi, printr-o întorsătură uluitoare, scriitorii de azi să fie nevoiți să caute un mod de exprimare într-o lume în care orice aserțiune a autorității este contestată. Toate literaturile trebuie să facă față unor asemenea provocări, într-un fel sau altul: spre exemplu, Hugh McDiarmid, care a declarat independența scoțienilor față de englezi, sau Seamus Heaney, pe aceea a vocilor catolice în Irlanda de Nord; ori Margaret Atwood și Adrienne Rich – insistând asupra drepturilor și perspectivelor femeilor. În felul acesta, autorii buni de pretutindeni și-au adus contribuția, cu o inventivitate flexibilă, la subminarea statutului și a puterii – și se pare că românii au avut porția lor de constrângeri.

În ultimii ani, scriitorii au fost nevoiți să lucreze într-o perioadă de schimbări fără precedent. În majoritatea culturilor, au existat și încă mai există confruntări lungi și încă nerezolvate între credințele tradiționale, pe care sunt fundamentate aceste societăți, implicațiile științei și, din ce în ce mai mult, impactul noilor tehnologii. În România, tradițiile par mai robuste – exemplificate fiind de limbajul și metafora poetică. Când Mircea Dinescu își imaginează viitorul, el se așteaptă ca figura arhetipală a lui Pilat să fie prezentă: „dar teamă, teamă îmi e/că *Pilat – omul*/se va spăla încă o dată pe mâini". Când Florin Lăiu caută o cale spre a descrie distrugerea ordinii stabilite, el se gândește la Samson: „Răzbună-mă, Doamne, cu acest vers kamikaze" (*Târziu sunt*). Când Arcadie Suceveanu dorea să-și imagineze durerea patriei sale (Basarabia/Republica Moldova) el se întoarce către Golgota și crucificare (*Arhivele Golgotei*). Este ca și cum imaginile din credința tradițională furnizează un loc de scăpare, un nod de rezistență față de un limbaj public, care amenință uneori să ocupe și spațiul imaginației.

Urmărind dezvoltarea poetică a secolului douăzeci, pentru mine ca cititor, poezia românească evidențiază trei teme întrețesute: esențialismul credinței tradiționale (nediluată la un poet precum Octavian Goga, cu atât mai puțin la alții); modernismul variat al unor poeți ca Arghezi, Minulescu, Barbu și Blaga, care arată o atitudine mai deschisă, și poate mai provizorie față de existență (cu îndoielile concomitente cu privire la credință: „Ca-n oglindirea unui drum de apă", scria Arghezi în căutarea certitudinii (*Psalm IV*). Apoi, pe măsura trecerii secolului, a apărut o notă mânioasă, imprevizibilă, comică uneori, aproape

If literary history can sometimes seem like a record of individuals asserting their right to explore in the face of forces that wish to limit them to convenient narratives, Romanian poetry certainly provides plenty of examples: from Eminescu revolutionising Romanian language and thought in the way Shakespeare did for the English, to post-war generations struggling to ground their imaginations in credible sources, when their governments could only offer the authoritative explanation – and then, in a perplexing and perhaps unexpected twist, to the way current writers have had to search for the right to speak in a world in which all claims to authority will be challenged. All literatures have to deal with such things in one way or another: thus Hugh McDiarmid asserted the rights of Scots against English, and Seamus Heaney that of the Catholic voice in Northern Ireland; thus Margaret Atwood and Adrienne Rich – and how many others – have insisted on the rights and perspectives of women. Thus, good authors everywhere chip away with the shape-shifting inventiveness at status and power – and it certainly seems as if Romanians have had to deal with their fair share of such constraints.

In recent times, writers have also had to work in a period of unprecedented change. In most cultures, there have been, and there still are, long and unresolved confrontations between the traditional beliefs their societies are based on, the implications of science, and, increasingly, the impact of the new technologies. In Romania, it appears to me that the traditional beliefs have been resilient – as exemplified by the nature of poetic language and metaphor. When Mircea Dinescu imagined the future, he expected the archetypal figure of Pilate still to be present: "But I fear, oh I fear that *Pilate – the man*/will again wash his hands of it all," he wrote, in *Pilate – the man*. When Florin Lăiu sought for a way to imagine the destruction of the established order, he thought of Samson: "Avenge me, my Lord, with this kamikaze old verse" (*Late I am*). When Arcadie Suceveanu wanted an image for the suffering of his country (Bessarabia/The Republic of Moldova), he turned to Golgotha and its crucifixions (in *The Registers of Golgotha*). It is as if the images from traditional belief provided a sanctuary, and a node of resistance, to a public language that sometimes threatened to own the imaginative space.

As the twentieth century progressed, three interwoven strands have stood out for this reader of Romanian poetry: the essentialism of the traditional beliefs (undiluted in a poet such as Octavian Goga; less so in others); the varied modernism of poets such as Arghezi, Minulescu, Barbu and Blaga, with their more open, and perhaps provisional attitude towards existence (and with concomitant doubts about belief: "like mirrors in the water paths that fade" wrote Arghezi, in his search for certitude (*Psalm IV*). Finally, as the century wore on, an angry, unpredictable, sometimes comic, and sometimes almost feral note

sălbatică – erodând granițele, o căutare a modalităților de exprimare pentru lucruri interzise. (*Silentium!*/ Iehova e treaz și creează/musca câinească, tăunul, scolopendra, aspida", scria Gabriela Crețan în *Oglinda și craniul*. Alexandru Phillipide visa la o revoltă a lumii vegetale (*Revoltă*) ca la un fel de a captura, în mod comprehensiv, nemulțumirea. Și apoi, bineînțeles, nu îl pot ignora pe Geo Bogza cu evidenta lui sfidare din *Poem ultragiant*.

După război, apar multe poeme de dragoste. Acestea sunt scrise de poeți din toate perioadele, dar mi-aduc aminte de 1984, a lui Orwell, care a încercat să conteste viața privată și adânc resimțită, respingând lumea personală ca pe o sursă de putere alternativă. Nu știu dacă aceasta este situația în România, dar e posibil ca poeții să se fi aplecat asupra dragostei nu doar de dragul ei, ci fiind în căutarea unui impuls în care ar putea avea încredere.

Se poate deduce din tonul vocilor contemporane – la fel ca în atâtea alte locuri – că, pe măsură ce literatura s-a îndepărtat de exprimarea unor înțelegeri acceptate, explorând altele noi, poeții români au descoperit că le este mai greu să definească o legătură cu audiența lor. Este un adevăr trist și dur faptul că nu toată lumea este deschisă la descoperirile altora. Una din modalitățile în care acest lucru s-a manifestat în România a fost varietatea imensă în care scriitorii au creat după căderea lui Ceaușescu. După înlăturarea prezenței greu de suportat a partidului, s-a manifestat, pe de o parte, un sens al posibilității fără precedent și, pe de altă parte – și românii nu sunt singurii în această situație –, o anxietate recurentă cu privire la validitatea rostirii. Daniel Bănulescu scrie:

„Fac parte din cei 20-30 de inşi care conduc lumea
Timizi neştiuți disperați
De la posturile lor de comandă cu birourile
răsturnate
De pe fundul genții Diavolului
Amestecați printre rolele lui de scoci nori
şi chitanțe
Ținând în echilibru fragil limba lumii"

(Prolog la balada lui Daniel Bănulescu)

Acesta nu este rolul poetului așa cum unii din predecesorii lui și l-ar fi închipuit: siguri în convingerea că unele semnificații sunt superioare altora și în capacitatea lor de a le exprima.

Dar asta nu este neapărat un lucru negativ: o asemenea îndoială, precum cea exprimată de Bănulescu, poate reprezenta absența surselor de autoritate

appeared – of chafing against boundaries, and of casting around for ways to say the thing one is not allowed to. (*Silentium!* / "Jehovah is awake and creating/ the botfly, the gadfly, the centipede, the asp", wrote Gabriela Crețan in *The Mirror and the Skull.* Alexandru Phillipide dreamt of a revolt of the vegetation realm (*Revolt*) as a way of capturing the comprehensiveness of his disenchantment.
And then I cannot ignore the obvious, in the sense of defiance...: Geo Bogza with his *Outrageous Poem.*

Post-war, there are a great many love poems. People of all periods write them, but I was reminded of the way in which, in Orwell's 1984, the state sought to challenge the private and deeply felt life, resenting the personal as an alternative source of power. I do not know whether this was the case in Romania, but it is possible that the poets turned to love, not just for its own sake, but in pursuit of an impulse they could trust.

One might gather from its contemporary voices, that – as in so many other places – as the function of literature has drifted from the articulation of accepted understandings, towards the exploration of new ones, Romanian poets have found it harder to define their relationship to their audience. It is a sad, hard truth that not everyone is open to the things that others have discovered. One way this seems to have played out in Romania is in the sheer variety of ways in which people have written since Ceausescu's demise. Freed from having to manage the difficult presence of the Party, there has been, on the one hand, an unprecedented sense of possibility; and on the other – and Romanians are not unique in this – a recurring anxiety about the validity of the utterance. Daniel Bănulescu writes:

> "I belong to the 20-30 individuals who lead the world
> Timid unknown desperate
> At their command posts with work desks turned
> upside down
> From the bottom of the Devil's bag
> Mixed through his sellotape rolls clouds
> and receipts
> keeping in balance the fragile language of the world"
>
> *(Prologue to the Ballad of Daniel Bănulescu)*

This is hardly the role of the poet as some of his predecessors might have conceived it: secure in the belief that some meanings were superior to others, and in their capacity to articulate them.

This may not be a bad thing: such doubt can represent the absence of unjustified sources of authority. But it does introduce an extra level of difficulty for the

nejustificate. Însă el introduce un nivel de dificultate în plus pentru scriitori, care pot interoga sensul operei lor cu înțelegerea că, de acum înainte, toate răspunsurile lor vor fi provizorii.

Nu pot încheia reacția mea foarte impresionistă la această lucrare, fără să amintesc despre numărul mare de poete de calitate pe care le prezintă. Vocile lor sunt semnificative în modalități diferite, probabil dependente, în mare măsură, de epoca în care scriu: de la suava Magda Isanos la vocea puternică și constantă a Ilenei Mălăncioiu, de la subtilitatea Norei Iuga (în poemul ei *Citind în cafea*, care pare o voalată dorință ca dictatura totalitară să se sfârșească) la confruntarea puternică exprimată de Marta Petreu, ori la contemporaneitatea romantică a Anei Blandiana sau Constanța Buzea – și multe, multe altele, care pun în valoare această antologie, făcând-o să merite să fie citită! Surorile lor mai tinere, reprezentate în partea a doua a volumului, sunt continuatoare merituoase, care și-au modelat vocile poetice pentru a face față provocărilor din lumea prezentă, aflată în continuă schimbare.

În prezent, globalizarea efectuează o aliniere a intereselor poetice mondiale: dispute precum feminismul sau problemele de mediu sunt la fel de discutate atât în România, cât și în sfera anglofonă. (Faptul că acest proiect își are originea în Australia dovedește aceste convergențe.) Detaliile locale pot fi diferite, dar poeții, mai ales, au înțeles întotdeauna că alegerile fundamentale nu variază, indiferent de locul unde se află. Și nici dorința de a cânta această viață – de a elibera limba din stângăciile și aleatoricul ei și de a o face să danseze.

Felicitări tutor celor implicați în acest proiect – lui Daniel Ioniță, Adrianei Paul, lui Daniel Reynaud și Evei Foster. Felicitări Academiei Australiano-Române a pentru că a făcut posibilă realizarea acestui proiect major, pentru curajul de a investi în el și de a-l promova. Istoria îi va eticheta ca vizionari. Felicitări, mai presus de toate, poeților, pentru actele lor de credință pe care poezia le reprezintă și pentru măiestria cu care ei le creează: au descoperit astfel, pentru acest anglofon, o deschidere nouă și minunată în această Țară a Minunilor care este poezia românească.

MARTIN LANGFORD

writers, who can only interrogate the purpose of their work in the understanding that from now on, all their answers will be provisional.

One cannot finish even this most impressionistic response to this work without commenting on the number of quality female poets it contains. Their voices take different forms – relative perhaps to the era they wrote – from the suave Magda Isanos, to the quietly powerful Ileana Mălăncioiu, to the subtle Nora Iuga (her poem *Reading the coffee dregs* seems such a beautifully veiled wish for the totalitarian dictatorship to end), to the stark but confronting Marta Petreu, to the contemporarily romantic, Ana Blandiana or Constanța Buzea – and there are so many more, that this collection is worth having simply to read the poetry of Romanian female poets!! Their younger sisters, represented in the second part of the volume, are worthy continuers, modulating their voices to deal with contemporary issues and challenges they face in a fast-changing world.

Meanwhile globalization is currently effecting a world-wide alignment of poetic interests: issues such as feminism and environmentalism are as potent in Romania as in the Anglosphere. (The fact that this project has originated in Australia speaks, in itself, about such convergences.) Local details may be different, but poets, above all, have always understood that the underlying choices do not vary, no matter the place. And neither does the desire to sing this life – to lift language out of its clumsiness, and its contingencies, and to set it dancing.

Congratulations to everyone involved in this project – to Daniel Ioniță, Adriana Paul, Daniel Reynaud and Eva Foster. Congratulations to The Australian-Romanian Academy for taking on such a grand project, for having the courage to invest in it and promote it. I believe history will judge them as visionary. Congratulations, above all, to the poets, for the acts of faith that poetry so often represents, and for the skill with which it has been enacted: for producing what is, to this Anglophone, a marvellous opening into this Wonderland that is Romanian poetry.

MARTIN LANGFORD

MARTIN LANGFORD

Martin Langford este președintele Australian Poetry Ltd., editor de poezie la revista pentru cultură *Meanjin* și organizator de festivaluri poetice.
Este coeditor (împreună cu Judith Beveridge, Judy Johnson și David Musgrave) al *antologiei Poezia contemporană australiană* (Puncher & Wattmann, 2016). I-au fost publicate mai multe volume de poezie, precum *The Human Project* – (Puncher & Wattmann, 2009), eseuri literare – *Microtexts* (Island, 2005), dar și aforisme – *Neat Snakes* – (Puncher & Wattmann, 2018). Lucrările sale au fost traduse în limbile franceză, chineză, italiană, spaniolă și arabă.
Martin Langford este un invitat frecvent la importante festivaluri internaționale de poezie, precum Trois Rivières, Medellin, Granada and Struga.

MARTIN LANGFORD

Martin Langford is Chair of Australian Poetry Ltd., the poetry reviewer for *Meanjin* magazine, and organizer of poetry festivals.
He is co-editor (with Judith Beveridge, Judy Johnson and David Musgrave) of the *Contemporary Australian Poetry Anthology* (Puncher & Wattmann, 2016).
He has published several poetry volumes (for example *The Human Project* – (Puncher & Wattmann, 2009), as well as literary essays – *Microtexts* (Island, 2005), and aphorisms – *Neat Snakes* – (Puncher & Wattmann, 2018). His work has been translated into French, Chinese, Italian, Spanish and Arabic.
Martin Langford has been an invitee to important international festivals, including Trois Rivières, Medellin, Granada and Struga.

O VIZIUNE DIN INTERIOR

ALEX ȘTEFĂNESCU

Monumentala prezentare a poeziei românești din toate timpurile, *Poezia Românească de la origini și până în prezent* –, în limba română și, simultan, în limba engleză, realizată de Daniel Ioniță, asistat de Daniel Reynaud, Adriana Paul și Eva Foster, nu este doar grandioasă prin amplitudine. Este și prietenoasă, accesibilă, ușor utilizabilă de către orice iubitor de poezie. Cu alte cuvinte, inspiră respect, dar și încântă, te face să te gândești la efort, la competență, dar și la plăcerea de a citi. Seamănă cu o enciclopedie, dar și cu *1001 de nopți.*

Nu mai există în literatura română o asemenea carte. Unii comentatori, neputând depăși o reprezentare stereotipă a noțiunii de antologie, s-au declarat nemulțumiți de faptul că, în colecțiile anterioare, spațiul tipografic acordat fiecărui poet nu este direct proporțional cu valoarea operei lui. Dar lucrarea lui Daniel Ioniță nu este o antologie propriu-zisă, ci o atotcuprinzătoare *colecție de eșantioane* de poezie românească. Negustorul de mătăsuri nu vine în fața doritorilor cu mostre de țesături de mărimi diferite, în funcție de valoarea lor (ar însemna ca unele să aibă mărimea unei batiste, iar altele pe aceea a unui cearșaf), ci răsfoiește în văzul tuturor un fel de album cu sute și sute de dreptunghiuri de mătase, de toate texturile și culorile.

Totuși, în volumul de față, poeții considerați mai importanți, sunt reprezentați cu două sau mai multe poeme – spre exemplu, Mihai Eminescu, Tudor Arghezi,

A VIEW FROM WITHIN

Alex Ştefănescu

The monumental presentation of Romanian poetry of all time, *Romanian Poetry from its Origins to the Present* – in Romanian and simultaneously in English, realized by Daniel Ioniță, assisted by Daniel Reynaud, Adriana Paul and Eva Foster, is not just grandiose in terms of magnitude. It is also friendly, accessible, and easy to use by any lover of poetry. In other words, while inspiring respect, it also delights, making one think of effort and competence, but also of the pleasure of reading. It resembles an encyclopedia but also *1001 Nights*.

So far, no similar book exists in the landscape of Romanian literature. Some commentators, not able to go beyond a stereotypical notion of an anthology, declared their dissatisfaction with the fact that in previous collections, the typographic space allocated to each poet is not directly proportional to the value of their work. Daniel Ioniță's work, however, is not a classical anthology. It is rather an all-embracing collection of representative samples of Romanian poetry. The silk-trader does not stand before potential customers with fabric samples of various sizes, according to their value (this would mean that some might be the size of a handkerchief and others the size of a bedsheet), but rather presents to everyone a kind of album with hundreds of silk squares, of all textures and colors.

However, in the present volume, poets generally considered more important, are represented with two or more poems – for example Mihai Eminescu, Tudor Arghezi,

Lucian Blaga, George Bacovia, Nicolae Labiș, Nina Cassian, Nichita Stănescu, Adrian Păunescu, Marin Sorescu, Adrian Popescu, Ana Blandiana, Mircea Dinescu, Ioan Alexandru, Ileana Mălăncioiu, Cezar Ivănescu, Constanța Buzea și alți câțiva. Lucrarea poate fi considerată o strălucitoare *paradă a poeziei românești*, de la originile ei și până în prezent, un grandios spectacol de lirism, care poate fi apreciat acum nu numai de vorbitorii de limba română, ci și de sutele de milioane de vorbitori de limbă engleză de pe întreaga planetă.

Trebuie menționat faptul că această vastă panoramă a poeziei românești impresionează atât prin entuziasmul și sensibilitatea cu care a fost realizată, cât și prin caracterul ei științific. Este vorba de o ediție critică. Notele critico-biografice ale poeților, remarcabile prin exactitatea informațiilor și referințele extrase din scrierile celor mai importanți critici și istorici literari români, constituie un instrument critic sigur și util. Acest aspect este important atât pentru cititorii cunoscători ai limbii române, care au posibilitatea accesului la vaste surse de informații despre diferiții poeți incluși – fie în librării, biblioteci sau pe internet –, cât și pentru cititorii de limbă engleză – pentru care este mai dificil, sau chiar imposibil, să găsească acest material critic în limba lor. Pentru ambele categorii de cititori, notele critico-biografice prezintă un autentic mini-dicționar al poeziei românești, prin care pot contextualiza un poet sau altul. Apoi, dacă se dorește asta, ele pot prezenta un început de drum adecvat pentru o cercetare mai amănunțită.

Editura – o editură de elită –, receptivă la seriozitatea proiectului, a asigurat acuratețea textelor, recurgând pentru verificare la ediții princeps și ediții critice din patrimoniul Bibliotecii Naționale a României.

Ideea prezentării întregului spectru istoric, de la un capăt la celălalt, al poeziei românești în continuarea proiectului numit inițial *Testament* (primele ediții au început cu epoca modernă, Alecsandri, Eminescu etc.) a venit de la un... istoric, profesorul doctor Daniel Reynaud, colaborator al lui Daniel Ioniță de la prima ediție. De asemenea, Daniel Reynaud împreună cu poetul Lucian Vasilescu, un alt susținător al volumului, au venit cu ideea introducerii „poeziei dinaintea poeților". Dar despre asta mai târziu.

Așa cum a fost concepută de Daniel Ioniță, uriașa colecție de poezie românească, „de la origini și până în prezent" (cum ar fi calificat G. Călinescu cei patru sute de ani parcurși în lucrarea prezentă), oferă mai multe posibilități de utilizare.

În primul rând, textele din cuprinsul ei, cele mai multe de o remarcabilă frumusețe literară, pot fi citite – înainte de toate – ingenuu, din plăcere, cu un sentiment de recunoștință, așa cum este citită dintotdeauna literatura. Voci lirice din cele mai diferite timpuri se întrec în a capta atenția cititorului, fiecare

Lucian Blaga, George Bacovia, Nicolae Labiș, Nina Cassian, Nichita Stănescu, Adrian Păunescu, Marin Sorescu, Adrian Popescu, Ana Blandiana, Mircea Dinescu, Ioan Alexandru, Ileana Mălăncioiu, Cezar Ivănescu, Constanța Buzea and a few more. The work may be considered a *brilliant parade of Romanian poetry*, from its origins to the present, a lyrical spectacle on a grandiose scale, able to be appreciated now not just by speakers of the Romanian language, but also by the hundreds of millions of English speakers on the globe.

I must mention that this vast panorama of Romanian poetry is impressive not only through the enthusiasm and sensitivity of its accomplishment but also, through its scientific character. We are talking about a critical edition. The critical-biographical notes on the poets, remarkable through the accuracy of the information and references extracted from the writings of the most important Romanian critics and historians, constitute a critical apparatus that is both dependable and useful. This feature is important for both the readers who know Romanian, who have the possibility of accessing vast resources of information about the poets included – be it in bookshops, libraries or on the internet – as well as the English language readers, for whom it might be more difficult, in some cases impossible, to find this critical material in their language. For both these categories, the critical-biographical notes represent an authentic mini-dictionary of Romanian poetry, through which they can better contextualize the work of each poet. They can also represent the starting point for more in-depth research.

This elite publishing house, receptive to the seriousness of this project, has ensured the accuracy of the texts, verifying them against princeps and critical editions from the National Library of Romania.

The idea of presenting the entire historical spectrum – from one end to the other – of Romanian poetry as a continuation of the project innitially called *Testament* (the first editions started with the modern era, Alecsandri, Eminescu, etc.) came from a... historian, Professor Daniel Reynaud, a collaborator of Daniel Ioniță from the first edition. Besides, Daniel Reynaud and the poet Lucian Vasilescu, another original supporter of the volume – came up with the idea of introducing "poetry before there were poets". But about this a bit later.

As it was conceived by Daniel Ioniță, this vast collection of Romanian poetry, "from its origins to the present" (as G. Călinescu would have described the four hundred years covered), offers several possibilities of utilization.

First, the texts therein, most of them of remarkable literary beauty, can be read – above all – in ingenue fashion, for pleasure, with a sentiment of gratitude, as literature has always been read. Lyrical voices from the most diverse times compete for the attention of the reader, each

cu mijloacele sale de seducție. Toate aceste mesaje creează o atmosferă de comunicare fericită și de multiplicare a existenței, prin retrăirea unor emoții trăite de numeroși poeți, unii cunoscuți, alții anonimi (cum este cazul creatorilor de folclor).

Sunt poezii care nu se demodează niciodată și nici nu ajung să plictisească vreun pasionat de poezie. Cu vasta lui cultură poetică și cu un simț al bunului-gust, Daniel Ioniță a ales texte care spun ceva, care emoționează, care reverberează în conștiința noastră. Pe mine, ca român, care mă ocup de o viață întreagă de literatură, mă bucură, de exemplu, faptul că poezia populară *Miorița*, reprezentativă pentru spiritul românesc, va ajunge, prin intermediul versiunii engleze a lui Daniel Ioniță, în atenția unui public numeros, din multe țări, așa cum am visat întotdeauna.

Nu intenționez să analizez poezii în această scurtă prezentare, dar despre *Miorița* trebuie neapărat să spun câte ceva.

Balada i-a fermecat pe aproape toți cei care au citit-o sau ascultat-o în cei peste o sută și cincizeci de ani de când a fost pusă în circulație. Varianta cea mai cunoscută i se datorează lui Alecu Russo, care a descoperit-o (la Soveja, în Vrancea), și lui Vasile Alecsandri, care i-a dat forma definitivă. Această variantă, rezultată din prelucrarea unui text folcloric de către un poet cult, a redevenit ulterior folclor, fiind recunoscută și adoptată de creatorii și interpreții de poezie populară.

Folcloristul și etnologul, astăzi aproape uitat, Adrian Fochi a identificat acum peste o jumătate de secol aproape o mie de variante ale baladei *Miorița*, pe întreg teritoriul României, unele precedând-o pe cea arhicunoscută, altele derivând din ea.

Balada este, deci, mai mult decât o baladă, este un mit al românilor, un act de identitate al culturii naționale. Drept urmare, a generat o mare agitație intelectuală, a fost proslăvită și denigrată, a devenit obiect de dispută pentru ideologii de toate orientările.

Personajele sunt trei ciobani, originari din sate aparținând unor provincii istorice diferite, plecați în munți cu oile la păscut. Iarna, când se vor întoarce acasă, vor avea ce povesti. În expedițiile lor anuale, se poate întâmpla să fie atacați de lupi, să aibă de înfruntat o furtună năprasnică, să cadă într-o prăpastie. De data aceasta se întâmplă cu totul altceva:

„Iar cel ungurean,
Şi cu cel vrâncean,
Mări se vorbiră,
Şi se sfătuiră

with their own seductive power. All these messages create an atmosphere of happy communication and multiplication of existence, through reliving the emotions experienced by many poets, some well-known, others anonymous (as is the case with the creators of folklore).

These are poems that will never go out of fashion or bore anyone with a passion for poetry. With his expansive culture and a sure sense of taste, Daniel Ioniță chose texts which speak, which provoke emotions, which reverberate through our conscience. As a Romanian who has been preoccupied all my life with literature, I am glad, for example, that the popular ballad *Miorița*, representative for the Romanian spirit, will reach, through the medium of the English version of Daniel Ioniță, a much larger public, from many countries, as I have always dreamed.

It is not my intent to analyze poems in this short presentation, but about *Miorița* I must say a few things.

This ballad has charmed almost all who have read or listened to it, in the over one hundred and fifty years since it appeared in mass circulation. The best-known version is credited to Alecu Russo, who discovered it (in Soveja, district of Vrancea) and to Vasile Alecsandri, who gave it its final form. This version, the result of the adaptation of a folkloric text by a well- cultured poet, has subsequently rejoined folklore, being recognized and adopted by the creators and interpreters of anonymous popular poetry.

Adrian Fochi, a folklorist and ethnologist who is almost forgotten today, identified, over half a century ago, more than a thousand variants of the *Miorița* ballad in the whole territory of Romania, some preceding this well-known version, others deriving from it.

This ballad is therefore much more than a ballad, it is a myth of the Romanian people, a document of identity for the national culture. As a result, it has generated great intellectual turmoil, being acclaimed and denigrated, and has become an object of dispute for ideologues of all orientations.

The characters are three shepherds, originating from villages in three different historical provinces, travelling through the mountains with their sheep in search of pasture. In winter, when they return home, they will have many stories to tell. In their annual expeditions, they may get attacked by wolves, face terrible tempests, or fall into a precipice. This time something altogether different happens:

"Now the Transylvan
And the Vrancean,
Secretly conspired,
For what they desired

Pe l-apus de soare
Ca să mi-l omoare
Pe cel moldovan
Că-i mai ortoman
Ş-are oi mai multe,
Mândre şi cornute,
Şi cai învățați
Şi câni mai bărbați..."

Complotul îi este dezvăluit ciobanului moldovean de una din oile lui, considerată năzdrăvană. Această comunicare supranaturală, departe de a fi fantezistă, cum i se poate părea unui orășean, pleacă de la o solidaritate afectivă reală care apare, în timp, între un cioban și câinii sau oile lui.

Ciobanul nu vorbește despre atentatul pus la cale împotriva sa. În schimb, îi încredințează ființei care îi este devotată un fel de testament vorbit. De aici nu reiese, *cum crede multă lume, că acceptă pasiv moartea, ci doar că se pregătește pentru eventualitatea că va fi omorât.* De altfel, verbul referitor la moarte este la modul condițional: „de-a fi să mor". Ceea ce înseamnă „dacă o fi să mor".

„Oiță bârsană,
De eşti năzdrăvană
Şi de-a fi să mor
În câmp de mohor,
Să spui lui vrâncean
Şi lui ungurean
Ca să mă îngroape
Aici pe-aproape
În strunga de oi,
Să fiu tot cu voi;
În dosul stânii,
Să mi-aud cânii."

În mod impresionant, ciobanul aflat în pericol de moarte are grijă să-i ocrotească *el* pe alții. Vrea ca oile să nu afle, în caz că va păți ceva, ce anume a pățit:

„Iar tu de omor
Să nu le spui lor...
Să le spui curat
Că m-am însurat
Cu-o mândră crăiasă,
A lumii mireasă;
Că la nunta mea

That by sundown they
Would ambush and slay
The one Moldovan,
For he's the wealthy one,
And has a lot of sheep,
Beautiful to keep,
His horses more handsome,
And his dogs more fearsome."

The conspiracy is revealed to the Moldovan shepherd by one of his sheep, considered magical. This supernatural communication, far from being a mere fantasy, as it might seem to a city dweller, comes from the affective solidarity which develops over time between a shepherd and his dogs and sheep.

The shepherd does not speak directly about the planned attempt on his life. Rather, he entrusts to this devoted being a kind of spoken testament. From this *it does not result, as many believe, that he passively accepts death, but only that he prepares for the possibility that he might be killed.* In fact the verb referring to death is conditional: "IF to death I'd yield", meaning "if I were to die".

"Oh, my little ewe
If you're magic too,
And to death I'd yield
In a millet field
Please tell the Vrancean
And the Transylvan
My body to lie
Somewhere nearby
By the pen with sheep
Near you to keep
By the stable logs
So I'd hear my dogs."

Impressively, the shepherd, possibly on the verge of death, is concerned about protecting others. He doesn't want his sheep to find out, in case something happens to him, about what has actually happened:

"But as for my death
Share no word or breath.
Tell them straight, I said
That I've gone to wed
A beautiful queen,
The fairest ever seen;
At my wedding rite

A căzut o stea;
Soarele şi luna
Mi-au ţinut cununa;
Brazi şi păltinaşi
I-am avut nuntaşi;
Preoţi, munţii mari,
Păsări lăutari,
Păsărele mii,
Și stele făclii!"

Această reprezentare a morții ca o nuntă este antologică, prin măreție și tragism, prin bunătatea princiară a unui om simplu, prin capacitatea acestuia de a se salva prin frumusețe.

Lucrarea lui Daniel Ioniță și a colegilor lui poate fi citită, apoi, ca un document care atestă vechimea îndeletnicirii de poet în România. Iar vechime înseamnă noblețe. Cititorii străini vor înțelege că, deși veche ca preocupare, poezia românească nu are nimic bătrânicios. Dimpotrivă, se remarcă prin vitalitate, prin capacitate de a renaște ciclic, așa cum înfloresc pomii în fiecare primăvară. Nici regimul comunist, care a încercat să ideologizeze cu forța poezia, n-a reușit să o distrugă. N-a izbutit niciodată să o înstrăineze de ea însăși. Poeții români au găsit mereu energia morală și ingeniozitatea de care era nevoie pentru a învinge cenzura. S-au scris poezii până și în închisorile în care își ispășeau pedeapsa nedreaptă deținuții politici. Extraordinarul poem *Ridică-te, Gheorghe, ridică-te, Ioane!* al lui Radu Gyr a fost compus în temniță, păstrat în minte, pentru că acolo nu existau instrumente de scris. Este singura poezie din istoria literaturii române pentru care autorul ei a fost condamnat la moarte.

Volumul de față include și poezia românească de bună calitate care s-a scris, de asemenea, și în teritoriile românești, Basarabia și Bucovina, ocupate abuziv de URSS. Supuși unor represalii drastice, inclusiv interdicției de a folosi alfabetul latin, poeții de pe aceste teritorii n-au încetat să creeze în limba lor maternă.

Poezia a însemnat – și înseamnă în continuare – foarte mult pentru români. Este recunoscut, de pildă, faptul că un poet genial din secolul nouăsprezece, Mihai Eminescu, a contribuit decisiv la modernizarea limbii române. (Multă vreme s-a considerat, cu mefiență, că poezia sa, de o frumusețe magică, este intraductibilă. Daniel Ioniță are și acest important merit: a demonstrat practic că această poezie poate fi tradusă – este adevărat, nu de oricine – reușind să se păstreze caracterul originalului.)

Timpul pe care îl trăim acum, deși caracterizat printr-o deplină libertate, nu este totuși favorabil poeziei, din cauza unei anumite superficialități voioase, proprii

Fell a star that night;
Sun and moon came down
Placed my kingly crown.
The trees of the east
Were guests at my feast,
Priests – the mountains high
Fiddlers – birds nearby
Thousands in their flight
Candles, stars at night!"

This representation of death as a wedding ceremony is anthological by virtue of its majesty and sense of tragedy, of the noble goodness of a simple man, of his capacity to save himself through beauty.

Secondly, the work of Daniel Ioniță and his colleagues can be read as evidence of the ancient existence of the occupation of poet in Romania. And "old" in this case means noble. Foreign readers will understand that, although old as a pursuit, Romanian poetry is not old-fashioned. On the contrary, it is remarkable through its vitality, through the capacity for cyclic rebirth, as trees flower in every spring. Not even the communist regime, who attempted to ideologize poetry by force, managed to destroy it. Romanian poets have always found the moral energy and ingenuity needed to triumph over censorship. Poetry was written even in the jails to which political prisoners were sent for punishment. The extraordinary poem *Rise up now, Gheorghe! Rise up now, Ion!* by Radu Gyr, was composed in such a jail, then committed to memory, as there were no writing utensils available there. It is the only poem in the Romanian literature for which its author was sentenced to death.

The present volume does not ignore Romanian poetry of good quality which was also written in Romanian territories such as Bessarabia and Bukovina, abusively occupied by the USSR. Subjected to drastic reprisals, including banning the use of the Latin alphabet, the poets from these territories never ceased to create in their mother tongue.

Poetry meant – and continues to mean – very much to Romanians. For example, it is widely recognized that one poetic genius from the nineteenth century, Mihai Eminescu, has contributed decisively to the modernization of Romanian language. (For a long time, it was considered, with skepticism, that his magically beautiful poetry is not translatable. Daniel Ioniță also has this merit: he practically demonstrated that this poetry can be translated – true, not by just anybody – while managing to preserve the character of the original.)

The times we live in right now, although characterized by almost total freedom, is not all that favorable to poetry, because of the predominance of a type of jolly

societății de consum. Și totuși, în România se publică, în prezent, mii de cărți de versuri, funcționează cenacluri, se pun în scenă spectacole de poezie, se acordă premii pentru creația lirică.

Există o formulă folosită uneori cu gravitate, alteori cu o ironie tandră: „românul e născut poet". Nu e vorba doar de o remarcă făcută în joacă, ci de o realitate istorică și existențială. Cultura română are vocația poeziei. De fiecare dată, apariția unui tânăr poet de talent în spațiul public este considerată un eveniment. Această vocație este validată și în afara României. Chiar acum când scriu aceste rânduri, poeta Ana Blandiana a primit Premiul Cununa de aur de la Struga (un fel de Premiu Nobel pentru poezie).

Daniel Ioniță (el însuși un poet valoros) se înscrie, deci, prin impresionantul său efort, în însuși modul de a fi al culturii române.

Întrevăd destinul cărții lui prin analogie cu acela al vestitului *Lepturariu românesc*, publicat de Aron Pumnul în 1862-1863 la Viena și citit cu nesaț de Mihai Eminescu în aceeași perioadă, când era elev la Ober Gymnasium din Cernăuți și stătea în gazdă la Aron Pumnul. *Lepturariul* era o „crestomație" a literaturii române. Cu ajutorul acestei crestomații, viitorul poet (care pe atunci se numea încă Eminovici) s-a inițiat în scrisul predecesorilor săi, și care mai târziu, ca student la Viena, l-a inspirat să scrie celebrul poem *Epigonii*, tablou de neuitat al literaturii române de dinaintea lui.

Lucrarea lui Daniel Ioniță și a colegilor lui – Daniel Reynaud, Adriana Paul și Eva Foster – este și ea, în fond, o crestomație (combinație de cuvinte din greaca veche: *hresto* – valoros, necesar și *mantháno* – învățătură) a poeziei românești. Presimt că această crestomație (cu poezii valoroase, necesare pentru învățătură) va fi citită cu folos de mii de tineri și că printre ei se va afla cândva un nou poet mare ca Eminescu, care va cunoaște poezia românească și se va putea forma el însuși ca un reprezentant al acestei poezii datorită acestei lucrări.

În final, să ne amintim că „toată lumea este o scenă, iar noi cu toții suntem actori", cum a scris cândva cel mai emblematic autor de limbă engleză care a trăit vreodată. *Poezia românească de la origini și până în prezent* reprezintă România pe marea scenă culturală mondială asigurată de limba engleză, *lingua franca* a lumii de azi. Acesta mi se pare un rol crucial, pentru ca literatura și cultura română să-și poată ocupa locul pe care-l merită pe această scenă internațională.

ALEX ȘTEFĂNESCU

superficiality, specific to consumer society. Yet right now in Romania, thousands of volumes of verse are published, literary circles thrive, poetry festivals are organized, and prizes are awarded for lyrical creation.

There is a stereotype, used sometimes with gravity and sometimes with a tender irony: "Every Romanian is born a poet." It is not just a playful remark, but a reality, both historical and existential. The Romanian culture has a vocation for poetry. Every time a young talented poet appears in the public arena, this is considered an important event. This vocation is being validated even outside Romania. Just as I am writing this piece, the poet Ana Blandiana received the Golden Wreath of Struga (a kind of Nobel Prize for poetry).

Daniel Ioniță, himself a poet of value, aligns this impressive effort with the very nature of the Romanian culture.

I foresee the destiny of this book through an analogy with the famous *Romanian Lepturarium* published by Aron Pumnul in 1862-1863 in Vienna, and breathlessly read by Mihai Eminescu in the same period, when he was a student at the Ober Gymnasium (the High School) from Cernăuți (the capital of Bukovina) and was boarding with Aron Pumnul. *The Lepturarium* is a "chrestomathy" of Romanian literature. With the help of this chrestomathy, the future poet (who was at that time still named Eminovici) was initiated in the writings of his predecesors, and which later, when he was studying in Vienna, inspired him to write the poem *Epigonii* (The epigones), an unforgetable lanscape of Romanian literature before him.

The work of Daniel Ioniță and his colleagues – Daniel Reynaud, Adriana Paul and Eva Foster – is, in fact such a chrestomathy (from ancient Greek, a combination of *hresto* – valuable, necessary and *mantháno* – learning) of Romanian poetry. I anticipate that this chrestomathy containing valuable poems, necessary for learning, will benefit thousands of young people reading it and that among them another great poet like Eminescu will emerge. A poet who will get to know Romanian poetry and who will have the opportunity to mould himself into a representative of this poetry by virtue of this work.

Finally, let us remember that "All the world's a stage,/ And all the men and women merely players", as the most iconic of English language writers who ever lived, once penned. *Romanian Poetry from its Origins to the Present* represents Romania on the world cultural stage, supported by the English language, the *lingua franca* of today. This seems to me to be a crucial role, so that Romanian literature and culture may occupy the place it deserves on this international stage.

ALEX ȘTEFĂNESCU

ALEX ȘTEFĂNESCU

Alex Ștefănescu este critic și istoric literar, contribuția sa de căpătâi, care l-a adus în centrul atenției lumii literare românești, fiind *Istoria literaturii române contemporane 1941-2000* (Editura Mașina de scris, 2005). În această lucrare, pentru care a primit premiul Uniunii Scriitorilor din România, în 2005, răspunde întrebării „Ce s-a întâmplat cu literatura română în timpul regimului comunist?". Volumul acesta și numeroase altele, cum ar fi *Eminescu, poem cu poem* (ALL, 2017), îl plasează pe Alex Ștefănescu alături de nume majore din critica literară românească, precum George Călinescu, Eugen Lovinescu și Nicolae Manolescu. Scrie adesea în reviste precum *România literară*, *Luceafărul de dimineață* și altele și a realizat de-a lungul anilor mai multe emisiuni culturale. Este adesea invitat de media pentru interviuri și comentarii.

ALEX ȘTEFĂNESCU

Alex Ștefănescu is a literary critic and historian, his main contribution, which brought him to the center of the Romanian literary world, being *The History of Contemporary Romanian Literature 1941-2000* (Mașina de scris, 2005). In this work, for which he was awarded the Romanian Writers' Union Prize in 2005, he answers the question: "What happened to Romanian literature during the time of the communist regime?". This volume and others such as *Eminescu, Poem by Poem* (ALL, 2017), places Alex Ștefănescu's name beside those of major Romanian literary critics such as George Călinescu, Eugen Lovinescu, and Nicolae Manolescu. He writes extensively in magazines such as *Literary Romania* and *The Morning Star* and has presented, over the years, several cultural television programs. Alex Ștefănescu is very much in demand in the media for interviews and commentary.

NOTELE EDITORULUI

DANIEL IONIȚĂ

Contextul acestei lucrări

„Am spus adevărul, dar nu tot adevărul, fiindcă aceasta ar fi imposibil", a scris romanciera englezoaică Rumer Godden către sfârșitul lungii ei vieți. Această observație va rezista în timp, atâta vreme cât vom trăi ca ființe umane imperfecte, într-o lume imperfectă. Nici textele sfinte, precum Biblia, nici articolele de cercetare alcătuite cu mare atenție nu scapă învinuirilor de inconsistență, de dezvăluire doar parțială a adevărului, fiind uneori acuzate direct de reprezentare greșită și falsificare. Totuși, precum Godden, este foarte probabil ca în toate aceste ocazii autorii să fi încercat o relatare cât mai autentică cu putință.

Fiind cel care a supervizat editarea și traducerea volumului prezent, sunt conștient în mod acut de sabia cu două tăișuri care atârnă asupra acestor lucrări. Din când în când, câte un critic mă va biciui pentru vreun motiv sau altul... și asta nu va fi mereu plăcut. Dar aceasta este vama ce trebuie plătită pentru viața periculoasă de realizator al unei antologii care, pe deasupra, a decis să mărească în mod exponențial pericolul la care se expune, angajându-se să reprezinte în altă limbă poezia unei națiuni. Alți nebuni și-au pierdut viața pentru lucruri mult mai mărunte.

Unul dintre tăișurile sabiei amintite, și probabil cel mai ascuțit, va lovi reprezentarea – care poeți, ce poeme, de ce, de ce nu. Aici, precum la edițiile precedente, nu mă aștept ca toți criticii să fie pe de-a-ntregul fericiți. Unii nu vor

EDITOR'S NOTES

DANIEL IONIȚĂ

The Context of This Work

"I told the truth, but not the whole truth, for that would be impossible", wrote English novelist Rumer Godden toward the end of her long life. This insight is likely to stand the test of time, as long as we live in an imperfect and complex world – as long we remain human – that is to say imperfect. Not even holy texts such as The Bible, or carefully crafted research papers, have escaped criticism in terms of inconsistencies, partial truths, and on the odd occasion accusations of outright misrepresentation and falsehood. Still, similar to Godden, in all likelihood, the authors attempted to relate their stories with the best authenticity they were capable of.

As the person overseeing both the editing and translating of the present volumes, I am acutely aware of the double-edged sword which dangles over this work. Some critic or other will be whipping me for something or other... and I might not always enjoy it. But such is the dangerous life of an anthologist, who also decided to exponentially multiply the danger by engaging in translation work to attempt the representation of the poetry of a nation. Lesser fools have died for much less.

One of the edges, and probably the sharpest, will hit representation – which poets, what poems, why or why not. Here, as with the precedent editions, I do not expect all critics to be entirely happy, while some will not be satisfied, no matter

fi mulțumiți indiferent de criteriile de alegere. Aceștia vor fi, în general, criticii români, care au crescut cu majoritatea acestor texte și care vor avea opinii foarte puternice, fiecare în dreptul lui, cu privire la ce anume – din poeții și poemele românești – trebuie sau nu trebuie să fie inclus în antologii.

Legat de asta este și faptul că această lucrare provine din afara cercurilor literare consacrate din România, unde, ca în orice țară mai mică, toți scriitorii și criticii importanți se cunosc. Pentru mulți dintre ei, autorii volumului *Poezia Românească* pot apărea ca niște apariții exotice de la antipozi. Va conta sau nu faptul că selecția poemelor și a poeților s-a bazat, în general, pe un studiu relativ serios al istoriei critice literare românești – incluzând lucrările unor nume precum George Călinescu, Eugen Lovinescu, Nicolae Manolescu, Alex Ștefănescu, Constantin Cubleșan, Gheorghe Grigurcu, Al. Piru, Mircea A. Diaconu, Ion Pop, Lucian Raicu, Laurențiu Ulici, Adrian Rachieru, Constantina Reveca Buleu, Ruxandra Cesereanu, Octavian Soviany, Petre Anghel și alții. Mulți din aceștia mi-au pus la dispoziție lucrările lor în format PDF, ceea ce m-a ajutat mult la analiză și pentru aceasta le sunt profund recunoscător. Niciunul dintre autorii *acestui volum* nu a jucat un rol activ înlăuntrul stabilimentului literar românesc, de exemplu în aproape atotputernica Uniune a Scriitorilor. De aceea, primele ediții ale lucrărilor din acest grup, deși primite bine de unii dintre criticii importanți (Alex Ștefănescu, Radu Voinescu, Lucian Vasilescu, spre exemplu), au provocat întrebări și reacții precum „cine sunt aceștia"?, „ce pot cunoaște ei, din îndepărtata Australie, despre poezia românească?", „trebuie că sunt un grup de entuziaști, dar amatori". La câtiva ani după prima ediție din 2012, unele dintre aceste atitudini s-au mai schimbat. Totuși, asemenea reacții nu sunt surprinzătoare, dacă te apropii de această lucrare cu anumite idei preconcepute.

În apărarea unor asemenea sceptici trebuie să spun că, atunci când am cercetat fezabilitatea și necesitatea unei lucrări, precum *Testament - Antologie de poezie română* (precursor al acestui volum), am găsit un număr de antologii poetice românești în engleză, publicate de-a lungul timpului, concepute după raționamente obscure sau, pur și simplu, tendențioase: spre exemplu, un grup de poeți care doreau ca vocile lor să fie auzite, sau traducători literari și chiar „școli" de traducere limitate de „lățimea de bandă" a teoriei la care aderau, de volumul de efort, ori de nivelul de pricepere.

Totuși, printre multele eforturi mediocre de traducere a poeziei românești în engleză, am găsit și lucrări de adevărată valoare, care acoperă în mod decent cel puțin anumite părți din epocile modernă și contemporană – spre exemplu, *Born in Utopia*, editată de Carmen Firan, Paul Doru Mugur, Edward Foster. Dincolo de antologii, printre lucrările de valoare se plasează volumele ce prezintă câte un singur poet (Nichita Stănescu, Marin Sorescu, spre exemplu), precum cele

what. These will be, by-and-large, Romanian critics, who grew up with most of these texts, and who will have strong and very particular, deeply idiosyncratic, views of what – from Romanian poems and poets – should and should not be represented in anthologies.

Closely related is the fact that this work arrives from outside the established literary circles in Romania, where – like in any smaller country – everybody knows everybody who's anybody. And we, the authors of the *Romanian Poetry* volume, may appear like some exotic apparitions from the antipodes. It might or it might not matter that the selection of the poems and poets may have been based on relatively thorough studies of Romanian literary criticism – including the works of George Călinescu, Eugen Lovinescu, Nicolae Manolescu, Alex Ştefănescu, Constantin Cubleşan, Gheorghe Grigurcu, Al.Piru, Mircea A.Diaconu, Ion Pop, Lucian Raicu, Laurenţiu Ulici, Adrian Rachieru, Constantina Reveca Buleu, Ruxandra Cesereanu, Octavian Soviany, Petre Anghel and many others. By the way, many of these have forwarded to me their work in PDF format, which helped me greatly with my analysis – I am very thankful to them! None of the authors of *this volume* have ever played an active part inside the Romanian literary establishment, for example, the almost all-powerful Romanian Writers' Union. Therefore the first two editions of this work, while well received by some important critics (Alex Ştefănescu, Radu Voinescu, Lucian Vasilescu, to name a few), raised questions and reactions such as "who are these people?", "what could they know about Romanian poetry in faraway Australia?", "they must be some enthusiastic but misguided amateurs." A few years have passed since the first 2012 edition which drew such questions, and some of these attitudes have changed somewhat. Still, such reactions are to be expected, especially if one approaches this work with certain preconceived ideas.

In the skeptics' defense, when researching the feasibility and necessity for the *Testament - Anthology of Romanian Verse volumes* (precursors to the current work), I found a number of Romanian poetry anthologies in English published over the years, put together according to occult, obscure, or unhelpfully biased criteria: for example a group of poets who wished to have their voice heard, or literary translators and even translation schools circumscribed by limits in theoretical bandwidth, capability for effort, and skill-level.

However, among the many mediocre offers of Romanian poetry translation into English, there were some works of real value, such as *Born in Utopia* – decently covering at least a part from the modern and contemporary periods – editors Carmen Firan, Paul Doru Mugur, Edward Foster, or the single poet volumes (Nichita Stănescu, Marin Sorescu, for example) such as those

produse de Lidia Vianu și Adam J. Sorkin, împreună cu studenții lor de masterat și doctorat, bazate pe cooperarea dintre Universitatea București și Pennsylvania State University din SUA, proiect început acum câțiva ani și care, după câte știu, continuă încă.

Comparată cu aceste lucrări, fie ele calitativ bune, indiferente sau slabe, volumul curent se deosebește în anumite aspecte importante. În primul rând, *Poezia Românească* își propune să creeze o reprezentare cuprinzătoare a poeziei din spațiul limbii române, atât din punct de vedere cronologic, cât și geografic – ceea ce nu s-a mai încercat. În ceea ce privește geografia, am inclus poeți de limbă română din Bucovina de Nord și Basarabia. Nu sunt uitați nici poeții care au părăsit România, fiind publicați pe alte meleaguri, și care, cu câteva excepții, au fost ignorați de critica și jurnalele literare românești, dovedind veridicitatea dictonului despre ochii care nu se văd și se uită.

Din punct de vedere cronologic, doresc să subliniez că volumul prezent diferă fundamental, nu numai comparat cu alte antologii produse de alte echipe editoriale, dar și de propriile noastre eforturi, cum ar fi *Testament – antologie de poezie română modernă* (Editura Minerva, 2012 și 2015) și *Testament – Anthology of Romanian Verse – American Edition* (Academia Australiano-Română, 2017). Acestea acoperă poezia românească începând, cel mult, cu perioada modernă, care pentru România înseamnă circa 1850.

Spre deosebire de ele, *Poezia Românească de la origini și până în prezent*, după cum sugerează titlul, începe cu „poezia dinaintea poeților" (sunt adânc recunoscător lui Daniel Reynaud și lui Lucian Vasilescu pentru această sugestie) – două balade populare anonime, care au fost transmise și rafinate de-a lungul generațiilor de recitatori și menestreli anonimi. Acestea sunt urmate de un poem – *Psalmul 100* – selectat din prima carte de poezie publicată în limba română, *Psaltirea în versuri* a mitropolitului Dosoftei, de la mijlocul secolului al XVII-lea.

Această primă parte continuă, în ordinea cronologică a anilor nașterii, cuprinzând aproximativ 170 de poeți, până la anul 1950 și se încheie cu Mircea Dinescu. Îi sunt personal recunoscător domnului Dinescu nu doar pentru omleta excelentă, cu roșii, ceapă și telemea, pe care a gătit-o și de care am avut privilegiul să mă bucur în vara lui 2019 la București, ci și pentru solicitudinea arătată prin a se naște în 1950, an hotărât de mine ca anul de graniță între cele două părți ale lucrării de față. Domnia sa mi-a oferit astfel ocazia de a încheia prima parte, în mod legitim, cu probabil ultimul mare poet contemporan – recunoscut unanim ca atare de marea critică și istorie literară. (Nu sugerez că nu ar exista poeți

produced by Lidia Vianu and Adam J. Sorkin along with their Masters and Ph.D. literary translation students, based on the cooperation between the University of Bucharest and Pennsylvania State University, which started some years ago and is continuing, as far as I know.

Compared to these works from the past, be they good, indifferent or bad, the current volume differs in some important ways. First, *Romanian Poetry* is an attempt to create a comprehensive representation of poetry from the Romanian language space, both chronologically and geographically – something that has not been tried before. Concerning geography, we have included Romanian language poets from former Romanian territories such as Northern Bukovina, and Bessarabia (current parts of Ukraine and the Republic of Moldova). Nor have we forgotten poets who have left Romania and published overseas, and who have been, with few exceptions, ignored by mainstream Romanian literary critique and journals – proving the out-of-sight/out-of-mind truism.

In relation to chronology, let me highlight that the current rendition differs fundamentally, not only from anthologies of other editing teams, but also from our previous offers, such as *Testament – Anthology of Modern Romanian Verse* (Minerva Publishing, 2012 & 2015) and *Testament – Anthology of Romanian Verse – American Edition* (Australian-Romanian Academy, 2017). All of these cover Romanian poetry only starting, at best, with the modern era, which for Romania this means circa 1850.

In contrast, *Romanian Poetry from its Origins to the Present*, as the title suggests, starts with the "poetry before there were poets" (I am deeply grateful to Daniel Reynaud and Lucian Vasilescu for this suggestion) – this means a couple of representative anonymous folk ballads, passed through the generations and refined by unknown minstrels and reciters. These are followed by a poem – *Psalm 100* – selected from the first officially recognized and published book of poems in Romanian, *The Psalter in Verse* by Metropolitan Dosoftei, from the mid-seventeenth century.

The first part continues in the chronological order provided by the birth-year of the poets, covering some 170 poets, until the year 1950, finishing with Mircea Dinescu. I am personally thankful to Mr. Dinescu, not just for his amazing omelette with tomatoes, onions and traditional Romanian cheese, which he made, and which I had the privilege of enjoying in the summer of 2019 in Bucharest, but also for his thoughtfulness in deciding to be born in 1950, the year I set as a cut-off point between the first and the second part of the present offering. Thus, he provided me with the opportunity to, fittingly, ending the first part with the last great Romanian poet of contemporary times – or the last the one already recognized as such, in the opinion of reputable literary critics and historians. (I am not suggesting there are no other younger

contemporani foarte buni, mai tineri ca Dinescu, dar aceștia nu au avut încă luxul de a se „sedimenta" în timp, pentru ca opera lor să poată fi numită „mare".)

Între aceste extreme, în prima parte sunt cuprinși toți poeții români mari. Menționez aici unii din favoriții mei: Ion Budai Deleanu, Alexandru Macedonski, Ion Minulescu, Tudor Arghezi, George Bacovia, Magda Isanos, Lucian Blaga, Radu Stanca, Radu Gyr, Ion Barbu, Nicolae Labiș, Nichita Stănescu, Ioan Alexandru, Cezar Ivănescu, Adrian Popescu, Horia Bădescu, Nina Cassian, Constanța Buzea, Ana Blandiana, Adrian Păunescu și deja numitul Mircea Dinescu. Și, bineînțeles, Mihai Eminescu, pus astfel în contextul literaturii române de istoricul literar George Călinescu: „Ape vor seca în albie, și peste locul îngropării sale va răsări pădure sau cetate, și câte o stea va veșteji pe cer în depărtări, până când acest pământ să-și strângă toate sevele și să le ridice în țeava subțire a altui crin de tăria parfumurilor sale."

Este la modă deja de câtva timp, în cercurile „cool" ale literaturii românești, să se încerce diminuarea sau chiar discreditarea operei lui Eminescu, ca fiind cel puțin demodată. După cum intuiți deja, eu sunt în dezacord fundamental cu asemenea opinii. După cum scrie Alex Ștefănescu, Eminescu nu este demodat – mai degrabă, noi suntem cei care trebuie să-l ajungem din urmă.

Poeții menționați mai devreme sunt acceptați la scară largă ca reprezentând crema poeziei românești. (Această recunoaștere devine problematică în ceea ce-l privește pe Adrian Păunescu. Există, se pare, o vendetă veche, care continuă și azi în unele cercuri literare elitiste, în special din București, care nu este doar capitala României, ci și sediul influenței în tot ceea ce privește literatura. În opinia mea, părerile negative exprimate în privința valorii operei păunesciene au de-a face, în mare parte, cu personalitatea lui tranșantă, decât cu poezia lui.) Afară de aceștia, am inclus mulți alții, ale căror poeme le iubesc și care sunt reprezentativi pentru evoluția poeziei românești.

Însă acest volum își dorește să fie o reprezentare a poemelor, mai degrabă decât a poeților... Deosebirea aceasta este importantă. Am inclus aici poeme mari, care nu aparțin neapărat unor poeți mari. Diamante care au apărut, surprinzător poate, din creația mediocră a unor poeți. *Mistrețul cu colți de argint* și autorul acestei capodopere, Ștefan Augustin Doinaș, îmi vin acum în minte ca exemplu.

Totuși, vocile poetice pe care le-am evaluat ca fiind mai importante sunt reprezentate în volum cu două sau mai multe poeme. Dar, deși în majoritatea cazurilor aceasta reprezintă o recunoaștere a valorii lor canonice, nu se aplică unanim. Spre exemplu, Ion Barbu, considerat de critica literară (și de mine...)

poets which are very good, but their work did not yet enjoy the luxury of critical sedimentation in time, for them to be labeled as "great").

Sandwiched between these extremes, the first part contains all the great Romanian poets. I will mention a few of them here, some of my favorites – Ion Budai Deleanu, Alexandru Macedonski, Ion Minulescu, Tudor Arghezi, George Bacovia, Magda Isanos, Lucian Blaga, Radu Stanca, Radu Gyr, Ion Barbu, Nicolae Labiș, Nichita Stănescu, Ioan Alexandru, Cezar Ivănescu, Adrian Popescu, Horia Bădescu, Nina Cassian, Constanța Buzea, Ana Blandiana, Adrian Păunescu, and the already mentioned Mircea Dinescu. And of course Mihai Eminescu, who is thus situated in the context of Romanian literature by literary historian George Călinescu: "Waters will dry out in their riverbeds, and over the place of his burial might rise a forest or a city, and some star will disappear in the heavens far away, before this land may gather all its sap and rise it inside the thin stalk of another lily with the power of his perfumes."

It has become fashionable, for some time now, in the "cool circles" of Romanian literature to attempt to diminish or even disparage Eminescu's work as old-fashioned, at best. As you might gather, I fundamentally disagree. As Alex Ștefănescu writes, Eminescu is not old fashioned – rather it is the rest of us who have yet to catch up to him.

The poets mentioned above are widely recognized as the crème- de-la crème of Romanian poetry. (This wide recognition is perhaps... not so wide regarding Adrian Păunescu. There seems to be a long-standing and ongoing vendetta against him in some of the powerful and elitist literary cliques, especially in Bucharest, which is not just the Romanian capital, but also the seat of influence in all things literary. But this has a lot to do, in my opinion, with Păunescu's trenchant personality, rather than his poetry.) Apart from them, there are many others, whose poems I love and who are representative of the evolution of Romanian poetry.

But this volume is attempting to be a representation of Romanian poems, rather than simply of poets... This is an important distinction. I have included here some great poems which do not necessarily belong to truly great poets. Diamonds that have appeared out of the blue from the (mostly average) creation of some poets. *The silver fanged boar* and its author Ștefan Augustin Doinaș come to mind, as an example.

Still, what I considered to be more important poetic voices have been typically represented in the volume with two or more poems. But while in most cases this is in recognition of their canonical importance, this is not always the situation. For example, Ion Barbu considered by literary critics (and by me...)

ca fiind de prim rang, este reprezentat printr-un singur poem, deși foarte lung. Într-o măsură, se poate considera că un poem foarte lung ține locul a două sau trei poeme scurte – dar nu acesta a fost motivul alegerilor mele în privința lui Ion Barbu. Am considerat în mod specific acest poem al lui Barbu ca pe o lucrare de excepție ce nu se putea ignora. Întâmplarea a făcut ca acesta să fie, de asemenea, foarte lung.

Discuția despre Barbu îmi amintește să menționez principiul important al lucrărilor „reprezentative" pentru fiecare poet – în acest sens îmi vin în minte, ca exemple tipice, Lui *Taliarh* a lui B. Fondane sau *Poem ultragiant* de Geo Bogza. În majoritatea cazurilor am tradus poezii considerate ca fiind reprezentative pentru poeți, dar nu mereu. În cazul lui Ion Barbu, am ales fermecătoarea descriere epico-filosofică *Riga Crypto și lapona Enigel* în detrimentul altor poeme reprezentative (considerate în felul acesta de critica literară „ortodoxa") din volumul ermetic *Joc secund*. De ce? În acest caz, explicațiile sunt legate de gustul și privilegiul de alegere al realizatorului antologiei. Iubesc poemul *Riga Crypto...*, considerându-l unul din cele mai bune poeme scrise vreodată, nu numai în literatura română. Dar asemenea cazuri sunt rare, se numără pe degete – neglijabile printre cei trei sute treizeci de poeți din volum. De cele mai multe ori, alegerile mele din operele diferiților poeți se aliniază judecăților de valoare ale criticii și istoriei literare recunoscute.

Unii critici s-au plâns de reprezentarea cronologică – ordinea poemelor este dată de anul nașterii poeților – argumentând în favoarea grupării poemelor/poeților după alte criterii, cum ar fi curentul literar, stilul sau mișcarea – de exemplu, clasici, romantici, simboliști, avangardiști, abstracți, post-moderni etc. E posibil ca o asemenea încercare să fie adecvată pentru un volum mult mai restrâns, dar mă îndoiesc că s-ar potrivi, chiar și într-un asemenea caz. Nu cred că astfel de raționamente livrești, savante, ar fi adecvate unei lucrări de scară largă, precum *Poezia Românească de la origini și până în prezent*. O asemenea organizare ar fi problematică, ar apărea ca artificială, forțată, nefirească.

Poezia românească, poate mai mult decât cea din spațiul anglofon, permite coexistența (fericită sau mai puțin fericită uneori) a mai multor curente și stiluri. De exemplu, Octavian Goga, cu vocea lui naționalistă, profetică, mesianică, inspirată din suferința țăranilor români din Transilvania sub Imperiul Austro-Ungar, a fost publicat și a prosperat în aceeași perioadă, sau suprapunându-se, în mare măsură, cu simbolistul Minulescu, avangardistul absurdist Urmuz, dadaistul Tristan Tzara, precum și cu Vasile Voiculescu – cel care a scris atât în manieră tradiționalist-religioasă, cât și în manieră expresionistă. Ca realizator de antologie, găsesc această particularitate – această largă gamă de expresie – foarte importantă pentru o reprezentare onestă a poeziei românești, față de

as "top shelf", is represented by only one, albeit very long, poem. To some extent, one very long poem might compensate for two or three short ones, but this was not the main reason. I simply found this specific Barbu poem to be an amazing piece of his work – not to be missed. It simply happens to be very long as well.

But talking about Ion Barbu reminds me to mention the important principle of "representative" work from each poet. In an overwhelming number of cases, I have chosen poems that literary historians consider, by and large, to be representative for the work of a particular poet – To *Taliarch* by B. Fondane or *Outrageous Poem* by Geo Bogza come to mind as examples. I have translated works that are generally considered representative for various poets, but not always – for various reasons. In the case of Ion Barbu, I have chosen the spellbindingly lyrical and philosophical epic *King Crypto and the Lapp Enigel*, over one of his perhaps more representative (according to orthodox literary criticism) hermetic, abstract poems from the volume *Joc Secund (Second Play)*. Why? In this case simply as a matter of anthologists' discretion and taste. I love King Crypto..., I consider it one of the best poems ever written, and not just within Romanian literature. But such cases are rare, less than a handful, negligible among the three hundred and thirty poets present in this volume. Most of the time, my choices align with accepted and published critical and literary-historical value judgments within the work of individual poets.

Some critics have complained about the chronological approach – the order of the poems is given by the birth year of the poets – arguing in favor of grouping the poems/poets along some other rationale such as literary current, style, or movement – e.g. classicism, romanticism, symbolism, avant-gardist, abstract, post-modern etc.).

While this might work for a small anthology, though I doubt it would work even there. I believe this kind of bookish, erudite organizing rationale would not prove adequate for a large-scale endeavor such as *Romanian Poetry from its Origins to the Present*. I believe such an organizing rationale would be fraught, it would appear artificial, forced, disingenuous.

Romanian poetry has, perhaps more so than that of English speaking nations, the particularity of allowing the coexistence (happy or otherwise, at times) of very different concurrent currents and styles. For example, Octavian Goga, with his nationalistic, prophetic and messianic tone, inspired by the suffering of Romanian peasants in Transylvania under the Austrian-Hungarian empire, was published and thrived in the same period, or at least greatly overlapping, with the symbolist Ion Minulescu, the avant-garde absurdist Urmuz, the dadaist Tristan Tzara, and with Vasile Voiculescu – who wrote in both a traditionalist-religious manner as well as expressionist. As an anthologist, I find this particularity – this generous bandwidth of expression – of great importance

încercarea de a grupa poeții după vreo dogmă bombastică și teoretică, chiar dacă acestea sunt favoritele elitelor literare autoproclamate curente (sau poate dintotdeauna). În plus, critici recunoscuți, precum George Călinescu, Nicolae Manolescu și Alex Ștefănescu, nu par a cădea întotdeauna de acord cu privire la locul unde asemenea delimitări de stil și expresie poetică ar trebui trasate.

Mai mult, asemenea mai sus-amintitului Voiculescu, poeții tind să evolueze și să-și schimbe stilurile în decursul timpului, ba chiar uneori să scrie în diferite stiluri în aceeași perioadă. De aceea, dacă aș fi ales să reprezint lucrarea după diferite curente poetice – mulți poeți importanți, cum ar fi Eminescu, Voiculescu, Blaga, Arghezi ar fi trebuit reprezentați în două sau trei secțiuni – aș fi creat, astfel, mult mai multă confuzie.

Partea a doua a volumului se ocupă de poeții născuți începând cu anul 1951 și sfârșind cu unii foarte tineri, pentru care editorul și-a asumat riscuri – al doilea nume al fiecărui realizator de antologii ar trebui să fie Risc, sau Pericol... – în credința că ei reprezintă ceva semnificativ și scriu cu talent.

Totuși, pentru ce acest efort imens de a traduce asemenea poeți ale căror lucrări nu au avut luxul de a fi judecate de cel mai drept și mai necruțător dintre judecători – timpul? Pentru că, după cum am menționat, doresc o reprezentare cât mai cuprinzătoare în limba engleză a ceea ce semnifică poezia românească – inclusiv până la momentul prezent. Și dacă prima parte, care se oprește la 1950, este oarecum canonică (deși vor fi și aici, cum am spus, semne de întrebare din partea unora), a doua va conține în mod necesar poeme ale unor poeți pentru care mi-am asumat destule riscuri. Multe dintre acestea ne par a fi valoroase atât mie, cât și criticilor pe care i-am consultat, dar timpul este singurul care va decide, în final... dacă vor rezista testului impus de el. Acestea fiind spuse, am credința că a doua parte este o reprezentare rezonabilă a ceea ce se petrece azi în poezia românească.

Una din controversele apărute în comentariile la edițiile precedente (ale acestei seri de volume numite în trecut *Testament*), și vor apărea din nou, este legată de reprezentarea unor poeți care au scris poezie ce a adus laude regimului comunist, care a deținut puterea în România între decembrie 1947, când a fost instaurat de trupele de ocupație ale Armatei Roșii, și până moartea dictatorului Nicolae Ceaușescu, patruzeci și doi de ani mai târziu, în decembrie 1989. Mulți poeți au scris în acea perioadă nefastă poezie realist-socialistă sau simple versuri prin care lăudau paradisul comunist sau pe „marii lideri", cum ar fi Ceaușescu.

O discuție pe care am avut-o acum câțiva ani, pe e-mail, cu profesorul Andrei Codrescu (pentru care am cea mai mare stimă) îmi amintește de argumentul că poeți precum Mihai Beniuc sau Adrian Păunescu nu ar trebui incluși într-o

to an honest representation of Romanian poetry, as against an attempt of grouping poets and poems according to some dogmatic highfalutin theoretical criteria – popular as this might be with current self-appointed literary elites (or maybe this is since forever). Besides, major critics, to name some of most recognized, such as George Călinescu, Nicolae Manolescu or Alex Ștefănescu, do not always agree as to where these lines of style and poetic expression or style might fall.

Moreover, as with the already mentioned Voiculescu, poets tend to evolve, to change their styles over time – or even write in different styles within the same period. Therefore, should I have chosen to represent poetic currents – many important poets like Eminescu, Voiculescu, Blaga, Arghezi, would have needed to be represented in more than one section, thus creating a lot more confusion.

The second part covers the poets born from 1951 onwards, ending with some very young ones, for which this editor has taken risks – the middle names of every anthologist ought to be Risk or Danger... – in the belief that they represent something significant and write with talent.

Still, why bother with performing the hard task of translating such poets, whose work has not yet had the luxury to be value-judged by that most sternest of judges – time? Because, as mentioned, I wanted a comprehensive representation into English of what Romanian poetry means – up to and including today. And while the first part finishing with 1950 is somewhat canonical (though, as mentioned, I expect questions being raised there as well), the second will necessarily contain some of the poets and poems on which a fair amount of risk has been ventured. A lot of them appear valuable to me and to the critics I consulted, but only time can tell... if they will stand its test. Having said that, I believe the second part is a reasonable representation of what goes on in Romanian poetry currently.

One controversy which arose in the commentary about the previous editions (from this series previously called *Testament*) and will surely rise again, is that of representing poets who wrote poetry praising the communist regime which held power in Romania between December 1947, when it was installed by the occupying Red Army of the Soviet Union, and the death of dictator Nicolae Ceaușescu forty-two years later, in December 1989. During that fraught period, a lot of poets penned realist-socialist poetry, or verse simply praising the communist "paradise" and its "great leaders" such as Ceaușescu.

An email discussion I had a few years ago with Professor Andrei Codrescu – whom I hold in great esteem – reminds me of the argument that poets such as Mihai Beniuc and Adrian Păunescu should not be present in any representative

antologie reprezentativă, deoarece ar fi falimentari moral din cauza laudelor aduse regimului comunist. Această acuzație poate fi adusă multor poeți care și-au trăit viața creativă în acea perioadă – prea mulți pentru a-i numi. Situația este similară cu ceea ce s-a petrecut și în celelalte țări din blocul sovietic la acea vreme. Unii poeți au scris pentru regim și ideologia sa cu entuziasm, în mod devotat și, cel puțin pentru o scurtă perioadă, chiar crezând sincer în ceea ce scriau – veșnic tânărul și imens talentatul Nicolae Labiș îmi vine acum în minte ca făcând parte din această categorie. Alții au făcut-o sub o mare presiune sau, simplu, din motive oportuniste: viețile lor, posibila periclitare a familiilor sau a locurilor lor de muncă, speranța de a fi promovați etc. Motivațiile sunt dificil de diagnosticat și analizat și, în opinia mea, nu merită efortul. Puțini au rezistat nescriind poeme în favoarea regimului totalitar. Dintre aceștia, unii, foarte puțini și foarte norocoși, au reușit să treacă neobservați și să fie totuși publicați din când în când. Alții au decis să nu publice ori li s-au refuzat cărțile de către cenzură, pentru că poezia lor nu era de factură realist-socialistă. Între 1964 și 1973 a existat o perioadă de deschidere (cei interesați pot găsi detalii în studiile istorice despre această perioadă), în care atât poezia, cât și proza bună au putut vedea lumina tiparului și a librăriilor.

Deoarece acest proiect este stringent apolitic, criteriul alegerii poeților este unul simplu: am inclus și poeți care au scris poezie realist-socialistă, care au cântat laudele regimului comunist și ale liderilor precum Stalin, Ceaușescu etc., DACĂ aceștia au scris și altfel de poezie, care să fie considerată de calitate. De fapt, cu riscul de a fi considerat glumeț, ceea ce nu intenționez, dacă Ceaușescu însuși ar fi scris ceva poezie bună, l-aș fi inclus. Nu a făcut-o, după câte cunosc.

În legătură cu acest subiect, agreez vederile mult mai nuanțate ale criticului și istoricului literar Alex Ștefănescu, care ne provoacă să-i vedem pe acești „cooperatori" ai comunismului ca pe niște victime, alături de toți ceilalți ale căror minți și suflete au fost mutilate de acea dogmă atroce și de trista ei punere în aplicare în întreaga națiune de către un regim totalitar.

De cealaltă parte a acestei „ecuații" politice, dacă ar fi să aplicăm aceste teste de neprihănire morală și altor scriitori controversați din punct de vedere politic, atunci poeți precum Octavian Goga (fost prim-ministru și declarat antisemit), Radu Gyr (lider regional al Legiunii – grupare extremist-naționalistă, care disprețuia și persecuta – chiar prin pogromuri – pe cei considerați ca nefiind români „puri", precum evreii sau țiganii), nu ar trebui să figureze în acest volum. Bineînțeles că Gyr și Goga sunt prezenți în volum – pentru simplul motiv că, afară de vederile politice sordide, au scris poezii splendide.

Oricare ar fi opiniile despre punctele de mai sus, de mai mare interes ar trebui să fie actul reprezentării într-o altă limbă o perioadă poetică de aproape patru

anthology, since they are morally bankrupt for having praised the totalitarian communist regime. This accusation could be brought against many poets who lived their creative lives in that period – too many to mention. This is similar to what happened in other Soviet-bloc countries at the time. Some poets wrote for the regime or its ideology enthusiastically, devoutly and – at least for a while – even honestly believing in what they penned – the forever young and immensely talented Nicolae Labiș comes to mind in this category. Others did so under great pressure or simply for opportunistic ends: their lives, their families or jobs were on the line, or they hoped to be promoted, etc. The various motivations for this will always be difficult to diagnose precisely, and, in my opinion, are not worth the effort. Few resisted this pressure to pen poems for a totalitarian regime. From these, a few very lucky ones, kept their heads down while still somehow managing to get published, occasionally. Some chose to remain silent – not publish for a long period, while others were denied publication by censorship, simply for writing something other than realist-socialist style verse. Sometimes between 1964 and 1973, there was a short period of openness (history books will give more details to the interested), where the censorship unclasped its claws, and a lot of great books, poetry, and prose, were able to proceed the press and the bookshops.

Since this project remains stringently apolitical, the criteria for choosing poets has been a simple one: I also included poets who wrote realist- socialism poetry praising the communist regime, and its leaders such as Stalin, Ceaușescu etc., IF they also wrote other poetry, which was deemed to be of quality. In fact, at the risk of sounding facetious, which is not my intent, if Ceaușescu himself would have written any good verse, I would have included him. He did not, or not to my knowledge.

On this subject, I fully agree with the nuanced view of literary critic and historian Alex Ștefănescu, who asks us to view these "cooperators" with the communists as victims, along with everybody else whose souls were maimed by that atrocious dogma and its sad, and often criminal, nation-wide application by a totalitarian regime.

On the other side of this political "equation", if we are to apply tests of righteous morality to the other politically controversial writers, then poets such as Octavian Goga (former prime-minister and an avowed anti-Semite) and Radu Gyr (leader of a regional wing of The Legion of St. Michael the Archangel – an extreme-right nationalist group, who despised and persecuted – including through pogroms – people who were not "pure Romanians", such as Jews and Gypsies) should also not figure here. But, of course, they do – for the simple reason that, besides their sordid politics, they penned some splendid poetry.

Be that as it may, of far more interest should be – and I see this as the other edge of the sword I mentioned – the act of attempting to represent in another

sute de ani, cu toate provocările pe care aceasta le presupune: de exemplu, atât evoluția limbii originale (română), cât și cea a limbii țintă (engleza) pe parcursul acestei perioade – și care sunt metodele optime pentru negocierea acestor probleme; schimbările în curentele și stilurile poetice; provocările cauzate de schimbările sociale – sociolect; reprezentarea vocilor individuale ale poeților, diferitele idiolecte, care se schimbă uneori chiar în opera unui singur poet; prozodii diferite etc. Toate acestea sunt însumate în cea mai importantă întrebare, pentru mine, cu privire la actul traducerii: rezistă reprezentarea în engleză a poemelor din acest volum ca poezie în sine așa cum o face în limba română? Va putea cititorul de limbă engleză, care cunoaște sau nu limba română, să le aprecieze, să trăiască emoții artistice similare cu cele ale cititorilor români care sunt familiarizați cu versiunile originale? Acesta este țelul principal al acestui volum, nirvana către care s-au concentrat majoritatea eforturilor mele și ale asistenților mei.

Acest aspect ne prezintă o altă diferență importantă între efortul de față și altele de acest gen. Alte antologii, care au încercat să acopere o perioadă semnificativă de timp, au adunat poeme traduse de traducători diferiți. Aceste antologii prezintă, în mod inerent, diferențe în filosofia și practica traducerilor. Indiferent de talentul traducătorilor și de calitatea traducerilor, fiecare traducător va aborda traducerea dintr-o perspectivă oarecum diferită de ceilalți.

În acest proiect am avut posibilitatea de a dezvolta și practica o filosofie și o metodologie închegate – ținând cont de perioadele istorice în schimbare, de diferitele curente poetice pe care acestea le-au traversat, dar și de vocea și stilul individual ale fiecărui poet.

Ca un exemplu, mare atenție a fost acordată felului în care am tradus poezia românească foarte veche, care pentru cititorul contemporan român sună precum Shakespeare sau Biblia King James pentru cititorul de limbă engleză de azi. Aceste probleme, care afectează fidelitatea în reprezentare – ținând cont de particularitățile lingvistice ale ambelor limbi (sursă și țintă), sociolect, vocea poetica, idiolect etc. –, au prezentat parametrii constanți călăuzitori pentru modul nostru de abordare.

Bineînțeles că această atitudine „științifică" a fost întotdeauna subordonată impactului artistico-emoțional amintit mai înainte – pe care îl consider cea mai importantă caracteristică a unei traduceri poetice. De unde nevoia pentru negociere și compromis între „știința" și „arta" traducerii. Acolo unde conflictele au fost ireconciliabile – au existat câteva asemenea situații –, am acționat în favoarea efectului artistic și emoțional al originalului mai degrabă decât cel al semanticului strict. „Traduttore, tradittore" etc. Este de notat că o asemenea cale de decizie și acțiune se contrapune direct curentului, popular azi, favorizat de

language poetry covering a span of almost four hundred years, with all the challenges this entails: for example the evolution of both the original language (Romanian) and the target one (English) over such a period – posing questions on how this ought to be negotiated; changes in poetic styles and currents; the challenges caused by social change – sociolect; the representation of poets' individual voices – differing idiolects perhaps within the work of the same poet sometimes, differing prosodies, etc. The second Note will deal with these more technical aspects. These are all summed up in the most important question of all, for me, concerning the act of translation: does the English representation of the poems in this volume hold up as poetry, as it does in Romanian? Is an English reader who may or may not know Romanian, likely to appreciate them, to experience similar artistic emotions to those experienced by the readers of the Romanian original versions? For this is the main aim of this volume, the nirvana on which most of the efforts of my assistants and I have been focused.

This aspect touches on another important difference between this work and all previous ones. Other anthologies attempting to cover significant time-span periods have garnered poems from various translators. These collections inherently present a noticeable lack of coherence in the philosophy and approach to translation. Various translators of poetry, no matter the level of skill in their trade, will approach the act of translation from different perspectives.

With this volume we had the opportunity to develop and practice a coherent philosophy and approach – considering the various historical periods and poetical currents traversing these, down to the individual style and the voice of a poet.

Just as an example, careful consideration was given to the manner of translating very old Romanian poetry, which sounds to the contemporary Romanian reader much like Shakespeare's or, at best, the King James Bible, would sound to today's English language ones. These issues of faithfulness in representation – taking into consideration, as mentioned, the particularities of the source and target languages, the poetic periods, the poet's voice, idiolect, sociolect, etc. – have been constant parameters guiding our approach.

Naturally, this "scientific" stance has been kept subservient to what I consider as the most important overall characteristic, that of how the poems flow in English – linked to the aforementioned artistic- emotional impact. Hence the need for negotiation and compromise between the "science" and the "art" of translation. Where the conflicts were irreconcilable – and there were a few such instances – we acted with a bias in favor of the artistic and emotional faithfulness to the original, rather than sticking to the strict semantic sense. "Traduttore, tradittore" and all that jazz... Notably and deliberately on our part, this goes directly against

majoritatea traducătorilor academici, așa-numita „școală vestică" de gândire și practică în privința traducerilor literare. Pentru cei interesați de mai multe detalii cu privire la această dezbatere, vă rog să citiți partea a doua din Notele editorului și traducătorului – abordarea traducerii în acest volum.

Sunt deosebit de recunoscător celor care m-au ajutat cu răbdare și abilitate în munca traducerii – Profesor Dr. Daniel Reynaud, Dr. Adriana Paul și Eva Foster. Efectele muncii lor de rafinare, de a-mi prezenta alternative care să asigure o trecere validă și naturală spre versiunea engleză, au fost imense. Și, deși nu a putut contribui la această ediție, trebuie s-o menționez aici și pe Rochelle Bews, care a susținut, alături de Daniel Reynaud și Eva Foster, edițiile precedente, *Testament – Antologie de poezie română modernă* (Editura Minerva, 2012 și 2015), *Testament - 400 de ani de poezie românească* (Editura Minerva, 2019), și *Testament – Anthology of Romanian Verse – American Edition* (Australian-Romanian Academy, 2017), care au format punctul de pornire pentru volumul de față.

Mulțumesc echipei de redacție, pentru această ediție specială americană – Cristinei Dumitrescu pentru dificila muncă a designului volumului și așezării în pagină și Victoriei Argint pentru copertă – care, de-a lungul anilor, au contribuit semnificativ și la diferitele ediții precedente, pentru ca ele să fie de înaltă ținută editorială.

În final, dincolo de a le putea mulțumi, se află soția mea, Luminița, părinții mei, Rodica și Constantin, care mi-au dăruit identitatea și moștenirea culturală fără de care aceste volume nu ar fi existat, și copiii mei, Eva, Monique și Daniel – născuți și crescuți în lumea vorbitoare de limbă engleză –, care mi-au dăruit motivația muncii pentru a reprezenta extraordinara adâncime spirituală și frumusețea poeziei românești – o fereastră înspre sufletul României, țara strămoșilor lor.

DANIEL IONIȚĂ
SYDNEY, AUSTRALIA
MAI 2020

the current, popular with translation academics of the Western school of thought and practice concerning literary translation. For those interested in more detail on this debate, please read part two of the Editor's notes – The Approach to Translation in This Volume.

I am particularly thankful to the people who have ably and patiently assisted me in the translation – Professor Daniel Reynaud, Dr. Adriana Paul, and Eva Foster. The effect of their work on refining the translations and providing me with alternatives to ensure a valid and natural cross into English was enormous! And while she was not able to contribute to the current volume, I must also give thanks to Rochelle Bews, who, along with Daniel Reynaud and Eva Foster, helped me with previous editions, *Testament – Anthology of Modern Romanian Verse* (second edition – Minerva Publishing, 2015), *Testament - 400 Years of Romanian Poetry* (Minerva Publishing, 2019), and *Testament – Anthology of Romanian Verse – American Edition* (Australian-Romanian Academy, 2017). The current volume stands on the foundation provided by this earlier work.

I am also thankful to the team responsible for the current special American edition, Cristina Dumitrescu - for the difficult work on book design and layout, and Victoria Argint - for the cover. They have, over the years, contributed significantly so that the various editions of these volumes be of utmost editorial quality.

Finally, and beyond mere thanks, is my wife Luminița, my parents Rodica and Constantin who gifted me the identity and cultural inheritance without which these volumes would not exist, and my children Eva, Monique and Daniel – born and raised in the English speaking world, who provided me with the motivation to represent the extraordinary beauty and spiritual depth of Romanian poetry – opening a window into the soul of the country of their ancestors.

DANIEL IONIȚĂ
SYDNEY, AUSTRALIA
MAY 2020

PODUL DINSPRE BABEL – ABORDAREA TRADUCERII ÎN ACEST VOLUM

DANIEL IONIȚĂ

Paragrafele de mai jos sunt pentru cei interesați de abordarea filosofică și practică a traducerii de poezie pe care colegii mei și cu mine am folosit-o în acest volum, ca și în lucrările precedente: de exemplu, volumele Testament - 400 de ani de poezie românească (2019) și Testament – Antologie de poezie română – publicate de Editura Minerva, București 2012 2015, și de către Academia Australiano-Română pentru Cultură – Sydney & New York, 2017, precum și Basarabia Sufletului Meu – O colecție de poezie din Republica Moldova – Editura Mediaton, Toronto, Canada, 2018.

Sigmund Freud și Carl Jung au postulat că noi, ființele umane, ne percepem prin mituri, largi și cuprinzătoare povestiri, construind prin ele arhetipuri definitorii. Prin acestea ne evaluăm pe noi și pe cei din jur, cel mai adesea în mod subconștient – ele formând baza și cadrul prin care luăm decizii și acționăm. Folosesc aici cuvântul „mit" în sensul lui cel mai larg, și nu ca pe o expresie derogatorie – aceea de basm sau falsitate – care, din nefericire, prevalează în ziua de azi.

THE BRIDGE FROM BABEL – THE APPROACH TO TRANSLATION IN THIS VOLUME

Daniel Ioniță

The paragraphs below are for those interested in the philosophical and practical approach to poetry translation, which my colleagues and I employed for this volume, as well as for our previous work. These are Testament - 400 Years of Romanian Poetry (2019) and Testament – Anthology of Romanian Verse – published by Minerva Publishing 2012 and 2015 and the Australian Romanian Academy for Culture – Sydney & New York, 2017, as well as The Bessarabia of My Soul – A Collection of Poetry from the Republic of Moldova – Mediaton Publishing, Toronto, Canada, 2018.

Sigmund Freud and Carl Jung have posited that as humans, we perceive ourselves through myths, grand overarching stories, building on identity-defining archetypes. Through these narratives we see ourselves and others, mostly subconsciously, and this broadly form the basis and framework upon which we react to the world, make decisions and act. I use the word "myth" in its largest and most positive sense, and not as a derogatory description – that of fairy-tale or falsehood – which are its most prevalent and mistaken uses, these days.

În urma grelei pedepse pe care Dumnezeu a abătut-o asupra pământului prin potop, umanitatea în recuperare a decis să construiască faimosul turn Babel. „Şi au mai zis: haidem să ne zidim o cetate şi un turn al cărui vârf să atingă cerul şi să ne facem un nume, ca să nu fim împrăştiaţi pe toată faţa pământului!" (Geneza 11:4).

Este interesant că, în opinia multora, turnul Babel ar fi fost construit din teama că umanitatea ar putea suferi o nouă distrugere, că el ar fi fost un fel de asigurare împotriva unui alt potop, pentru a nu rămâne, pur și simplu, fără apărare în fața „dezastrelor naturale". Mai degrabă forța motrică pentru această încercare grandioasă a umanității de a-și redefini identitatea a fost setea de putere și faimă. Dorim să fim puternici, dorim să fim faimoși, dorim să rămânem în istorie.

Cunoaștem concluzia acestei încercări. Cel Atotputernic a decis ca oamenii – în loc să aibă o singură limbă și să fie deci un singur popor – acestea două însemnând același lucru – vor vorbi instantaneu limbi diferite, astfel fiind separați în triburi diferite, aceasta însemnând dezvoltări culturale, atitudini cu privire la viață și valori diferite. Din marele computer celest au fost descărcate diferite softuri în creierele a diferitelor grupuri de oameni, astfel că un popor a devenit mai multe nații, nemaifiind în stare să se înțeleagă. Și astfel, treburi simple precum căratul cărămizilor sau topirea smoalei au devenit casus-belli. Oamenii, care fuseseră uniți cu câteva clipe mai devreme, s-au risipit, plecând fiecare la tribul și națiunea lui, adică înlăuntrul limbii fiecăruia, iar toate visurile de mărire s-au spulberat. Marele turn și tot ceea ce semnifica el au rămas neterminate. Iar acest lucru rămâne și azi călcâiul lui Ahile al umanității, fiind cauza, sau cel puțin factorul catalizator cel mai important al celor mai mari și mortale conflicte de pe planetă.

Nici chiar bine intenționatele, dar profund defectuoasele politici de „multiculturalism" (care presupun, printre alte lucruri eronate, echivalență de limbă, de valori etc.), nu au reușit să rezolve această problemă de bază și efectele ei.

Și chiar în sânul aceleiași limbi, diferitele accente regionale pot hotărî soarta cuiva, precum în faimosul caz biblic „șibolet". Sigur, în ziua de azi, în cele mai multe țări, este puțin probabil să fii ucis din cauza accentului. Totuși, de exemplu în România, bucureștenii (care au o anumită atitudine pariziană de second-hand față de provinciali) se vor amuza dacă vei fi trădat de un accent oltenesc, moldovenesc sau ardelenesc. În Franța, amuzându-te (și chiar producând filme) pe seama Ch'tis (pronunțat ști) din regiunea de nord, pare a

Following the great punishment which God visited upon the earth and its early humans through the flood, recovering humanity decided that they will build the famous Babel tower. "They said to each other, 'Come, let's make bricks and bake them thoroughly.' They used brick instead of stone, and tar for mortar. Then they said, 'Come, let us build ourselves a city, with a tower that reaches to the heavens, so that we may make a name for ourselves; otherwise we will be scattered over the face of the whole earth.'" (Genesis 11: 4). Interestingly, most people believe the Tower of Babel was built out of fear, as an insurance against another flood, for humanity not to be at the mercy of "acts of God". Rather, it was humanity's attempt to redefine itself in terms of power and fame. We want to be powerful, we want to be famous, we want to be remembered.

We know the outcome of that endeavor. The Almighty decided that the people of the earth, instead of having one language and thus being one people – these two notions being interchangeable in most cultures – will instantaneously speak and understand different languages, thus splitting into different tribes, meaning different cultural developments, attitudes to life, values, etc. As such, out of the great celestial computer, differing software for language was downloaded into their brains, and one people became many nations, not being able to understand each other anymore.

Thus, simple tasks such as carting bricks or melting tar became casus-belli. The people united moments earlier were scattered, each to their tribe and nation, inside their respective languages, with all their dreams of greatness shattered. The great tower and all it stood for remained unfinished business. This remained humanity's Achilles' heel ever since, being the cause, or at least a powerful catalyst, for most of the largest and deadliest conflicts on this planet.

Not even the various well-intended, but deeply flawed, policies of "multiculturalism" (meaning, among other erroneous things, equivalence in language and values) have managed to alleviate this basic problem and its effects.

For even within the same language, different regional pronunciations could seal one's fate, as in the famous case of the biblical "shibboleth". Sure, in most countries it is unlikely that you will be killed for your accent these days. However, for example in Romania, the citizens of Bucharest (who have somewhat of a Parisian-inspired superior attitude towards the provinces) will make fun of you if you happen to be betrayed by your accent as hailing from Moldova, or Oltenia, or Transylvania. In France, making fun (as well as movies) of les Ch'tis (pronounced shtis) in the North, seems to be a

fi un sport național. În Marea Britanie, toată lumea râde de toată lumea, dar în special de obiceiurile de vorbire ale scoțienilor, iar în Australia este îndeosebi parodiată pronunția nazală, „castrată", a locuitorilor de la nord de Brisbane, în statul Queensland.

Bineînțeles că imediat după Babel, consecința naturală a acestui eveniment a fost apariția meseriei de traducător. Aceasta este probabil una din cele mai vechi profesii, și în mare măsură similară cu cea mai veche...

Asemenea prostituatelor, cu toate că translatorii îndeplinesc un job important – s-ar putea spune chiar vital –, nimeni nu are pe deplin încredere în ei. Traducătorii sunt de multe ori în pericol și nu li se acordă, mai niciodată, recunoaștere publică – deși adesea reputația lor suferă execuții foarte publice.

În ciuda acestei stări de fapt, cei mai mulți încearcă, cu pricepere și onestitate, să transfere cât mai bine adevărul – pășind cu atenție pe puntea îngustă și alunecoasă între două limbi reprezentând culturi și vederi diferite despre lume și viață.

Pe de altă parte, ca mai toate activitățile din ziua de azi, traducerea, arta și munca de traducător au început să fie invadate, amenințate chiar, de programe soft, de „inteligență" artificială. Instrumente de traducere din ce în ce mai sofisticate – precum obișnuitele programe „google translate" și „bing translator" – au devenit Peștele Babel pe care Douglas Adams l-a imaginat cu câteva decenii în urmă. Munca traducătorilor este acum mult mai ușoară – convertind ghiduri turistice, buletine de știri, chiar unele părți din manuale tehnice. Totuși, sunt cel puțin două domenii în care este nevoie ca traducători pricepuți să practice încă această artă periculoasă.

Unul din aceste domenii este diplomația, unde traducerea este adesea menită să ascundă adevărata însemnătate, să pretindă pe furiș, cel mai adesea să acopere pretinzând că ar descoperi. Al doilea domeniu este poezia, care are nevoie exact de direcția opusă: aceea de a deschide sufletul, de a revela simțămintele și emoțiile lui cele mai adânci. Și necontând în care din aceste domenii acționează, ca să prezinte calitate – traducerea trebuie să fie la una din extreme foarte subtilă, la cealaltă extremă foarte brutală, și tot ceea ce se află între acestea două să fie realizat cu multă pricepere, ca să rezulte ceva bun.

Uneori, când se află că scriu și traduc poezie, există anumite suflete mai „inocente" care argumentează împotriva faptului că poezia poate fi tradusă cu succes. Că ar fi musai să cunoști limba originalului pentru a putea aprecia

national sport. In Britain, everyone makes fun of everyone else, but especially of the speech habits of the Scots, while in Australia, the nasal, "castrated", talk of people living north of Brisbane in the state of Queensland, is particularly parodied.

Of course, once Babel occurred, the profession the translator was a natural and immediate consequence. It is, most probably, one of the oldest professions in history and in many ways, similar to the oldest...

As with prostitutes, while translators are doing an important – some would argue vital – job, no one fully trusts them. They are often in danger and they are rarely given public recognition – though at times their reputations are given very public executions.

Still, most of them attempt, skilfully and honestly, to do their best in this transfer of truth – carefully treading on the slippery and narrow bridge between two languages representing two different cultures, with their differing mores and worldviews.

On the other hand, like most activities today, translation and the work of translators are encroached, even seemingly threatened, by software programs and artificial "intelligence". Increasingly sophisticated automatic translation tools – like your garden-variety travel apps and programs such as "google translate" and "bing translator" – have become the Babel Fish envisaged decades ago by Douglas Adams. Translators' work has been made so much easier – in converting almost everything from tourist guides, to news items and even parts of technical manuals etc. Almost eighty percent of the work is now carried out by software, and this percentage is creeping up. Still, there are a couple of areas where software is of very marginal use, and where very skillful translators are still needed to practice this dangerous art.

One is diplomacy, where translation is often required in order to disguise true meaning, to stealthily pretend, and most often to hide. The other area is poetry, which requires the opposite: to open the soul, to reveal the deep feelings and emotions. And no matter in which of these areas, at one extreme translation needs to tread with exceptional subtlety, at the other with extreme brutality, and everything in between, all carried out with great skill, if it is to be any good.

On the odd occasion, when people find out that I write and translate poetry, there are some innocent souls, arguing that poetry cannot be translated. That the reader needs to understand the original language, in order to truly appreciate

poezia cu adevărat. Că traducerea ar fi un prânz regurgitat de altcineva, mâncat de cititor la mâna a doua. După cum vă puteți închipui, nu sunt de acord cu aceste opinii. Desigur, aceeași triangulație exactă între sunet, cuvânt și sens nu poate fi duplicată întocmai într-un limbaj diferit. Dacă se întâmplă să fiu în toane bune, răspunsul meu la aceste argumente este un simplu și puternic „Vorbiți aiureli!". Adesea se lasă cu violență.

Această părere despre imposibilitatea traducerii poeziei nu este neobișnuită, numărul acestor „inocenți" fiind legiune, pentru că sunt mulți. De fapt, unul din primii agenți provocatori în acest domeniu a fost Robert Frost, în niciun caz un nevinovat, cu faimoasa sa intervenție, cel mai probabil poznașă – spusă în glumă – pentru că sună bine: „Poezia este ceea ce rămâne pe dinafara traducerii" – cu alte cuvinte, orice traducere ar fi un fals poetic. Totuși, dovezile contra acestui fel de a gândi sunt pe cât de simple, pe atât de hotărâtoare. Cum oare ne-am fi bucurat, fără traducere, de Shakespeare, Yeats, Frost însuși, Baudelaire, Verlaine, Hugo, Whitman, Browning, Cummings, Heine, Rilke, Pușkin, Lermontov, Esenin, de Vega, Tasso, Petrarca, Matsuo Basho, Omar Khayyam, Li Bai, Tagore sau – mergând mai înainte la poemele străvechi – de Psalmii lui David, Cartea lui Iov, Cântarea Cântărilor lui Solomon, Mahābhārata și Rāmāyana Homer, Virgiliu, Ovidiu? Ca rezultat al traducerilor, toți aceștia și mulți alții au pătruns în conștiința spirituală universală. Rezultă că traducerea poetică poate fi realizată cu succes.

Pe de altă parte, sunt de acord și cu proverbul italian „traduttore... tradittore": traducătorul e un trădător. Pentru că dacă vrem să trecem peste această punte lungă, îngustă și alunecoasă dintre două limbi, două culturi, două feluri diferite de a vedea lumea, avem nevoie acută de compromis, de reinterpretare, de repoziționare, de reimaginare.

Traducătorul face un pact eminamente faustian. Pentru că, precum îmi spunea profesorul dr. Daniel Reynaud demult, la începutul călătoriei mele în lumea traducerilor, nu există, de fapt, „traducere de poezie". Există doar o reinterpretare a ei într-o altă limbă. În cercetarea mea în domeniu, am descoperit mai târziu că aceasta este o opinie comună pentru cei mai experimentați, care practică traducerea poetică sau fac cercetare în acest domeniu. Dar despre asta vom vorbi mai târziu.

Veșnica problemă pentru un traducător, sau mai corect interpretator, consistă în alegerile continue care rezultă din încercarea de a transfera un poem din limbă-sursă înspre limba-țintă. Unul din elementele majore reprezintă tensiunea

the poetry. They say that translation is, at best, a regurgitated meal, swallowed second-hand. As you might expect, I disagree with this view. Sure, the precise same triangulation between sound and word and sense cannot possibly be duplicated precisely in a different language. If I happen to be in a very good mood, my long answer to this line of argument is a loud, threatening "rubbish!". Occasionally, violence has ensued.

This view about the impossibility of poetry translation is not uncommon and the number of these "purists" is legion, for they are many. One of the first "trolls" on the subject was Robert Frost, not an innocent at all, with his famous, and most likely whimsical if not entirely facetious quip: "poetry is what is left out of translation" – meaning that every translation is a poetic fake. Frost most probably uttered this because it sounds so clever! However, the evidence against this argument is as straightforward, as it is overwhelming. For without translation, how could we enjoy the likes of Shakespeare, Yeats, Frost himself, Baudelaire, Verlaine, Hugo, Whitman, Browning, Cummings, Heine, Rilke, Pushkin, Lermontov, Esenin, de Vega, Tasso, Petrarch, Matsuo Basho, Omar Khayyam, Li Bai, Tagore, and shifting a lot earlier to ancient poetry writing –The Psalms, The Book of Job, The Song of Songs, the Mahābhārata and the Rāmāyana, Homer, Virgil, Ovid?

Because of translations, these great poets, these great literary masterpieces, and many others like them, have entered the universal consciousness. It results that the tranlsation of poetry can be carried out successfully.

On the other hand, I partially agree with the Italian proverb "traduttore... traditore": the translator is a traitor. For in order to cross the long, very narrow and slippery footbridge launched over the abyss between two languages, two cultures, two worldviews, there is an acute need for compromise, for reinterpretation, repositioning, reimagining.

The translator enters what is essentially a Faustian pact. For, as Professor Daniel Reynaud said to me at the beginning of my editing and translating journey, there is no such thing as "poetry translation". There is only poetry reinterpreted, or recreated, in a different language. Later in my research, I discovered this makes sense – and this perspective is broadly popular among the better practitioners. Academic researchers and theorists are another matter, and sadly some of them fancy themselves as translators. More about this later.

The eternal problem for the translator resides in the constant choices which need to be made when transferring a poem from the source language and culture to the target one. One of the major elements is the tension between "domestication" and "foreignizing". A translation needs to contain a large

dintre „domesticire" și „înstrăinare". Traducerea are nevoie de o mare doză de „domesticire" – transformarea expresiilor străine în expresii familiare limbii-țintă. Spre exemplu, expresia lui Eminescu din Glossă – „viitorul și trecutul sunt a filei două fețe" a fost domesticită pentru cititorul de limbă engleză în „...the two faces of a coin" – un compromis (traducerea e plină de ele) care reține și prozodia, ritmul și rima clasice, ca și semantica, sensul filosofic, mult mai bine decât ar fi făcut-o „the two sides of a sheet of paper"...

Dar anumite elemente au nevoie de „înstrăinare". Rămânând pe tărâm eminescian, termeni precum „doine" – melodie sau cântec unic românesc (fără corespondent în engleză) – ar putea fi păstrați, adăugându-se o notă explicativă corespunzătoare, cum a fost în cazul sonetului *Trecut-au anii.*

Când anume trebuie luate asemenea decizii și cum, pe ce criterii? Acestea sunt provocări constante și vorbim acum doar despre unul din multele asemenea aspecte.

De aceea, structura echipei noastre de traducere a fost importantă pentru a asigura luarea unor decizii optime. Am avut trei vorbitori „nativi" de limbă engleză, care s-au îngrijit de rafinarea atât a aspectelor lingvistice, cât și a celor de poetică – Profesorul Dr. Daniel Reynaud. Ultimele două, în special Adriana Paul, au contribuit și cu o profundă înțelegere a subtilităților poetice românești – ceea ce a reprezentat un mare avantaj.

Pe de altă parte, experiența mea „între două lumi" (20 de ani în România și 40 de ani în spațiul limbii engleze) a asigurat familiarizarea atât cu poezia românească și evoluția ei, apoi cu poezia de limbă engleză (Marea Britanie, Statele Unite și din fostele colonii britanice, Australia, Noua Zeelandă, India, Marea Caraibilor), cât și cu traducerile de poezie din alte limbi – germană, franceză, rusă, italiană, română – în limba engleză.

Dar dincolo de toată această experiență acumulată prin prisma studiilor și a pasiunii, ceea ce m-a ajutat cel mai mult la traducere a fost faptul că am scris și publicat propriile poezii, atât în românește, cât și în engleză. Pentru mine, cu mult mai important decât studiile academice și lectura cât mai largă în domeniu, elementul crucial care contribuie la o traducere poetică bună este ca traducătorul să fie poet. Dacă ești un poet care cunoaște cât de cât bine două limbi, ai șanse să faci o traducere bună. Însă dacă ești doar specialist cercetător, academician, în domeniul traducerii, dar nu ești și poet – traducerile tale vor fi cel mult submediocre. Am citit multe traduceri poetice proaste, făcute de „specialiști" cu doctorate în domeniu, unii din ei chiar câte două.

degree of domestication – transforming foreign expressions into those familiar to the target language. For example, in Eminescu's Gloss the expression "past and future are the two sides of a sheet of paper", has been domesticated for the English language reader into "past and future go together as two faces of a coin" – a compromise (translation is full of them) which retains both the prosody, classical rhythm and rhyme, as well as the semantic, philosophical sense, much better than the literal "...two sides of a sheet of paper."

Conversely, there are some elements that need to be foreignized. To stick with Eminescu, terms such as "doine", meaning a uniquely Romanian doleful song or chant (with no correspondent in English), could be retained – with the appropriate explanatory footnote, for the sonnet *"Gone are the years"*.

When should choices be made in this regard? How, on what criteria? These are constant challenges, and we are talking simply about one aspect.

I believe the composition of our team ensured the optimum decisions were reached. We have had three native English language speakers looking after the refining of both linguistic and poetics characteristics – Professor Daniel Reynaud. The last two, especially Adriana Paul have also contributed with a subtle understanding of Romanian poetics, which was a tremendous bonus.

On the other hand, my experience "between two worlds" (20 years in Romania and 40 years in the English language space) assured a double familiarity: with Romanian poetry and its evolution, and with poetry written in English, like the UK, USA, and former British colonies like Australian, New Zealand, India, the Caribbean, but also with works of translation from other languages – German, French, Russian, Italian, Romanian –into English.

However, a lot more important than academic studies and wide readings in the field, helping me most with translation was the fact that I wrote and had published my own poetry in both Romanian and English. For me, the most important element in poetry translation is that the translator needs to be a poet. If you are a poet who knows two languages relatively adequately, your translations have a chance to be very good. On the other hand, you can be the best researcher or academic into poetry translation, but if you are not also a poet, your translations will be, at best, sub-mediocre. I read a lot of bad poetic translations wrought by "specialists" with Ph.D.s in the field, some even with two of them for good measure.

Despre rolul meu... Mai întâi am tradus prima versiune a poemelor, pe care asistenții mei le-au rafinat, pentru ca apoi eu să decid care din sugestiile lor vor fi păstrate și care va fi versiunea finală, „bun de tipar", a poemelor. În același timp, a fost nevoie să le ofer colegilor mei informațiile de bază cu privire la limba și poezia românească, asigurându-mă că pot dezvolta perspectiva necesară, sunt adecvat echipați pentru ca sugestiile, rafinamentele propuse de ei să fie benefice traducerii.

Dar să ne întoarcem la provocările traducerii... Desigur, multe cuvinte nu își găsesc corespondență exactă în alte limbi – ceea ce împinge traducătorul spre compromisuri. Iar în poezie, forma cea mai intensă a unei limbi, compromisurile au un impact imens. Chiar elementele poetice cele mai de bază ale poeziei – cum ar fi forma poetică, rima, ritmul, prozodia – devin complicate în traducere. Unul dintre motive este pentru că fiecare limbă are prozodia ei, propriul ritm muzical intern.

Dacă adăugăm la aceasta complexitatea imaginilor poetice, tonul, dicția, „vocea" poetului, nu e deloc surprinzător că majoritatea traducătorilor stau departe de traducerea poetică sau că mulți dintre cei destul de nebuni ca să pornească în această călătorie o sfârșesc rău. Cum putem oare captura efectele simultane ale imaginii poetice cu semnificațiile confuzionate concomitent și continuu de conotație și denotație – unele din ele fiind determinate de o anumită cultură sau alta, ca de exemplu metaforele, glumele, poantele, care sunt foarte „rezistente" la traducere? Cum putem împleti aceste elemente cu prozodia, rima și ritmul menționate mai sus? Aceste probleme se înmulțesc atunci când lucrezi cu versuri, strofe, poezii, stiluri poetice, genuri și epoci literare diferite.

Dar probabil cea mai dificilă provocare pentru reinterpretatorul de poeme din lumea limbilor romanice în limba engleză este destul de cunoscută și documentată: ea se referă la prozodie și la folosirea, adecvată sau greșită, a suplimentării de silabe și cuvinte în versiunea de limbă engleză. De ce avem nevoie de această tehnică? Pentru că termenii de mare uzanță poetică, cei reprezentând emoțiile (iubire, bucurie, durere), elementele naturii (soare, lună, pârâu, copac, frunză) sau părți ale corpului (buze, mână, ochi, inimă), sunt monosilabici în limba engleză și multisilabici în românește, dar și în alte limbi cu origini latine.

Deci, același vers în limba engleză va trebui să conțină mai multe cuvinte decât în originalul românesc pentru a menține numărul de silabe, ritmul, muzicalitatea. Acest lucru este necesar pentru a echivala în engleză simțirea prozodică din originalul românesc. Pentru traducător, acest fenomen de la granița dintre limbile

About my role... First, I translated the first "raw" cut of the poems, and when my assistants provided their refinements, I had to decide the final "go to print" version of each poem. Concurrently I needed to provide insight to my colleagues into Romanian language and poetry, ensuring that they received appropriate information from the original, enabling them to effectively contribute their refinements.

But let us return to the challenges of translation... Naturally many words do not have a one-to-one correspondence across languages, and so the translator is forced into compromise. And poetry, that most intense and condensed form of language, is where these compromises have the hardest impact. The most basic elements for poetry, such as poetic form – rhythm, rhyme, prosody for example – are no trivial matter for the translator. One of the reasons is that different languages can have different prosodies or internal musical rhythms.

Add to that the complexities of imagery, mood, diction, and voice, and it is little surprise that translators shy away from poetry, or that many of those foolish enough to start this fraught journey end up badly. How do we capture the simultaneous effects of a poetic image, with its continually inter-tangled meanings generated through denotation and connotation? Many of these are culturally loaded, like puns and metaphors, thus particularly resistant to translation. How do we then mix this in with the above-mentioned prosody, rhythm, rhyme? These problems only multiply when working with whole lines, stanzas, poems, genres, poetic periods and styles.

Arguably, one of the biggest issues challenging the re-interpreter of poems into English, especially from Romance languages, has been well documented: it relates to prosody, and the use, or misuse – as the case might be – of supplementing syllables and words into the English version. Why do we need this supplementation, or padding up? Because "high mileage" poetic terms such as those representing emotions (love, joy, pain), nature elements (sun, moon, sky, tree, leaf), or body elements (lips, hand, eyes, heart) are monosyllabic in the English language, while being anything but in Romanian.

This also applies to other Latin-based languages. Hence, the same verse in English will necessarily contain more words than in the original Romanian, simply to maintain the number of syllables, the rhythm. This is necessary to make the equivalent of the original feel of the poem in Romanian fit to the prosody

romanice și limba engleză este, în același timp, o binecuvântare și un blestem, din motive lesne de înțeles.

Pe de o parte, în versiunea engleză avem mai mult spațiu de manevră pentru a reda ritmul, rima (dacă este necesar) și reprezentarea semnificației în limba țintă, fără provocări extrem de dificile (spre deosebire de traducerea în limba germană, ale cărei cuvinte mai lungi forțează o economie de expresie care pune în pericol fidelitatea semnificației în traducere).

Pe de altă parte, această suplimentare poate fi un exercițiu periculos: culcându-ne pe o ureche, putem suplimenta elemente irelevante, care distrag sau, pur și simplu, nu sunt poetice. O traducere bună va rămâne pe cât posibil credincioasă originalului, și nu doar din punct de vedere tranzacțional. Pentru mine, cele mai adecvate definiții care să cuprindă conceptul de fidelitate în traducere sunt exprimate de Jonas Zdanys – să se depună eforturi pentru obținerea echivalenței emoționale, mai degrabă decât pentru o corespondență exactă de ambele părți, și de Roman Jakobson: pentru a rămâne fidelă, o reinterpretare trebuie să mențină în echilibru „sfânta treime" a esteticii, semanticii și formei.

Din nefericire, abordarea fetișizată în prezent de „specialiști", cei care cercetează, teoretizează și predau altora în universități cum anume să traducă poezie, sunt cei din „școala vestică". Marele unghi mort care-i cauzează prăbușirea, pentru mine, este dependența psihotică de „fidelitatea semantică" a traducerii față de original. Cu măsură, acest lucru ar fi acceptabil. Dar metoda „vestică" cere ca semantica originalului să fie păstrată cu orice preț. Dacă e nevoie, aceasta poate fi în detrimentul muzicalității, ritmului, rimei, impactului emoțional, a simțirii poetice generate de acestea. Aceasta face ca poemul să-și piardă frumusețea liricii. Am aruncat de la început la coșul de gunoi aspectele dogmatice ale acestei metode. Dacă mai e nevoie s-o spun, am ignorat, în mare, această metodă, considerând gălăgia asta în favoarea preciziei-cu-orice-preț din punct de vedere semantic, cel puțin greșită și cel mai adesea respingătoare. Cu riscul începerii unei dezbateri ce nu poate fi finalizată aici, postulez că această codependență de semantica „pură" se datorează, în mare parte, unei nechibzuite „vinovății" coloniale.

Această poziție terifiantă de „corectitudine" față de original ține adesea poemul prizonier pe tărâmul nativ, nereușind să-l transporte către țintă – poemul rămânând astfel total neadecvat ca operă de artă. Mai degrabă poate fi asemănat cu o listă de cumpărături sau cu termenii și condițiile de utilizare pentru vreun aparat.

Nu e de mirare că urmașii acestei metode vestice dominante – al căror număr este legiune pentru că sunt mulți – continuă să practice, în mod îngust, aproape

of English. To the translator, this issue, specific to the boundary of Romance languages and English, is both a blessing and a curse, for obvious reasons.

On the one hand, you have more room to add extra words to help the rhythm and the rhyme. Thus, the translator can reframe the original meaning into English without too many very difficult challenges (the opposite challenge is presented when translating into German, where the long German words force parsimony making the faithfulness of semantics in translation difficult).

However, this "padding up" or supplementing, can be a fraught exercise: one can easily supplement distracting, irrelevant elements, or simply un-poetic garbage. A good translation, however, does remain as faithful as possible to the original and not just in a simple transactional sense. For me, the best definitions of 'faithfulness' in poetry translation, which I espoused for the present work, are provided by Jonas Zdanys – to strive for emotional equivalence, rather than one-for-one transactional precision – and by Roman Jakobson: to be faithful, the reinterpretation needs to balance "the holy trinity" of aesthetics, semantics, and form.

Unfortunately, the approach currently fetishized by academics in the English-speaking world, those gods who research, theorize and teach others how to translate poetry – is the "Western school". The big blind spot which makes it crush, is a display of psychotic codependency on semantic "faithfulness" to the original. As with everything in life, this is ok in moderation. But the Western approach dictates that the semantic of the original needs to be preserved at almost any cost.

If need be, this could be to the detriment of prosody and musicality, of rhythm and rhyme, and the emotional impact engendered by these. This leaves the poem bereft of lyrical beauty. The more dogmatic aspects of this approach I discarded from the start – I found its clamor for precision-atany-cost, at best misguided, and mostly abhorrent. At the risk of starting a debate I cannot finish here, I propose that this psychotic co-dependency on "pure" semantics stems, at least in part, from some misguided form of old colonial guilt.

This dogmatic positioning of semantic "faithfulness" concerning the original, often keeps a poem rooted in its native ground, never really crossing to the target, or if it does, it is just some kind of pretend-cross –entirely inadequate as a work of art. More like a read of a shopping list or some terms and conditions of use for a device. It is no wonder that the followers of this prevailing Western approach – whose number is legion for they are many – are mindlessly churning out mostly

exclusiv traducere de vers alb. Arareori se abat să traducă poezie în stilul clasic – iar în acele ocazii când se aventurează pe acest tărâm –, ei ignoră orice prozodie sau muzicalitate, chiar dacă aceasta este, în mod clar, prezentă în original. Acești traducători ar putea foarte bine folosi „google translate" ca să-și îndeplinească lucrarea. Poate că într-adevăr așa fac!

Prin urmare – practica noastră a fost ca atunci când a existat un conflict direct între o expresie mai nuanțată, echivalentă din punct de vedere emoțional, și cea semantică precisă – am tins spre cea dintâi, după metoda estică.

Revenind la partea practică, pentru mine, probabil cea mai interesantă provocare a fost aceea de a reda aspectele stilistice din română în echivalentele lor englezești. Spre exemplu, multe din poemele mai vechi folosesc termeni arhaici, cu fraze, rime etc. care se află dincolo de granițele limbii române de astăzi, similare probabil cu convențiile poetice din limba engleză dinainte de anii 1900. Din fericire, majoritatea traducerilor din acest volum sunt din epoca modernă și mai ales contemporană de după 1900, unde asemenea dificultăți sunt mult mai puține.

În sumar, autenticitatea sau fidelitatea traducerii are de a face – așa cum au descris teoreticienii și practicienii Peter Robinson și A.K. Ramanujan – cu sensul larg al simțirii poetice: nu doar cu partea semantică, dar, de asemenea, cu cea filosofică, integrată în exprimarea artistico-estetică a ideii poetice, cu textura, culoarea, ritmul, curgerea și muzicalitatea ei. Principiul care a guvernat mai presus de orice procesul traducerilor mele a fost acela de a lupta pentru a reproduce în engleză, cât mai fidel posibil, impactul emoțional și intelectual al poemului original românesc. Aceasta a însemnat ca toate celelalte elemente ale traducerii poetice să fie aduse în slujba acestui fundament călăuzitor. De exemplu, uneori, am ales imagini în engleză care sunt tranzacțional diferite, dar echivalente din punct de vedere poetic. Astfel, imagini specifice culturii lumii vorbitoare de engleză au fost substituite originalului românesc, dar cu condiția să mențină, în același timp, semnificația, prozodia, și, acolo unde a fost necesar, rima și ritmul.

De aceea, după cum era de așteptat, cea mai mare grijă a mea a fost ca poemele să traverseze, să „curgă" bine în versiunea tradusă.

DANIEL IONIȚĂ
SYDNEY – AUSTRALIA, MAI 2020

(o versiune a acestei note a fost inclusă în volumul ***Testament – Antologie de poezie română – ediția americană*** – publicată de Academia Australiano-Română pentru Cultură în Statele Unite ale Americii, 2017)

translations of free verse poetry. They hardly ever translate poems of the classical style – and even on the rare occasions some might venture there, what comes on the other side is a... free verse poem. In most cases, they ignore any internal prosody, or musicality, where this might be present quite obviously in the original. They seem deaf and blind to beauty. These translators may as well let "googletranslate" do their work. Maybe they do!!

Therefore, our approach has been – when there was a direct conflict between a more nuanced, emotionally-equivalent expression and the semantically-precise – to favor the Eastern approach, leaning towards the first.

Returning to the practical side, perhaps the most interesting and rewarding challenge, for me, was how to render the original stylistic features into their English equivalents. Many of the older Romanian writers used a poetic form of language – with vocabulary, phrases, and rhymes which pushed the boundaries of everyday Romanian, similar perhaps to the poetic conventions common in much of the English poetry pre -1900. Thankfully, the majority of the translations in this volume deal with modern and contemporary, post-1900 poets, where these specific challenges are less prevalent.

To summarize, authenticity and faithfulness in poetry translation, as translation theorists and practitioners Peter Robinson and A.K.Ramanujan argue, has to do with the broad sense and feel of the poem: not just the semantic one, but also the philosophical one, integrated within the translation, remain as close as possible to the artistic-aesthetic expression of the poetic idea, within its texture, color, rhythm, flow, and musicality. The principle which governed my translation process was to strive towards reproducing in English, as closely as possible, the overall intellectual and emotional impact of the poem of the original. To achieve this, it meant being willing to make every element of poetics subservient to this principle. At times, for example, transactionally different, but poetically equivalent English language images have been substituted for those in the original, while attempting to keep, at the same time, the overall meaning, the prosody and, of course, the rhyme and rhythm, where applicable.

Therefore, as you might expect, my primary concern was that the poems cross well, and flow well, in their English version.

DANIEL IONIȚĂ

SYDNEY – AUSTRALIA, MAY 2020

(a version of this note has been included in the volume ***Testament – Anthology of Romanian Verse – American Edition*** – published by the Australian – Romanian Academy for Culture in the United States of America, 2017)

DANIEL IONIȚĂ

realizator al acestei antologii și traducător principal

Realizatorul acestei colecții și traducătorul principal Daniel Ioniţă s-a născut la București, în 1960. A plecat din România în 1980, fiind acum stabilit la Sydney, Australia, unde predă Management organizaţional în cadrul facultăţii de comerţ a Universităţii Tehnologice din Sydney. Este actualul președinte al Academiei Australiano-Române pentru Cultură. Daniel Ioniţă a păstrat o strânsă legătură, în decursul anilor, cu scena culturală din România. El privește acest volum ca pe un tribut datorat ţării care l-a format ca om și ca pe un testament pe care poezia românească îl dăruiește culturii universale.

DANIEL IONIȚĂ

anthologist and principal translator

The editor and principal translator, Daniel Ioniţă, was born in 1960 in Bucharest, Romania. Having left his home country in 1980 and now living in Sydney, Australia, Daniel teaches Organizational Improvement within the Business Practice Unit – Faculty of Business at the University of Technology in Sydney. He is also the current president of the Australian-Romanian Academy for Culture. Over the years he has maintained a deep interest in Romanian literature, and continues to keep in close touch with the Romanian cultural scene. He views the current volume as a tribute he owes to the country which shaped him culturally and as a person, as well as a testament which Romanian poetry endows as a gift to the culture of the world.

PROFESOR DR. DANIEL REYNAUD

traducător

Născut în 1958, în Armidale, statul New South Wales, Australia, profesorul dr. Daniel Reynaud predă istorie, literatură și media în cadrul Facultăţii de Arte a Colegiului Universitar Avondale. Interesat iniţial în literatură și media, Daniel Reynaud s-a specializat pe tema istoriei contribuţiei Australiei la Primul Război Mondial, lucrările lui în acest domeniu (*Celluloid Anzacs, The Man the Anzacs Revered, Anzac Spirituality*, printre altele) fiind apreciate atât de specialiști, cât și de public. Daniel continuă să rămână implicat în subiectele literaturii și artelor ca poet și cantautor.

PROFESSOR DANIEL REYNAUD

translator

Born in 1958 in Armidale, New South Wales, Australia,
Professor Daniel Reynaud lectures in history, literature and media at Avondale University College. Interested initially in literature and the media, Daniel Reynaud has specialized in the history of the Australian contribution to the Great War. His works – *Celluloid Anzacs, The Man the Anzacs Revered* and *Anzac Spirituality*, among others – are appreciated by both the specialists and the public. Daniel Reynaud remains involved in the fields of literature and creative arts as a poet and singer-songwriter.

DR. ADRIANA PAUL

traducător

Adriana Paul manifestă o afinitate deosebită pentru traducerea de poezie și lirică vocală. Ea este traducător de profesie, vorbind fluent cinci limbi. Doctor în fiziologie (Université Laval, Quebec, Canada), Adriana a profesat și în domeniul cercetărilor științifice, publicând articole în reviste de specialitate. Deși locuiește în Sydney din adolescență, Adriana s-a născut în România. A studiat bel canto la Conservatorul de Muzică din Sydney, iar astăzi este o soprană lirică, având numeroase participări la concerte și spectacole în Australia și Canada. A colaborat cu grupuri vocale renumite, precum Tallis Scholars, din Marea Britanie, și Amarcord Ensemble, din Germania.

DR. ADRIANA PAUL

translator

Adriana Paul has a particular affinity for translating poetry and song lyrics and has worked professionally in translation and interpreting, being fluent in five languages. Holding a Ph.D. in Physiology from the Université Laval (Quebec, Canada), Adriana has also worked as a scientist, conducting research and publishing in peer reviewed scientific magazines. Sydney based since her adolescence, Adriana is a Romanian-born lyric soprano. She has studied bel canto at the Sydney Conservatorium of Music and has been performing in Australia and Canada as a recital soloist, in shows and in shows and concerts, collaborating with renowned vocal groups such as The Tallis Scholars (UK) and Amarcord Ensemble (Germany).

EVA FOSTER

traducător asistent

Născută la Viena, Austria, Eva Foster predă limba și literatura engleză la colegiul Oxford Falls Grammar, în Sydney – North Shore, Australia. Încă de la începutul acestui set the proiecte in 2012, Eva a adus, de-a lungul anilor, o contribuţie importantă inclusiv la volumul *Testament – Anthology of Romanian Verse – American Edition*, și *Testament – 400 de ani de poezie românească*, volume ce formează fundaţia pe care se bazează lucrarea prezentă.

EVA FOSTER

assistant translator

Born in 1981 in Vienna, Austria, Eva Foster teaches English language and literature at Oxford Falls Grammar College on Sydney's North Shore, Australia. Eva brought an invaluable contribution to this set of projects starting with the first one in 2012, including *Testament – Anthology of Romanian Verse – American Edition*, and *Testament – 400 Years of Romanian Poetry*, which formed the starting point for the current volume.

PART I

Romanian Poetry

FROM 1650 TO 1950

•

PARTEA I

Poezia Românească

DE LA 1650 LA 1950

balada tradițională maramureșeană — viță verde, iadăra

O, moarte, ce ți-aș plăti
Viță verde, iadăra
La mine de n-ai zâni
Viță verde, iadăra
Daț-oș aor și argint
Viță verde, iadăra
Să nu mă bagi în pământ
Viță verde, iadăra

...

Omule ce gândești
Viță verde, iadăra
Cât ai vre tu să trăiești?
Viță verde, iadăra
Copacu-i cu rădăcină
Viță verde, iadăra
Și-a lui vreme încă vine
Viță verde, iadăra
Uscă-i-se grengile
Viță verde, iadăra
Sacă-i rădăcinile
Viță verde, iadăra
D-apăi tu că ești de lut
Viță verde, iadăra
Cum n-oi mere în pământ?!...
Viță verde, iadăra...

traditional ballad from Maramureș – green the vine and ivy leaf

Oh, death what shall I repay
    Green the vine and ivy leaf
That from me you keep away
    Green the vine and ivy leaf
Give you silver, gold to spend
    Green the vine and ivy leaf
To not shove me in the dirt
    Green the vine and ivy leaf

...

Tell me, man, what you believe
    Green the vine and ivy leaf
How long would you wish to live?
    Green the vine and ivy leaf
For the tree, it has the root
    Green the vine and ivy leaf
And its time will come to fruit
    Green the vine and ivy leaf
Then its branches will dry out
    Green the vine and ivy leaf
Withered roots as in a drought
    Green the vine and ivy leaf
What of you, man of clay made
    Green the vine and ivy leaf
Won't you in the ground be laid?!...
    Green the vine and ivy leaf...

Miorița – baladă populară

Pe-un picior de plai,
Pe-o gură de rai,
Iată vin în cale,
Se cobor la vale,
Trei turme de miei,
Cu trei ciobănei.
Unu-i moldovan,
Unu-i ungurean,
Şi unu-i vrâncean.
Iar cel ungurean
Şi cu ce-l vrâncean,
Mări, se vorbiră,
Ei se sfătuiră
Pe l-apus de soare
Ca să mi-l omoare
Pe cel moldovan,
Că-i mai ortoman
Ş-are oi mai multe,
Mândre şi cornute,
Şi cai învățați,
Şi câni mai bărbați,
Dar cea mioriță,
Cu lână plăviță,
De trei zile-ncoace
Gura nu-i mai tace,
Iarba nu-i mai place.
— Mioriță laie,
Laie bucălaie,

Mioriţa (the little ewe) – traditional ballad

On a meadow fair,
Up on heaven's weir,
There upon the trail,
Coming down the vale,
Three sheep flocks we see,
And young shepherds – three.
One is Moldovan*,
One is Transylvan*
And one is Vrancean*.
Now the Transylvan
And the Vrancean,
Secretly conspired,
For what they desired
That by sundown they
Would ambush and slay
The one Moldovan,
For he's the wealthy one,
And has a lot of sheep,
Beautiful to keep,
His horses more handsome,
And his dogs more fearsome.
But that little ewe,
With wool of golden hue,
For the last three days
She bleats in dismay
Doesn't touch the hay.
— Say my little ewe
Gold and chubby too,

* Moldova, Transylvania, and Vrancea are different regions or districts in Romania

De trei zile-ncoace
Gura nu-ți mai tace!
Ori iarba nu-ți place,
Ori eşti bolnăvioară,
Drăguță mioară?
— Drăguțule bace,
Dă-ți oile-ncoace,
La negru zăvoi,
Că-i iarbă de noi
Şi umbră de voi.
Stăpâne, stăpâne,
Îți cheamă ş-un câine,
Cel mai bărbătesc
Şi cel mai frățesc,
Că l-apus de soare
Vreau să mi te-omoare
Baciul ungurean
Şi cu cel vrâncean!
— Oiță bârsană,
De eşti năzdrăvană,
şi de-a fi să mor
în câmp de mohor,
Să spui lui vrâncean
Şi lui ungurean
Ca să mă îngroape
Aice, pe-aproape,
În strunga de oi,
Să fiu tot cu voi;
În dosul stânii
Să-mi aud cânii.
Aste să le spui,
Iar la cap să-mi pui
Fluieraş de fag,

For the last three days
You bleat in dismay
And won't touch the hay,
Feeling ill and blue,
Tell me little ewe?
— Oh, my shepherd dear,
Bring your sheep right here,
To this meadow where,
There's grass for us too
And there's shade for you.
Master, master dear
Call a dog right near
One of the most brave
Faithful to the grave
For when the sunset's due,
They wish to murder you,
Those herds, the Vrancean
With the Transylvan.
— Oh, my little ewe
If you're magic too,
And to death I'd yield
In a millet field
Please tell the Vrancean
And the Transylvan
My body to lie
Somewhere nearby
By the pen with sheep
Near you to keep
By the stable logs
So I'd hear my dogs.
Tell them what I said,
And lay by my head
A flute made of beech

Mult zice cu drag;
Fluieraş de os,
Mult zice duios;
Fluieraş de soc,
Mult zice cu foc!
Vântul, când a bate,
Prin ele-a răzbate
Ş-oile s-or strânge,
Pe mine m-or plânge
Cu lacrimi de sânge!
Iar tu de omor
Să nu le spui lor.
Să le spui curat
Că m-am însurat
Cu-o mândră crăiasă,
A lumii mireasă;
Că la nunta mea
A căzut o stea;
Soarele şi luna
Mi-au ținut cununa.
Brazi şi păltinaşi
I-am avut nuntaşi,
Preoți, munții mari,
Paseri, lăutari,
Păserele mii,
Şi stele făclii!
Iar dacă-i zări,
Dacă-i întâlni
Măicuță bătrână,
Cu brâul de lână,
Din ochi lăcrimând,
Pe câmpi alergând,
Pe toți întrebând
Şi la toți zicând:

With notes that beseech
A flute made of bone
With a doleful tone
A flute of elderberry
Fiery and merry!
When the wind shall blow,
Through them it will flow
And then all my sheep,
Will draw near and weep
Blood tears they will seep!
But as for my death
Share no word or breath.
Tell them straight, I said
That I've gone to wed
A beautiful queen,
The fairest ever seen;
At my wedding rite
Fell a star that night;
Sun and moon came down
Placed my wedding crown.
The trees of the east
Were guests at my feast,
Priests – the mountains high
Fiddlers – birds nearby
Thousands in their flight
Candles, stars at night!
And if you will meet
If you'll ever greet
My dear mother old
Woolen girdle rolled
Teary eyes in pain
Running o'er the plain
Asking all in vain,
Seeking once again:

„Cine-a cunoscut,
Cine mi-a văzut
Mândru ciobănel,
Tras printr-un inel?
Fețişoara lui,
Spuma laptelui;
Musteţioara lui,
Spicul grâului;
Perişorul lui,
Peana corbului;
Ochişorii lui,
Mura câmpului?"

Tu, mioara mea,
Să te-nduri de ea
Şi-i spune curat
Că m-am însurat
Cu-o fată de crai,
Pe-o gură de rai.
Iar la cea măicuţă
Să nu spui, drăguță,
Că la nunta mea
A căzut o stea,
C-am avut nuntaşi
Brazi şi păltinași,
Preoți, munţii mari,
Paseri, lăutari,
Păserele mii,
Şi stele făclii!

"Did somebody know,
Someone saw him go
A proud shepherd boy
Slender, full of joy?
Lovely face has he
Milk-froth of the sea
A mustache has he
Ear of corn, you see
Raven hair has he
Black plumes flowing free
Sweetest eyes has he
Field berries of glee?"

Then, my little ewe
Show her mercy true
Tell her straight, I said,
That I've gone to wed,
A beautiful queen
Fairest ever seen;
But my mother dear
Make sure she won't hear
That at my wedding rite
Fell a star that night
That trees of the east
Were guests at my feast.
Priests – the mountains high
Fiddlers – birds nearby
Thousands in their flight,
Candles, stars at night!

psalmul 100

Strigaț din toate țări cătră Domnul,
Ce lăcuiț pre pământ tot omul.
Slujiț Domnului cu bucurie,
Nainte-i să-ntraț cu mărturie.

Să ştiț de Dumnezău că ni-i Domnul
Ce ne-au făcut pre noi, pre tot omul,
Că-i suntem ai lui oameni de turmă
Şi oițe de-i paştem pre urmă.

Prin porțâle lui să-ntrăm cu rugă,
Sama să ne ia Domnul pre strungă.
Să-i mulțămim, să-i vestim svânt nume,
Că-i bun Domnul şi slăvit în lume.

Mila lui în veci este pre țară
Şi-n tot rodul svânta-i adevară.

psalm 100

Cry ye from all kin unto the Lord
All who live on earth, all their horde
Serve ye today the Lord with mirth
Come fore Him anon and speak His worth.

Know ye that God is our Lord
Who made, all of us, in His accord
For we are His, all men unto His flock
And little sheep, that graze our Rock.

Though His gates pass we all in prayer,
That the Lord behold us in our snare.
Let us thank Him, unto His holy name
Good is He, to all the world proclaim.

Ever His mercy shine upon the land
And its fruit in holy truth should stand.

Ienăchiță Văcărescu (1740-1797)

spune, inimioară

Spune, inimioară, spune
Ce durere te răpune?
Arată ce te munceşte,
Ce boală te chinuieşte?

Fă-o cunoscută mie,
Ca să-ți caut dohtorie;
Te rog, fă-mă a pricepe
Boala din ce ți se-ncepe.

Arată, spune, n-ascunde!
Dă-mi un cuvânt şi-mi răspunde:
Spune, inimioară, spune
Ce durere te răpune?

tell me, little heart

Tell me, tell me, little heart
What is tearing you apart?
What is keeping you awake
What's your illness and your ache?

Tell me now, I want to know,
For your healing to bestow;
Help me please, to understand
Where your ills got out of hand.

Show now, tell me, do not hide!
Say a word to be my guide:
Tell me now, my little heart
What is tearing you apart?

țiganiada – sau tabăra țiganilor – cântul IX – fragment

65

Și să păru ca când oarecine,
Nu știu alb, negru sau pestricat,
Apropiindu-să cătră mine,
Unde eu căzusăm leșinat,
Mă dusă cu sine tot zburând,
Pă cum acuș' voi spune pă rând.

66

Dusă-mă pântră peșteri afunde,
Prin groape, vârtoape-întunecoase,
Ah! și cine mai știe pă unde,
Păstă nește lacuri puturoase,
Pănă când ieșirăm dân strâmtoare,
Unde ni să-arătă cevaș' zare.

67

Atunci purtătoriul mie zise:
„Aicia să-începe haia lume,
De care premulți într-alt chip visă;
Drept aceasta eu te-am adus anume
Ca să vezi tu cu ochii tăi toate
Și să spui la țiganele gloate".

the tziganiade – or the gypsy camp – song IX – excerpt

65

Methought as if a person, unknown one,
I am not assured if white, or black or striped,
Approached toward me, as I lay undone,
Whence I had fallen beaten, faint,
And hauled my frame a-flight somehow
The manner, I shall tell you even now.

66

He took me through caves, sunken clefts,
Through hollow scoops and darksome holes,
Oh!! Who could know of all the depths
Over some lakes which stunk my soul,
Fathomed our path out through a ravine
Where t'was disclosed to us some kind of scene.

67

Thereon my bearer spake, it seemed:
"The netherworld here doth begin,
Whereof everybody differently dreamed;
And thus, I shuttled ye therein
That with thine own two eyes the lot to see
And to thy gypsy throng, a witness be."

68

Apoi îmi arătă de departe
O văloaie foarte mare, mare,
Tot grăind: „Asta-i care la carte
Să zice Gheena și dă care
Mulți în multe chipuri socotesc,
Însă,-într-adăvăr, mai toți bârfesc.

69

Caută! Dă-aici fără stricăciune
Tu vei oblici tot ce să face
Ș-întorcând la viață vei spune
La fieștecare cumu-ți place".
Așa zisă ducătoriul mieu,
Iar' eu priveam la toate mereu.

70

Dar' o! cum voi spune toate-ahele
Ce văzui ș-auzii față de față!
Că sângur pomenindu-mi dă ele
M-apucă nește fiori și greață,
Dă groază tot păru mi să-înspică,
Iar' inima-mi tremură dă frică.

71

Nice-un soare acolo luminează,
Nici pă ceriu sărin lună cu stele,
Ci numa văpăile fac rază,
Însă ce mai văpăi sunt ahele?
Dintr-însă nori dă fum să rădică
Și ploaie dă scântei arzând pică.

68

And then from afar, he to me revealed,
A valley deep, boundless like a sea,
Uttering then: "'tis what the book unsealed,
Named it Gehenna, and of its decree
Many, in many a fashion they believe,
But idle gossip truly they conceive.

69

Perceive then! There's no danger, have no fear,
Ye shall behold all that is done therein
And upon thy return to life shall bear,
To everyone the yarn you wish to spin".
Thus spoke my bearer, and I listened well,
As I beheld all things, under his spell.

70

But oh! How shall I chronicle these all
Which face-to-face I heard and saw!
Whereas, if on my own I them recall
I grow repugnant and I shudder raw,
Of awe and fright, my hair on end doth stand
And my poor heart palpitates with dread.

71

For there's no sun alight there, none at all,
And no serene the night sky, stars, and moon,
Alone the flames spawn ray and fireball,
In sooth, what manner be those flames, thus strewn?
Anon from them have risen clouds of smoke
And falling sparks a burning rain provoke.

72

Râuri dă foc încolo ș-încoace
Merg bobotind ca nește pârjoale,
Focul nestâns toate-arde și coace,
Iar' pe zios, în loc de iarbă moale,
Jar și spuză fierbinte răsare,
Nespusă din sine dând putoare.

73

Văzui pe toți dracii-în pielea goală,
Cu coarne-în frunte, cu nas dă câne,
Păstătot mânjiți cu neagră smoală,
Brânci dă urs având și coade spâne,
Ochi dă buhă, dă capră picioare
Ș-arepi dă liliac în spinare.

74

Văzui muncile iadului toate.
Cum fiii Sătanii-ș' fac izbândă
Asupra celor morți în păcate,
Sau și care au căzut supt osândă.
O, groaznică ș-amară vedere!
Vrând a spune, graiu-în gură-mi piere.

75

Toate păcatele mari dă moarte
Au și pedepse după măsură,
Căci prin aha și dă-ahaia parte
Îș' ia fieșcare certătură,
Prin care-au greșit și dă pre care
Tras fiind s-abătu dân cărare.

72

Rivers of fire traveling to and fro
They flow a-sizzling such as frying meatballs
An unquenched fire burns and bakes aglow
And on the ground, rather than grass, it falls
A fervid ember and burning cinder grows –
From them, a horrid fetor they disclose.

73

And I beheld all devils, naked-stark
Horns on their foreheads, nose like for a dog
Were smeared with pitch all over, tarred and dark
The paws like those of bears, tails bald and long
The eyes of owls, and feet like of the goats
Bat wings upon their backs, rather than coats.

74

I saw the works of hell, I saw them all,
And how the sons of Satan have their way
With those who died in sin, who scream and wrawl
Those fallen beneath condemnation's sway
Exceeding ghastly is what I beheld
That, trying to recount, my speech is held.

75

All terrible and deadly sins, brother,
They all receive immeasurable sanction,
For be it in one way or in another
All of them shall receive their visitation
For all the faults and wrongs which made them sway
And pushed them off the straight and narrow way.

76

Vânzarii și hainii ce vând
Sânge nevinovat pentru bani,
Stau dă coaste spânzurați pă rând,
Ca și-în măcelării hăi cârlani.
Iar' dracii călăi în gură d-arsă
Aur ș-argint fierbinte le varsă.

77

Tiranii crunți și făr' de-omenire
Șed legați pe tronuri înfocate,
Bând sânge fierbinte din potire,
Iar' din mațele lor spintecate
Fac dracii cârnați și sângereți
Ș-alte mâncări pentru drăculeți.

78

Așijdere pă domni și boieri
Care jupesc pă bietul țăran
Iau la sine dracii măceleri
Făr' a da pentru dânși vrun ban,
Hrănindu-i cu cătran și,-în loc de-apă,
Cu fiere mult amară-îi adapă.

79

Păntru tâlhari ș-ucigași ce-oi zice?
Acește pă câmpuri trași în țapă
Rămân vii și nu mor ca ș-aice;
Corbii și cioarele crierii le sapă
Și scocioresc de sus, iar' hierile
De zios le scobesc măruntăile.

76

The traitors, vicious who for thievish gain
Innocent blood for money they sell
They're hanging by their ribs, and so align
Like in the butcher shop carcasses dwell
And devils, torturers, down their throat
Pour boiled gold and silver to bloat.

77

Pitiless tyrants, so bereft of kindness
All fettered with chains on thrones of fire
And drinking boiled blood in blatant madness
While from their guts, ripped, sliced into a mire,
Do parent demons make a bloody sausage
For their devilish offspring waiting in their cottage.

78

The same with puissant lords, who as their ploy
Sad and poor peasants skinned alive
The devils for their butchers they employ
Without recompense make them strive
Just feeding them black tar, and for their drink
Some bitter gall, it does not bear to think.

79

And for the thieves and killers what say you?
Skewered on spikes they fill the plain
They don't die like here but live anew
Ravens and crows are digging at their brain
From up above, while with claws and nails
The beasts below dig into their entrails.

80

Muierea care pă-al său bărbat
Pentru ibovnicul doară iubit,
Ce venin ș-otravă-au fermecat
Sau măcar cum ea l-au omorât,
Pă-ahaia dracii suind călare
O duc unde-i văpaia mai mare

81

Străpungându-o prin gemănare
Cu tăciuni aprinși sau înfocate
Frigări, ș-în asemene stare
Aflându-să purure va pate!...
O! voi muieri pre slabe dă minte,
Luați sama la heste cuvinte!...

82

Iar' hălòr care pă-alții dăfaimă
Și prin clevetiri numele strică,
Diavolii cu cârlije dă-aramă
Limba vinovată le dăspică
Purtându-i ca pe nește urși pin ha țară,
Făcându-i să joace dă măscară.

83

Judecătoriu ce luă mită
Pentru ca să facă strâmbătate,
Acolo slujește pentru pită
Și numa sângur păntru bucate,
Dar' a sa cuviincioasă plată
Nu o dobândește niceodată,

80

The wench which for her husband was a cheat
And on some paramour bestow her love –
Her man with venom and with poison treat
So that to his death she did shove,
Atop her, the devils, riding a-trot,
Will take her where the flame is piping hot

81

Piercing her deep betwixt her thighs
With glowing spit-rods, cinders scorching-white
Skewered, can you hear her screams and cries
Eternal be her fate, both day and night!...
O! women soft of mind and weak of will,
Do mind these words, so you won't pay this bill!...

82

While to those who barter defamation
Rumormongers who others' names will slander
The devils wield brass hooks for perforation
Their guilty tongues split and tear asunder
And drag like dancing bears into the street
Force them to jump a masquerading beat.

83

The judge, corrupt and courting bribe,
Therewith he wreaks injustice all day long
For just a slice of bread, there shall ascribe
All of his work and all this time prolong
His suffering, for he never gets to taste
His meager wages forever thrown to waste.

84

Că toți i-o tăgăduiesc în față
Și cu marturi îl fac dă minciună,
Toți judecătorii i să-încreață,
Nice-l lasă jaloba să-ș' spună,
Ci, când a jeluire să-apucă,
Ușile-i arată să să ducă.

85

Nemilostivii cătră săraci,
Care-a face milă nu să-îndură,
Umblă cerșind în iad pe la draci,
Însă pretutindene-îi înjură
Și, fără-a le da cevaș' în pungă
Sau în traistă, cu cânii alungă.

86

Lacomul ce pentru bogătate
Strânsă bani cu chipuri neînvoite
Umblă acolo tot cu traista-în spate
Întinzând mânile ticăite
După milă, ci făr' de folos,
Căci acolo toate-i merg pe dos.

87

Și, măcar umblând din ușă-în ușă
El îș' umple straista dă bucate,
Totuș' purure foamea-l sugușă
Și nimic a lua-în gură poate.
Că-orice gustă dân haia ce-i place,
Tot în aur ș-argint să preface.

84

For all now disavow him to his face
Witnesses call him a liar and snort
All the judges scorn him in that place,
They don't even allow his case in court.
Should he lament and bleat aloud,
They show him the door to get him out.

85

And them who forsook the poor, let them weep,
Who for mercy did not care to feel
Now beg from devils, for they were so cheap,
But everywhere they're cussed with devilish zeal
And no one's throwing nothing in their bag,
But banish them with dogs, away to drag.

86

The miser, with just riches on his mind
To gathered money – all that he did crave
Walks over there – a sack on his behind
Stretching his arms and his hands, the knave,
For mercy, but without any luck
As over there he's utterly unstuck.

87

For though he trudges on from door to door
To fill up his pouch with any crumbs
He's choked by hunger slouching on the floor
His mouth he cannot open when food comes,
And all he tastes from this or that, behold,
It bears the taste of silver and of gold.

88

Ce să vă mai zic dă helelalte
Pedepse-a iadului ce văzui!
Icia, supt neşte şetri nalte,
Stau cârcâmele rând şi fieşcui
Dau dă mâncat şi dă beut în dar,
Iar' dracii-îş închină cu păhar.

89

Păcură, smoală, răşină-aprinsă
Şi cu topită piatră pucioasă
Este beutura lor întinsă,
Iar dă mâncat jar cu spuză deasă.

90

Iar' dă crâc măriţe şi crâc mari
Pe-aceia pun ş-acolo să fie,
Care din drepte măsuri şi mari
Au făcut mai mici prin viclenie
Ş-au băgat vrăjituri ş-apă-în vin
Sau măsura n-au făcut dăplin.

91

Dincolea vezi bolte şi dughene
Tot cu marfă pentr' oamenii răi:
Cesta vinde-obrăzare viclene
Pentru făţarnici şi farisăi,
Cela sâliman şi rumenele
Ş-alte-ape stricătoare dă piele.

88

Of other things what else could I recount
From punishments of hell which I beheld?
There beneath some tents – high as a mount
Are taverns in a row and all are served
With all the food, and drink they can amass
And devils full of glee doth raise their glass.

89

For bitter burning resin, pitch and tar
Mixed with some brimstone melted scorch,
It is their favorite drink by far,
And for their meat – thick cinders from a torch.

90

As for the innkeepers in charge –
They are just for show, and for a lie,
Who from the right measures and large
Made them much smaller on the sly
By adding water and garbling the wine
Defrauding the measures to a weakly brine.

91

Over there you see some booths and stands
Brimming with produce for the wicked:
One is selling devious masks and blinds
For the pharisees and for the crooked
Another sells make-up and dyes
And other liquors, ill for skin and eyes.

92

Altul strigă: „Brea! veniți încoace
La vrăjituri evtene ș-otrave,
La fapturi mestecate-în pogace,
În turte ș-în plăcinte jilave,
Farmece dă tot feliu și vrăji
Cu-învățătura cum să le dregi".

93

De-acolo dracii neguțători
Iau marfă évtenă, pă credit,
Ș-oamenilor dă rău făcători
Pre scump o vând, căci prețul tocmit
Păntru hăst feliu dă marfe dășarte
Este sufletul lor după moarte.

94

După ce toate-aceste cu groază
Văzui fiind eu mâhnit în mine,
În toate laturi priveam cu pază
Și dă frică plin: oare nu vine
Vreun drac și la mine să mă iaie,
Să-ș' facă doară vro bobătaie?

95

Dar' povața mea nu știu dă unde,
Iarăș' stete-înainte-mi deodată;
Făr' a mă-întreba, făr' a-i răspunde,
Mă luă dă guler și dă-o spată
Și zbură-în sus cu mine ca vântul,
Crepându-să-înaintea lui pământul.

92

Another cries: "Come all ye here, to me!
I conjured tawdry powders, poison-wise,
For you to mix in cakes and in your tea,
In all gingerbreads and moist pies,
All kinds of charms for witchcraft to produce,
And all the learning for their use."

93

Thereon, all the devil merchant-traders
Purchase their stock on loan, so cheap – a steal,
And to all evildoers and all traitors
They sell it very pricey, for the deal
That's struck for this merchandise of vanity
It is their soul for all eternity.

94

After all these, awash with fright
Gazed I, with my spirit sad,
Searching with mine eyes, on every side,
Dreading: that perchance some very bad
Great old devil, towards me, will turn,
Raging his flame to me, where I would burn?

95

But then my guide, I don't know whence,
Suddenly appeared in front of me
And without a question, grabbed me thence,
From my collar, my back and my knee,
And he flew me over in a gale,
The earth splitting before him like a veil.

Anton Pann (1790-1854)

despre prostie

Trei negiobi mergând p-o vale
Şi zărind un urs din cale
Când suia cu groază-vie
Şi intră în vizunie,
Zise unul: - Ai să-l prindem
Şi la vrun ţigan să-l vindem.
Altul a zis: - Cum să poate
Din vizunia-i a-l scoate?
- Iacă cum, - altul iar zise
Şi îndată se descinse –
Daţi brâiele fiecare,
Să facem un lung şi mare,
Şi legându-mă pe mine
Cu el de picioare bine,
Să ţineţi strâns cu tărie
Când voi intra-n vizunie,
Ş-apucând pe urs dodată,
Să mă trageţi voi îndată,
Şi apoi d-aci scoţându-l
Facem cu el ce n-e gândul.

Asfel dacă sfătuiră,
Brâiele îşi înnădiră,
De picioare îl legară
Ş-în vizunie-l băgară.

about stupidity

Three dull men walking all day
Saw a bear along the way
Pretty scared climbing the glen
To take refuge in its den.
"Let us catch it!" one did yell
"To a gypsy we'll then sell".
"But how can we" asked the other,
"From his den to get him, brother?"
"This is how" explained the third
While beginning to un-gird,
"Quickly give your belts, you lot,
Make a chain, this is our plot
You will tie me by my feet
Holding strong and do not cheat
While I enter in the den
You will hold and count to ten
When I get hold of the bear
You will drag us from its lair
Then we'll have it in our hand
And will do as we have planned."

So, they followed in this vein
Made their belts up in a chain
By his feet they tied the strap
In the den they pushed him up.

Anton Pann (1790-1854)

Când vru mâna să întinză
Pe urs de urechi să-l prinză,
Ursul de cap îl apucă
Şi cu totul i-l îmbucă;
El strigând într-a sa gheară,
Ceilalți cum l-a tras afară
Stau, se uită cu mirare,
Văzându-l că cap nu are,
Să-ntreb, zicând: - Frățioare,
Avuta-au Valdu cap oare?
Unul zise: - Nu țiu minte,
Altul iar alte cuvinte,
Şi nedomiriți l-aceasta,
Au mers să-ntrebe nevasta.

Aşa ei pe mortul lasă
Şi mergând la ea acasă,
O-ntreb: - Stano, ia ne spune,
Că vrem să ştim a minune,
Bărbatul tău ce fel fuse,
Acum cu noi când se duse,
Avea cap ca fiecine,
Or nu, că tu ştii mai bine?
Ea, gândind puțin în sine,
Le răspunse: - Nu ştiu bine
Dar la Paşti îmi par' şi mie
Că ş-a cumpărat tichie.

But then as he reached right in
To seize the beast by its chin
The bear grabs him by his head
Gulps it like a piece of bread.
While still squirming in its claws
His mates dragged him from the jaws
And they wondered with deep dread
Seeing that he had no head.
Asking: "Brother, did you see -
Vlad with a head, like you and me?"
Said the other: "Can't remember
If Vlad ever had such member."
They couldn't tell for dear life,
Thus, they went to ask his wife.

So, they left the dead to lie
Went to her without delay
Asking: "Stana, tell us please
As we cannot stand this tease,
Had your husband - him that was,
Before entering the bear's jaws -
With a head, like us, been blessed?
Or did not? for you know best."
She stopped briefly to demure
And she answered: "I'm not sure
But for Easter, at the fair
He bought a hat and cut his hair."

zburătorul — fragment

Vezi, mamă, ce mă doare! şi pieptul mi se bate,
Mulţimi de vineţele pe sân mi se ivesc;
Un foc s-aprinde-n mine, răcori mă iau la spate,
Îmi ard buzele, mamă, obrajii-mi se pălesc!
Ah! inima-mi zvâcneşte!... şi zboară de la mine!
Îmi cere... nu-ş' ce-mi cere! şi nu ştiu ce i-aş da;
Şi cald, şi rece, uite, că-mi furnică prin vine,
În braţe n-am nimica şi parcă am ceva;
Că uite, mă vezi, mamă? aşa se-ncrucişează,
Şi nici nu prinz de veste când singură mă strâng,
Şi tremur de nesaţiu, şi ochii-mi văpăiază,
Pornesc dintr-înşii lacrămi, şi plâng, măicuţă, plâng.

Ia pune mâna, mamă, – pe frunte, ce sudoare!
Obrajii... unul arde şi altul mi-a răcit!
Un nod colea m-apucă, ici coasta rău mă doare;
În trup o piroteală de tot m-a stăpânit.
Oar' ce să fie asta? Întreabă pe bunica:
O şti vrun leac ea doară... o fi vrun zburător!
Or aide l-alde baba Comana, or Sorica,
Or du-te la moş popa, or mergi la vrăjitor.
Şi unul să se roage, că poate mă dezleagă;
Mătuşele cu bobii fac multe şi desfac;
Şi vrăjitorul ăla şi apele închează;
Aleargă la ei, mamă, că doar mi-or da pe leac.

the flyer – excerpt

See mother, how I'm hurting! And how my heart is racing
And lots purple bruises line up across my breast
A blazing fire inside me, my back cold sweats are lacing,
My lips are burning, mother, my cheeks of blood recessed!
Oh, how my heart is throbbing and jumps from me far yonder
Is asking... what's it asking!? And then what would I say?
It's hot, it's cold, just feel it, my veins – a tingling wonder,
My arms are holding nothing, though they sure don't feel that way.
For look, you see them, mother, the way they are entwining
And I don't know how, squeezing myself in a tight sweep,
I quiver with deep yearning, and how my eyes are pining,
They well with tears a-flowing and I weep, mother, I weep.

Just touch my forehead, mother, your hand will feel it swelter!
My cheeks, the right is burning, the left is cold as ice!
A knot is in my stomach, my ribs in painful welter;
A stupor in my body is gripping like a vice.
But what on earth could this be, please go and ask grandmother
Perhaps she has some potion... a flyer it could be!
Or maybe old Comana, Sorica, or some other,
Or go to the old friar, or witch who can foresee.
Or maybe someone praying might foster some repeal
Old women read the tarot, the omen to possess,
That wizard conjures even the waters to congeal
Oh, do run to them mother, to find me some redress.

De cum se face ziuă şi scot mânzat-afară
S-o mâi pe potecuţă la iarbă colea-n crâng,
Vezi, câtu-i ziuliţa, şi zi acum de vară,
Un dor nespus m-apucă, şi plâng, măicuţă, plâng.

....

„Dar ce lumină iute ca fulger trecătoare
Din miazănoapte scapă cu urme de schintei?
Vro stea mai cade iară? vrun împărat mai moare?
Or e – să nu mai fie! – vro pacoste de zmei?
Tot zmeu a fost, surato. Văzuşi, împeliţatu,
Că ţintă l-alde Floarea în clipă străbătu!
Şi drept pe coş, leicuţă! ce n-ai gândi, spurcatu!
Închină-te, surato! – Văzutu-l-ai şi tu?
Balaur de lumină cu coada-nflăcărată,
Şi pietre nestimate lucea pe el ca foc.
Spun, soro, c-ar fi june cu dragoste curată;
Dar lipsa d-a lui dragosti! departe de ast loc!
Pândeşte, bată-l crucea! şi-n somn colea mi-ţi vine
Ca brad un flăcăiandru, şi tras ca prin inel,
Bălai, cu părul d-aur! dar slabele lui vine
N-au nici un pic de sânge, ş-un nas – ca vai de el!
O! biata fetişoară! mi-e milă de Florica
Cum o fi chinuind-o! vezi, d-aia a slăbit
Şi s-a pălit copila! ce bine-a zis bunica:
Să fugă fata mare de focul de iubit!

Că-ncepe de visează, şi visu-n lipitură
Începe-a se preface, şi lipitura-n zmeu,
Şi ce-i mai faci pe urmă? că nici descântătură,
Nici rugi nu te mai scapă. Ferească Dumnezeu!"

And as the morning ushers and they take the calves to pasture
I walk the narrow pathway into the grove nearby,
See, now the long day lingers, into the depth of summer
A longing overwhelms me and I cry, mother, I cry.

....

"But what a striking lighting, in such a hurry flying
From northern skies approaching and arcing like a spark
A falling star recurring, an emperor who is dying?
Or is it? – hope it isn't! – some dragon in the dark?
It was a flyer, sister. You saw, a-skin, the devil
Aims for the likes of Floarea, in a twinkle striking through!
And right atop the chimney, can't fathom it, the evil!
Let's cross ourselves, my sister, I saw it just like you!
A dragon made of lightning, his tail a burning splendor
On him a sheaf of jewels – aglow with fiery grace.
They say he is a youngster with pure love, gentle, tender;
But better miss his loving; be banished from this place!
He stalks, the cross may strike him! arriving when a-sleeping
His body like a tree trunk, a manly form and handsome,
His hair is shiny golden! but in his veins – no dripping
Of blood – no trace to fathom, and his nose – a bit gruesome!
Our little girl, Florica! – oh mercy, she's so frail –
How would he now torment her! she is so drawn and slight
And pale, the lass! How truthful was grandma's ancient tale:
That virgins ought to scatter when love is burning bright!

For she just starts by dreaming, but dreams – they stick together
Beginning then to alter, a flyer's on his way
What can you do? What witchcraft? I'm even doubtful whether
Your prayers could protect you. God save us, I would say!"

Vasile Cârlova (1809-1831)

înserarea — fragment

Pe cînd abia se vede a soarelui lumină
În vîrful unui munte, pe fruntea unui nor,
Și zefirul mai rece începe de suspină
Pîn frunze, pe cîmpie cevași mai tărișor;

P-acea plăcută vreme în astă tristă vale,
De zgomot mai de lături eu totdauna viu,
Pe muchea cea mai naltă de mă așăz cu jale,
Singurătății încă petrecere de țiu.

Întorc a mea vedere în urmă, înainte,
În dreapta sau în stînga, cînd sus, cînd iarăși jos,
Ș-oriunde priviri multe a desfăta fierbinte
Și inimă și suflet găsesc mai cu prisos.

the sunset – excerpt

When the sun's dimming shining could just be fathomed faintly
Atop the peaks of mountains, on clouds along their length,
And while the zephyr, colder, begins to murmur daintily
Through leaves, upon the meadow, with just a bit more strength;

In such a pleasant season, in our gloomy valley,
From noise along the sidelines, I always try to flee,
And on the lofty ridges, unhappy is my sally,
With loneliness communing, forlorn without a plea.

I turn my gaze behind me, or maybe far ahead,
Or left or right, or upwards, or somewhere down, below,
Where'er the many gazes are passionately fed
And other hearts and spirits I find to overflow.

Grigore Alexandrescu (1810-1885)

câinele și cățelul

„Cât îmi sunt de urâte unele dobitoace,
Cum lupii, urșii, leii și alte câteva,
Care cred despre sine că prețuiesc ceva!
De se trag din neam mare,
Asta e o-ntâmplare:
Și eu poate sunt nobil, dar s-o arat nu-mi place.
Oamenii spun adesea că-n țări civilizate
Este egalitate.
Toate iau o schimbare și lumea se ciopleşte,
Numai pe noi mândria nu ne mai părăsește.
Cât pentru mine unul, fieștecine știe
C-o am de bucurie
Când toată lighioana, măcar și cea mai proastă,
Câine sadea îmi zice, iar nu domnia-voastră."
Așa vorbea deunăzi cu un bou oarecare
Samson, dulău de curte, ce lătra foarte tare.
Cățelul Samurache, ce ședea la o parte
Ca simplu privitor,
Auzind vorba lor,
Și că nu au mândrie, nici capricii deșarte,
S-apropie îndată
Să-și arate iubirea ce are pentru ei:
„Gândirea voastră, zise, îmi pare minunată,
Și sentimentul vostru îl cinstesc, frații mei."

the dog and the mutt

"Some beasts I find quite loathsome and these I hate the most,
Like wolves and bears and lions, and others of their type,
Who think they are so awesome, so great and full of hype!
If one is king or duke
That is simply by fluke:
I, also, might be noble, but I don't wish to boast.
People are often saying that in a cultured nation
Equality's in fashion.
All is forever changing, humanity's refining
But only us, for pride and arrogance, are pining.
However, I am happy – as everyone can see
That I am full of glee –
When all the beastly creatures, even the most absurd
A normal dog, they call me, and not a sir or lord."
Thus spoke the other morning with a commonplace ox,
Samson, a courtyard mastiff – of loud-barking voice-box.
A mutt called Samurache, was paying great attention –
A simple passer-by –
And hearing what they say
That they possess no hubris, nor frivolous pretension,
Drew closer straight away,
Wanting to show his love, because they feel for others:
"Your thinking, said he, is precious; is wonderful I say,
And for your high conviction, I honor you, my brothers."

— „Noi, frații tăi? răspunse Samson plin de mânie,
Noi, frații tăi, potaie!
O să-ți dăm o bătaie
Care s-o pomenești.
Cunoști tu cine suntem, și ți se cade ție,
Lichea nerușinată, astfel să ne vorbești?"
— „Dar ziceați..." – „Și ce-ți pasă? Te-ntreb eu ce ziceam?
Adevărat vorbeam,
Că nu iubesc mândria și că urăsc pe lei,
Că voi egalitate, dar nu pentru cățel."
Aceasta între noi adesea o vedem,
Și numai cu cei mari egalitate vrem.

"Your brothers, us? – retorted Samson with indignation
Your brothers? Mongrel you!
We'll beat you like a stew,
And long you'll reminisce.
Do you know who we are, and have you earned the station,
For you, a brazen scoundrel, to talk to us like this?"
"But you were saying..." – "What now? Not for you, you uncouth.
I was telling the truth,
That I do not love pride and I hate lions, indeed,
And that I long for fairness but not for a half-breed."
We witness this among us, quite often, as we speak,
And only with the great, equality we seek.

muma lui Ștefan cel Mare

I

Pe o stâncă neagră, într-un vechi castel,
Unde cură-n poale un râu mititel,
Plânge şi suspină tânăra domniță,
Dulce şi suavă ca o garofiță;
Căci în bătălie soțul ei dorit
A plecat cu oastea şi n-a mai venit.

II

Un orologiu sună noaptea jumătate.
În castel în poartă oare cine bate?
— Eu sunt, bună maică, fiul tău dorit;
Eu, şi de la oaste mă întorc rănit.
Soarta noastră fuse crudă astă dată:
Mica mea oştire fuge sfărămată.
Dar deschideți poarta... Turcii mă-nconjor...
Vântul suflă rece... Rănile mă dor!
Tânăra domniță la fereastră sare.
— Ce faci tu, copilă? zice doamna mare.
Apoi ea la poartă atunci a ieşit
Şi-n tăcerea nopții astfel i-a vorbit:
— Ce spui, tu, străine? Ştefan e departe;
Brațul său prin taberi mii de morți împarte.
Eu sunt a sa mumă; el e fiul meu;
De eşti tu acela, nu-ți sunt mumă eu!

the mother of Stephen the Great

I

On a dark old mountain, in an ancient keep
Where a brook flows rushing in the valley deep,
The young princess, sighing, weeping in her splendor
Sweet and oh-so-precious, like a flower, tender;
Because in the battle, her beloved prince
Went to lead his army, and he vanished since.

II

An old horologe chiming splits the night in two
Who knocks at the gate now, wanting to come through?
"It is I, dear mother, your beloved son;
Coming from the battle wounded and undone.
Our fate was cruel, merciless this time:
And my little army's shattered, in the grime.
Open now the gate; the Turks are on my tail...
And the wind is chilly and my wounds are vile!"
Rushing to the window is the princes, keen.
"What you're doing, young one?", asks the grand old queen.
She would then descend toward the gate shut tight
With these words to utter through the silent night:
"Who are you, O stranger? Stephen is away;
His strong arm is hurling his rivals to dismay.
Surely I'm his mother, and he is my son;
But I'm not your mother if you are this one!

Însă dacă cerul, vrând să-ngreuieze
Anii vieții mele şi să mă-ntristeze,
Nobilul tău suflet astfel l-a schimbat;
Dacă tu eşti Ştefan cu adevărat,
Apoi tu aice fără biruință
Nu poți ca să intri cu a mea voință.
Du-te la oştire! Pentru țară mori!
Şi-ți va fi mormântul coronat cu flori!

III

Ştefan se întoarce şi din cornu-i sună;
Oastea lui zdrobită de prin văi adună.
Lupta iar începe... Duşmanii zdrobiți
Cad ca nişte spice, de securi loviți.

Still, if God in Heaven – wishing me to mourn
And my days be saddened and my years be torn –
Had your soul, so noble, in this manner changed,
If indeed you're Stephen and are thus deranged,
Know that without triumph and the foes repressing –
Here you cannot enter; not without my blessing.
Go back to your army! For your lands to die
And your tomb be crowned with flowers to the sky!"

III

Stephen then returns, and from his horn he roars
While his shattered army from dark valleys soars.
The battle is renewed and the foes are smitten
Like the ears of corn which by the scythe are bitten.

cântarea României – fragment

.....

52

Domnul Dumnezeul părinților noștri înduratu-s-a de lacrimile tale, țară română?... Nu ești îndestul de smerită, îndestul de chinuită, îndestul de sfâșiată?... Văduvă de feciorii cei viteji plângi fără încetare pe mormintele lor, precum plâng și jelesc femeile despletite pe sicriul mut al soților.

53

Neamurile auziră țipătul chinuirii tale... pământul se mișcă... Dumnezeu numai să nu-l fi auzit?... Răzbunătorul preursit nu s-a născut, oare?

54

Care e mai mândră decât tine între toate țările semănate de Domnul pe pământ? Care alta se împodobește în zilele de vară cu flori mai frumoase, cu grâne mai bogate?

....

56

Sfârșitul ispitelor s-a apropiat... căci vremea trece iute... și semne s-au arătat pe cer... Și blestemul a covârșit măsura... oamenii sângiurilor ți-au mistuit inima și plămâiele. Ei înălțară trufia lor pe tâlhărie, avuția lor pe foametea ta... mărirea lor pe zdrențele tale... puterea și strălucirea lor pe sângele ce ai vărsat într-o sută de bătălii, unde părinții lor nu se aflară!.. ține minte numele lor, o, țară a grelelor dureri, și numele străinului!

the romanian hymn - excerpt

.....

52

The Lord God of our ancestors had He mercy for your tears,
Romanian land? Aren't you humbled enough, tortured enough,
torn enough? Widowed of your brave sons you ceaselessly
weep on their graves, as disheveled women
weep over the mute coffins of their husbands.

53

The nations heard the cry of your torture... the earth trembled...
Did God not hear it? The avenger foretold, is he not born yet?

54

Which one is more splendid than you among the lands sown
by The Lord on the earth? Which other adorns itself during the summer
days with flowers more beautiful, with richer grains?

....

56

The end of the temptations is nigh... since time passes quickly... and signs
have appeared in the heavens... And the curses have burdened you beyond
measure... blood-thirsty men have shattered your heart and your lungs.
Their pride grew on robbery, their riches on your famine... their glorification
on your rags... their power and brilliance on the blood you shed in a hundred
battles, where your parents were not present!...
remember their names, oh land of heavy pains,
and the name of the stranger!

....

62

Deșteaptă-te, pământ român! biruie-ți durerea; e vremea să ieși din amorțire, seminție a domnitorilor lumii!.. Aștepți oare, spre a învia, ca strămoșii să se scoale din morminte?..
Într-adevăr, într-adevăr ei s-au sculat, și tu nu i-ai văzut...
Ei au grăit, și tu nu i-ai auzit... Cinge-ți coapsa ta, caută și ascultă... Ziua dreptății se apropie... toate popoarele s-au mișcat... căci furtuna mântuirii a început!...

....

65

Cinge-ți coapsa, țară română... și-ți întărește inima...
miazănoapte și miazăzi, apusul și răsăritul, lumina și întunericul, cugetul dezbrăcător și dreptatea s-au luat la luptă... Urlă vijelia de pe urmă... Duhul Domnului trece pe pământ!...

....

62

Wake up Romanian land! Vanquish your pain; it is time to rise from your slumber, oh, you seed of this world's kings!... Are you perhaps waiting to be resurrected, so that your ancestors rise from their tombs? Verily, verily they have risen, and you have not noticed them... They have spoken and you have not heard... Brace yourself, seek and listen... The day of justice draws near... all the peoples have been rumbling... as the day of salvation has begun!

....

65

Brace yourself Romanian land... and steel your heart... the north and the south, the west, and the east, midday and midnight, the deceiving spirit and justice, they have all started the battle... Howling is the storm of the last battle... The Spirit of the Lord passes on the earth!

VASILE ALECSANDRI (1821-1890)

iarna

Din văzduh cumplita iarnă cerne norii de zăpadă,
Lungi troiene călătoare adunate-n cer grămadă;
Fulgii zbor, plutesc în aer ca un roi de fluturi albi,
Răspândind fiori de gheață pe ai țării umeri dalbi.

Ziua ninge, noaptea ninge, dimineața ninge iară!
Cu o zale argintie se îmbracă mândra țară;
Soarele rotund şi palid se prevede printre nori
Ca un vis de tinerețe printre anii trecători.

Tot e alb pe câmp, pe dealuri, împregiur, în depărtare,
Ca fantasme albe plopii înşirați se perd în zare,
Şi pe-ntinderea pustie, fără urme, fără drum,
Se văd satele perdute sub clăbuci albii de fum.

Dar ninsoarea încetează, norii fug, doritul soare
Străluceşte şi dismiardă oceanul de ninsoare.
Iată-o sanie uşoară care trece peste văi...
În văzduh voios răsună clinchete de zurgălăi.

winter

From the sky, the dreadful winter sifts and empties clouds of snow,
Of those cold and wandering snowdrifts having gathered long ago;
Snowflakes fly, they float and quiver like white butterflies, so light,
Spreading icy flutters, briskly, turn the country's shoulders white.

Days are snowing, nights are snowing, snow on mornings does prevail!
All the countryside is wearing, regally, this silver mail;
And the sun, all-round and pale, shows but glimpses through the sky,
Like some dream of youth, now flashing through the years which pass us by.

All is white... the fields, the hillsides, all surrounding, far away,
Like white daydreams are the poplars, lining up into the grey,
And beholding all this wasteland, not a trail, not a stroke,
Just the villages, now hidden under whitish foam of smoke.

But at once the snowing ceases, clouds depart, the sunny glow
Glitters now, caressing gently the white ocean made of snow.
Look outside, for through the valleys, a light sleigh is gliding fair...
And the joyful sky is ringing, play-bells chiming through the air.

cina cea de taină

Zise Christ: „O să mă vândă
Unul dintre voi!" Şi-amară
I-a pătruns atunci durerea
Pe-ucenici, şi-L întrebară:
Doamne, eu?

Şi Ion nestrămutatul,
Vai, şi Petru, plin de spaimă,
Şi-mprejur din nou cu toţii
Tremurând pe rând îngaimă:
Doamne, eu?

Ce să zic atunci eu, biata,
Eu cu inima mea slabă –
Când şi cei tari în credinţă,
Când şi însăşi stânca ntreabă:
Doamne, eu?

the last supper

Uttered Christ: "You will betray me
One among you!" bitterly
Did the pain pierce the disciples
As they asked him anxiously:
Oh Lord, me?

Even John, unflinching ever
Even Peter starts to crumble,
Everyone single one, no matter
Trembling takes his turn to mumble:
Oh Lord, me?

Wretched me, what can I claim, then,
Feeble-hearted with contrition –
When the strong in faith and valor,
When the rock itself, petitions:
Oh Lord, me?

Mihai Eminescu (1850-1889)

trecut-au anii...

Trecut-au anii ca nouri lungi pe şesuri
Şi niciodată n-or să vie iară,
Căci nu mă-ncântă azi cum mă mişcară
Poveşti şi doine, ghicitori, eresuri,

Ce fruntea-mi de copil o-nseninară,
Abia-nțelese, pline de-nțelesuri –
Cu-a tale umbre azi în van mă-mpresuri,
O, ceas al tainei, asfințit de sară.

Să smulg un sunet din trecutul vieții,
Să fac, o, suflet, ca din nou să tremuri
Cu mâna mea în van pe liră lunec;

Pierdut e totu-n zarea tinereții
Şi mută-i gura dulce-a altor vremuri,
Iar timpul creşte-n urma mea... mă-ntunec!

gone are the years

Gone are the years, long clouds across the plain
And never will I witness them return,
They charmed me then, but I no longer yearn
For tales and doina*, riddles all in vain,

Where childhood thoughts would joyfully abide
Barely discerned, now full of deep discerning –
For your cool shadows, I'm no longer burning,
Oh, time of mystery, at the even tide!

To wrest some sound from life forever passed,
To try, my soul, for you again to quiver
In vain my hand across the strings is skimming;

The gleam of youth, away, forever cast,
Spent, the sweet murmur that would once deliver,
While now, time grows behind me... I am dimming!

* *Doina* – a Romanian musical style, found in peasant music, often melancholy, typically not constrained by a particular rhythm, and often varied according to the interpreter's mood and imagination.

odă (în metru antic)

Nu credeam să-nvăț a muri vrodată;
Pururi tânăr, înfășurat în manta-mi,
Ochii mei nălțam visători la steaua
Singurătății

Când deodată tu răsăriși
În cale-mi, Suferință tu, dureros de dulce...
Pân-în fund băui voluptatea morții
Nendurătoare.

Jalnic ard de viu chinuit ca Nessus,
Ori ca Hercul înveninat de haina-i;
Focul meu a-l stinge nu pot cu toate
Apele mării.

De-al meu propriu vis, mistuit mă vaiet,
Pe-al meu propriu rug, mă topesc în flăcări...
Pot să mai renviu luminos din el ca
Pasărea Phoenix?

Piară-mi ochii turburători din cale,
Vino iar în sân, nepăsare tristă;
Ca să pot muri liniștit, pe mine
Mie redă-mă!

ode (in an antique meter)

I never conceived that I'd learn how to die
Forever young, cloaked in my mantle,
Mine eyes I arose dreamily to the star
Of loneliness.

When unexpectedly you glimpsed in front
Along my path, oh anguish, even you, achingly sweet...
Down to the dregs, I drank the lusciousness of death
Implacable.

Dismal I burn alive, tortured like Nessus,
Like Hercules, infected by his garment;
My fire to extinguish I cannot with all
The sea's deep waters.

From my own dream, consumed I groan and sob,
On my own stake, I'm melting in the flames...
Can I renew from it, irradiant like
The ancient Phoenix?

Those vexing eyes may perish from my path
Return into my bosom sad indiference;
So that I die serenely, my self
To me restore!

glossă

Vreme trece, vreme vine,
Toate-s vechi şi nouă toate;
Ce e rău şi ce e bine
Tu te-ntreabă şi socoate;
Nu spera şi nu ai teamă,
Ce e val ca valul trece;
De te-ndeamnă, de te cheamă,
Tu rămâi la toate rece.

Multe trec pe dinainte,
În auz ne sună multe,
Cine ține toate minte
Şi ar sta să le asculte?...
Tu aşează-te deoparte,
Regăsindu-te pe tine,
Când cu zgomote deşarte
Vreme trece, vreme vine.

Nici încline a ei limbă
Recea cumpănă-a gândirii
Înspre clipa ce se schimbă
Pentru masca fericirii,
Ce din moartea ei se naşte
Şi o clipă ține poate;
Pentru cine o cunoaşte
Toate-s vechi şi nouă toate.

glossa

Time is passing, time comes yet,
All is old, and all is new;
What for good or ill is set
You can ponder and construe;
Do not hope and do not worry,
What's a wave, will wave away;
Though enticing with a flurry,
Cool remain to all they say.

Many things pass by before us,
Many things we hear and see,
Who remembers all their ruckus
And would listen to their plea?...
You sit calmly `round the edges,
Find yourself, despite their threat,
While you hear their noisy pledges,
Time is passing, time comes yet.

Not inclining in expression
The cold balance of our thinking
To a moment, an impression,
Mask of happiness now sinking,
Of its own death notwithstanding
Takes one lonely breath for you;
But for him who's understanding
All is old, and all is new.

Privitor ca la teatru
Tu în lume să te-nchipui:
Joace unul şi pe patru,
Totuşi tu ghici-vei chipu-i,
Şi de plânge, de se ceartă,
Tu în colţ petreci în tine
Şi-nţelegi din a lor artă
Ce e rău şi ce e bine.

Viitorul şi trecutul
Sunt a filei două feţe,
Vede-n capăt începutul
Cine ştie să le-nveţe;
Tot ce-a fost ori o să fie
În prezent le-avem pe toate,
Dar de-a lor zădărnicie
Te întreabă şi socoate.

Căci aceloraşi mijloace
Se supun câte există,
Şi de mii de ani încoace
Lumea-i veselă şi tristă;
Alte măşti, aceeaşi piesă,
Alte guri, aceeaşi gamă,
Amăgit atât de-adese
Nu spera şi nu ai teamă.

Nu spera când vezi mişeii
La izbândă făcând punte,
Te-or întrece nătărăii,
De ai fi cu stea în frunte;
Teamă n-ai, căta-vor iarăşi
Între dânşii să se plece,
Nu te prinde lor tovarăş:
Ce e val, ca valul trece.

Entertained by actors playing
In this world yourself depict:
Though four roles one is portraying,
His true face you can predict;
If he weeps, or if he's fighting,
You just watch him without fret
And deduce from his inciting
What for good or ill is set.

Past and future go together,
The two faces of a coin,
You can tell tomorrow's weather,
When you learn the two to join;
All that was and all that follows
In this moment we see true,
On their false and empty hollows
You can ponder and construe

The same means this world is using
To constrain in all she fashions,
And for thousand years suffusing
Joy and sadness duly rations;
Other masks, the same old drama,
Other mouths, the same old story,
Discontent at their conformance
Do not hope and do not worry.

Do not hope because some cretin
Wrestles to successes steady,
Idiots will have you beaten,
Though you've shown them off already;
Have no fear if when they gather
Ostentations they display,
Don't resemble them, don't blather:
What's a wave, will wave away.

Cu un cântec de sirenă,
Lumea-ntinde lucii mreje;
Ca să schimbe-actorii-n scenă,
Te momeşte în vârteje;
Tu pe-alături te strecoară,
Nu băga nici chiar de seamă,
Din cărarea ta afară
De te-ndeamnă, de te cheamă.

De te-ating, să feri în laturi,
De hulesc, să taci din gură;
Ce mai vrei cu-a tale sfaturi,
Dacă ştii a lor măsură;
Zică toți ce vor să zică,
Treacă-n lume cine-o trece;
Ca să nu-ndrăgeşti nimică,
Tu rămâi la toate rece.

Tu rămâi la toate rece,
De te-ndeamnă, de te cheamă;
Ce e val, ca valul trece,
Nu spera şi nu ai teamă;
Te întreabă şi socoate
Ce e rău şi ce e bine;
Toate-s vechi şi nouă toate:
Vreme trece, vreme vine.

Like some charming siren calling,
The world's luring and inviting;
Other actors when they're falling,
It wants you to do their fighting;
Move aside, it's just deception,
Pass them by, away you scurry,
From your path make no exception,
Though enticing with a flurry.

Should they touch you, get some distance,
Should they curse you, keep your polish,
Why advise and show persistence,
When you know they just demolish?
Let them blather on forever,
Doesn't matter whom they sway,
Don't grow fond of them, be clever,
Cool remain to all they say.

Cool remain to all they say,
Though enticing with a flurry;
What's a wave, will wave away,
Do not hope and do not worry;
You can ponder and construe
What for good or ill is set;
All is old, and all is new:
Times is passing, time comes yet.

de ce nu-mi vii

Vezi, rândunelele se duc,
Se scutur frunzele de nuc,
S-așează bruma peste vii –
De ce nu-mi vii, de ce nu-mi vii?

O, vino iar în al meu braț,
Să te privesc cu mult nesaț,
Să razim dulce capul meu,
De sânul tău, de sânul tău!

Ți-aduci aminte cum pe-atunci
Când ne primblam prin văi și lunci,
Te ridicam de subsuori
De-atâtea ori, de-atâtea ori?

În lumea asta sunt femei
Cu ochi ce izvorăsc scântei...
Dar, oricât ele sunt de sus,
Ca tine nu-s, ca tine nu-s!

Căci tu înseninezi mereu
Viața sufletului meu,
Mai mândră decât orice stea,
Iubita mea, iubita mea!

Târzie toamnă e acum,
Se scutur frunzele pe drum,
Și lanurile sunt pustii...
De ce nu-mi vii, de ce nu-mi vii?

why won't you come

See how the swallows flee our town,
Dead walnut leaves are shaken down,
The vineyard's frosty now, and glum –
Why won't you come, why won't you come?

Pray fall again in my embrace,
And ardent I'll behold your face,
I'd sweetly lay my head to rest,
Upon your breast, upon your breast!

Remember how in times gone by,
We walked together, you and I,
I'd lift you high into my arms
So many times, so many times!

The world is full of lovely girls
With fiery eyes which shine like pearls
But be they angels to my view,
They are not you, they are not you!

You brighten up my day and night
And take my soul to sweet delight,
Beside you, stars have lost their sheen,
My lovely queen, my lovely queen!

Late autumn now arises gray,
Dead leaves are falling in our way,
The meadows play a sad old strum...
Why won't you come, why won't you come?

raze de lună

„Ce n-ar da un mort din groapă pentr-un răsărit de lună!"
Ai zis tu, şi eu atuncea, când pe-a dorului aripe
Duşi de-al iubirei farmec, – privind cerul împreună –
Noi visam eternitate în durata unei clipe.

„Ce n-ar da un mort din groapă pentru-o jerbie de rază"
Ce din lună se coboară şi pământul îl atinge;
Să mai simtă încă-o dată fruntea că i-o luminează
Şi că-n pieptul său viața cu căldură se răsfrânge!

Sigur, noi credeam că dânsul ar schimba cu bucurie
A sa linişte eternă, pacea lui nestrămutată
Pentr-o rază de la lună, pentr-o dulce nebunie,
Pentr-o clipă de iubire din viața de-altă-dată.

Însă clipa de iubire zboară, zboară făr-de urmă
Şi în locul ei amarul şi pustiul ne rămâne;
Ah! şi ca să porți povara unui chin ce nu se curmă
Tu cu moartea ta în suflet te târăşti de azi pe mâne;

Dac-ar da un mort din groapă pentr-un răsărit de lună
A sa linişte eternă, eu aş da de voie bună
Toate razele de lună, toate razele din soare
Să te pot uita pe tine, să simt sufletul că-mi moare.

moon rays

"What would dead ones give to witness the moon rising in the sky?"
You have said, and at that moment, on our longing's dazzling wing
Carried by our love's allurement – to the heavens we would fly,
We were dreaming of forever in the moment of our spring.

"What would dead ones give to witness in a cluster rays a-glowing"
While the moon descending gently, shows the earth with light beams crowned
And to feel again this glimmer on the foreheads gently flowing
While the chest renews its warmness for its spirit to rebound.

We were sure that they would gladly have exchanged with little sadness
Their eternal peace and stillness, else unyielding to remain,
For a moon ray gleaming gently, for an instance of sweet madness,
Full of love, if for a moment of past lives to entertain.

But the moment of love withers, flies without a trace or cause,
In its stead, a bitter sorrow and an emptiness will stay
Ah, and so you bear the burden of a torture without pause,
With your death inside forever, you will crawl from day to day.

If the dead would give to witness the moon rising in the sky
Their eternal peace and quiet, I would cede without regret
The sweet light of moon eternal, and the sun's immortal ray
That my soul can die forever and your love I can forget.

rondelul rozelor ce mor

E vremea rozelor ce mor.
Mor în grădini, şi mor şi-n mine –
Ş-au fost atât de viață pline,
Şi azi se sting aşa uşor.

În tot, se simte un fior.
O jale e în orişicine.
E vremea rozelor ce mor –
Mor în grădini, şi mor şi-n mine.

Pe sub amurgu-ntristător,
Curg vălmăşaguri de suspine,
Şi-n marea noapte care vine
Duioase-şi pleacă fruntea lor... –
E vremea rozelor ce mor.

rondel of the dying roses

It's time for roses now to die.
They die in gardens, die in me –
So full of life they were, you see,
But now they go without a sigh.

A shudder climbs into the sky.
Deep sorrow reaches every plea.
It's time for roses now to die –
They die in gardens, die in me.

Beneath the evening's mournful cry
Chaotic sobs rise in a spree,
Deep through the night that is to be
Their heads in tender peace they lie... –
It's time for roses now to die

valțul rozelor

Pe verdea margine de şanț
Creştea măceşul singuratic,
Dar vântul serii nebunatic
Pofti-ntr-o zi pe flori la danț.
Întâi pătrunse printre foi,
Şi le vorbi cu voce lină,
De dorul lui le spuse-apoi,
Şi suspină – cum se suspină...

Şi suspină – cum se suspină...

Albeața lor de trandafiri,
Zâmbind prin roua primăverei,
La mângâierile-adierei
A tresărit cu dulci simțiri.
Păreau năluci de carnaval
Cum se mişcau catifelate,
Gătite toate-n rochi de bal,
De vântul serii sărutate,

De vântul serii sărutate.

Scăldate-n razele de sus,
Muiate în argintul lunei,
S-au dat în brațele minciunei,
Şi rând pe rând în vânt s-au dus.
Iar vântul dulce le şoptea,
Luându-le pe fiecare,
Ş-un valț nebun se învârtea,
Un valț – din ce în ce mai tare,

Un valț – din ce în ce mai tare.

the dance of the roses

Down near the furrow green, so prance
The rose-hip grew alone and thinned
But then the wanton evening wind
Enticed one day the flowers to dance.
He threaded through the leaves at first
He spoke to them, his voice was shy,
Of his deep longing, he confessed
And then he sighed – as one should sigh.

And then he sighed – as one should sigh.

The roses' whiteness in a beat,
Were smiling in the spring-time dew,
And to the wind's caresses grew
And stirred with feelings warm and sweet.
Like carnival fantasms, they seemed
And velvety they moved with grace
As in their ball-gowns clad, they beamed,
While in the evening wind's embrace.

While in the evening wind's embrace.

Bathed in rays from heaven blue
Soaked in the silver of the moon
To this deceit, they did attune,
And one by one, on wind they flew.
And sweet, the wind would whisper low,
As each would hear his murmur trance,
A crazy dance was turning now,
A sharpening faster, crazy dance.

A sharpening faster, crazy dance.

1907 — fragment — Minciuna stă cu regele la masă

Minciuna stă cu regele la masă...
Doar asta-i cam de multişor poveste:
De când sunt regi, de când minciună este,
Duc laolaltă cea mai bună casă.

O, sunt atâtea de făcut, vezi bine,
De-atâtea griji e-mpresurat un rege!
Atâtea-s de aflat! Şi, se-nțelege,
Scutarul lui nu poate fi oricine.

Ce țară fericită, maiestate!...
Se lăfăieşte gureşa Minciună.
Că numai Dumnezeu te-a pus cunună
De-nțelepciune şi de bunătate.

Păstor acestui neam ce sta să piară,
Ce nici nu s-ar mai şti c-a fost, sărmanul,
De nu-şi afla sub schiptrul tău limanul,
De nu-ți sta-n mână bulgăre de ceară.

Că tu sălbatici ai găsit aice,
Sălbatici, şi mişei, şi proşti de-a rândul,
Ş-o sărăcie cum nu-ți dai cu gândul...
Dar faci un semn, şi-ncep să se ridice

1907 – excerpt –
the Lie is always dining with the king

The Lie is always dining with the king...
This is from old, a story from time's mist:
Since there were kings, since lies came to exist,
They thrive together, happily they cling.

A king has many cares, things to be done!
There are so many things to do, you see,
Things to discover! And you must agree,
His sheriff cannot be just anyone.

What happy country you created, sire!...
Declaims the chatty Lie, with so much zest.
For only God has crowned you for this quest
Much wisdom and much goodness to acquire.

The shepherd of this folk which stood to perish
No one would know that it existed, even,
If your strong scepter wouldn't be its haven,
If putty in your hand, they wouldn't cherish.

For you have found them wild around this place
Wild, cowards, stupid – baffling to believe,
A poverty that no one could conceive,
But at your signal, they begin to rise.

Oştiri, cetăți, palate lume nouă,
Izvoarele vieții se desfundă;
De pretutindeni bogății inundă;
Şi tu le-mparți cu mâinile-amândouă.

Azi la cuprinsul tău râvneşte-o lume.
E-o veselie ş-un belşug în țară,
Că vin şi guri flămânde de pe-afară.
Tot crugul sună de slăvitu-ți nume.

...

Şi-i place regelui. E lucru mare
Cum farmecă pe regi Minciuna. Drept e
Că ea, de mult, pe-a tronurilor trepte
A fost cea mai aleasă desfătare.

The armies, cites, palaces anew,
The streams of life you thoroughly have tapped,
From everywhere the riches are unwrapped
And spread abundantly to all – by you.

Today, the world is craving your domain.
There's so much merriment throughout your shore,
That famished mouths are trudging from afar.
The vault of heaven's ringing with your name.

...

The king is liking this. It is amazing
How charming is the Lie for kings! It's sure
That for the thrones of kings, since long before,
The Lie, of all delights, is the most blazing.

patriei mele

Iar dacă îți devin străină
Și cântecu-mi de început
Grăirea n-a ales, divină,
A plaiului ce m-a născut.

Seninul dulce grai în care
Lin, ruga, buzele-mi șoptesc,
O, patrie, putea-vei oare
Să-mi ierți păcatul meu firesc?

Lua-vei viersul meu în seamă,
Grea munca-mi binecuvântând,
Cum își blagoslovește-o mamă
Copiii mâine-n luptă stând?

to my motherland

And if my early songs shall end
And I, a stranger to return
My speech forgetting to defend
The holy ground where I was born

Serene and sweet the tongue in which
My lips for prayer whisper-thin,
O, motherland, can I beseech
Forgive my ordinary sin?

Would you take notice of my song,
My heavy toil to bless and shore,
Just like a mother to her young
Who might, tomorrow, go to war?

Decebal către popor

Viața asta-i bun pierdut
Când n-o trăieşti cum ai fi vrut!
Şi-acum ar vrea un neam călău
S-arunce jug în gâtul tău:
E rău destul că ne-am născut,
Mai vrem şi-al doilea rău?

Din zei de-am fi scoborâtori,
C-o moarte tot suntem datori!
Totuna e dac-ai murit
Flăcău ori moş îngârbovit;
Dar nu-i totuna leu să mori
Ori câne-nlănțuit.

Cei ce se luptă murmurând,
De s-ar lupta şi-n primul rând,
Ei tot atât de buni ne par
Ca orişicare laş fugar!
Murmurul, azi şi orişicând,
E plânset în zadar!

Decebalus[*] to his people

This life's a stale and aimless jaunt
If you don't live as is your wont!
A tyrant tribe demands with blare,
Around your neck a yoke to wear:
We're born and that's a cursed haunt,
Do we wish a second snare?

For even if to gods we're heir,
One death is all we're asked to bear!
It's all the same should you have died
When young, or old from life you slide;
But not the same a dog to die,
Or lion in your stride.

Those who go fighting with a whine,
Even if battling first in line,
No better are they in our sight
Than cowards who have turned to white!
For if to whining you resign,
Your cry's a vain recite!

[*] **Decebalus** was a Dacian king who defied successive Roman emperors in order to maintain the independence of his country. Finally defeated, he committed suicide rather than be humiliated by his conquerors.

Iar a tăcea şi laşii ştiu!
Toţi morţii tac! Dar cine-i viu
Să râdă! Bunii râd şi cad!
Să râdem, dar, viteaz răsad,
Să fie-un hohotit şi-un chiu
Din ceruri până-n iad!

De-ar curge sângele pârău,
Nebiruit e braţul tău,
Când morţii-n faţă nu tresari!
Şi însuţi ţie-un zeu îţi pari,
Când râzi de ce se tem mai rău
Duşmanii tăi cei tari.

Ei sunt romani! Şi ce mai sunt?
Nu ei, ci de-ar veni Cel-sfânt,
Zamolxe, c-un întreg popor
De zei, i-am întreba: ce vor?
Şi nu le-am da nici lor pământ
Căci ei au cerul lor!

Şi-acum, bărbaţi, un fier şi-un scut!
E rău destul că ne-am născut:
Dar cui i-e frică de război
E liber de-a pleca napoi,
Iar cine-i vânzător vândut
Să iasă dintre noi!

Eu nu mai am nimic de spus!
Voi braţele jurând le-aţi pus
Pe scut! Puterea este-n voi
Şi-n zei! Dar vă gândiţi, eroi,
Că zeii sunt departe, sus,
Duşmanii lângă noi!

For to keep still the cowards strive!
The dead are still, but who's alive
Laugh loudly! Good ones laugh and die!
Let us then laugh, brave men, let's fly
In roaring laughter. Thus, we thrive
And hell to heaven tie!

And if the blood would flow a spring,
Your arm shall undefeated swing
When fear of death you won't allow!
For like a god, you never bow,
But laugh at the worst fears that wring
And stun your strongest foe.

For they are Romans! Such a deal!
Not them, but if Zalmoxis will,
With his whole host of gods, descend,
We'll ask them what they want, and send
Them back; this land's our till,
The heavens they can tend!

Grab sword and shield, disdaining vaunt!
We're born, and that's a cursed haunt:
But he who fears this battle now
Is free to leave before we vow,
And he who's here to scheme and taunt,
Forsake us, anyhow!

There's not much more I need to say!
For now, your hands on shields you lay
The power of your hearts to show
And of the gods! Yet heroes, know:
The gods are yonder in the sky,
But nearer is our foe!

corbii

Pe plopii ninşi
Coboară corbii-n pâlc de doliu,
Cernesc al iernei alb linţoliu,
Şi, trişti, de foame par învinşi...

Cugetători,
Privesc pe cer, privesc departe;
Pe când un glas de vânt împarte
Un cântec care dă fiori...

În cimitir,
Pribegi, s-au adunat la sfadă;
Iar sub uitare şi zăpadă
S-ascund mormintele în şir...

Şi pe când trec,
În a crepusculului oră,
Spre groapa unde doarme-o soră,
Şi-n suflet plânsul îl înec;

În aiurări
De spaimă inima mea moare...
Acoperite de ninsoare,
Pierdute sunt orice cărări...

Şi mă învinge
Un gând amar, ştiind că-odată
Şi peste groapa mea uitată
Vor trece corbii şi va ninge.

the ravens

On poplars snowed
Descend the ravens in a band of mourning,
White winter's mantle slowly churning,
And sad, to hunger they seem bowed...

Absorbed in thought,
Gazing at the heavens, far away
While voices of the wind hold sway
A song with shudders fraught...

Inside the cemetery
Like nomads, they gathered for a fight
While underneath forgotten and snow-white
Graves, in a row, hide what they bury...

As I walk by,
Right at the hour of dusk
To where a sister is lying in her cask
My soul is drowned from weeping as I cry;

In my delusion
Of fright, my heart has stopped its beat...
And covered by the snow replete,
All paths are lost in deep confusion...

I'm lost, I know
To bitter thoughts which tell me that one day,
Over my grave, forgotten, castaway,
Ravens will fly, and it will snow.

a fi iubită

Murişi, o, Beatrice, în floarea vârstei sfinte...
Cu dragostea-i poetul te-a însuflețit;
Prin versurile sale ne stă mereu în minte
Imaginea ta dulce, căci Dante te-a iubit.

Ți-a fost, o, Eloise, fatală dimineața.
De Abelard iubită, fu sincer dragu-ți crez,
Şi – crin în mănăstire – sfârşitu-ți-ai viața...
Dar, ca pe Beatrice, eu te invidiez.

Tu-l plângi pe Cid, Ximena, fiindcă, aspră, soarta
Potrivnică îți este şi nu-l mai poți vedea.
El te-a iubit... Iubirea învinge chiar şi moartea;
De-aceea-ntotdeauna eu te voi învia!

Ah, să te ştii iubită! Ce sfântă fericire!
Să plângi atunci îți vine, dar lacrime cereşti!
Să mori iubind!... Ah, moarte de har şi norocire.
Când mori în nimb de soare, ca-n el să retrăieşti!...

to be loved

You died, oh, Beatrice, in the bloom of holy prime,
But with his love the poet gave you breath;
In our mind, through verse, he keeps you for all time,
Your charming form, for Dante had loved you beyond death.

A fatal morning, Eloise, arose for you.
By Abelard you're loved – your trust was so sincere,
A lily in a monastery – you said to life adieu...
But, as with Beatrice, there is envy in my tear.

You weep for Cid, Ximena, the fate that took your breath
Has set itself against you – him you'll no longer see
He loved you... It is known that love will conquer death;
And for this reason, always, you'll be alive to me!

Ah, just to know you're loved! What holy jubilation!
For then you feel like weeping with tears like heaven's rain!
To die while loving! Oh, death of grace and exaltation.
You die in the sun's glory, to live through it again!

cântecul greierului

Sunt poate milioane de ani de-atunci — o, Soare!
De când tu cel ce astăzi urci bolțile de-azur.
Erai de-abia o pată prin neguri călătoare,
O forță-n mers ce-şi cată o formă şi-un contur.

Aşa erai, dar timpul ți-a modelat conturul
Şi incendiul ce-n tine mocnea de veşnicii,
Înflăcărat deodată a luminat azurul
Şi ale mele negre şi mari melancolii.

Aşa erai pe vremea întâiei aurore,
Pe când eu, negrul greier, rapsodul fără glas
Ce te cânta-nstrunându-şi elitrele-i sonore,
Aşa am fost de-a pururi şi-acelaşi am rămas.

Eu sunt întâiul sunet care-a trezit ecouri
Făr-a trezi pe lume fiorul unei uri,
Rapsodul ce-a rupt pacea înaltelor platouri
Şi-a deşteptat visarea funebrelor păduri.

Ca într-o seră caldă trăiam punctând tăcerea,
Privind plin de uimire cum vremile în mers
Înalță continente ori pregătesc căderea
A cine ştie cărui fragment de univers.

the song of the cricket

Perchance so many millions of years have passed – oh Sun!
Since you, who now is climbing the blue celestial dome
Were just a stain, a spatter from roaming hazes spun
A wandering force whilst seeking its outline and its form.

And thus you were, but eons have shaped your form and hue
And thus the raging fire which smoldered from inside
Had ardently and swiftly ignited in the blue
And lighted from great darkness my melancholy tide.

And thus you were in old times, at the primeval dawn
While I, the sable cricket, the rhapsode with no sound
Of you intoning anthems, my wing case tightly drawn
Perpetually abiding and constant I am found.

I am the primal accent which echoes have aroused
Without the throb of hatred dug deep in nature's stream,
The bard who tore the concord on lofty levels housed
And stirred the dismal forests in their eternal dream.

As in a balmy evening, I lived probing the quiet,
Beholding full of wonder how eons in their flow
The continents were rising or they prepared the plummet
Of some secluded fragment, the universe would throw.

Părea cum că natura arareori sătulă
De vechile tipare căta izvoade noi;
— Cum de-a putut fragila şi fina libelulă
Vâslind atâtea veacuri, s-ajungă pân' la noi?

Azi năruia şi mâine, cum o-mbia capriciul,
Zvârlea în dar eterne nimicuri pe pământ,
De-atunci şi-a aprins lampa albastră licuriciul,
Şi n-a mai fost în stare s-o stingă nici un vânt.

O aripă de gâză, un sunet şi-o lumină
Au stăruit şi totuşi atâţia uriaşi
Făcuţi să-nfrunte vremea s-au prefăcut ruină
Şi-au dispărut din lume făr-a lăsa urmaşi.

It did appear that nature, which seldom is content
Of old and tired templates, was seeking newer ways
How could a frail insect, so fine to circumvent
Through ages of contention to reach unto our days?

She shatters now, or morrow, as prompted by her whim
She tossed eternal trinkets, as gifts upon the earth,
Where fireflies, sparks glowing, their bluish lamps would trim
And not a wind or gale has deigned to stop their birth.

The wing of a small insect, a little sound, a shimmer
Has so endured, however, while giants which were there
Conceived to beat the ages, are now a pale glimmer
And vanished from creation without a living heir.

primăverii

O, tu, cea mai frumoasă dintre zâne,
Cu tot alaiul tău de bucurii,
Toți te-aşteptăm cu-atâta dor să vii:
Dar nimeni, nimeni mai cu dor ca mine!

Şi ce-mi aduci tu, care pe câmpii
Pui flori, şi cerului dai zări senine,
Şi cântec lucitor, şi unde line
Izvorului, ce daruri tu-mi îmbii?

Ce vis cerca-va de isnov s-alinte
Un suflet amăgit de-atâtea ori?
O, dac-aş şti că visul iarăşi minte!...

Atuncea poate-aş rămânea cuminte
Şi m-aş uita cu ochi nepăsători
La iarba care creşte pe morminte...

to spring

Oh, you, of all the nymphs the most divine,
With all your joys and raptures and delight,
With longing we await your lovely sight:
But no one's longing is more fierce than mine!

What do you bring to me, from plains so free
With flowers, and the skies with gleaming sheen,
And with a radiant song, and waves serene
You deck the brook, how are you charming me?

What dream of whimsy ventures to sustain
A candid soul, so often fooled by lies?
Oh, if I knew the dream could lie again!...

I might attempt more prudent to remain
And would regard with unresponsive eyes
The grass which grows on graves with nothing to restrain...

Tudor Arghezi (1880-1967)

niciodată toamna

Niciodată toamna nu fu mai frumoasă
Sufletului nostru bucuros de moarte.
Palid aşternut e şesul cu mătasă.
Norilor copacii le urzesc brocarte.

Casele-adunate, ca nişte urcioare
Cu vin îngroşat în fundul lor de lut,
Stau în țărmu-albastru-al râului de soare,
Din mocirla cărui aur am băut.

Păsările negre suie în apus,
Ca frunza bolnavă-a carpenului sur
Ce se desfrunzeşte, scuturând în sus
Foile,-n azur.

Cine vrea să plângă, cine să jelească
Vie să asculte-ndemnul nențeles,
Şi cu ochii-n facla plopilor cerească
Să-şi îngroape umbra-n umbra lor, în şes.

never has the autumn...

Never has the autumn seemed so fair and glowing
To our souls which, yearning towards death, will fade.
Silken rug the field is – pale, clear and flowing;
For the clouds, the trees are weaving their brocade.

Houses, like old pitchers, strung together, quiver
Fragrant wine spread cover thick inside their clay,
Lain in this blue haven of the sun-burned river,
From whose dirty mire, gold we drank all day.

Blackbirds in the sunset rise like sickly leaves
Of the hornbeam ancient, whiter in its hue.
Losing all its plumage, shaking as it gives
A farewell to the blue.

He who wants to weep, and he who wants to blame,
Come and hear the urging, strange and lonely gong.
And with eyes now glued on poplars' holy flame
Bury their own shadow, in their shadow's song.

testament

Nu-ți voi lăsa drept bunuri, după moarte,
Decât un nume adunat pe-o carte.
În seara răzvrătită care vine
De la străbunii mei până la tine,
Prin râpi şi gropi adânci,
Suite de bătrânii mei pe brânci,
Şi care, tânăr, să le urci te-aşteaptă,
Cartea mea-i, fiule, o treaptă.

Aşeaz-o cu credință căpătâi.
Ea e hrisovul vostru cel dintâi,
Al robilor cu saricile, pline
De osemintele vărsate-n mine.

Ca să schimbăm, acum, întâia oară,
Sapa-n condei şi brazda-n călimară,
Bătrânii-au adunat, printre plăvani,
Sudoarea muncii sutelor de ani.

Din graiul lor cu-ndemnuri pentru vite
Eu am ivit cuvinte potrivite
Şi leagăne urmaşilor stăpâni.
Şi, frământate mii de săptămâni,
Le-am prefăcut în versuri şi-n icoane.
Făcui din zdrențe muguri şi coroane.
Veninul strâns l-am preschimbat în miere,
Lăsând întreagă dulcea lui putere.
Am luat ocara, şi torcând uşure
Am pus-o când să-mbie, când să-njure.

testament

I won't leave much to you beyond my death,
A name inside a book perhaps, a breath,
In the rebellious evening, that ensues,
As my ancestors send to you their dues,
Through pits and furrows deep,
Scaled by my old folk in an angry creep,
That now await your youthful climb be done,
This book is but a simple step, my son.

Set it, in faith, as first and foremost guide,
And never put this holy writ aside,
For it belongs to slaves with loaded bales
Of ancient bones, through me becoming tales.

So that we're now translating, in a blink,
Spade into pen and furrow into ink,
My old folk gathered from amongst the snares,
Toil's perspiration for a hundred years.

And from their brogue, with prodding for the herd
Some fitting words I issued, undeterred,
Cribs for the masters' progeny to come.
And, kneaded for a thousand weeks till numb
I altered them in verse and icon true,
From rags to flower buds and crowns for you.
The venom into honey to transform,
Preserving all its powers sweetly warm.
I took derision, spinning it demure,
And made it sometimes curse and sometimes lure

Tudor Arghezi (1880-1967)

Am luat cenuşa morţilor din vatră
Şi am făcut-o Dumnezeu de piatră,
Hotar înalt, cu două lumi pe poale,
Păzind în piscul datoriei tale.

Durerea noastră surdă şi amară
O grămădii pe-o singură vioară,
Pe care ascultând-o a jucat
Stăpânul, ca un ţap înjunghiat.
Din bube, mucegaiuri şi noroi
Iscat-am frumuseţi şi preţuri noi.

Biciul răbdat se-ntoarce în cuvinte
Şi izbăveşte-ncet pedepsitor
Odrasla vie-a crimei tuturor.
E-ndreptăţirea ramurei obscure
Ieşită la lumină din pădure
Şi dând în vârf, ca un ciorchin de negi,
Rodul durerii de vecii întregi.

Întinsă leneşă pe canapea,
Domniţa suferă în cartea mea.
Slova de foc şi slova făurită
Împărechiate-n carte se mărită,
Ca fierul cald îmbrăţişat în cleşte.
Robul a scris-o, Domnul o citeşte,
Făr-a cunoaşte că-n adâncul ei
Zace mânia bunilor mei.

The hearth, the dead ones' ashes, fire grown,
I took it and I made it God of stone;
A mighty border with two worlds in tow,
Guarding your duty's peak and all you know.

Our deaf and bitter pain, a deadly spin
I crammed it on a single violin,
That as he listened, promptly learned to dance
The master, like a slaughtered goat in trance.
From sores, and musty, muddy mold
I sprouted beauties, meanings new from old.

The suffered whip is turning into words
And slowly saves, with chastening from my scroll,
The living offspring from the crime of all.
The righteousness of an obscure old twig
Springing to light from forests dark and big
Blooming on top, a bunch of warts asunder,
The fruit of suffering, an ancient wonder.

Upon her couch, so lazily now lying,
The princess in my book is suffering, crying.
The writ of fire and the writ created,
Paired up, inside my book are married, mated.
Like grippers hugging iron, hot and strong
Writ by the slave, the master reads it wrong,
Suspecting not that deep within its pages
My forbears' wrath, silently rages.

psalm IV

Te drămuiesc în zgomot şi-n tăcere
Şi te pândesc în timp, ca pe vânat,
Să văd: eşti şoimul meu cel căutat?
Să te ucid? Sau să-ngenunchi a cere.

Pentru credință sau pentru tăgadă,
Te caut dârz şi fără de folos.
Eşti visul meu, din toate, cel frumos
Şi nu-ndrăznesc să te dobor din cer grămadă.

Ca-n oglindirea unui drum de apă,
Pari când a fi, pari când că nu mai eşti;
Te-ntrezării în stele, printre peşti,
Ca taurul sălbatec când se-adapă.

Singuri, acum, în marea ta poveste,
Rămân cu tine să mă mai măsor,
Fără să vreau să ies biruitor.
Vreau să te pipăi şi să urlu: „Este!"

psalm IV

I'm splitting you in noise and in calm
And stalking you as if you were some game,
To see: are you my hawk I wish to claim?
To kill you now? Or kneel to pray a psalm.

Be it in faith, be it in doubtful leap,
I seek you steadfast, yet without a goal.
You are my dream, your beauty I extol
And I don't dare to topple you from heaven in a heap.

Like mirrors on the water paths that fade
You now exist, you're gone now like a wish
I saw you in the stars, among the fish,
Like the wild bull, that's drinking in the shade.

In your grand story, we're a simple quiz,
To rate against you – that's why I remain,
Without intent the victory to gain.
I want to feel you and to scream: "He is!"

de-abia plecaseşi

De-abia plecaseşi. Te-am rugat să pleci.
Te urmăream de-a lungul molatecii poteci,
Pân-ai pierit, la capăt, prin trifoi.
Nu te-ai uitat o dată înapoi!

Ţi-aş fi făcut un semn, după plecare,
Dar ce-i un semn din umbră-n depărtare?

Voiam să pleci, voiam şi să rămâi.
Ai ascultat de gândul ce-l dintâi.
Nu te oprise gândul fără glas.
De ce-ai plecat? De ce-ai mai fi rămas?

you had just left

You had just left. I begged you to depart.
My gaze had followed you along the winding path,
You vanished on the trail with clover lined,
Not even once you turned to look behind!

I would have waved at you, as you were going,
But what's a wave from the shadows distant blowing?

I wanted you to go, and yet to stay.
You followed my first thought – and walked away.
My wordless plea to stop was all in vain.
Why did you go? But why would you remain?

cântec IV (de va veni la tine vântul)

De va veni la tine vântul,
Purtând povestea mea amară,
Jelitul lui să nu te-nfrângă,
Mustrarea lui să nu te doară.

Nu-i vina ta... Aşa e scrisă
Nemilostiva lege-a firii;
Sărutul otrăvit al brumii
Omoară toamna trandafirii...

Şi cine s-ar opri să plângă
O frunză veştedă-n cărare,
Când codrii freamătă alături
Şi râd în răsărit de soare?...

Song IV (to you the wind may pay a visit)

To you, the wind may pay a visit
And try to share my bitter story.
Don't let its wailing break your spirit,
And should it scold you, do not worry.

It's not your fault. It's just a habit
Of nature's law; I won't be crying.
The poisoned kiss of frost in autumn
Will touch a rose, she'll soon be dying.

But who will stop to sob in sorrow
When on the path a petal's wilting,
When all the forest's full of sunshine,
And full of joy the trees are tilting?

rugăciune

Rătăcitor, cu ochii tulburi,
Cu trupul istovit de cale,
Eu cad neputincios, stăpâne,
În fața strălucirii tale.
În drum mi se desfac prăpăstii,
Şi-n negură se-mbracă zarea,
Eu în genunchi spre tine caut:
Părinte,-orânduie-mi cărarea!

În pieptul zbuciumat de doruri
Eu simt ispitele cum sapă,
Cum vor să-mi tulbure izvorul
Din care sufletul s-adapă.
Din valul lumii lor mă smulge
Şi cu povața ta-nțeleaptă,
În veci spre cei rămaşi în urmă,
Tu, Doamne, văzul meu îndreaptă.

Dezleagă minții mele taina
Şi legea farmecelor firii,
Sădeşte-n brațul meu de-a pururi
Tăria urii şi-a iubirii.
Dă-mi cântecul şi dă-mi lumina
Şi zvonul firii-ndrăgostite,
Dă-i raza soarelui de vară
Pleoapei mele ostenite.

prayer

A wayward stray, with eyes a-mist,
My body wasted on this way,
I helplessly now fall, my master
And 'fore Your radiance I now lay.
My path is full of dark abysses
And darkness my horizon's holding,
I, on my knees, for You am seeking,
My Father, pray, my trail be molding!

Within my chest rocked by desires,
I feel temptations how they're linking,
They wish to turn to murky waters
The spring from which my soul is drinking.
From worldly waves tear me asunder,
And may Your counsel wisely sway;
On those I left behind forever,
Lord, make my gaze devoted stay.

Un-riddle for my mind the mystery,
The charms from nature's law above,
And in my arm forever settle
The strength of hate, the strength of love.
Grant me the song, grant me the light
Chime of a soul in love forever,
Grant summer sun rays in abundance
And my spent eyelids kindly lever.

Alungă patimile mele,
Pe veci strigarea lor o frânge,
Şi de durerea altor inimi
Învaţă-mă pe mine-a plânge.
Nu rostul meu, de-a pururi pradă
Ursitei maştere şi rele,
Ci jalea unei lumi, părinte,
Să plângă-n lacrimile mele.

Dă-mi tot amarul, toată truda
Atâtor doruri fără leacuri,
Dă-mi viforul în care urlă
Şi gem robiile de veacuri.
De mult gem umiliţii-n umbră,
Cu umeri gârbovi de povară...
Durerea lor înfricoşată
În inimă tu mi-o coboară.

În suflet seamănă-mi furtună,
Să-l simt în matca-i cum se zbate,
Cum tot amarul se revarsă
Pe strunele înfiorate;
Şi cum sub bolta lui aprinsă,
În smalţ de fulgere albastre,
Încheagă-şi glasul de aramă:
Cântarea pătimirii noastre.

Drive now away my deepest passions
Forever break their swaying power
And for the agony of others
Teach me to feel and weep each hour.
Not for my need forever pray,
Like some cruel fate, deceitful, evil,
But the dark sadness of the world,
May in my tears find its retrieval.

Grant me the bitterness and toil
Of many longings with no cure,
Grant me a hurricane that's howling,
Where groans of slavery endure.
Since long ago have the downtrodden
Sighed with the world's weight on their shoulder...
Their frightening pain, my Lord, I'm begging,
Drop in my heart, make me its holder.

Sow in my soul the wildest tempest,
To feel how in its core, it struggles.
Taste bitterness that's overflowing,
And over quivering strings now juggles.
Let now beneath this burning vault
The blue of lightening in the rain,
Release its chiming voice of bronze,
To sing our song of anguished pain.

acuarelă

În oraşu-n care plouă de trei ori pe săptămână
Orăşenii, pe trotuare,
Merg ţinându-se de mână,
Şi-n oraşu-n care plouă de trei ori pe săptămână,
De sub vechile umbrele, ce suspină
Şi se-ndoaie,
Umede de-atâta ploaie,
Orăşenii pe trotuare
Par păpuşi automate, date jos din galantare.

În oraşu-n care plouă de trei ori pe săptămână
Nu răsună pe trotuare
Decât paşii celor care merg ţinându-se de mână,
Numărând
În gând
Cadenţa picăturilor de ploaie,
Ce coboară din umbrele,
Din burlane
Şi din cer
Cu puterea unui ser
Dătător de viaţă lentă,
Monotonă,
Inutilă
Şi absentă...

În oraşu-n care plouă de trei ori pe săptămână
Un bătrân şi o bătrână –
Două jucării stricate –
Merg ţinându-se de mână...

watercolor

In the city where it's raining for three days, each week unplanned
City people on the walkways,
Wander walking hand in hand.
In the city where it's raining for three days, each week unplanned,
From beneath the old umbrellas, which are sighing
And are bending,
Moist from raining without ending,
City people on the walkways
Look like automated puppets, fallen down from shop displays.

In the city where it's raining for three days each week unplanned
On the walkways, there's no sound,
Save for footsteps of those found to be walking hand in hand,
Counting
In their minds
The rhythm of the chilly drops of rain, From umbrellas, now descending,
From the drain pipes,
From the sky
With the power of a dye
Which endows a life that's slow,
Quite insipid,
Without purpose,
Without flow...

In the city where it's raining for three days, each week unplanned
An old couple looking bland –
Two old toys, so long now broken –
Wander, walking hand in hand...

romanţă fără ecou

Iubire, bibelou de porţelan,
Obiect cu existenţa efemeră,
Te regăsesc pe-aceeaşi etajeră
Pe care te-am lăsat acum un an...

Îţi mulţumesc!...
Dar cum?... Ce s-a-ntâmplat?...
Ce suflet caritabil te-a păstrat
În lipsa mea,
În lipsa ei,
În lipsa noastră?...
Ce demon alb,
Ce pasăre albastră
Ţi-a stat de veghe-atâta timp
Şi te-a-ngrijit
De nu te-ai spart
Şi nu te-ai prăfuit?...

Iubire, bibelou de porţelan,
Obiect de preţ cu smalţul nepătat,
Rămâi pe loc acolo unde eşti...
Să nu te mişti...
Şi dacă ne iubeşti –
O!... dacă ne iubeşti cu-adevărat –
Aşteaptă-ne la fel încă un an...
Un an măcar...
Atât...
Un singur an...
Iubire, bibelou de porţelan!...

romance without echo

Oh love, made of a porcelain so slim,
An object of ephemeral existence
I find you on the shelf, at the same distance
To where last year,
I left you on a whim.

I'm thanking you!
But how did this occur?
What charitable soul helped you endure?
Without me here
And without her, Without us both?
Which demon white,
Which bluebird swore the oath
To stay and watch for you so long
And take good care
So you don't break,
And you remain so fair?

Oh, love, made of a porcelain so slim,
A precious object with a glaze so pure,
Remain right here, your duty to fulfil;
Please do not move.
And if you love us still –
Oh! If you love us truly, love us deep –
Sing for another year the lover's hymn,
For just a year,
That's all,
Till we redeem
Our love made of a porcelain so slim!

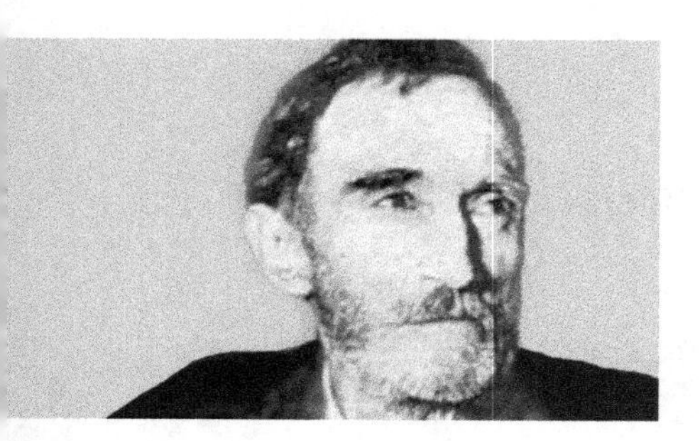

decembre

Te uită cum ninge decembre...
Spre geamuri, iubito, priveşte –
Mai spune s-aducă jăratec
Şi focul s-aud cum trosneşte.

Şi mână fotoliul spre sobă,
La horn să ascult vijelia,
Sau zilele mele – totuna –
Aş vrea să le-nvăț simfonia.

Mai spune s-aducă şi ceaiul,
Şi vino şi tu mai aproape, –
Citeşte-mi ceva de la poluri,
Şi ningă... zăpada ne-ngroape.

Ce cald e aicea la tine,
Şi toate din casă mi-s sfinte, –
Te uită cum ninge decembre...
Nu râde... citeşte-nainte.

E ziuă şi ce întuneric...
Mai spune s-aducă şi lampa –
Te uită, zăpada-i cât gardul,
Şi-a prins promoroacă şi clampa.

Eu nu mă mai duc azi acasă...
Potop e-napoi şi-nainte,
Te uită cum ninge decembre,
Nu râde... citeşte-nainte.

december

Behold how December is snowing...
Just gaze at the windows, my darling –
Please tell them to bring some more kindling
To hear how the fire is snarling.

My armchair, please shift near the woodstove,
A song will the storm now be humming,
Or maybe my days – same old goose chase –
Pray teach me their symphony drumming!

Please tell them to bring me the teapot,
Come closer, don't linger asunder –
Just read me a tale from the Arctic,
The snow will entomb us deep under.

How warm is your place, how becoming
And all in your house seems so holy –
Behold how December is snowing...
Don't laugh, read ahead for our folly.

The day is still lit, but what darkness...
Please tell them to bring me a lamp –
Behold, the snow's high like the fence now
And creeping up over the clamp.

I'm not going home for the evening
This deluge my nightmare is feeding,
Behold how December is snowing...
Don't laugh... remain calm, keep on reading.

plumb

Dormeau adânc sicriele de plumb,
Şi flori de plumb şi funerar vestmânt –
Stam singur în cavou... şi era vânt...
Şi scârţâiau coroanele de plumb.

Dormea întors amorul meu de plumb
Pe flori de plumb, şi-am început să-l strig –
Stam singur lângă mort... şi era frig...
Şi-i atârnau aripele de plumb.

lead

Entombed in sleep, the caskets made of lead
With leaden flowers and funerary cloak –
The crypt was windy... late when I awoke...
And creaking softly were the crowns of lead.

How deep my love was sleeping, turned, of lead
On leaden flowers, I called her sadly, shrill –
Alone near the corpse... I felt the chill...
And off its frame, were drooping wings of lead.

cuptor

Sunt câțiva morți în oraș, iubito,
Chiar pentru asta am venit să-ți spun;
Pe catafalc, de căldură-n oraș,
Încet, cadavrele se descompun.

Cei vii se mișcă și ei descompuși,
Cu lutul de căldură asudat;
E miros de cadavre, iubito,
Și azi, chiar sânul tău e mai lăsat.

Toarnă pe covoare parfume tari,
Adu roze pe tine să le pun;
Sunt câțiva morți în oraș, iubito,
Și-ncet, cadavrele se descompun...

august

There are a few dead in town, my love
For this I came, I wished to let you know;
Upon the bier, from heat, inside the town
Cadavers fester silently and slow.

The living ones are moving, decomposed,
With clay for perspiration from the heat
Today it smells of cadavers, my love,
And now your breast is sagging just a bit.

Pour on the carpets strong perfumes and scents
Bring roses on your body to bestow;
There are a few dead in the town, my love,
Cadavers fester silently and slow...

pâlnia și Stamate – fragment – II

Acest om demn, unsuros și de formă aproape eliptică, din cauza nervozității excesive la care a ajuns de pe urma ocupațiilor ce le avea în consiliul comunal, este silit să mestece, mai toată ziua, celuloid brut, pe care apoi îl dă afară, fărâmițit și însalivat, asupra unicului său copil, gras, blazat și în etate de patru ani, numit Bufty... Micul băiat, din prea multă pietate filială, prefăcându-se însă că nu observă nimic, târăște o mică targă, pe uscat, în vreme ce mama sa, soția tunsă și legitimă a lui Stamate, ia parte la bucuria comună, compunând madrigale, semnate prin punere de deget.

Aceste ocupațiuni îndeajuns de obositoare îi fac, cu drept cuvânt, să se amuzeze, și atunci, ajungând uneori cu îndrăzneala până la inconștiență, se uită tustrei cu benoclul, printr-o spărtură a canalului, în Nirvana, care se află situată în aceeași circumscripție cu dânșii, începând lângă băcănia din colț, și aruncă în ea cu cocoloașe făcute din miez de pâine sau cu coceni de porumb. Alteori, pătrund în sala de recepție și dau drumul unor robinete expres construite acolo, până ce apa, revărsându-se, le-a ajuns în dreptul ochilor, când cu toții trag atunci, de bucurie, focuri de pistol în aer.

the funnel and Stamate – excerpt – II

This man, dignified, greasy and of an almost elliptical form, because of the excessive nervousness which he reached due to the occupations he had in the village council, is forced to masticate, almost the whole day, coarse celluloid, which he then throws out shredded and in-salivated, over his only child, fat, blasé and four years old, named Bufty... Out of too much filial piety, pretending not to notice anything, the little boy drags along a small stretcher, on dry land, while his mother, the shorn and legitimate wife of Stamate, takes part in the common joy, composing madrigals, signed by the affixing of a fingerprint.

These occupations which are tiring enough keep them, to speak the truth, amused, and then, their audacity sometimes reaching oblivion, they peep all three of them through a break in the channel, using the binoculars, into Nirvana, situated in the same quarter as them, starting with the corner shop, and are throwing inside it lumps made of bread-crumbs or corn cobs. At other times, they enter the reception hall and turn on some water-taps specially installed there, until the water, overflowing, reaches to their eye-level, at which point they fire, out of joy, their pistols into the air.

În ce privește personal pe Stamate, o ocupație care îl preocupă în gradul cel mai înalt este ca să ia seara, prin biserici, instantanee de pe sfinții mai în vârstă, pe cari le vinde apoi cu preț redus credulei sale soții și mai ales copilului Bufty, care are avere personală. Acest negoț nepermis nu l-ar fi exercitat pentru nimic în lume Stamate dacă nu ar fi dus lipsă aproape completă de mijloace, fiind silit chiar să facă armata când era abia în vârstă de un an, numai ca să poată ajuta, cât de curând, pe doi frățiori nevoiași ai săi, cu șoldurile scoase prea mult în afară, cauză pentru care fuseseră dați afară din slujbă.

Într-una din zile, lui Stamate, ocupat fiind cu obișnuitele sale cercetări filozofice, i se păru, o clipită, că a pus mâna și pe cealaltă jumătate a „lucrului în sine", când fu distras de o voce femeiască, o voce de sirenă, ce mergea drept la inimă și se auzea în depărtare, pierzându-se ca un ecou.

Alergând de urgență la tubul de comunicație, Stamate, spre marea lui înmărmurire, văzu cum, în aerul cald și îmbălsămat al serii, o sirenă cu gesturi și voce seducătoare își întindea corpul lasciv pe nisipul fierbinte al mării... în luptă puternică cu sine, pentru a putea să nu cadă pradă tentației, Stamate închirie atunci în grabă o corabie și, pornind în larg, își astupă urechile cu ceară împreună cu toți matrozii...

Regarding Stamate personally, an activity which preoccupies him to the highest degree is to take, in the evenings in churches, snapshots of the older saints, which he then sells at a reduced price to his gullible wife, and most of all to his child Bufty, who has a personal fortune. This forbidden trade, Stamate would not have carried out for the life of him, if he did not lack almost completely the means, being forced to even do his military service when he was only one year old, just so that he could help, from time to time, two of his destitute brothers, with hips reaching out too far, the reason for which they were fired from their jobs.

One day, being busy with his usual philosophical research, it seemed to Stamate, for a moment, that he put his hand on the other half of "the thing in itself", when he was distracted by a feminine voice, the voice of a siren, which went straight to his heart, and could be heard from afar, getting lost like an echo.

While running urgently towards his communication tube, Stamate, to his great amazement, saw how, in the warm and scented air of the evening, a siren with seductive gestures and voice was stretching her luscious body on the hot sand by the sea... while fighting strongly with himself so that he did not fall prey to temptation, Stamate quickly rented a boat and, sailing for the open sea, he covered his ears with wax together with all the seamen...

cincizeci de ani

Cinzeci de ani de piatră şi de lut
Şi-n orice pas am pus un început.
Iar de arzimea-n care mă frământ
Mi-a curs tot mirul frunţii în pământ.
Te-naltă, cedrule umbros, şi şezi
În vipiile marii mele-amiezi,
Cu foşnet pur s-arunci peste genuni
Cununa nopţii tale de minuni
Nu pentru tihnă. Dimpotrivă. Dar
Râvnesc din veci un înger, adversar.
Ajungi mai slab, netrebnic cazi la fel
Cu cât vrăjmaşul ţi-este mai mişel.
Ci-ncăieraţi sub adumbrirea ta,
Să sug puteri din cel ce m-o-ncleşta.
Când braţul meu s-oncolăci rebel,
Să simt cereasca greutate-n el.
Şi pân-acum parcă-ntr-adins mi-ai dat
Numai cu pleava lumii să mă bat.
Stă totuşi semn în câmpul gol c-am dus
Ucenicia luptelor de sus:
Cincizeci de lespezi şi deasupra jar,
Alcătuind spre slava ta altar.

fifty years

For fifty years, of stone made, and of clay
In every step, a start without delay.
And for the heat in which I'm anguished, pained
The holy unction from my forehead's drained.
Rise now, you holy cedar and sit down
On afternoons of sweltering renown
With whisper pure, you throw across the deep
Your crown of night, and miracles to keep
Not for a rest. The opposite. For me,
I wish an angel as my enemy,
For you are weaker, worthless, never brave
The more your adversary is a knave.
I'd rather in your adumbration bustle,
To suck the force from him with whom I tussle.
My arm, rebellious, coils around him,
To feel the heaven's weight, filled to the brim.
For me, as if on purpose you allow,
To fight this planet's refuse until now.
Though there's this sign that I forever try
To be disciple of the fights on high:
I've fifty stone-slabs, glowing without falter,
Completing to your a glory holy altar.

cântec pentru dezbrăcare

Câți îngeri de mătase ai de pază?
Când zboară-n lături fragedul lor stol,
Ies sâni și brațe, rază după rază,
Din visteria trupului, domol.

Mai lin ca aștrii coapsele-mpăcate
Rotunde legi scriu, boiul când îți culci,
Cum vii din carne și eternitate
Întreagă miez de adevăruri dulci.

Deschei o stea și norii despresoară
Cerescul pântec, cald, cu arcuiri,
Lacteea cale a pulpelor coboară
Spre zodiile gleznelor subțiri.

Stihia-ți pură, albă se arată:
Calc nori și îngeri, goală li te rump,
Lung să-ți sărut și să cuprind deodată
Tot adevărul trupului tău scump.

song for undressing

How many silken angels watch you play?
In tender cloud, when flying they escape,
Revealing breasts and arms, ray after ray,
Out from the treasures of your graceful shape.

Smooth strarlights are your reconciling thighs
Round laws they promulgate as you lay down;
From flesh and from eternity you rise
And wear delicious truths – a lovely gown.

Unbuttoning a star, the clouds release
Your waist, like heaven's vault, deep and replete,
Your legs, which long, like milky ways, decrease
To fortunes of thin ankles, dainty feet.

Your shadow, pure and white, appears to me
Like angels and like clouds – you naked soar
Long will my kisses raise in earnest plea,
The truth of your sweet figure to explore.

din ultimele sonete închipuite ale lui Shakespeare

în traducere imaginară de V. Voiculescu –

CLXXXII

Eu n-am fost niciodată ucenic;
Dintru-nceput deplin maestru... numa
În fața ta mă-nchin; stăpân unic,
Revarsă-ți harul peste mine-acuma,
Nu te mira că-ți cer să nu-mi măsori,
Să-mi dai tu singur tot; nu se desparte
Iubirea ta de marile-i surori:
Eterna Artă, suverana Moarte...
Azi, fericite, ele nu mai sunt
Fărâmițate-n lume și răzlețe:
Din cer, din iad, de pe întreg pământ
S-au strâns în geniala-ți frumusețe.
    Când țin la piept făptura-ți luminată,
    Le-mbrățişez pe câtetrele-odată...

the last pretend sonnets of Shakespeare

in an imaginary translation by V. Voiculescu –

CLXXXII

I've not been an apprentice, anyway;
But from the start, accomplished artist... still
Unequaled master, before you, I pray,
Pour now your grace upon me, if you will.
Don't think it strange: I beg don't judge my size,
Lend me instead your all; you can't divide
Your Love from its great sisters, as your eyes...
On Timeless Art and sovereign Death abide...
Today, quite happy, they no more meander
Disintegrated, through this world, and lost:
From hell, from heaven, and from earth asunder,
Into your dazzling beauty, they are tossed.
    Hence, when my head onto your breast I place
    All three of them together I embrace.

Mateiu Caragiale (1885-1936)

aspra

Nimic nu o-mblânzeşte, nimic nu o-ncovoaie,
Ani are peste sută şi multe-a pătimit:
Tot neamu-i, soţul, fiii, de sabie-au pierit,
Dar n-a putut durerea s-o frângă, nici s-o-nmoaie.

Şi fără preget luptă, împilă şi jupoaie;
Ea taie-n carne vie şi sufletu-i cernit
Cu toată răzbunarea e tot nemulţumit –
Aşa cumplit o arde năprasnica văpaie

A urii. Iar când noaptea l-a candelii lumină
Bătrâna ce veghează, stingheră şi haină,
Trecutul răscoleşte, din ochi îi dau scântei.

Nu plânge, dar veninul o-nnăbuşe, greu geme,
Afară urlă vântul şi peste capul ei
Pogoară stoluri negre de groaznice blesteme.

the grim one

There's nothing that will tame her and nothing that will bend her,
Her years – over a hundred and deeply was she hurt:
Her sons, her husband, dead now, all perished by the sword,
By pain, she won't be vanquished, and grief won't make her tender.

Relentlessly she struggles to torment and to maim;
She hatchets without mercy, her soul as dark as night,
Not happy with this vengeance, recalling every slight –
And dreadfully keeps burning this overwhelming flame

Of hatred. And when lamp-lights the darkness burn and pierce
The old wretch keeps on watching, so lonesome and so fierce,
And rummages the old times – her eyes engulfed in flares.

She does not weep, but venom is choking her, she groans,
Outside, the wind is howling, and over her gray hairs
Black flocks descend, of curses, with scourging ghastly tones.

George Topîrceanu (1886-1937)

octombrie

Octombrie-a lăsat pe dealuri
Covoare galbene şi roşii.
Trec nouri de argint în valuri
Şi cântă-a dragoste cocoşii.

Mă uit mereu la barometru
Şi mă-nfior când scade-un pic,
Căci soarele e tot mai mic
În diametru.

Dar pe sub cerul cald ca-n mai
Trec zile albe după zile,
Mai nestatornice şi mai
Subtile...

Întârziată fără vreme
Se plimbă Toamna prin grădini
Cu faldurii hlamidei plini
De crizanteme.

Şi cum abia pluteşte-n mers
Ca o marchiză,
De parcă-ntregul univers
Priveşte-n urmă-i cu surpriză, –

Un liliac nedumerit
De-alura ei de domnişoară
S-a-ngălbenit, s-a zăpăcit
Şi de emoţie-a-nflorit
A doua oară...

october

October left upon the hills
A tapestry of red and yellow.
The silver clouds are wavy quills
Sad love songs cry the rooster's bellow.

I grip on the barometer
And shudder if it drops a pin
The sun is getting smaller in
Diameter.

But from warm heavens, like in May
Days follow after pale days,
They are more fickle and less gay
In subtle ways...

And turning late, at her own leisure
The Autumn walks through gardens, bowers,
Her gown folds filled in hefty measure
With ruffled flowers.

Her glide, designed to overwhelm
And to despise,
Precisely so that the whole realm
Stares after her in stark surprise,

A lilac haplessly would glower
At her allurement so sublime
And turning yellow for an hour
In his excitement went to flower
A second time...

Alice Călugăru (1886-1933)

pustietate

Mă-ncinge iar,
Cu chinu-i lung, al frigurilor jar.
Flori şi întuneric m-au înfrânt,
De sete mă frământ,
De sete arzătoare şi de-amar

În taină lupt
Cu vise ce răsar neîntrerupt
Şi-apun în negura somnului meu
Încerc să leg, cu greu, în minte-mi lanțul gândurilor, rupt.
Aş vrea să-nving
Durerea ce m-abate
Şi sorb ca din izvor
Picurii reci ce-n umbra-i se preling!
Visez că sunt
Pierdută-ntr-un deșert.
Că trupu-mi frânt
Parc-a rămas aici, căzut pe drum
Și părăsit de-acum
De-o caravană ștearsă-n praf și-n vânt
Unde-am văzut
De mult acest pustiu, întins și mut,
Sub ceru-i arzător, albastru-nchis?
Poate era-n alt vis
Al cărui rost în minte-mi s-a pierdut

the wilderness

Aflame again,
With the long ache, the fever's ember pain.
By flowers and by darkness overcome
Of thirst I'm numb,
Of burning thirst and bitter strain

Furtive, I fight
With dreams arising day and night
And lapse into the darkness of my sleep
I try to bind, distressed, into my mind the chain of broken thoughts, contrite.
I wish to quell
The searing pain and
And to sip like a brook
The frigid drops which trickled as they fell!
I dream I am hushed,
Lost in a wilderness
My body crushed
It seems I've been left here, dropped on this road
Some caravan's unwanted load,
Abandoned in the dust and wind, away it rushed.
Where did I see
This desert, long ago, a silent scree
Under the burning sky, dark-blue
Some other dream askew
The sense which in my mind is all at sea.

Alice Călugăru (1886-1933)

De peste mări
A răsărit din neştiute zări,
E ţara arsă de la miazăzi,
Cu văile-i pustii,
Cu tremurul luminii-n depărtări în tâmple-mi bat
Ritmele vântului cel necurmat
De soare ochii îi închid şi-aştept
Să mor de rana-n piept,
Ce setea crudă, tainic, mi-a brăzdat.
Ah! cui să cer
Stropul de apă viu, ca să nu pier?
Şi cine m-a zvârlit pe-acest pământ
Bătut şi ars de vânt
Sub dogorirea vânătului cer!

Past seas remote
It rose from unknown skies to float
This scorching sun of life has shorn
Its valleys plain, forlorn,
Quiver of light – too far away to note
my temples pound
The rhythms of the wind's ceaseless rebound
I wait, the sun obliges me to close my eye,
And from my chest wound die,
Caused by the cruel thirst to which I am bound.
To whom to cry
For a drop of living water, so I won't die?
And who has thrown me to this earth
Burnt by the wind and dearth.
Under the scorch of this discolored sky?

Alexei Mateevici (1888-1917)

limba noastră

Limba noastră-i o comoară
În adâncuri înfundată
Un şirag de piatră rară
Pe moşie revărsată.

Limba noastră-i foc ce arde
Într-un neam, ce fără veste
S-a trezit din somn de moarte
Ca viteazul din poveste.

Limba noastră-i numai cântec,
Doina dorurilor noastre,
Roi de fulgere, ce spintec
Nouri negri, zări albastre.

Limba noastră-i graiul pâinii,
Când de vânt se mişcă vara;
În rostirea ei bătrânii
Cu sudori sfinţit-au ţara.

Limba noastră-i frunză verde,
Zbuciumul din codrii veşnici,
Nistrul lin, ce-n valuri pierde
Ai luceferilor sfeşnici.

our language

Our language is a treasure
From the deep, ascending grand
A string of gems beyond all measure
Overflowing on our land.

Our language is a fire
In a nation to prevail
From the deadly sleep and mire
Like the hero from the tale.

Our language is a tune,
Yearning folk-song, longing true
Crushing thunder which will swoon
Charcoal clouds, horizons blue.

Our language, voice of bread
Wind of summer's rustling sound
Our ancestors, it is said,
With their sweat had blessed this ground.

Our language, leaves of green
From the woods' unceasing strife
Dniester soft, its waves serene
Lucent stars' eternal life.

Nu veți plânge-atunci amarnic,
Că vi-i limba prea săracă,
Şi-ţi vedea, cât îi de darnic
Graiul țării noastre dragă.

Limba noastră-i vechi izvoade.
Povestiri din alte vremuri;
Şi citindu-le 'nşirate, –
Te-nfiori adânc şi tremuri.

Limba noastră îi aleasă
Să ridice slava-n ceruri,
Să ne spuie-n hram şi-acasă
Veşnicele adevăruri.

Limba noastră-i limbă sfântă,
Limba vechilor cazanii,
Care o plâng şi care o cântă
Pe la vatra lor țăranii.

You will never more bemoan,
That your language is too poor,
Bounteous in word and tone
Is the tongue of our dear shore.

Our language, ancient stories.
Legends from another time;
And while reading of these glories,
We are stirred, profound, sublime.

Our language, chosen, rare
To raise glory to the skies
And for all, in prose and prayer,
Of eternal truth advise.

Our language, it is sacred,
Brogue of homilies of old
It is wept and it is chanted
By our folk in their abode.

rugăciune în amurg

Mă rog și pentru viii și pentru morții mei.
Tot una-mi sunt acuma părtașii și dușmanii,
Cu ei deopotrivă mi-am sfărâmat eu anii,
Și dragostea și vrajba le-am împărțit cu ei.

Pe morți în rugăciunea de seara mi-i culeg.
Aceștia sunt, Doamne, iar eu printre morminte.
Au fost în ei avânturi și-au fost și pogorăminte.
Puțin în fiecare, în toți am fost întreg.

De viforele vieții ei sunt acum deșerti,
Dar dragostea, dar vrajba, din toate ce rămâne?
Zdrobită rugăciune la mila ta, Stăpâne,
Sunt și eu printre morții rugându-mă să-i ierți.

Și adunându-mi viii, la mila ta recurg,
Când crugul alb al zilei pământul încunună:
Tu dă-le, Doamne, dă-le cu toată mâna bună
Târzia-nțelepciune din tristul meu amurg.

prayer at twilight

I pray for all my living, I pray for those who died.
It's all the same to me now if they were friend or foe
My years, with them in concert, I crushed and shared their woe,
And love as well as quarrel with them I did divide.

As for the dead, my prayer at sunset I recall
These are the ones, my Master, and me at every tomb
They thrived with warmth and passion and sunk to deepest gloom.
A part I shared in each one and was fulfilled in all.

They're empty of life's tempests, and no longer feel their dread
But what with love and quarrel, what's left of them, what trace?
Pained prayer to You, oh Master, and trusting for thy grace,
I beg for their forgiveness, together with the dead.

And gathering all my living, thy mercy I pursue
As white, the midday sunlight the earth is crowning bright
You give them, Lord, oh give them – thy hand is good and right –
Late wisdom from my dismal, pathetic twilight hue.

Adrian Maniu (1891- 1968)

6 august

Plutesc sângerate...
frunze, ca inimi, mâini şi săgeţi...
Adâncurile bolborosesc tulburate,
luntrea-şi vâră botul, sprijinit pe lopeţi.

Trestiile molatice
fluieră...

De la o vreme,
soarele, în răsărit,
se teme...

Deodată, stolul gâştelor sălbatice,
unghi greu, fâlfâire pribeagă, înnegrind,
peste toamnă, molatica brumă...

Sfâşie aerul zbor, măcăitul sugrumă.
Fulgerul puştii coboară fulgi suri-albaştri pe grind.

Închisă, firea se face tăcută,
apa mai tristă, cerul mai luminat;
despletite-n avânt tremurat,
două sălcii se sărută.

6 August

They waft along bloodied...
leaves, like hearts, hands, arrows, and saddles...
The deep mutters confused, agitated,
the boat sticks out its snout, leaning on its paddles.

Languid reeds whistle...

For a while now,
the sun, in the east,
Is afraid...

Suddenly, the gaggle of wild geese,
heavy angle, vagrant waving, blackened trill,
over the autumn, the languishing frost...

Tears down the air in flight, its quacking strangled, lost.
The gun's lightning brings down the light-bluish plums on the hill.

Shut down, nature becomes hushed,
The water, sadder, the sky more bright;
Disheveled in the shimmering surge of light,
Two willows kissed as they brushed.

Ion Pillat (1891-1945)

furnica

În liniştea de aur a serii, omul ară...
Şi plugul greu şi boii şi el par jucării
De lemn pe şahul negru şi verde din câmpii:
Deasupra lor domneşte un cer de primăvară.

În brazda răsturnată, din care germinară
Atâtea azimi albe – dar pentru alți copii,
Adânc înfige fierul, şi-n gânduri cenuşii
Se-opreşte, frânt în două de truda seculară.

Dar n-a văzut alături, tovarăşă mai mică,
Pe-o iarbă, cum îşi duce necazul o furnică,
Precum nici ea într-însul n-a bănuit un zeu.

Şi-acum când noaptea şterge furnică, om şi zare,
Nici unul nu presimte în cer pe Dumnezeu
Ce ară, orb ca dânşii, întinsa înstelare.

the ant

At golden calm of evening, unruffled, the man hoes...
The heavy plow, the oxen, and he, all look like pawns
Of wood on chessboards black and green across the lawns:
Above them reigns majestic, a sky in the spring's repose.

In furrows turned forever, in germinating soil
Unleavened bread, pale offerings – for other children meant,
He deeply sinks the iron, his thoughts all grey and bent
He stops, his body broken by centuries of toil.

He doesn't see beside him, his comrade, busy, scant,
On grass, dragging her sorrow – so heavy walks the ant,
Who also didn't notice the giant, wasn't awed.

And now when night erases: ant, man, and skyline bright,
Not one of them is sensing the heavens where lives God
Who plows, as blind as they are, the vast and starry height.

Aron Cotruș (1891-1961)

un vierme al câmpiei te-a vândut...*

Un vierme al câmpiei te-a vândut,
Mişeleşte, pentru-un blid de linte
Şi răsmerița, în mersul ei fierbinte,
S'a rupt în două...
Trupul ți l-au dus, cu zile'n lut,
Dar gândul tău aspru rămasu-ne-a nouă,
C'o tărie trează, dârză, nouă,
Sub steagurile lui să mergem înainte...

* poemul se referă la Horea, unul din liderii răscoalei țăranilor șerbi transilvăneni de la 1784 contra proprietarilor de pământuri, în majoritatea lor nobilime maghiară. Răscoala a fost înăbușită în sânge, iar liderii, torturați și uciși.

by a maggot of the plains were you betrayed*

By a maggot of the plains were you betrayed,
Cowardly, for a measly lentil-ration
The burning march of fiery insurrection
Was snapped in two...
Your body, though alive, in dirt they laid,
But your coarse thought remained with us and grew
With an enlivened force, valiant and new
Beneath its banners, we follow its direction...

* This poem refers to Horea, one of the leaders of the serfs' revolt of 1784, where the Romanian peasant-serfs of Transylvania rose against their (mostly Hungarian) land owners. The revolt was bloodily thwarted and its leaders, Horea among them, tortured and killed.

DEMOSTENE BOTEZ (1893-1973)

iarna

S-a lăsat tăcerea albă pe pământ
Şi prin draperia viselor zăpezii
Se ridică-n ceruri dealul ca un sfânt
Prin lumina mată a după-amiezii.

Din senin un clopot s-a pornit a bate
Pe tăcerea lungă cercuri sunătoare
Cerul parcă are geamuri îngheţate
Şi nu se mai ştie nimic despre soare.

În copacii negri de la asfinţit
Amuţind şi ele după atâta larmă
Stau ca nişte fructe care-au putrezit
Ciori carbonizate, ce-au venit să doarmă.

A-ngheţat tăcerea sus, ca un ocean,
De se-aud aicea aspre sub zăpadă
Cum foşnesc încetul frunzele de an
Când încep să iasă lupii după pradă.

Ni se-aud deodată gândurile toate
Clar ca nişte oameni ce vorbesc în noi
Se ascunde-n mine sufletul cât poate
Ca într-o colibă neagră de trifoi.

winter

Quietness has landed, pale, upon the ground
Through the dreamy drapes of snow forever white
And the hill's ascending, saintly, heaven-bound
Through an afternoon of sleepy shaded light.

Suddenly a bell starts chiming in the breeze
Long, upon the silence, circling in its rings
Heaven has its windows fastened in the freeze
And the sun, forgotten, tied in icy strings.

From black arbors, looming in the twilight fade
Quiet now, and resting after such a row
Hang like stagnant berries that have now decayed
Charcoaled crows which booked their sleep upon the bough

In the frozen stillens, swelling like the seas
You can clearly hear it, rough under the snow
How the leaves are rustling on a year of trees
As the wolves start hunting, prowling to and fro.

Suddenly our thoughts all clamor be heard
Clearly, like some people echoing inside
While my soul is hiding, deep in me interred
Seeking for a darkened shelter to abide.

rănitul dintre linii

Ce plumb mă leagă de pământ,
Ce greu mi-e trupul şi ce frânt,
Ce linişte e-n jur acum
Mi-e viața numai ca un fum.

Îmi cad pe față fulgi de nea
Ca pe un bulgăr de mormânt
Şi nu-i nici ploaie şi nici vânt,
Ce rece e pe fața mea.

De unde-n gură-atât cobalt,
Ce mult aş vrea să-mi fie cald,
Să nu se-audă nici un tun,
Ce-nalt e cerul şi ce bun.

Toate-s aproape şi departe
Şi parcă-s legănat de ape,
Cu ochii în eternitate,
Ce stranie singurătate.

Iar ninge tare şi mi-e frig,
Aş vrea să mă ridic, să strig.
Cine-i alături şi mă cheamă,
Mamă, mamă.

the wounded soldier between the lines

What lead that draws me to the dirt,
How heavy is my frame, how hurt,
What silence around me right now
My life's a vapor anyhow.

Snowflakes are landing on my brow
As upon lumps of clay from tombs
There's neither rain nor wind that looms,
How wintry feels my face right now.

Why so much cobalt in my mouth,
How much I long to feel some warmth,
And never hear a cannon blare,
How tall the heavens and how fair.

All things are near and far, it seems
Perhaps I'm rocked by water streams,
My eyes in everlasting beams,
How strange this loneliness of dreams.

I'm cold – the snowing reigns supreme,
I wish to rise, I wish to scream.
Who calls my name now – there's no other –
Mother, mother.

Otilia Cazimir (1894-1967)

înserare

Un deal cosit... Şi pe şoseaua prinsă
De coasta lui, un car dispare-n fund.
Şi sună drumul ca o dobă-ntinsă
Pe care-ai aruncat, cu pumnii, prund.
Prin nori, apusu-mprăştie uşor
Un vag reflex rătăcitor...
Şi-ncet,
Pe ochii vineți şi-mpietriți ai zării,
Se lasă moi pleoapele-nserării.

nightfall

A hill is mown... and on the road that's hanging
And down its slope, a carriage disappears.
The road is sounding like a drum that's banging
On which you threw some dirt and then some tears.
Through clouds, the sunset scatters lightly
A vague reflex, which wanders nightly...
And gently,
On the skyline's purple, stony eyes
The eyelid of the sunset softly lies.

Al.O. Teodoreanu (1894-1964)

ca întotdeauna

Razele lunii,
Molcom căzând,
Apele mării adânci nu turbură.
Sufletul meu
A şoptit: Te iubesc.

Dar şoaptele sufletului,
Molcom căzând,
Apele adâncii tăceri nu turbură.

Atunci
Prin întomnare,
Ai plecat,
Lăsându-mi sufletul gol,
Ca toamna,
Atotveştejitoare.
Când te-ai desprins de mine,
Am rămas
Ca un copac,
Din care cea din urmă frunză
Au luat-o
Vântul,
Toamna,
Vremea,
Mi-am dojenit sufletul
Că nu m-a lăsat să-ţi vorbesc.

as always

The moon rays
Softly descending,
The deep-sea waters not disturbing.
My soul
Has whispered:
I love you.

But the soul's whispers,
Softly descending,
The waters of deep silence not disturbing.

And then
Through the season's turning,
You went,
Leaving my soul empty,
Like the autumn
Of all things wilting.
I was left
Like a tree,
From which the last leaf
Was taken by
The wind,
The autumn,
The weather,
I admonished my soul
For it did not let me talk to you.

Al.O. Teodoreanu (1894-1964)

Ai revenit,
Ca un ecou, mult prea îndepărtat,
Al acelei îndepărtate nopți
Buzele mele au spus:
Te iubesc. De-atunci,
N-ai mai plecat.
Mi-am dojenit sufletul,
Că nu m-a lăsat să tac.
Şi-am plâns, – prea târziu.

You returned,
Like an echo, too far away,
Of that far away night
My lips said:
I love you. Since then,
You have never left.
I admonished my soul,
not letting me remain silent.
And I wept, – too late.

riga Crypto şi lapona Enigel

Menestrel trist, mai aburit
Ca vinul vechi ciocnit la nuntă,
De cuscrul mare dăruit
Cu pungi, panglici, beteli cu funtă,

Mult-îndărătnic menestrel,
Un cântec larg tot mai încearcă,
Zi-mi de lapona Enigel
Şi Crypto, regele-ciupearcă!

— Nuntaş fruntaş!
Ospăţul tău limba mi-a fript-o,
Dar, cântecul, tot zice-l-aş,
Cu Enigel şi riga Crypto.

— Zi-l, menestrel!
Cu foc l-ai zis acum o vară;
Azi zi-mi-l stins, încetinel,
La spartul nunţii, în cămară.

*

Des cercetat de pădureţi
În pat de râu şi-n humă unsă,
Împărăţea peste bureţi
Crai Crypto, inimă ascunsă,

king Crypto and the lapp Enigel

Oh minstrel sad, obscurer, still,
Than good old wine, they serve at weddings
Which the groom's father dished at will
With bags and ribbons, tinsel meldings,

Most stubborn minstrel might as well
That grand old song to try and sing,
Tell of the small Lapp Enigel,
And good old Crypto, mushroom-king!

Chief here's my grief!
Your feast, my tongue did burn and sting,
I'll sing that song, although not brief,
Of Enigel and Crypto king.

Sing minstrel, sing!
You sang last summer like a heller;
Now sing constrained, on a quiet string,
To end the wedding in the cellar.

*

Searched by the forest's wild young sons
In river bed and greasy clay,
Reigned over mushrooms' fleshy buns
King Crypto's heart of dark dismay,

La vecinic tron, de rouă parcă!
— Dar printre ei bârfeau bureții
De-o vrăjitoare mânătarcă,
De la fântâna tinereții.

Şi răi ghioci şi toporaşi
Din gropi ieşeau să-l ocărască,
Sterp îl făceau şi nărăvaş,
Că nu voia să înflorească.

— În țări de gheață urgisită,
Pe-acelaşi timp trăia cu el,
Laponă mică, liniştită,
Cu piei; pre nume – Enigel.

De la iernat, la păşunat,
În noul an, să-şi ducă renii,
Prin aer ud, tot mai la sud,
Ea poposi pe muşchiul crud
La Crypto, mirele poienii.

Pe trei covoare de răcoare
Lin adormi, torcând verdeață,
Când lângă sân, un rigă spân,
Cu eunucul lui bătrân,
Veni s-o îmbie cu dulceață:

— Enigel, Enigel,
Ți-am adus dulceață, iacă.
Uite fragi, ție dragi
Ia-i şi toarnă-i în puiacă.

On some eternal dewy throne!
The mushrooms prattled on, however,
That Penny Bun, the witch, did hone
A brew to keep him young forever.

And hateful snowdrops tall or stumpy
From dampest pits were crying sour,
Conjectured he'd be fruitless, jumpy
Because he didn't want to flower.

In lands of ice forever doomed,
In those same days, down some deep dell,
A small and quiet girl was groomed,
The Lapp with furs named – Enigel.

From winter dream to grazing stream,
To a new year, her reindeer bade,
Through dew, she ran, towards the sun,
On moss she lay, her running done,
Near Crypto, young groom of the glade.

Three rugs she made, beneath the shade
Gently she slept, dreaming sweet cherries,
When at her chest, a bald king would rest,
Who dragged his eunuch on this quest,
Luring with nectar, like the fairies:

— Enigel, Enigel,
I have brought you jam, look here.
Berries too, just for you
Take some, eat them, have no fear.

— Rigă spân, de la sân,
Mulțumesc Dumitale.
Eu mă duc să culeg
Fragii fragezi, mai la vale.

— Enigel, Enigel,
Scade noaptea, ies lumine,
Dacă pleci să culegi,
Începi, rogu-te, cu mine.

— Te-aş culege, rigă blând...
Zorile încep să joace
Şi eşti umed şi plăpând:
Teamă mi-e, te frângi curând,
Lasă. – Aşteaptă de te coace.

— Să mă coc, Enigel,
Mult aş vrea, dar vezi, de soare,
Visuri sute, de măcel,
Mă despart. E roşu, mare,
Pete are fel de fel;
Lasă-l, uită-l, Enigel,
În somn fraged şi răcoare.

— Rigă Crypto, rigă Crypto.
Ca o lamă de blestem
Vorba-în inimă-ai înfipt-o!
Eu de umbră mult mă tem,

Că dacă-în iarnă sunt făcută,
Şi ursul alb mi-e vărul drept,
Din umbra deasă, desfăcută,
Mă-nchin la soarele-înțelept.

"Bald king pressed near my chest,
Thank you for your grace and skill.
But I wish to collect
My fresh berries down the hill."

"Enigel, Enigel,
Night is ebbing, light is lifting,
If you go to collect,
Start with me, don't go a-drifting."

"I would pick you, kind bald king...
But the dawn has started dancing
And you're dainty, frail with sap:
I do fear that soon you'll snap,
Ripen first, then come romancing."

"Me to ripen, Enigel,
How I'd wish, but from the sun,
A hundred nightmares, burning hell,
Cut me off. He's red, no fun,
Should I stay, it's my death knell;
Please forget him Enigel,
My cool shadow do not shun."

"Crypto king, Crypto king,
Like a blasted sword-edge sheer
In my heart, these words do sting!
For the dark, I greatly fear,

Because in winter I'm conceived,
And cousin with the arctic bear,
From the dark shadow now retrieved,
The sun I worship, wise and fair.

La lămpi de gheață, supt zăpezi,
Tot polul meu un vis visează.
Greu taler scump cu margini verzi
De aur, visu-i cercetează.

Mă-nchin la soarele-înțelept,
Că sufletu-i fântână-în piept,
Şi roata albă mi-e stăpână,
Ce zace-în sufletul-fântână.

La soare, roata se măreşte;
La umbră, numai carnea creşte
Şi somn e carnea, se desumflă,
Dar vânt şi umbră iar o umflă...

Frumos vorbi şi subțirel
Lapona dreaptă, Enigel,
Dar timpul, vezi, nu adăsta,
Iar soarele acuma sta
Svârlit în sus, ca un inel.

— Plângi, prea-cuminte Enigel!
Lui Crypto, regele-ciupearcă,
Lumina iute cum să-i placă?
El se desface uşurel
De Enigel,
De partea umbrei moi să treacă...

Dar soarele, aprins inel,
Se oglindi adânc în el;
De zece ori, fără sfială,
Se oglindi în pielea-i chealǎ;

With lamps of ice and under snows
My whole north pole one dream is dreaming.
Green-tinged, a platter grand which grows
Of purest gold, our fancy gleaming.

The sun I worship, old and wise,
My soul's a fountain, on the rise,
The big white wheel, he is my master,
Deep in my soul, a holy aster.

When sunny, does the wheel grow large;
But shadows put the flesh in charge;
Asleep's the flesh, and weak as gel,
But wind and shadows make it swell..."

Pleasingly spoke, with dainty knell,
The small straightforward, Enigel,
But time, you see, was waiting not,
And the big sun rose like a shot,
Up in the skies, a ring of hell.

"Oh cry, you sweet, wise Enigel!
For how could Crypto, mushroom chief,
Love that hot light, which brought him grief?"
He peels off lightly, like a shell,
From Enigel,
In the soft shadow to find fief...

But the hot sun, that fiery king,
Mirrored in him his deadly ring;
Ten times it did it, without shame
On his bald skin mirrored a flame;

Şi sucul dulce înăcreşte!
Ascunsa-i inimă plesneşte,
Spre zece vii peceți de semn,
Venin şi roşu untdelemn
Mustesc din funduri de blestem;

Că-i greu mult soare să îndure
Ciupearcă crudă de pădure,
Că sufletul nu e fântână
Decât la om, fiară bătrână,
Iar la făptură mai firavă
Pahar e gândul, cu otravă.

— Ca la nebunul rigă Crypto,
Ce focul inima i-a fript-o,
De a rămas să rătăcească
Cu altă față, mai crăiască:

Cu Laurul-Balaurul,
Să toarne-în lume aurul,
Să-l toace, gol la drum să iasă,
Cu măsălarița-mireasă,
Să-i ție de împărătească.

And his sweet sap is getting sour!
His hidden heart will burst this hour,
Into ten darkened seals alive;
Red venom from a deadly hive
Seeping deep curses, now arrive;

It's tough, the sun for long to bear,
For frail wood mushrooms in the glare,
Because their souls are not kept cool,
But for the man, old beastly fool;
While to a creature, dainty, frail,
That whimsy is a poisoned grail.

"Like crazy Crypto, of love spurned,
Whose heart in him the fire burned,
And he was left to wander on
With a more princely face of scorn:

With Dragon Mute, that grand old brute,
To cast the world some gold for loot,
To chop it, naked he will flee,
For it is Penny Bun, you see,
Whom he has asked his queen to be."

eu nu strivesc corola de minuni a lumii

Eu nu strivesc corola de minuni a lumii
şi nu ucid
cu mintea tainele, ce le-ntâlnesc
în calea mea
în flori, în ochi, pe buze ori morminte.
Lumina altora
sugrumă vraja nepătrunsului ascuns
în adâncimi de întuneric,
dar eu,
eu cu lumina mea sporesc a lumii taină –
şi-ntocmai cum cu razele ei albe luna
nu micşorează, ci tremurătoare
măreşte şi mai tare taina nopţii,
aşa îmbogăţesc şi eu întunecata zare
cu largi fiori de sfânt mister
şi tot ce-i nenţeles
se schimbă-n nenţelesuri şi mai mari
sub ochii mei –
căci eu iubesc
şi flori şi ochi şi buze şi morminte.

I do not crush the crown of this world's wonders

I do not crush the crown of this world's wonders,
and do not kill
with my mind the mysteries which I encounter
on my way
in flowers, in eyes, on lips or just on tombstones.
Others' bright light
extinguishes the spell of the obscure,
the enigmatic, hidden in the depths of darkness,
but I,
I with my light augment the world's enigma –
just like the moon, with its white ray
which won't diminish, but quivering
increases the night's puzzle,
in the same way, do I enrich the shadows of horizons
with wondrous awe of holy riddles
and all that's undiscerned
transforms itself in even larger un-discernments
under my gaze –
for I'm in love
with flowers and eyes, and lips, and all the tombstones.

risipei se dedă florarul

Ne-om aminti cândva târziu
de-această întâmplare simplă,
de-această bancă unde stăm
tâmplă fierbinte lângă tâmplă.

De pe stamine de alun,
din plopii albi, se cerne jarul.
Orice-nceput se vrea fecund,
risipei se dedă Florarul.

Polenul cade peste noi,
în preajmă galbene troiene
alcătuiește-n aur fin.
Pe umeri cade-ne și-n gene.

Ne cade-n gură când vorbim,
și-n ochi când nu găsim cuvântul.
Și nu știm ce păreri de rău
ne tulbură, piezis, avântul.

Ne-om aminti cândva târziu
de-această întâmplare simplă,
de-această bancă unde stăm
tâmplă fierbinte lângă tâmplă.

Visând, întrezărim prin doruri –
latente-n pulberi aurii –
păduri ce ar putea să fie
și niciodată nu vor fi.

to waste is prone the month of May

This simple, undisguised occurrence,
too late, someday, we might remember,
the garden bench on which we rested,
our temples touching, crimson ember.

Hazelnut trees are raining cinder,
white poplars join a wild array.
To be profuse craves each new dawn,
to waste is prone the month of May.

Sweet pollen falls on us again,
like yellow snowdrifts, gentle cover,
as if some fine and golden threads.
Shoulders and eyelashes discover.

For our mouths will taste it speaking,
while in our eyes the word goes missing.
We can't predict regretful evenings,
as we lay sleepless, reminiscing.

This simple, undisguised, occurrence,
too late, someday, we might remember,
the garden bench on which we rested,
our temples touching, crimson ember.

Through dreams and longings now we linger –
this gold dust hides a bitter twist –
lush forests latently existing
forever failing to exist.

Eva

Când şarpele întinse Evei mărul, îi vorbi
c-un glas ce răsuna
de printre frunze ca un clopoţel de-argint.
Dar s-a-ntâmplat că-i mai şopti apoi
şi ceva în ureche
încet, nespus de-ncet,
ceva ce nu se spune în scripturi.

Nici Dumnezeu n-a auzit ce i-a şoptit anume,
cu toate că a ascultat şi el.
Şi Eva n-a voit s-o spună nici lui
Adam.

De-atunci femeia-ascunde sub pleoape-o taină
şi-şi mişcă geana parc-ar zice
că ea ştie ceva
ce noi nu ştim,
ce nimenea nu ştie,
nici Dumnezeu chiar.

Eve

When the serpent gave Eve the fruit, he spoke to her
with a voice resounding
chiming through the leaves, like a silver bell.
But it so happened that later he whispered
something in her ear,
softly, very softly
something which is not written in the scriptures.

Not even God heard exactly what he whispered to her,
even though
He was trying to listen too.
And Eve didn't want to tell
Adam either.

Ever since, the woman hides a secret underneath her eyelids
and moves her eyelashes as if to say
that she knows something
which we don't,
and no one does,
not even God.

gorunul

În limpezi depărtări aud din pieptul unui turn
cum bate ca o inimă un clopot
şi-n zvonuri dulci
îmi pare
că stropi de linişte îmi curg prin vine, nu de sânge.

Gorunule din margine de codru,
de ce mă-nvinge
cu aripi moi atâta pace
când zac în umbra ta
şi mă dezmierzi cu frunza-ţi jucăuşă?

O, cine ştie? – Poate că
din trunchiul tău îmi vor ciopli
nu peste mult sicriul,
şi liniştea
ce voi gusta-o între scândurile lui
o simt pesemne de acum:
o simt cum frunza ta mi-o picură în suflet –
şi mut
ascult cum creşte-n trupul tău sicriul,
sicriul meu,
cu fiecare clipă care trece,
gorunule din margine de codru.

the sessile oak

In limpid distances, I'm hearing from inside a tower's breast
where, like a heart, a bell is tolling
and in sweet whispers
it appears to me
that drops of calm are flowing through my veins, and not of blood.

Oh, sessile-oak, on the fringe of the old woods,
why am I vanquished
by the mellow wings of lush serenity
when I'm reposed under your shadow
and you caress me with your playful leaf?

Oh, and who knows? Maybe
from your trunk, they will chisel off
in a short time, my coffin,
and the calm
which I will taste between its planks
I sense it, maybe, even now:
I feel it as your leaf drips it inside my soul –
and mute
I listen – how it grows within your frame the coffin,
my own coffin,
with every moment passing on,
oh, sessile-oak, on the fringe of the old woods,

celei venite

Să-mi fie mâinile tale ultimele
ce aștern inimii
zăpada liniştii dintâi
ca peste un mormânt nou de toamnă.

Să fie ochii tăi soarele sumbru
al lumii somnului
spre care-mi învie sufletul.

Să-mi fie glasul tău adierea
depărtatelor mări în care s-au stins clopotele
grele ale rugăciunilor.

Să-mi fie pletele tale
salcia de seară
în care mai tremură uitatele şoapte.

Să-mi fie sufletul tău sărut
pe reci pleoape
şi lacrima ta cugetul limpede
al clipei din urmă.

Să fie iubirea târzie
valul care ne leagănă
în veşnicie.

to the one who came

May your hands be, for me, the last to lay
down for the heart
the snow of the primordial silence
as if over a new tomb of autumn.

May your eyes be the somber sun
of the world of sleep
towards which my soul gets resurrected.

May your voice be for me the gentle breeze
of the faraway seas in which the heavy bells
of prayer grew silent.

May your hair tresses be for me
the evening weeping willow
in which the whispers tremble, forgotten.

May your soul be for me a kiss
on cold eyelids
and your tear
the clear conscience of the last moment.

May the late love
be the wave binding us
to eternity.

miel pascal

Miel pascal,
Miel singur, sub safir,
În sumbra odaie, mi-ai tremurat zăpezile de culmi,
Argintul din potir,
Și-atunci răcoarea văii a năvălit pe fețe.
Cu flori și cu poteci, cu mânăstiri răzlețe.

Sacrificat plăpând!
Nici tu, nici pruncul blând n-o să ne-nvețe
Să-ngenunchem sub patrafirul de iubire,
Arzând păcatul cărnii și-al poftelor drumețe.

Rămâi un sol al primăverii care moare,
Floare tristă, floare de candoare,
Pierdut în pacea ierburilor crețe.
O! amintire fără de povețe.

paschal lamb

Paschal lamb
Lamb all alone – no malice,
In the somber room, you trembled my snows on the ridges,
The silver of the chalice,
And then the chill of the valley invaded our faces.
With flowers and with footpaths, monasteries, lonely places.

Was sacrificed so tender!
Not you, nor the kind baby can explain
Of how to kneel under the stole of love
Burning the flesh's sin, lechery's bane

Remain a crier of spring which dies away,
A saddened flower, candid you shall pray,
Lost in the harmony of curly grass.
Oh! Memory with no wisdom at the mass.

Tristan Tzara (1896-1963)

ca să faceți un poem dadaist

Luați un ziar.
Luați niște foarfeci.
Alegeți din acest ziar un articol de lungimea pe care intenționați s-o dați poemului dumneavoastră.
Decupați articolul.
Decupați apoi cu grijă fiecare dintre cuvintele care alcătuiesc acel articol și puneți-le într-un sac.
Scuturați ușor.
Scoateți apoi fiecare tăietură una după alta.
Copiați cu conștiinciozitate în ordinea în care au ieșit din sac.
Poemul o să semene cu dumneavoastră.
Și iată-vă: un scriitor nesfârșit de original și de o sensibilitate fermecătoare, deși neînțeleasă de vulg.

to make a dadaist poem

Take a newspaper.
Take some scissors.
Choose from this newspaper an article of the length you intend for your poem.
Cut up the article.
Afterward cut up carefully every single word which makes up the article and put them all in a little bag.
Shake it gently.
Take out every cut piece, one after another.
Copy conscientiously in the order in which they came out of the bag.
The poem will resemble you.
And here you are: a writer of unbound originality and a ravishing sensibility, although not understood by the commoners.

rândunică legumă

două zâmbete se întâlnesc spre
roata-copil a sârguinței mele
bagajul sângeros al creaturilor
făcut carne în legende-vieți fizice

supletea intermediază furtuni nor deasupra
ploaie cade sub foarfecile
întunecatului coafor –
înotând furios sub arpegiile ce se contrazic

în seva mașinii iarba
crește împrejur cu ochi ascuțiți
aici cota-parte a mângâierilor noastre
moarte și plecate cu valurile

se predă singur judecatei timpului
despărțit de meridianul perilor
non-lovituri în mâinile noastre
spicele plăcerilor umane

legume swallow

two smiles meet towards
the child-wheel of my industriousness
the bloody luggage of the creatures
made flesh in physical legends-lives

the suppleness negotiates storms cloud above
rain falls under the scissors
of the dark hairdressing salon –
swimming furiously beneath the arpeggios contradicting each other

in the sap of the machine the grass
grows around with sharp eyes
here the percentage of our caresses
dead and gone with the waves

gives itself up to the judgment of time
divided by the meridian of the hairs
non-hits in our hands
the wheat-ears of human pleasures.

lui Taliarh

pentru Păpușu (Armand Pascal)

Boii urâți și teferi s-au limpezit în șes,
și au țipat cocoșii târziu și fără sens.
Ileana, care doarme cu porcii de tărîțe,
s-a pus să mulgă vacii lapte stelar din țâțe,
pământului să mulgă răcoare de cartof.
Toamna bacoviană geme-n ferestre: of! –
Prietene, dă-mi mâna și taci; așa; dă-mi mâna.
Privește curtea, porcii, și, râcâind țărâna,
cocoșii albi. Privește: sufletul meu e trist.
O, Taliarh, acuma, ca și-n trecut, exist,
și beau din vinul ăsta, și beau din cupa asta.
Vechilul tot nu știe ce albă-i e nevasta,
Ileana tot nu știe decât să mulgă vaci –
și via să-și înnoade azurul pe araci.
Vino; să stăm de vorbă cât ne mai ține vrerea;
ca mâne, peste inimi, va izbuti tăcerea,
și n-om vedea prin geamuri, tineri și zgomotoși,
amurgul care-aleargă după cireadă, roș.
Ca mâne, toamna iară se va mări prin grâne,
și vinul toamnei poate nu-l vom mai bea. Ca mâne,
poate s-or duce boii cu ochi de râu în știri,
să tragă cu urechea la noile-ncolțiri.
Și-atuncea, la braț, umbre, nu vom mai ști de toate;
poate-am să uit nevasta și vinul acru; poate...
Ei, poate la ospețe nu vei mai fi monarh. –
E toamnă. Bea cotnarul din cupă, Taliarh.

to Taliarch

for Păpușu (Armand Pascal)

Two ugly, sturdy, oxen occurred upon the plain,
the roosters shrieking loudly, belated and inane.
Ileana, sleeping soundly, with pigs in husks of wheat
is bent to squeeze the heifer – milk, stellar, from its teat,
To strip the ground its chill, the potato will bestow
Bacovian* autumn groaning in front of windows: oh!
My friend give me your hand and be quiet, yes, your hand,
Behold the swine, the courtyard, and scouring the ground,
those pale roosters. Behold now: my soul dejected, glum.
Oh, Taliarch, in the present, as in the past, I am,
And drain this old wine goblet, and drain this chalice rife,
The bailiff has no inkling how pallid is his wife,
Ileana still won't fathom, save milking the bovine -
and tying up cobalt on props and stakes the vine.
Come on; let's have a parley whereas we feel the lure
As on our hearts, tomorrow, deep silence will endure,
We won't see through the windows, as young and loud we rove,
The twilight as it's rushing after the scarlet drove.
Anon will rush the autumn to grow upon the corn;
perchance the wine of autumn we won't imbibe. Anon
the oxen ambling onwards with eyes of river news,
to eavesdrop on the sprouting attempting to infuse.
Then, arm-in-arm, like shadows, we won't discern, you see...
maybe forget that wife and the sour wine; maybe...
Eh, and who knows, at feasts you'll no longer be a monarch. –
It's autumn. Drink the cotnar** full from the goblet, Taliarch.

---

* Bacovian – in the (melancholy) manner of George Bacovia – a famous Romanian poet
** Cotnar (or Cotnari) – one of the best known of Romanian wines

Alexandru Philippide (1900-1979)

răzvrătire

Visez o răzvrătire a lumii vegetale.

De la lichenii palizi ai cercului polar
Pân-la giganții arbori ai zonei tropicale,
Ciuperci sau flori, mlădițe sau trunchiuri colosale
Pornesc să-nfrunte omul, uzurpator flecar
Al mutei lor domnii primordiale.

Păsările călătoare
Au dus din continent în continent
Vestea cea mare;
Şi-acum, în orice vrej, în orice floare
E demonul revoltei, subtil şi violent.

Eucalipți şi cedri cu brațe uriaşe
Şi boababi bubonici cu trupul numai noduri
Se năpustesc năprasnici spre marile oraşe
Zdrobind palate, fabrici, gări, hale, turnuri, poduri.

Din ecuatorialele coclauri
Lianele cu brațe de hidre şi balauri
Se furişează şi se-ntind,
Îşi iau avântul
Şi-ntr-o rețea de funii vii cuprind Pământul.

Şi arbori fără nume, giganți cu brațe-căngi,
Ies fioroşi din junglă cu uraganu-n coarne
Purtând, drept coliere, şerpi boa şi, drept goarne,
Maimuțe urlătoare împleticite-n crengi.

revolt

I dream of a revolt of the vegetation realm.

From the pale lichen living beyond the polar regions
To arbors from the tropics, so huge! – they overwhelm,
With mushrooms, flowers, shoots, the cedar, and the elm,
They rise against the human usurpers in their legions,
Restoring their primeval control over the realm.

And migrant birds
Have carried over every continent
The marvelous word;
And now in all the shoots and flower girds
The demon of revolt grows subtle, violent.

The eucalypts and pines with giant arms
Bubonic old boabs, with bulges on their trunks
Are marching, ghastly, on the cities, in their swarms
And crushing bridges, palaces, and towers into dust.

From equator's deep burrows
Young vines with snaky arms like hydras and like dragons
Invisible they creep
To gain their burst
And in a web of living ropes, they sweep
This earth that's cursed.

And nameless trees, with huge harpoon-like arms,
Grow dreadful from the jungle, like hurricanes they blow,
And march out from the darkness with boa snakes in tow,
While screaming monkeys trumpet, through branches, fierce alarms.

Un pâlc de mari sequoia porneşte la asalt,
Şi înghiţind distanţe de ceasuri într-un salt
Vijelios ajunge drept la ţel:
Şi iat-un zgârie-nouri de sticlă şi oţel
Se prăbuşeşte alb, inert, înalt,
Titan tembel.

Din taiga purced oştiri de pini,
Fac paşi de şapte poşte săltând din rădăcini
Ca nişte strâmbe picioroange
Şi sunt atât de deşi încât întorc din cale
Largile fluvii ecuatoriale
Făcând o gârlă seacă dintr-un Gange.

Din crengi ca din ascunse catapulte
Sar stânci întregi zvârlite la depărtări de stele
Şi cad peste pământ atât de multe
Încât astupă mările subt ele.

În orice fir de iarbă un ghimpe încolţeşte,
În fiecare frunză un ochi ascuns palpită;
Şi în pământ tuberculi şi bulbi scobesc hoţeşte
O boştiură perfidă ce-i gata să te-nghită.

O forţă-năbuşită de mii şi mii de ani,
Ascunsă-n pulsul molcom al sevei, îşi ia vânt
Cu zbucium de cutremur şi clocot de vulcani;
Şi era vegetală rencepe pe pământ...

...Ca să dureze pân-atunci când, poate,
În viitoare vremuri depărtate,
Metalele din beznă şi pietrele scuipate,
Surori cu-acelea care ard în stele,
Din noaptea nemişcării se vor trezi şi ele.

A copse of large sequoias is starting its assault,
It covers a huge distance in just a single vault
And with a gale, reaches its goal:
You watch how a skyscraper of glass and steel, will roll
And crash inertly to a halt,
Colossal stupid troll.

From the taiga armies of pines rush out,
With huge strides from their roots, they move about
Like ugly gnarled phalanges;
They are so thick together, that they stop
All large monsoon-like rivers with their mop –
A small, dry, creek has now become the Ganges.

From tree branches, as though from slingshots high,
Enormous rocks are shooting, as if from distant stars;
They fall upon the earth, a huge array
And fill the oceans like some deadly scars.

In every blade of grass, there grows a thorn,
In every leaf, a hidden eye will throb;
And in the ground, in tubes and bulbs is born
A dark malignant broth – which many lives will rob.

A force which has been stifled for ninety thousand years
Stayed hidden in the stillness of sap and wind and earth
And now with groaning earthquakes and with volcano sneers
The vegetation era is ushered like a birth...

... To last so long until perhaps, one day
In eons of the future, a time so far away,
The metals in the darkness and rocks which, dormant, prey,
Good sisters with the stars – a burning hell –
They will awake from stagnant nights as well.

Zaharia Stancu (1902-1974)

cântec șoptit

Odată am ucis o vrabie,
Am tras cu praștia în ea și-am lovit-o.
Pe urmă, o zi și o noapte întreagă
Am tot plâns-o, am tot jelit-o.

Nu m-a bătut mama, nu m-a certat,
Țineam în mână o bucată de pâne.
„Degeaba, mi-a spus, degeaba mai plângi,
Ce-ai omorât, omorât rămâne."

Mai târziu am crescut flăcăiandru,
M-am îndrăgostit nebunește de-o fată.
Nu știu de ce într-o zi a murit
Și-n altă zi a fost îngropată.

De mult nu mai trag cu praștia-n vrăbii,
De mult nu mai merg la nici o-ngropare,
Soarele apune după niște măguri
Și răsare, în flăcări, din mare.

N-am mai ochit nici berze, nici vrăbii
Şi nici cu puşca în ciute n-am tras.
Poate de-aceea cântecul meu
Tot tânăr, tot proaspăt a rămas.

Cântecul acesta e un cântec şoptit,
Toate cântecele mele sunt şoptite,
Unele la urechile tale dragi, altele
La urechile lumii slăvite.

whispered song

Some time ago I killed a sparrow,
I slung a stone and her life I robbed.
And then the whole day and the night that followed,
I mourned for her and for her I sobbed.

Mother did not punish me, she did not chide,
In my hand, I was holding a piece of bread.
"It is in vain", she said, "in vain you are weeping,
What has died will remain with the dead."

Later on, when I was a young lad
I fell madly in love, a fair girl I embraced.
I don't know why, but one day she died
And another day, she was laid to rest.

It is long since I slung a stone at a sparrow,
It's long since funerals have frightened me.
The sun is setting there beyond some hills
And it rises in flames from the sea.

I stopped aiming stones at storks and at sparrows
I stopped firing my gun at the deer.
And this is, perhaps, the reason my song
Remains young, remains fresh, every year.

This song of mine is a whispered song,
All my songs tell a whispered story,
Some are meant for your lovely ears, while others
For the ears of this world full of glory.

aviograma (în loc de manifest)

Hermetic somnul locomotivei peste balcoane ecuator
Pulsează anunț vast TREBUIE dinamic
serviciu maritim
Artistul nu imită artistul creează
Linia cuvântul culoarea pe care n-o găsești
în dicționar.
Vibrează diapazon secolul
Hipism ascensor dactilo-cinematograf
INVENTEAZĂ INVENTEAZĂ
Arta surpriza
Gramatica logica sentimentalismul ca
agățătoare de rufe
Pe frânghii cheamă împărăția afișelor luminoase
cherry-brandy vin trans-urban căi ferate cea
mai frumoasă poezie: fluctuația dolarului
Telegraful a țesut curcubee de sârmă
Iradiator declanșează stigmat a c d alfabet dentar
Stenografie astrală să vie
sângerarea cuvântului
metalic lepădarea formu-
lelor purgative și când
formulă va deveni ceea ce
facem ne vom lepăda și de
noi în aerul anesteziat
cablograme cântă diastola stelelor devalizat gândul

aviograma (in lieu of a manifesto)

Hermetic the sleep of the locomotive over balconies equator
Pulsates announcement vast NECESSARY dynamic
maritime service
The artist never imitates, the artist creates
The line the word the color you do not find
in the dictionary.
Vibrates diapason the century
Equestrianism elevator dactylo-cinematograph
INVENT INVENT
Art surprise
Grammar logic sentimentalism as
clothes pegs
On the ropes calls the kingdom of the illuminated posters
cherry-brandy wine trans-urban railways the most
beautiful poem: fluctuation of the dollar
The telegraph wave wire rainbows
Radiator triggers stigma a c d dental alphabet
Astral stenography to come
the bleeding of the word
metallic renouncement of the purgative formu-
las and when
formula will become what we
do we will renounce also
ourselves in the anesthetized air
cablegrams sing the diastole of the stars invalidated thought

pianul mecanic servește cafeaua cu lapte elegant
O! recitările o! serbările de binefacere un permis de sinucidere
3 dinari trotuarul și-a plombat dinții în spirală
regim lactat manivelă în timpan
bulevard citește orient expres antracit autobuz embrion
miraj clorhidric imposibil realizat ce ochi mărunți
ca zahăr pisat incest cortegiu
abstract agenție de schimb transatlantic
veștile se
ciocnesc ca la biliard avioane
PARIS T S F LONDRA NEW-YORK BERLIN
coboară ca barometre arde colierul de faruri
Europa
are crampe înghite stâlpii comunali inutil
cât poți confortabil
infinitul în pantofi de casă anunță
bisexualitate atlet urmărește discursul reciproc gazetele se deschid
ca ferestre începe concertul secolului
ascensor sună interbancar jazz saltimbanc
claxon
FABEMOL
RE
FABEMOL
ÎN
PIJAMA
FOOTBALL
ILARIE VORONCA

the mechanical piano serves the coffee with elegant milk
Oh! The recitals oh! The charity festivities a permit for suicide
3 denarii the sidewalk had teeth filled in a spiral
lactate regime crank handle in the tympanum
boulevard reads orient express anthracite bus embryo
mirage chloric impossible realized what minute eyes
like tossed sugar incest retinue
abstract exchange agency for transatlantic exchange
news is
clashing like at billiard airplanes
PARIS T S F LONDON NEW-YORK BERLIN
descends like barometers it burns the necklace of headlights
Europe
has cramps swallows the communal power poles uselessly
as much as you can comfortably
the infinite in the house shoes announce
bisexuality athlete follows the reciprocal discourse the newspapers open up
like windows starts the concert of the century
elevator rings inter-banking jazz showmen
horn
F-FLAT
D
F-FLAT
IN
PYJAMA
FOOTBALL
ILARIE VORONCA

RADU GYR (1905-1975)

ridică-te, Gheorghe, ridică-te, Ioane!

Nu pentru-o lopată de rumenă pâine,
nu pentru pătule, nu pentru pogoane,
ci pentru văzduhul tău liber de mâine,
ridică-te, Gheorghe, ridică-te, Ioane!

Pentru sângele neamului tău curs prin şanţuri,
pentru cântecul tău ţintuit în piroane,
pentru lacrima soarelui tău pus în lanţuri,
ridică-te, Gheorghe, ridică-te, Ioane!

Nu pentru mânia scrâşnită-n măsele,
ci ca să aduni chiuind pe tăpşane
o claie de zări şi-o căciulă de stele,
ridică-te, Gheorghe, ridică-te, Ioane!

Aşa, ca să bei libertatea din ciuturi
şi-n ea să te-afunzi ca un cer în bulboane
şi zarzării ei peste tine să-i scuturi,
ridică-te, Gheorghe, ridică-te, Ioane!

Şi ca să pui tot sărutul fierbinte
pe praguri, pe prispe, pe uşi, pe icoane,
pe toate ce slobode-ţi ies înainte,
ridică-te, Gheorghe, ridică-te, Ioane!

Ridică-te, Gheorghe, pe lanţuri, pe funii!
Ridică-te, Ioane, pe sfinte ciolane!
Şi sus, spre lumina din urmă-a furtunii,
ridică-te, Gheorghe, ridică-te, Ioane!

rise up now Gheorghe*, rise up now Ion!

Not for a shovel of ruddy hot bread,
not for barns full of grain, nor for fields full of corn,
but for a tomorrow with your sky free of dread,
rise up now Gheorghe, rise up now Ion!

For the blood of your folk flowing red through the drains,
for your beautiful song which was stifled at morn,
for the tears of your sun, left imprisoned in chains,
rise up now Gheorghe, rise up now Ion!

Not for your fury sinking teeth into bars,
but to sing as you fill, on the crest of the dawn,
a heap of horizons and a hatful of stars,
rise up now Gheorghe, rise up now Ion!

So that freedom you drink, flowing fresh from the pail,
and to heavenly whirlpools be mightily drawn,
while apricot flowers drop on you, merry hail,
rise up now Gheorghe, rise up now Ion!

And so, as you kindle your kisses on fires,
on thresholds and doors, which the icons adorn,
on all that is free and for freedom desires,
rise up now Gheorghe, rise up now Ion!

Rise up now Gheorghe on chains and on ropes!
Rise up now Ion on the heavenly bone!
And high, to the storm-light which shines on your hopes,
rise up now Gheorghe, rise up now Ion!

* Gheorghe (George) and Ion (John) are the typical, everyman's Romanian names. In this poem, they are meant to represent ordinary Romanians

as' noapte, Iisus...

As' noapte, Iisus mi-a intrat în celulă.
O, ce trist, ce înalt era Christ!
Luna-a intrat după El în celulă
şi-L făcea mai înalt şi mai trist.

Mâinile Lui păreau crini pe morminte,
ochii adânci ca nişte păduri.
Luna-L spoia cu argint pe veştminte,
argintându-I pe mâini vechi spărturi.

M-am ridicat de sub pătura sură:
— Doamne, de unde vii? Din ce veac?
Iisus a dus lin un deget la gură
şi mi-a făcut semn să tac...

A stat lângă mine pe rogojină:
— Pune-Mi pe răni mâna ta.
Pe glezne-avea umbre de răni şi rugină,
parcă purtase lanțuri cândva...

Oftând, Și-a întins truditele oase
pe rogojina mea cu libărci.
Prin somn, lumina, iar zăbrelele groase
lungeau pe zăpada Lui vărgi.

Părea celula munte, părea căpățână,
şi mişunau păduchi şi guzgani.
Simțeam cum îmi cade tâmpla pe mână,
şi am dormit o mie de ani...

last night, Jesus...

Last night, Jesus came and He entered my cell.
Oh, how sad and how lofty seemed Christ!
The moon, which followed Him into the cell,
made taller and sadder, the Sacrificed.

His hands looked like lilies on gloomy tombstones,
His eyes, dark like the sunless woodlands.
The moon on His garment shone silvery tones
and silver-like scars on His hands.

Amazed, I jumped from under my sheet
"From whence come you, Lord, from what time?"
He touched His lips with a finger, discrete
to be silent, to me He did mime...

He sat down with me on the carpet dust:
"On My wounds put your hand, feel the scars!"
His ankles bore shadows of wounds and of rust
as if from dragging shackles and bars...

He sighed as He rested his weary beat bones
on my rug full of vermin, foul, black.
The moonlight was throwing long sinister tones,
like rods on the snow of His back.

The cell seemed a mountain, a forehead so grand,
tribes of lice and of rats ruled this field.
I felt how my heavy head fell on my hand
to a thousand years' sleep, I was wheeled.

Când m-am trezit din grozava genună,
miroseau paiele a trandafiri.
Eram în celulă şi era lună,
numai Iisus nu era nicăiri...

Am întins braţele. Nimeni, tăcere.
Am întrebat zidul. Niciun răspuns.
Doar razele reci ascuţite-n unghere,
cu suliţa lor m-au împuns.

— Unde eşti, Doamne? – am urlat la zăbrele.
Din lună venea fum de căţui.
M-am pipăit, şi pe mâinile mele
am găsit urmele cuielor Lui...

Later, when I awoke, the queer darkness was gone,
and the hay was fragrant like roses and light.
The moon shone in my cell, but I was alone
for Jesus was nowhere in sight...

I stretched my arms wide. No one here, so hushed.
I queried the wall. No reply!
Only razor cold rays from dark corners, they rushed
and their lance pierced my side in their fly.

"Where are you, Lord?" – I screamed at the grate.
A smoke, as of incense, the moon now trails.
I touched my body, and my hands, oh what fate!
carried the deep scars of His nails.

ultima scrisoare

Sfârşitul a venit fără de veste.
Eşti fericită? Văd că porți inel.
Am înțeles. Voi trage dungă peste
Nădejdea inutilă. Fă la fel.
Nici un cuvânt. Nu-mi spune că-i o formă,
Cunosc însemnătatea ei deplin.
Ştiu, voi aveți în viață altă normă,
Eu însă-n fața normei nu mă-nchin.
Nu te mai cânt în versuri niciodată,
În drumul tău mai mult nu am să ies,
Nu-ți fac reproşuri, nu eşti vinovată
Şi n-am să spun că nu m-ai înțeles.
A fost desigur numai o greşeală,
Putea să fie mult, nimic n-a fost.
În veşnicia mea de plictiseală
Tot nu-mi închipui că puneai un rost.
Şi totuşi, totuşi, câteva atingeri
Au fost de-ajuns să-mi deie amețeli,
Vedeam văzduhul fluturând cu îngeri,
Lumină-n seara mea de îndoieli.
Când degete de Midas am pus magic
Pe fragedă ființa ta de lut,
Suna în mine murmurul pelagic
Al sfintelor creații de-nceput.

the last letter

The ending has arrived without a warning.
You're happy now? I see you wear a ring.
I understand and sever without mourning
This useless hope. You follow the same thing!
No, not a word. Don't say it's just a form,
I understand full well the hidden sense.
I know, you have in life a different norm,
But I don't worship norms, there's no pretense.
I'll no more sing, will never more exult,
And neither will I cross your path again,
I do not blame you, it is not your fault.
What more to say? It's needless to explain.
Mistaken though it was, that is for sure
It could have been amazing, it was naught.
And in my boredom, everlasting, pure
I still won't know if you could give a thought.
And still, and still, there was a touch or two
Enough to make me stagger on the way
The open heavens with an angel's hue
Threw light onto my evenings of dismay.
When Midas' fingers I have used to magic
Caresses for you being made of clay
It rang in me a watery, pelagic,
Sound of creation from the primal day.

Mihai Beniuc (1907-1988)

Vedeam cum peste vremuri se înalță
Statuia ta de aur greu, masiv,
Cum serioase veacuri se descalță
Şi-ngenuncheate rânduri submisiv
La soclul tău dumnezeiesc aşteaptă
Să le întinzi cu zâmbet liniştit
Spre sărutare adorata dreaptă,
'Nainte de-a se şterge-n infinit.
O, de-am fi stat alături doar o oră,
Ai fi rămas în auriul vis
Ca o eternă, roză auroră
De ne-nțeles, de nedescris.
Ireversibil s-a-ncheiat povestea
Și nici nu știu de ai să mai citești
Din întâmplare rândurile-acestea
În care-aș vrea să fii ce nu mai ești.
N-am să strivesc eu visul sub picioare,
N-am să pătez cu vorbe ce mi-i drag.
Aș fi putut să spun: „ești ca oricare..."
Dar nu vreau în noroaie să mă bag.
De-ar fi mocirla-n jurul tău cât hăul,
Tu vei rămâne nufărul de nea
Ce-l oglindește beat de pofte tăul,
Ce-l ține candid amintirea mea.
Vei fi acolo veșnic ne-ntinată,
Te voi iubi mereu fără cuvânt,
Și lumea n-o să știe niciodată
De ce nu pot mai mult femei să cânt.
Acolo, sub lumină de mister,
Scăldată-n apa visurilor lină,
Vei sta iubită ca-ntr-un colț de cer
O stea de seară blândă și senină.

I saw how, over eons, was ascending
Your golden statue, luminous and heavy
And how the centuries, quietly attending
In muted rows would kneel and pay your levy,
While at your pedestal, without a motion
They'd wait for you to open, full of grace,
Your holy hand, to kiss in pure devotion
Before they disappear without a trace.
Oh, if we were together but one hour,
We would have lived a golden dream, unbroken,
Like an eternal and resplendent flower,
Which can't be known, and can't be spoken.
Predestined came the ending to our tale,
And I don't know if you indeed will stare
By chance upon this letter – for I fail
To sway you to remain the way you were.
I shall not crush the dream, or speak in jest;
I shall not stain with words what I hold dear.
I could have said: "You are like all the rest..."
But I refuse to sully and to sneer.
For even though you'd swim in ugly mire,
You shall remain the waterlily's snow
Which mirrored in a lake of drunk desire,
Reflects you pure from memories aglow.
Forever I'll believe, I'll never doubt,
Without a word, my love will press along,
Meanwhile, the world will never figure out
Why other women never hear my song.
For there, under the magic rays of yore,
Cleansed in the quiet waters of my dream,
Adored you'll linger, in the sky to soar,
An evening star so kind and so serene.

Mihai Beniuc (1907-1988)

Și când viața va fi rea cu tine,
Când au să te împroaște cu noroi,
Tu fugi în lumea visului la mine,
Vom fi atuncea singuri amândoi.
Cu lacrimi voi spăla eu orice pată,
Cu versuri nemaiscrise te mângâi.
În dulcea lor cadență legănată,
Te vei simți ca-n visul tău dintâi.
Iar de va fi (cum simt mereu de-o vreme)
Să plec de-aicea de la voi curând,
Când glasul tău vreodat-o să mă cheme,
Voi reveni la tine din mormânt.
Și dac-ar fi să nu se poată trece
Pe veci pecetluitele hotare
M-aș zbate-ngrozitor în țărna rece,
Plângând în noaptea mare, tot mai mare.

And should this life be rough and cruel, you see,
When people will throw mud and stones at you,
Be sure to run into your dreams to me,
The two of us in harmony anew.
My tears will wash away your every stain,
Unwritten verses will caress you sweet.
And in their swaying rhythm, they'll refrain
Your early dream of happiness, replete.
And if it happens (as I feel of late)
For me to have to leave and wave goodbye,
If I should hear your calling at the gate,
The frosty grave will hear my awful cry.
But if I cannot hope to cross again,
If those dark borders be forever sealed,
I'd struggle wretched in that wintry reign,
And howl into the gloom, and never yield.

Geo Bogza (1908-1993)

poem ultragiant

Într-una din nopţile mele am făcut dragoste cu o servitoare
Totul a fost pe neaşteptate şi aproape fără voia mea
Era undeva într-un oraş murdar de provincie
Şi locuiam la prietenul meu din copilărie.
Într-o seară am rătăcit singur pe străzi – şi când m-am întors
Servitoarea făcea patul în camera mea
Era o servitoare tânără şi negricioasă
Mi-a spus că toţi ai casei sunt plecaţi în oraş la plimbare
A zâmbit
Şi a trecut pe lângă mine de nenumărate ori.
Eram destrămat în seara aceea şi n-aveam nici o poftă să fac dragoste
Dar servitoarea era tânără
Nu cred să fi avut mai mult de şaisprezece ani
Şi cum se aşezase aproape de pat, parcă aşteptând
M-am apropiat zâmbind şi am întrebat-o cum o cheamă
Mi-a spus un nume oarecare, mi se pare că Maria
I-am spus că e frumos, ea s-a făcut că se ruşinează,
Cred să fi fost aproape de miezul nopţii
Prin ferestrele deschise răzbătea zgomotul confuz al oraşului
Acolo, undeva, erau teatre, cinematografe, femei splendide şi automobile
Aici eram numai eu şi servitoarea;
Ea n-a zis nimic, a închis numai ochii.
Era o servitoare scurtă, bondoacă aproape
Şi mirosea foarte rău a sudoare.
O, servitoare cu care am făcut dragoste într-un oraş murdar de provincie
Pe când eram destrămat şi stăpânii tăi lipseau de acasă

outrageous poem

In one of my nights I made love to a servant-girl
Everything happened all-of-a-sudden, and almost without my intent
It was somewhere in a dirty provincial town
Where I was living with my childhood friend.
One evening I wandered by myself on the streets and when I returned
The servant-girl was making the bed in my room
She was a young and sooty servant-girl
She told me that everyone was in town for a walk
She smiled
And walked past me many times.
I was dead-tired that evening and I had no desire to make love
But the servant-girl was young
I do not think she was older than sixteen
And as she lay on the bed, as if waiting
I drew closer and asked her what her name was
She told me some name, I think it was Mary
I told her it was beautiful, she feigned shyness
I think it was close to midnight
Through the open windows drifted the confused noise of the city
There, somewhere, there were theatres, cinemas, splendid women and automobiles
Here it was just me and the servant-girl;
She said nothing, only closed her eyes.
She was a short servant girl, almost stumpy
And she smelled badly of perspiration.
Oh, servant-girl with whom I made love in a dirty provincial town
When I was dead-tired and your masters were away from home

Geo Bogza (1908-1993)

Servitoare pe care de atunci nu te-am mai văzut niciodată
Servitoare, pe pulpe cu două dungi roşii de la jartiere
Servitoare cu pântecul mirosind a ceapă şi a pătrunjel
Servitoare cu sexul ca o mâncare de pătlăgele vinete
Scriu despre tine poemul acesta
Pentru a face să turbeze fetele burgheze
Și să se scandalizeze părinții lor onorabili
Fiindcă deşi m-am culcat cu ele de nenumărate ori
Nu vreau să le cânt
Şi mă urinez în cutiile lor cu pudră
În lenjeria lor
În pianul lor
Şi în toate celelalte accesorii care le formează frumusețea.

Servant-girl whom I've never seen again
Servant-girl, your thighs with two red lines from your garter
Servant-girl with your belly smelling of parsley
Servant-girl, your sex like an eggplant dish
I write this poem about you
To enrage those bourgeois girls
And to scandalize their honorable parents
Because although I slept with them innumerable times
I do not want to sing about them
But rather to urinate in their powder cases
On their lingerie
On their piano
And all other accessories which make up their beauty.

Cicerone Theodorescu (1908-1974)

marină

Pe obraji, ca-n oglinzi, trec amurguri bătrâne
Dar mai ard, pe obraji, stropi de soare marin;
O, din scumpele vrăji ce puțin ne rămâne...
E atât de puțin,
E atât de puțin.

Soarbe ceru-n inel, fă-ți-l piatră albastră!
Trage marea în piept cu adâncu-i suspin!
Lasă vântul gemând lângă inima noastră...
E atât de puțin,
E atât de puțin.

Pentru ce am schimba fericirea-n osândă?
Bolta spune de foc, spaime ard în tumult;
Peste tot ce ni-i drag iese moartea la pândă...
Ne pândește de mult.
O respingem de mult.

Lasă-mi clipa măcar, numai clipa ce vine
Când mi-e sufletu-amar, când mi-e dor și urât.
Numai zâmbetul tău, numai clipa cu tine...
Și ce mult e atât,
Și ce mult e atât.

Adă-ți stelele-n pârg, fă-le vișine coapte,
Dă-mi să mușc, să respir, să te simt, să te-ascult;
Și secundele ard în tufișuri de noapte...
E atât de puțin,
Și atât e de mult.

marine

In your eyes, like in mirrors, twilight oceans are drifting
From the sea drops the sun burning bright, wanton spree;
Oh, but little remains, and the magic is lifting...
It's too little, you see,
It's too little, you see.

Sip the ring of the sky, make it white alabaster!
Draw the sea in your lungs, sighed abyss like a plea!
Let the wind moan away in our heart, wilting aster...
It's so little, you see,
It's so little, you see.

Tell me why should we trample our joy to the ground?
As the sky speaks of fire, horrors burn our endeavor;
And for all that we love, death is lurching around...
It's been lurching forever.
We've rebuffed it forever.

For this moment I pray, just the moment that's fleeting,
– When my soul longs in bitter and fearsome reprieve –
Just your smile will abide, and beholding your greeting...
It's too much to conceive,
It's too much to conceive.

Bring your bright star along, make it ripe like a cherry,
Let me bite, let me breathe, let me feel you and hear;
For the seconds are burning and the evening is eerie...
It's too little I fear,
And it's plenty I fear.

poem grotesc – lui René Wauquier

Soldatul verde care locuieşte în lună îmi trimite pe un fir
de salivă câteodată o portocală, câte-
odată o frunză de pătrunjel (păr smuls din barba-i
verde) şi câteodată ceasul lui cu cifre fosfores-
cente. Ceasul cade în fundul mării şi bate atât
de sălbatec încât sparge valurile (pânzele cora-
biilor plesnesc ca pocnitorile).
Copiii, după amiază, jucându-se cu zmeul țin
în mână un fir de salivă pe lungul căruia soldatul
nu le trimite nimic, nici viezuri nici smochine uscate.

II

Pe un gramofon de apă notele plouă după cum
heruvimii făinii cântă din trompete de făină în
timp ce elefantul meu şi-a încurcat trompa într-o
spirală fără sfârşit fără punct şi fără virgulă fe-
reastra s-a desfăcut din zid şi a plecat în lume
drum bun căci iată desenez altă fereastră.

grotesque poem – to René Wauquier

The green soldier living in the moon sends me
on a thread made of saliva sometimes an orange some-
times a leaf of parsley (hair torn from his
green beard) and sometimes his watch with phosphores-
cent digits. The watch falls to the bottom of the sea and strikes so
wildly that it breaks the waves (the sails of sailing ships
crack like firecrackers).
Children, in the afternoon, playing with the kite holding
in their hands the thread of saliva along which the soldier
does not send them anything, neither badgers nor dried figs.

II

On a gramophone made of water the notes rain after
the cherubs of flour blow trumpets of flour while
my elephant tangled his trunk in an
unending spiral without a full stop without a comma the win-
dow broke from the wall and went forth into the world
safe journey for look I am drawing another window.

am să rămân aicea singur?

Rămâi cu mine noaptea'ntregă, podoaba mea de crin și laur –
căci pentru vin și pentru tine mai am în sân un pumn de aur...
Rămâi să ne-omorâm tristețea și setea fără alinare,
cu vin străvechiu de pergamute, la hanul din răscruci de zare...

Știi Tu, frumoaso, că ulciorul din care beai înfrigurată
l-a făurit din țerna sfântă, din țerna unui trup de fată –
l-a făurit cândva olarul cel inspirat de duhul rău
din țerna unui trup de fată frumos și cald ca trupul tău...

Înmirezmează-Te, frumoaso, ca pe-un altar cu mirodenii
cât ochii îți sunt plini de flăcări, cât zarea-i plină de vedenii
atât cât drumurile lumii mai au pe margeni bucurii
căci mâine, în zadar vei bate la porți de suflete pustii...

Iubește-mă acum, căci anii pe năzuinți ne-or pune frâuri,
căci zilele vieței noastre se duc ca undele pe râuri...
și trupul Tău care mi-i astăzi cel mai dorit dintre limanuri,
va fi un biet ulcior din care vor bea Drumeții pe la hanuri...

will I remain right here, alone?

Remain with me the whole night over, my rose and laurel treasure sweet
as for the wine and your fair presence, I saved a fist of gold replete
Remain so we may kill our sorrow and our thirst without amend,
With ancient wine of berry flowers, at the old inn across the bend...

You know my beauty that the pitcher from which you drink so fever-laden
Was fashioned from the holy dust – the body of a fair young maiden.
A while ago the potter made it, bedeviled by a heinous curse
Of ashes from a maiden's body, as warm and beautiful as yours...

Anoint Yourself with perfume, beauty – an altar full of scented streams
While still your eyes are filled with fire, and the horizon's filled with dreams
While our walk across this world still has some joy around its trail,
Because tomorrow you'll be knocking on barren souls to no avail...

Love me today for time is tying tight fetters round our keen desires
And oh, how quickly years are passing, like river waves and dying fires.
And while tonight Your body draws me: a haven for my dream and awe
T'will be in time a lonely pitcher, from which the Travellers will draw...

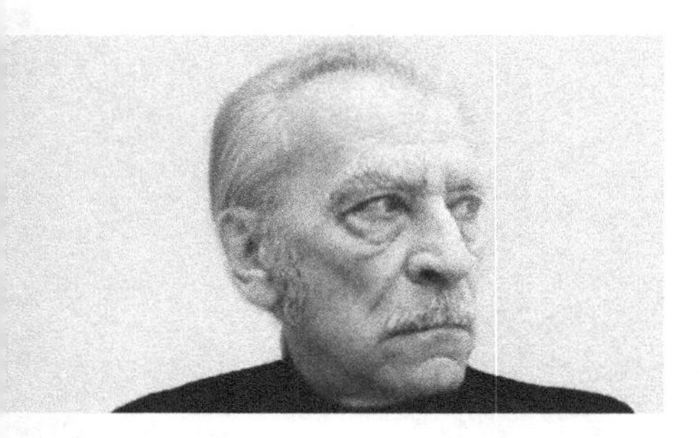

surâsul Hiroshimei – fragment – 16. corul copiilor ucişi

Ce ceaţă deasă, vai, ce ceaţă deasă...
Nu mai cunoaştem drumul către casă...

Suntem uşori şi ceaţa e ca fumul,
Vai, unde-o fi, unde se-ascunde drumul?

Ce deasă ceaţă, vai, ce ceaţă mare!
Unde-i cărarea, doamnă-nvăţătoare?

Sub talpă n-avem nici un drum... plutim...
Vai, unde-i casa? cum să nimerim?

Şi suntem goi, şi ne cuprinde teama.
Unde e tata? Unde este mama?

Nu ne vedem nici între noi deloc
Şi jocul nu ne place, nu e joc.

Ce deasă ceaţă, vai, ce ceaţă mare,
Oh, azvârliţi-ne voi o cărare!

Nu mai cunoaştem drumul către casă,
Şi ceaţa este deasă, deasă, deasă...

Hiroshima's smile – excerpt – 16. the choir of the murdered children

How thick this fog, oh, how this fog is thick...
The pathway home we can no longer pick...

We are feather-light, the fog's a smokey mist
Oh, where's the road, wherever did it twist?

What heavy fog, this mist is so obscure!
Miss teacher, where's our path, why this detour?

Beneath our feet, there is no road... we glide...
Oh, where's the house? Where can we find a guide?

Naked we are and overwhelmed with fear.
Where is our father? Where our mother dear?

We cannot see each other all the same
This game we don't enjoy, it's not a game.

How thick this fog, oh, such a heavy veil,
You over there, throw us a path, a trail!

The pathway home we can no longer pick
This fog is heavy, it is thick, thick, thick.

la calu' bălan

La calu' bălan, la calu' bălan
Cu șeaua-i verde,
Ține-mi-l, Doamne, ține-mi-l, Doamne,
Nu mi-l pierde!...

A fost odată o făptură
Ce semăna leit cu-o tură,
Dar s-a-ncurcat cu-n cal bălan
Şi vinu-i dulce-n orice an.

REFREN (ce se cântă după fiecare strofă)
La calu' bălan, la calu' bălan
Şi vinu-i dulce,
Aş sta şi-un an, aş sta şi-un an
Şi nu m-aş duce!

Dar primprejur din întâmplare
Se-arată şi un ofițer
Bătând din pinteni foarte tare
(El deci avea călcâi de fier).

Când calul meu bălan, odată
Trecea în trapu-i monoton,
Cel ofițer, cu o lopată
L-a măturat ca pe-un pion.

Şi tura a murit de plâns
Văzând ce cursă i-au întins,
Dar regele-n palat s-a stins
Şi nu s-a dat nici mort învins.

the pale horse

That pale horse, that pale horse
With saddle blue,
Keep it, my Lord, keep it, my Lord,
I'm begging you!...

A while ago there was a creature
Like a chess tower with no feature
Which got involved with a pale horse
For wine is sweet each year, of course.

REFRAIN
That pale horse, that pale horse
The wine will flow,
I'd stay, of course, I'd stay, of course
And wouldn't go!

Out of the blue as if by chance
An officer appeared in style
With clicking spurs as in a dance
(His iron heels would walk a mile).

And when, one day, my pale horse
Was trotting gently on the lawn
That officer, without recourse,
Swept it aside like some poor pawn.

The tower, sadly, died from weeping,
As cruel, the enemies were creeping
As for the king, he died conceited
But wouldn't give himself defeated.

Emil Botta (1911-1977)

spectacol

Elita luase loc la parter
și proștii sus, aproape de cer.
În loja stătea o întâmplare cam abătută
și un năprasnic destin în mare ținută.
Un dezastru tare cât zece
tot spera că totul va trece.
Un naufragiu dormita în fotoliu
înfășurat în lințoliu.
O răceală
vagabonda prin sală.
O inocență
strălucea printr-o totală absență.
Piesa era o răfuială
între virtute și greșeală.
Scena era un sanctuar
prin care adevărul trecea foarte rar.
Actorii își îndrugau rolul,
dar, încet, îi înghițea nămolul;
în pauze, tăcute aplauze,
la finale, tăcute urale.
Și când căzu cortina
toți se-ntrebau cine poartă vina
și cine-i autorul
care-a făptuit omorul,
în cinci acte, cu sete,
ca o crimă pe-ndelete.

spectacle

The elite took their seats on the first level
and the idiots, high up, close to heaven.
In the box, an occurrence with a broken heart
near a cruel destiny dressed up very smart.
A disaster, so strong, you couldn't sway,
was hoping it would all blow away.
A shipwreck was dozing in the armchair –
rugged up in a shroud, dark with despair.
A simple cold
Was traipsing the hall, getting old.
An innocence
was shining by leaving us in total suspense.
The play was a brawl between virtue and fall.
The scene was an altar on holy ground
in which the truth only seldom was found.
The actors would mumble their role
but the mud would swallow them whole.
In the pauses, silent applauses
At the end of the game, silent acclaim.
And when the curtain fell,
all wondered who would go to hell
and who's the author of the rhyme
who committed this crime
in five acts, full of verve
like a murder with nerve.

Atunci apăru la rampă Ariel
și jerbe de flacări și anemone
pentru mult prea onorabilii „dramatis personae".
Și această ficțiune, în tuș, în cărbune,
și spectacolul amuzant
au dispărut în neant.

But then Ariel came into the limelight
with garlands of flames and of anemone
to gift honorably the "dramatis personae".
And this fiction etched in ink with some friction
took the droll spectacle to eviction
disappearing into dereliction.

Maria Banuş (1914-1999)

fragment de primăvară

O stradă pe care trec îndoită din umeri,
sub primăvara grea ca un cântec de bivol.
Pietrele drumului şi stelele
stau cuminţi de poţi să le numeri,
numai cântecul meu îmi sfâşie rochia,
sub primăvara grea ca un cântec de bivol.

Bolborosesc. Şi tac. Degeaba aştept între uluci
învineţirea liliacului.
Dedesubtul genunchiului carnea e umedă ca un măr despicat,
şi albul ochilor tulbure, tulbure.
Mă gândesc, mergând aşa, îndoită din umeri,
la primăvara asta golaşe şi tristă ca un gât de băiat.

spring fragment

A street on which I pass, shoulders a-stoop,
under this spring, heavy like a buffalo's song.
The stones of the road and the stars
keeping demure, if you can count their troop.
only my song tears at my dress,
under this spring, heavy like a buffalo's song.

I mutter. Then I keep quiet. In vain I wait between the paling
the purpling of the lilac.
Under the knee, the flesh is moist like a split apple, coy,
and the white of the eyes, cloudy, cloudy.
I am thinking, as I walk like this, shoulders a-stoop
at this spring, callow and wistful like the nape of a boy.

Gellu Naum (1915-2001)

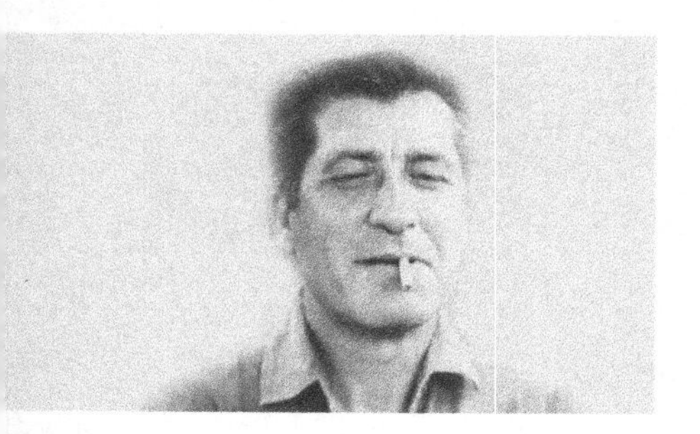

talion

Ochi pentru nas dinte pentru floare
cal pentru sânge om pentru fruct
apoi exista casa aceea neîntreruptă
și cuțitul de pâslă de apă
existau multe sertare pline cu ceață
exista un scaun și se făcea o virtute
apoi mai existau cutiile de scrisori pline cu frunze
și picioarele și ghetele și melancholia
și câteva cuvinte într-un tub de lemn
și nu mai știu unde și nu știu de ce

și toate se compensau și se compensau

talion

An eye for a nose tooth for a flower
horse for blood man for fruit
then there is that uninterrupted house
and that felt-knife made of water
there were many drawers made of fog
there was a chair becoming a virtue and
then there were those letterboxes
full of leaves and feet and boots and melancholy
and a few words in a wooden tube
and I don't know where and I don't know why

and all were compensating and compensating

daruri

Tu eşti în inima mea ca un dar
neaşteptat şi mult prea scump, pe care
îl cercetez mirată iar şi iar,
cu-aceeaşi nesecată desfătare.

Eşti tainica-mi putere şi mândrie,
de când te ştiu mi-i cerul mai aproape
şi nu mai pot durerile să vie,
să-mi tulbure-ale sufletului ape.

Tu mi-ai făcut ţărâna mai uşoară
şi inima aşa de dulce grea,
ca ramura ce toamna se-mpovară
de greutatea roadei de pe ea.

Asemeni unui mare cer cu stele,
mi te-ai răsfrânt în suflet ca-ntr-un lac,
şi-adânci de-atuncea-s gândurile mele,
de aur glodul inimii, sărac.

Aceste toate să ţi le plătesc
nu voi putea, ci lasă-mă măcar,
risipitorul meu, să te iubesc,
din darurile tale dându-ţi dar.

gifts

You are for me a precious, cherished gift
so unexpected, full of sweet surprise.
I search for you again and often drift
to dream, for my delight I can't disguise.

You are my secret strength and cryptic pride,
and since I've known you, heavens bear no toll,
in vain the pains and sufferings abide,
to adumbrate the waters of my soul.

My body's dust is lighter now, unsealed;
my heart is resting heavy, walled with love,
like fruitful branches, which in autumn yield,
and blessings carry, as you look above.

Gigantic, like the sky, replete with stars,
my soul's reflecting you as in a lake,
and deep, since then, my thoughts, like wealthy czars,
regard the dust of heartache, meager, fake.

And if I were to pay you for all these,
I couldn't, so my prodigal, don't spurn
the truth that I do love you, for, with ease,
the gifts you gave, I'll gift you in return.

Dimitrie Stelaru (1917-1971)

înger vagabond

Noi, Dimitrie Stelaru, n-am cunoscut niciodată Fericirea,
Noi n-am avut alt soare decît Umilința;
Dar pînă cînd, înger vagabond, pînă cînd
Trupul acesta gol și flămînd?

Ne-am răsturnat oasele pe lespezile bisericilor,
Prin păduri la marginea orașelor –
Nimeni nu ne-a primit niciodată, Nimeni, nimeni...
Cu fiecare îndărătnicie murim
Și rana mîinilor caută pîinea aruncată.

Marii judecători ne-au închis
Stăruind în ceața legilor lor;
Pe frunțile noastre galbene au scris:
„Vagabonzi, hoți, nebuni. Lepădații noroadelor.
Casa lor e temnița. Puneți lacăte bune fiarelor".

Odată-poate cu înfriguratele zori vom sîngera
Și spînzurătorile ne vor ridica la cer.
Dar lasă, Dimitrie Stelaru, mai lasă!
Într-o zi vom avea și noi sărbătoare –
Vom avea pîine, pîine
Și-un kilogram de izmă pe masă.

vagabond angel

We, Dimitrie Stelaru, have never known Happiness
We have had no other sun than Humility.
But until when, vagabond angel, until when
This body naked, hungry and thin?

We overturned our bones on the stone steps of churches,
Though forests, on the edges of towns.
No one ever let us in to stay
No one, no one...
With each new stubbornness, we die
And the wound of our hands seeks the bread thrown away.

The great judges jailed us
Striving in the fog of their laws;
On our yellow foreheads they wrote:
"Vagabonds, thieves, insane. The scum of the peoples.
Their house is the gaol. Put strong locks to these animals."

Sometime, maybe with the frigid dawn, we will bleed
And the gallows will raise to the sky
But leave it Dimitrie Stelaru, leave it, don't mop!
One day we'll also hold a feast day –
We will have bread, bread
And a kilo on mint on our tabletop.

Zorica Lațcu (1917-1990)

te port în mine

Te port în suflet, ca pe-un vas de preț,
Ca pe-o comoară-nchisă cu peceți,
Te port în trup, în sânii albi şi grei,
Cum poartă rodia sămânța ei.
Te port în minte, ca pe-un imn sfințit,
Un cântec vechi, cu crai din Răsărit.
Şi port la gât, neprețuit şirag,
Strânsoarea cald-a brațului tău drag.
Te port în mine tainic, ca pe-un vis,
În cer înalt de noapte te-am închis.
Te port, lumină rumenă de zori,
Cum poartă florile mireasma lor.
Te port pe buze, ca pe-un fagur plin.
O poamă aurită de smochin,
Te port în brațe, horbote subțiri,
Mănunchi legat cu grijă, fir cu fir.
Cum poartă floarea rodul de cais,
Adânc te port în trupul meu şi-n vis.

I carry you within

I carry you within, a precious vessel,
A hidden treasure in my heart will nestle,
In my own body, white and heavy breast,
Like pomegranate's seed in fruit does rest.
I hold you in my mind, a holy tune,
An ancient song, an Eastern prince to swoon.
Around my neck, I wear this priceless lace,
Your arm is holding mine, a shroud of grace.
I carry you within, a secret dream,
In lofty night skies, I entwined your beam.
I carry you, the rosy morning light,
Like flowers' scent, so fresh and clear and bright.
A honeycomb I carry on my lips,
A golden fig, which heaven's nectar drips.
I carry you within my arms, fine quilt,
A carefully laid cluster threaded gilt.
Like apricots in flower, their fruit yielding,
In daydream bright, you, deep within I'm shielding.

Ștefan Baciu (1918-1993)

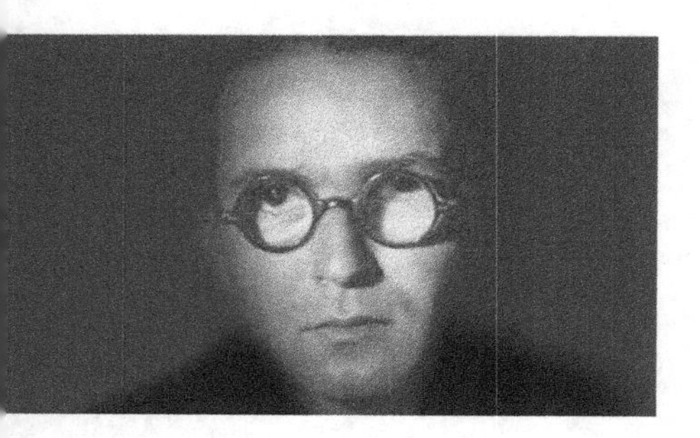

patria

Te privesc prin ochianul întors
Al inimii mele, ca de pe-un dâmb.
Oricât ar fi de departe, oricât ar fi,
Prin lunea de-o clipă, țara mea,
Eu te salut.

N-am uitat mirosul livezilor line,
Dar nici mirosul răvășit al marelui oraș,
Nici acela nu l-am uitat, și uneori în vis
Strănută în mine o stradă sau alta,
Când se-ntretaie.

Și încă văd, ca acum înaintea mea,
Luna numărând crengile ulmilor,
Pe lungi bulevarde provinciale,
De-a lungul Dunării obosite,
Legând o fundă la șoldul țării mele.

Prin aceste lumi, încremenite uneori,
Seara ridică în mine asemeni unui vânt,
Toate frunzele marelui târg,
Toate strigătele oltenilor desculți,
Dintr-un cartier în altul.

motherland

I behold you with the reversed spyglass
Of my heart, as if from on top of a hillock.
No matter how far, no matter how much,
Through the Monday of a moment, my country,
I salute you.

I have not forgotten the smell of the gentle orchards
And even the scattered smell of the big city,
That too I have not forgotten, and sometimes
In a dream, a street sneezes in me
As it crosses another.

And still, I see it, as if it was today, before me,
The moon counting the branches of elms,
On the long provincial boulevards,
Alongside the tired Danube,
Tying a ribbon on the hip of my country.

Through these worlds, sometimes transfixed,
The evening rises in me, like a wind,
All the leaves of the great village-fair,
All the cries of the barefoot Olteni,*
From a district to another.

* Olteni – people from the region of Oltenia, in southern Romania.

Ștefan Baciu (1918-1993)

Te păstrez în suflet, țara mea tristă,
Pământ roditor încolțit de foame,
Și nu pot uita nici în somn,
Că în zile amare tu ai hrănit,
Dorul meu de libertate.

Mie numai seara îmi apari curată,
Printre atâtea stele reci, o caldă stea,
Și-n noaptea neagră ca marea ta întinsă,
Adorm cu tine sub pernă zidind,
Inefabilu-ți chip într-o lacrimă pură.

I preserve you within my soul, my sad country,
Fertile soil, suffering from hunger,
And I cannot forget, not even in my sleep,
That in the bitter days you fed
My longing for freedom.

It's only in the evenings that you seem pure to me,
Among all the cold stars, a warm one,
And in the night, as black as your vast sea,
I sleep with you under my pillow erecting
Your ineffable face in an immaculate tear.

femeia cafenie

Femeia pe care la Brăila am iubit-o
într-o cameră de hotel
purta pantofi verzi din piele de șarpe
și avea nasul turtit. Era o mulatră.
Cum venise aici, habar n-am.
părinții, bunicii purtaseră poate odată
în nări un inel.

Gura îi era ca o ventuză.
Sânii fierbinți ca niște pâini.
Ochii tulburi.
Îmi era trupul claviatură pentru dânsa.
Numai mâinile îi erau reci,
reci de gheață
și degetele cu vârfuri rotunde
alunecau pe mine ca boabe de struguri.

Îmi șoptea:
— La Peru mi-a fost amant un spaniol.
La Santa Clava avea plantații de zahăr.
Un altul cu favoriți în U.S.A.
cincizeci de puțuri cu petrol la Smakover,
dar amorul pentru pielea mea cafenie
s-a lichidat cu două destupări de pistol.

Am iubit la Brăila o mulatră. M-a iubit?... M-a mințit?
Vedea – cine știe – în mine un altul?
Avea sâni fierbinți și mâini reci de gheață.
Era prin noiembrie. Pe Dunăre dospea ceață.
În port la lumini de fanare
robii descărcau un vapor de lignit.

the coffee-coloured woman

The woman whom in Brăila I loved
in a room of a hotel
wore green shoes made of snakeskin
and had a squat nose. She was a mulatto.
How she ended up here, I have no idea
her parents, grand-parents maybe they wore
in their nostrils a ring, who can tell.

Her mouth was like a suction-valve.
Her breasts hot like loaves of bread.
Her eyes cloudy.
My body was like a keyboard for her.
Only her hands were cold,
cold as ice
and her fingers with round tips
were rolling on me like loose grapes or candy

She was whispering:
"In Peru, with a Spanish lover, I had fun.
In Santa Clava, he had sugar plantations.
Another with sideburns in the U.S.A.
fifty oil wells pumping at Smakover,
but the love for my coffee-colored skin
finished with two pops of a gun."

I loved in Brăila a mulatto.
Did she love me straight?... Did she lie outright?
She saw in me – who knows – another?
She had hot breasts and hands cold as ice.
It was sometime in November. The Danube was leavening fog.
In the port by the light of street lanterns
the slaves were offloading a ship of lignite.

Mihu Dragomir (1919-1964)

adolescență

Vânt, dumbrăvi, şi optsprezece ani...
Strada cu salcâmi sau cu castani,
primăvară-n balta renăscută,
zile ce-amintirea le sărută...

Fată cu mijloc de violină,
unde-i cartea noastră de latină,
mâzgălită, printre ablative,
cu distihuri şchioape şi naive?
Adunai în ochii viorii
netraduse cărți de poezii,
şi în mersul lin, de căprioară,
caligrafiai o rimă rară...

Dunărea-şi plimba în funduri stele,
noi le număram, plutind cu ele,
amețea, de-atâția nuferi, luna
şi-nvățasem vorba: totdeauna.
Se-arcuiau din sălcii catedrale,
luntrea noastră se pierdea, agale,
către-o țară de tăceri şi stuh.
Gânduri – pescăruşii din văzduh.
Sărutarea, caldă şi învoaltă,
avea gustul murelor de baltă,
dulce-nsângerată şi-amăruie,
anafor ce din străfunduri suie.

adolescence

Wind and groves, and eighteen years of age...
Street with chestnut trees and fragrant sage,
springtime on the resurrected lake
days, which kissed by memories, awake...

Girl with a waist as of a violin,
where did our Latin book begin?
ablatives mixed in, scribbled and lost,
with the halting couplet that we tossed?
In your deep blue eyes, you were collecting
untranslated poems, unsuspecting,
and your gentle deer-like walk, in prayer,
scribed calligraphy of rhyme, so rare...

While the Danube aired the stars on high,
we would count them in the evening sky,
water lilies from the moon would sever,
as we learned the lovers' word, forever.
Through cathedrals, arching willows weeping,
our small boat was gliding, slowly creeping
to a land of silences and reed.
Thoughts, like seagulls, to the heaven, heed.
Our kiss surges high and sails pure
tasting like the berries of the moor,
sweet and bitter, dark and crimson leap,
anaphora rising from the deep.

Mihu Dragomir (1919-1964)

Pe nisipul plăjilor de aur
soarele ne-a-ntins cununi de laur,
fata mea de Dunăre şi şoapte,
fata mea cu păr de miazănoapte...

Hei, dumbrăvi de vise şi castani,
vânt, nisip, şi optsprezece ani...

On the sand of golden beaches laid,
laurel crowns the sun for us has made,
my sweet girl, of Danube and of hushes,
my sweet girl, with hair like midnight blushes...

Dreamlike groves, with chestnut trees and sage,
wind and sand, and eighteen years of age...

Corydon

Sunt cel mai frumos din oraşul acesta,
Pe străzile pline când ies n-am pereche
Atât de graţios port inelu-n ureche
Şi-atât de-nflorite cravata şi vesta.
Sunt cel mai frumos din oraşul acesta.

Născut din incestul luminii cu-amurgul
Privirile mele desmiardă genunea,
De mine vorbeşte-n oraş toată lumea,
De mine se teme în taină tot burgul.
Sunt Prinţul penumbrelor, eu sunt amurgul...

Nu-i chip să mă scap de priviri pătimaşe,
Prin părul meu vânăt subţiri trec ca aţa
Şi toţi mă întreabă: sunt moartea, sunt viaţa?
De ce-am ciorapi verzi, pentru ce fes de paşe?
Şi nu-i chip să scap nici pe străzi mărginaşe...

Panglici, cordeluţe, nimicuri m-acopăr,
Când calc, parcă trec pe pământ de pe-un soclu.
Un ochi (pe cel roz) îl ascund sub monoclu
Şi-ntregul picior când păşesc îl descopăr,
Dar iute-l acopăr, ca iar să-l descopăr...

Corydon

I am the most handsome of all in this town,
The crammed streets are stunned as I walk without peer
So sparkling and graceful the ring in my ear
And so full of flowers my tie and my gown.
I am the most handsome of all in this town.

Conceived by the incest of sun rays and twilight
My gaze, with its splendor, caresses the dark,
The whole town is abuzz about me and my mark,
They fear me in secret, though, still, I'm their highlight.
I'm the Prince of penumbrae, I am lord of half-light...

I cannot avoid their lascivious gaze,
It waves through my hair like a silvery thread,
And all of them ask: am I living, or dead?
Why wear bright green socks, or a pasha's red fez?
There is no escape, though I'd hide in a maze...

My body with ribbons and sashes I cover,
The earth is a pedestal, high for my stride.
One pink eye remains under eyeglass to hide,
And then my whole leg, when I step, I uncover,
But quickly I cover it, once again to uncover...

Celălalt ochi (cel galben), îl las să s-amuze
Privind cum se țin toți ca scaiul de mine.
Ha! Ha! Dac-ați ști cât vă șade de bine
Sărind, țopăind după negrele-mi buze.
Cellalt ochi s-amuză și-l las să s-amuze.

C-un tainic creion îmi sporesc frumusețea,
Fac baie în cidru de trei ori pe noapte
Şi-n loc de scuipat am ceva, ca un lapte,
Pantofi cu baretă mi-ajută sveltețea
Şi-un drog scos din sânge de scroafă noblețea.

Toți dinții din gură pudrați mi-s cu aur,
Mijlocul mi-e supt în corset sub cămașe,
Fumez numai pipe de opiu uriașe,
Pe brațul meu drept tatuat-am un taur,
Şi fruntea mi-e-ncinsă cu frunze de laur.

Prin lungile, tainice, unghii vopsite
Umbrela cu cap de pisică rânjește
Şi nu știu de ce, când plimbarea-mi priește,
Când sunt mulțumit c-am stârnit noi ispite
Din mine ies limbi și năpârci otrăvite,

Din mine cresc crengi ca pe pomi, mătăsoase
Şi însăși natura atotștiutoare,
Ea însăși nu știe ce sunt: om sau floare?
Sau numai un turn rătăcit între case,
Un turn de pe care cad pietre prețioase?

Sunt cel mai frumos din orașul acesta,
Pe străzile pline când ies n-am pereche,
Atât de grațios port inelu-n ureche
Şi-atât de-nflorite cravata și vesta.
Sunt cel mai frumos din orașul acesta.

The other eye (yellow) I let it watch
The people who hold me as if clutching their dream.
Ha! Ha! If you knew just how silly you seem,
As you jump and you hop, for my black lips to touch.
The other eye watches, and I let it watch.

A secret face-pencil enhances my form
I bathe in fresh cider three times every night,
No spittle but milk drool my lips, creamy-white,
Monk shoes help my slenderness step through the storm,
My virtue's enhanced through pig's blood, thick and warm.

All the teeth in my mouth are plated with gold,
My waist is well tucked into a corset and shirt,
I smoke a huge opium pipe with a squirt,
On my arm's a tattoo, of a bull big and bold,
And the jewels on my crown are a sight to behold!

Through my long and mysterious nails – what fright! –
The hideous cat-head umbrella is grinning,
And I don't know why when I'm happy and winning,
As I lead all the people to temptation and sinning,
From me jump some snakes full of poison and bite,

Like trees, I sprout branches and twigs silky, light,
And nature itself, omniscient with reason,
Is unsure what I am: man or flower, or season,
A tower perhaps, setting houses alight,
A tower with gems falling down, precious, bright.

I am the most handsome of all in this town,
The crammed streets are stunned as I walk without peer,
So sparkling and graceful the ring in my ear,
And so full of flowers my tie and my gown.
I am the most handsome of all in this town.

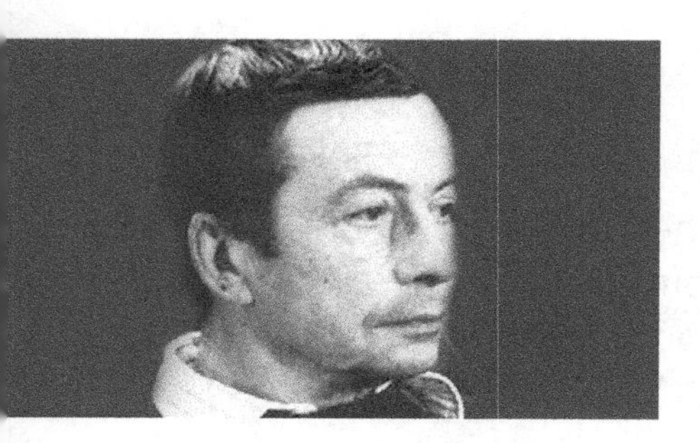

libertatea de a trage cu pușca

În groapa neagră, poate chiar într-un cimitir,
oamenii, prietenii mei înarmati, își ascultau propriile șoapte –
toți erau murdari, slabi, și patetici ca în Shakespeare,
își numărau gloanțele și zilele și nădăjduiau
un atac peste noapte.

Atunci, a ieșit luna, fără cască, de undeva
din bezna ghimpată;
dar oamenii n-au căzut cu fețele la pământ,
ci au aprins țigările, discutând despre libertatea
de a trage cu pușca,
rezemați comod în groapa neagră sau poate
chiar pe câte-o piatră de mormânt.
Sunt sigur că unul din ei eram eu –
de altfel, astăzi mi-am găsit în sertar, printre
manuscrisele fel de fel,
pistolul meu ghintuit, cu douăzeci și patru de focuri,
cu care am participat la asediul Trebizondei,
dacă nu mă-nșel.

Doamne, ce de isprăvi am mai făcut și-atunci!...
Ca un erou din Sadoveanu, eram viteaz și crud:
țin minte să fi ucis trei sute șaizeci de dușmani
într-un singur asalt –
ah, răcnetele mele de mânie și triumf și-acuma
mi le mai aud!...

the freedom of firing a gun

In the black hole, maybe even in a cemetery,
the men, my friends, armed, were listening to their own sigh –
all were dirty, scrawny, and pathetic like in Shakespeare,
counting their bullets and their days and hoping
for a night attack to try.

Then the moon came up, without a helmet, from somewhere
in the barbed darkness;
but the people did not fall face to the ground,
rather lighting up their cigarettes, discussing the freedom
of firing a gun,
leaning comfortably in the black hole or maybe
even on some grave mound.
I am certain that I was one of them –
actually, today I found in a drawer, among
manuscripts of all kinds, disused, forsaken,
my rifled pistol with twenty-four shots,
with which I joined in the siege of Trebizond,
if I'm not mistaken.

My God, what heroic feats we did back then!...
like a hero from Sadoveanu*, I was brutal and brave:
I remember killing about three hundred and sixty foes
in a single assault –
Oh, my roars of anger and triumph,
I will hear them to my grave!...

* Mihail Sadoveanu – famous Romanian novelist of the 20th century

Geo Dumitrescu (1920-2004)

La Waterloo eram cu bietul Bonaparte cabotinul,
rostandizând pe pragul unui veac;
viteaz și inutil și graseiat la culme,
luptam și-atuncea — ce era să fac?

Degetele strângeau o țigară fumată de mult.
În groapa neagră, ca niște pietre, cădeau ultimele cuvinte.
Prietenii mei înarmați și patetici mă ascultau uluiți,
rezemați comod de pietrele de la morminte.

Paralel cu noi, dedesubt, oameni își dormeau veșnicia –
și ei discutau despre libertatea de a trage cu pușca,
după fiecare măcel!...
Dar, pe pistolul meu cu douăzeci și patru de gloanțe!,
luna mi se pare aceeași
cu care am participat la asediul Trebizondei,
dacă nu mă-nșel!..

At Waterloo with poor Bonaparte the poser,
rostandising* on the brink of that age;
valiant and useless, twisted beyond the limit,
I fought there too – what could I do, but rage?

My fingers were pressing a cigarette smoked long ago.
in the black hole, like stones, the last words were falling in waves.
My friends, armed and pathetic were listening to me, astounded,
leaning in comfort against the headstones of the graves.

Parallel with us, underneath, people were sleeping their eternity –
they too were discussing the freedom of firing a gun
after each massacre concluded!...
But, on my pistol with twenty-four bullets!,
the moon seems the same
with which I joined in the siege of Trebizond,
if I'm not deluded!...

* rostandising – in the manner of Edmond Rostand – French poet and playwright, best known for his play Cyrano de Bergerac. Dumitrescu's mention of Napoleon Bonaparte as a poser/pretender probably alludes to the Cyrano character

mistrețul cu colți de argint

Un prinț din Levant îndrăgind vânătoarea
prin inimă neagră de codru trecea.
Croindu-și cu greu prin hățișuri cărarea,
cântă dintr-un flaut de os și zicea:

— Veniți să vânăm în păduri nepătrunse
mistrețul cu colți de argint, fioros,
ce zilnic își schimbă în scorburi ascunse
copita și blana și ochiul sticlos...

— Stăpâne, ziceau servitorii cu goarne,
mistrețul acela nu vine pe-aici.
Mai bine s-abatem vânatul cu coarne,
ori vulpile roșii, ori iepurii mici...

Dar prințul trecând zâmbitor înainte
privea printre arbori atent la culori,
lăsând în culcuș căprioara cuminte
și linxul ce râde cu ochi sclipitori.

Sub fagi, el dădea buruiana-ntr-o parte:
— Priviți, cum se-nvârte făcându-ne semn
mistrețul cu colți de argint, nu departe:
veniți să-l lovim cu săgeata de lemn!...

the silver-fanged boar

A Levantine prince quite enamored with hunting,
some dark-hearted forest was traveling through
and making his path with great effort and grunting, he said,
while on bone-flute he merrily blew:

"Let's hunt through these forests, untrodden and daunting,
the silver-fanged boar who's ferocious and wild,
who changes his fur every day, as he's molting,
and changes his hooves, and his glass eye reviled..."

"Oh, master, the servants with trumpets would say,
that bloodthirsty boar does not travel through here.
It's better to chase down the antlers to slay,
or red-colored foxes, or hares that are near..."

But smiling and certain the prince passed ahead
and carefully gazing at trees and their hues,
he left in his lair the young deer full of dread,
and the sparkly-eyed lynx who'll smile for a ruse.

Through beech woods he'd trample old weeds to the ground:
"Just look how he turns! We have closed in for good
on this silver-fanged boar, not too far, hear his sound:
come over, let's hit him with arrows of wood!..."

— Stăpâne, e apa jucând sub copaci,
zicea servitorul privindu-l isteț.
Dar el răspundea întorcându-se: — Taci...
Şi apa sclipea ca un colț de mistreț.

Sub ulmi, el zorea risipite alaiuri:
— Priviți cum pufneşte şi scurmă stingher
mistrețul cu colți de argint, peste plaiuri:
veniți să-l lovim cu săgeata de fier!...

— Stăpâne, e iarba foşnind sub copaci,
zicea servitorul zâmbind îndrăzneț.
Dar el răspundea întorcându-se: — Taci...
Şi iarba sclipea ca un colț de mistreț.

Sub brazi, el striga îndemnându-i spre creste:
— Priviți unde-şi află odihnă şi loc
mistrețul cu colți de argint, din poveste:
veniți să-l lovim cu săgeata de foc!...

— Stăpâne, e luna lucind prin copaci,
zicea servitorul râzând cu dispreț.
Dar el răspunde întorcându-se: — Taci...
Şi luna sclipea ca un colț de mistreț.

Dar vai! sub luceferii palizi ai bolții
cum sta în amurg, la izvor aplecat,
veni un mistreț uriaş, şi cu colții
îl trase sălbatic prin colbul roşcat.

— Ce fiară ciudată mă umple de sânge,
oprind vânătoarea mistrețului meu?
Ce pasăre neagră stă-n lună şi plânge?
Ce veştedă frunză mă bate mereu?...

"My lord, it's the stream through the woods, tall and lush",
the smart servant said as he laughed with a roar.
But the prince turned around and replied only: "Hush..."
And the water did shine like the fang of a boar.

Under elm trees he'd hasten his scattered old train:
"You see how he's puffing alone and unreal,
the silver-fanged boar over meadow and plain:
come over, let's hit him with arrows of steel!"

"My lord, it's the grass that with boots we would brush",
the bold-looking servant would say like before.
But the prince turned around to reply only: "Hush..."
And the glistening grass seemed like fangs of a boar.

Under firs, he would cry pushing them to the peak:
"You see where he's finding his lair and his shire,
the boar from old tales, of whom old people speak:
come over, let's hit him with arrows of fire!..."

"My lord, it's the moonlight which night fears can't quash",
the servant said laughing, despising and sore.
But turning around the prince only said: "Hush..."
And the moonlight shone bright, like the fangs of a boar.

Alas! under rays of the pale stars at dusk,
as he crouched for a drink, his knees slowly sagged,
there charged a huge boar with his piercing sharp tusk
and the prince through the red dust he savagely dragged.

"What strange looking beast so bloodthirsty and vicious,
is stopping the hunt for my silver-fanged boar?
What black bird is crying in the moonlight so listless?
What wilted old leaf shakes my soul to its core?..."

— Stăpâne, mistreţul cu colţi ca argintul,
chiar el te-a cuprins grohăind sub copaci.
Ascultă cum latră copoii gonindu-l...
Dar prinţul răspunse-ntorcându-se. — Taci.

Mai bine ia cornul şi sună întruna.
Să suni până mor, către cerul senin...
Atunci asfinţi după creştete luna
şi cornul sună, însă foarte puţin.

"My master, that boar with the fangs as of silver,
that same had you pierced, and with blood you're awash.
The dogs chase it now – can't you hear? by the river...
But turning, the prince whispered quietly: "Hush.

You take the old horn, and just blow without pause
to sound till I'm dead, to the sky clear and prime..."
Right then, from the ridges, a big moon arose,
and the horn made its sound for a very short time.

Ion Caraion (1923-1986)

epitaf

Din tot ce-am spus, din tot ce vrem,
rămâne-o lacrimă năucă
pe fundul vreunui vechi poem
care şi el o să se ducă

aşa cum altele s-au dus
şi-n urma noastră, -n urma lui,
răstoarnă paltini alt apus
prin ochii cine ştie cui

ca-ntr-un pahar de apă-n care
fântâna-ntreagă s-a târât
să-şi moară ultima răcoare
sau nici atât... sau nici atât...

epitaph

From all we've said, and all we hail,
remains a tear, bewildered, shy
an ancient poem, lonely tale,
which of itself will fade and die

the same as other poems faded
and trailing us, or trailing it,
the maples rest on evenings, jaded,
through someone's eyes, now dimly lit

like in a water glass in which
the well itself is crawling flat
its coolness dying in some ditch
or hardly that... or hardly that...

Darie Magheru (1923-1983)

execuție

federico garcia lorca
se frângea
– sub gloanțe! –
pe drumul cordobei!

...unul după altul
muriră
villon, edgar poe, verlaine...

a patra oară
nu s-a mai ridicat,
nu mai vroia!

...ay,
începuseră să tragă
și
în poeții
ce nu s-au născut!

execution

federico garcia lorca
was shattering
– under the spray of bullets! –
on the road to cordoba!

one after another
they died
villon, edgar poe, verlaine

the fourth time
he did not get himself up anymore
he no longer wanted to!

... ay,
they started shooting
also
in the poets
not yet born!!

Nina Cassian (1924-2014)

micul prinț

elogiu candorii

Știu să întreb
despre miei, despre flori.
Odată-ntr-o pădure,
am sărutat un izvor.

Știu ce uimită-i
culoarea albastră.
Am o grădină
și o fereastră.

Mai am și o carte
foarte subțire
în care nu-ncape
decât o iubire.

Pot să-mi iau locul
lângă tine, pe stea?
— Da, spuse prințul.
Ești prietena mea.

the little prince

eulogy to innocence

I know to enquire
of a lamb or a mountain.
And once in a forest
I kissed a small fountain.

I know how surprised
is the color blue.
I have a garden
and a window view.

I also have a book
very thin and small,
which only has space
for one love to scrawl.

Can I take my place,
near you, on the star?
"Sure", replied the prince.
"You're my friend from afar."

voiam să rămân în septembrie

Voiam să rămân în septembrie
pe plaja pustie și palidă,
voiam să mă-ncarc de cenușa
cocorilor mei nestatornici
și vântul greoi să-mi adoarmă
în plete cu apă năvoade;

voiam să-mi aprind într-o noapte
țigara mai albă ca luna,
și-n jurul meu – nimeni, doar marea
cu forța-i ascunsă și gravă;

voiam să rămân în septembrie,
prezentă la trecerea timpului,
cu-o mână în arbori, cu alta-n
nisipul cărunt – și să lunec
odată cu vara în toamnă...

Dar mie îmi sunt sorocite,
pesemne, plecări mai dramatice.
Mi-e dat să mă smulg din priveliști
cu sufletul nepregătit,
cum dat mi-e să plec din iubire
când încă mai am de iubit...

I wished to remain in september

I wished to remain in September
on the beach, deserted, for example
I wished to be filled with the ashes
of cranes, my own cranes, so inconstant
the ponderous wind brings in slumber
in my tresses with water the fishnets;

I wanted to light up one evening
the cigarette whiter than moonlight
and around me – no one – save the sea
its power mysterious and solemn;

I wished to remain in September
attending the passing of time,
a hand in the trees and the other
in sand getting grizzled – and glide
at once from the summer to autumn...

But for me, it has been preordained
it seems, more dramatic departures.
I'm doomed to be torn from the landscapes
with my soul unequipped for this shove
as I'm destined to pull out of loving
while still, I have plenty to love...

dorul

Dragostea mea,
ancoră grea,
ține-mă strâns;
toate mă dor:
gura – de dor,
ochii – de plâns.

Vântul căzu –
– poate că nu,
dar s-a făcut
liniște-n cer,
fără puteri,
ca la-nceput.

Nu mai visez
pași pe zăpezi,
urme de vulpi;
nu mai sunt flori,
sufletul lor
doarme în bulbi.

Singurătăți...
Nu mi te-arăți,
nu-mi trimiți vești.
Cât fără rost.
Oare ai fost?
Oare mai ești?

longing

My love you keep
my anchor deep
hold tight my fears;
I'm all in pain
my mouth – from strain
my eyes – from tears.

The wind is fraught –
– perhaps it's not,
but it has gone
still in the sky,
without goodbye,
as at the dawn.

I never saw
steps in the snow,
foxes forlorn;
there are no flowers,
their soul and ours
sleep in the corn.

Loneliness, drear...
You don't appear,
no news to get.
What sense this tryst?
Did you exist?
And do you yet?

A.E.Baconsky (1925-1977)

tu care-ai fost...

Tu, care-ai fost odată, tu, care eşti tu, care
Vei fi – adesea iarna, plecând în taină ochii,
Duioasă-ntrăzeri-vei, căzută la picioare,
Umbra-mi licăritoare ca solzii unei rochii.
Va fi tăcere-n preajmă – şi dincolo de geam
Ninsoarea de departe venind ca o pădure
Dusă de vânt – şi-al serii hotar ce-l atingem
De-atâtea ori cu-aripa, din nou va sta prin sure
Închipuiri, în albul pierit şi întinat...
Asemeni unui flutur câte-un sărut va trece
Caligrafiind profilul pe care-l vei fi dat
Uitării. Şi-n oglinda netulburată, rece,
Vor tresări petale dintr-un sălbatec crin
Ce şi-a lăsat amprenta pe sânii tăi odată –
Îţi vei desface părul şi vei privi cum vin,
Din negrul lui, răsfrângeri de noapte-ndepărtată
Şi cum se-ntorc din ceaţă cărările-napoi,
Înfăşurând mumia unei iubiri ucise,
Cum viscolul pe stradă, prin arbori-nalţi şi goi,
Deşteaptă sensul unor imagini, unor vise...
Şi-mi vei ierta păcatul de-a-mi fi uitat un gest
În gândul tău – sau poate în suflet, o durere
Trecută-n timp. Din toate va rămânea acest
Destin al unor veşnic pierdute giuvaere,
De nu-ţi aduci aminte nici tu când le-ai purtat.

you who have been...

You who have been already, you, who are now, just you
Will be – so oft in winter, eyes slyly gazing down,
While at your feet, prostrated you'll see the gentle dew –
my shadow ever sparkling like sequins on a gown.
There will be silence near you, beyond the window bright
The snowfall from the distance is like a forest pure
Blown by the wind, you're touching the border of the night
Upon its wing so often, anew to hang secure
In white imaginations, and tinted with a stain...
Like butterflies, the kisses will pass our lips aglow –
Calligraphizing profile, on which you would have lain
Forgetting. While the mirrors, unstirred and cold will show
The tremor of the petals of an unbroken rose
Which once has left its imprint upon your unspoiled breasts –
Your hair you will dishevel beholding how they pose,
From its deep black, reflections of nightly far-off quests
And which upon returning from heavy gloom and haze
Enshrouding now the mummy of an extinguished love,
Just as the snowstorm rises, the empty trees to blaze
Awakening the senses of forms and dreams thereof...
And you'll forgive my trespass – forgetting an expression
Inside your thought – or maybe inside your soul, a pain
Which healed with time. And all that is left is the impression
Of jewels lost forever – their fate will thus remain,
For you cannot remember if they were ever worn.

A.E.Baconsky (1925-1977)

Un ochi imens te-absoarbe încet sub pleoapa-i neagră –
De-abia te vezi tu însăți, pe-un orizont uitat,
Plecând diminuată în timp ca o tanagră.
Cine-ți atinge pieptul la care-am stat să-ascult
Vântul şi luna? Cine din nou îşi poartă sumbra
Lui salcie? O, poate voi fi plecat de mult...
Sărută-mă-n absență şi-n somn. Sărută-mi umbra.

An eye, immense, absorbs you under its eyelid screen –
Yourself, you hardly notice upon a realm forlorn,
Diminished you now leave like a Tanagra figurine.
Who touches now your bosom, where I listened in its cleft
To wind and moon? And who will again wear and parade
His somber willow? Oh, maybe, for long I would have left...
Just kiss me in my absence and sleep. Just kiss my shade.

Leonid Dimov (1926-1987)

destin cu baobab

Orașul în cadril de mucava
Trăia, înfricoșat, la cinema.
Iar străzile duceau poveri de șoapte
Doar între pauze. La cinci și șapte.
În piața cu celebru nume șvab
Creștea, până la cer, un baobab
Cu frunte cât o casă, cu bodegi
Și trenuri de sidef iuțind prin crengi,
Cu gări albastre-n care stam zâmbind
La străvezii pahare cu absint
Și povesteam din viață, și râdeam
De peștii care ne priveau din geam,
În seara-aceea-n care nori duioși
Au oglindit lătraturi și cocoși
Și medici de zăpezi cu nume șvab
Zăcând lângă bolnavi, în baobab.

destiny with a boab

The city danced a paperboard quadrille
In cinemas; and scared, against their will,
The streets would lift hushed burdens up to heaven,
But just between the brakes. At five and seven.
The square, which famous Swabians would swab
Lay dwarfed beneath a towering boab
Its forehead like a house, and with a pub,
With pearly trains at speed through bough and shrub.
With blue stops, where we'd smile and drink away
From lucent absinthe glasses through the day,
And laughing, we'd tell stories and we'd pass
Dumb comments to the fish behind the glass,
That evening when a still and tender cloud
Mirrored a rooster with a barking sound,
The Swabian doctors lovingly would swab
Sick patients laying in the huge boab.

rondelul jucătorului pierit

Era grădina ca un labirint
Şi, chiar la mijloc, o popicărie
Şi se vedea un jucător venind
Şi-n palma lui o barcă de hârtie.

Doar râsete şi forme de argint
Mai rămâneau în seara zmeurie.
Era grădina ca un labirint
Şi, chiar în mijloc, o popicărie.

Popicele-au căzut, alcătuind
Din clinchete şi râs o melodie,
Iar jucătorul, când am vrut să-l prind,
Ca la un semn pierise, căci pustie
Era grădina ca un labirint.

the rondel of the vanishing player

The garden was a labyrinth to me
And had a bowling-lane halfway its land
There was a player coming, I could see
A sail-boat made of paper in his hand.

Just laughs and silver shaping up with glee
Lying around into the evening grand.
The garden was a labyrinth to me
And had a bowling lane halfway its land.

The ninepins fell composing in the breeze,
A melody with laughter and with tinkling,
As for the player whom I tried to seize
He swiftly vanished and I had no inkling;
The garden was a labyrinth to me.

amurgul zeilor din Cişmigiu

Bătrînii-şi au cartierul general
Într-un boschet discret, din Cişmigiu...
Acolo joacă şah, pînă tîrziu –
Sub iederi cu parfum sentimental...
Încoronați cu părul argintiu –
Par zei olimpici, într-un nimb astral –
Străfulgerînd vr-un rege, or vr-un cal –
Ca la asediul Troiei – cum îl ştiu!
Îi văd din înălțimi cum s-arăped,
Asupra răzlețitelor figuri,
Cu-ncovoiate ghiare de vulturi,
Ca Jupiter, răpind pe Ganimed!
Dau iama prin armatele de lemn!
Distrug cetăți, sparg mituri – la un semn!

twilight of the gods from Cişmigiu[*]

The old men have an office they frequent
In Cişmigiu, a copse of trees, discreet
And here they're playing chess till very late –
Beneath the ivy's sentimental scent...
Crowned with a silver head of hair aglow
Olympic gods they seem – with astral haloes
They strike a king or knight off to the gallows
As if besieging Troy – the way they know!
I see them from on high – they pounce with speed,
Upon the scattered figures on the board,
Hooked claws like vultures swooping in their horde
Like Jupiter who kidnaps Ganymede!
They're wreaking havoc through the hosts of wood!
One gesture crushing strongholds, myths – for good!

* Cişmigiu = a central park in Bucharest with a corner, where, traditionally, retired men play chess and backgammon

nori – fragment

Cine-a privit doar cerul timp de ani și vârste să știe că a fost cumva bolnav și poate vinovat: de slăbiciunea de viață în a cărei humă încolțesc și cresc anume feluri de singurătăți. Dar să nu-i pară rău și să închidă ochii împăcat. Căci privitorilor de cer, oameni, noroade, le este dat să înțeleagă timpul și măsura lui, în cer și pe pământ, în spirit și în faptele ce izvorăsc din el, la vremea lor.

A căuta înseamnă una dintre-acestea: să te înalți, să te cufunzi, să mergi departe. Orice găsire poartă-n ea măsura uneia din trei.

Nori în seară de iarnă, boltă grea de fumuri reci pe care gândul nu le mai poate străbate, pierzându-se în drum, în întunericul inform și hidos; iar jos pământul singur, uitat cu el însuși în zările înguste și închise, strâns lângă focurile sale.

Să mergi până acolo unde-n umbra ta au să răsară stelele și luna.

Vântul se smucea sprinten (ce sprinten se smucea) printre copaci, în zboruri ușoare și scurte și îți spunea, venind, râzând, trecând: Mă simți cât sunt de tânăr, mă simți tu cât de tânăr sunt și bucuros de mine și de voi, nepăsător de neființă și de soartă?

Să crească tot mai mare-n urma ta uitarea și înainte-ți să nu fie nici un țărm.

clouds – excerpt

He who gazed only at the sky for years and ages needs to know that he was somehow sick and perhaps guilty: of the weakness of life in whose clay germinate and grow specific kinds of solitudes. He should not regret it though but shut his eyes contentedly. Because to those who gaze at the sky, people, nations, it is given to understand the time and its measure, in heavens and on earth, in spirit and the deeds flowing from it, all in their season.

To search means one of these: to rise, to dive, to walk afar. Any finding bears in itself the measure of one of these three.

Clouds on a winter evening, a heavy vault of cold smoke which thoughts can no longer cross, lost along the way, in the shapeless and hideous darkness; and below the earth alone, forgotten with himself in the narrow and closed horizons, huddling near its fires.

To travel as far as the place where in your shadow the stars and the moon will rise.

The wind was frolicking nimbly (how nimbly was it frolicking) between the trees, in light and short flights and he was telling you, coming, laughing, passing: Do you feel how young I am, do you really feel how young I am and joyful for me and for you, indifferent to nothingness and fate?

May forgetfulness grow increasingly larger behind you and in front of you may there be no shore.

Petru Creția (1927-1997)

Oare frunzele, arboris adscriptae, ce simt când bate aspru vântul? Suferă oare că încearcă să le smulgă din viața lor sau freamătă, zbătându-se, să plece după el și nu-s în stare și le pare rău?

Vântul dimineții crește încet, umflând pe măsură vela de lumină albastră și rece și cu miros încă de noapte. Corabia zilei pornește din nou.

Cât vremea noastră nu venise încă, zburau prin cer doar păsări și doar nori. Priveam la cer ca la niște păsări fulgerate, ca la țara care-a fost și nu mai e a noastră.

What do the leaves, arboris adscriptae, feel when the wind blows bitterly? Do they suffer maybe as he tries to tear them from their lives or do they quiver, struggling to follow him but cannot and then regret it?

The morning wind grows slowly, appropriately swelling up the sail of blue and cold light, still smelling of night. The ship of the day sets sail anew.

As long as our time did not arrive yet, through the sky only birds and only clouds were flying.
We were gazing at the sky as at some birds struck by lightning, as at the country that was but no longer is ours.

oglinzile – fragment

Oricâte primăveri s-ar întoarce în lume, în oglinzi nu poate fi niciodată cu adevărat primăvară. Și totuși, câte tinere chipuri, atât de frumoase, au pierit în abisul unei oglinzi.
Stând în dreptul unei vechi oglinzi, cel care nu mai vede se întreabă: Cine mă privește? Simt că mă privește cineva.
Oglinzile vor oglindi atâtea lucruri după moartea noastră, mereu credicioase și limpezi, și mereu uitând.
Oglinzile nu sunt numai un caz special de simetrie inversă, ele sunt cazul grav al unei simetrii între existent și un inexistent care se dă drept existent.

the mirrors – excerpt

No matter how many springs would return to the world, in mirrors
there could never truly be springtime. And yet, how many young faces,
so beautiful, have perished in the abyss of a mirror.
Standing in front of an old mirror, he who no longer sees asks himself:
Who is looking at me? I feel that someone is looking at me.
The mirrors will mirror so many things after our death, always faithful
and clear, and always forgetful.
The mirrors are not simply a special case of inverse symmetry, they
are a serious case of symmetry between the existent and a
non-existent which pretends to exist.

în tine-acum se-adună, la un semn

În tine-acum se-adună, la un semn,
frumoasele ce m-au iubit odată,
apoi porniră pe un drum ştiut,
pierzându-se în zarea lor tăcută.

De-ai fi la fel ca ele ai apune
cu ziua ce se-ncheie după munți,
iar chipul tău în arbori amuțind,
cu frunzele s-ar pierde după vreme.

Dar se adună-n tine, la un semn,
frumoasele ce m-au iubit odată
şi fiecare-ți fură din priviri,
cu fiecare treci în amintire.

Nu le primi! Păstrează-te doar ție!
Ești țărmul meu de calm evlavios,
maturul timp. Apropie-te, dar,
cu duhul meu altarul să-ți acoperi...

in you they gather now, just at a sign

In you, they gather now, just at a sign,
the beauties who have loved me long ago,
who then proceeded on a well-known road,
and getting lost into their hushed horizon.

And if you'd be like them you would soon set
together with the day, behind the mountains
Your countenance going voiceless in the trees,
Strays with the leaves strewn in the wake of time.

But in you, they gather, at a sign,
the beauties who have loved me long ago,
and each one steals a glimmer from your glance,
with everyone you travel to a memory.

Do not accept them! Save yourself for you!
you are my shore serene, revered and saintly,
the time mature. Draw near me, I say
my spirit will be cover for your altar.

Toma George Maiorescu (1928-2019)

apocrifă

nu
între noi n-au fost arse toate punțile
mai e și arborele dragon
cel care și-a aruncat rădăcinile peste prăpastie
dar mai e și iluzia mea
că pot trece peste orice
și o să ajung pe celălalt mal
fie prin hățisul aerian al lianelor
fie și pe un pod de ceață
arcuit peste spaime
dar tu vei fi plecată pe o insulă
și eu voi străbate iarăși Oceanul
înot ca și altă dată când
tu te-ai mutat într-o stea
și mă vei arunca din nou în adâncul Spațiului
să te caut
dar tu te vei fi ascuns într-o galaxie
care nu figurează pe nici-o hartă a cerului
și pentru că
între noi nu au fost arse toate punțile
eu te voi căuta mereu
și aproape că te descopăr
pentru că am înțeles în sfârșit că trebuie să te găsesc
peste ceea ce ne desparte
când plutești prin văzduh cu noaptea în păr
sau când ești culcată alături
apocrifă și păgână
în patul meu

apocryphal

no
between the two of us, not all bridges have been burnt
there is still the dragon tree
the one that threw its roots over the chasm
and there is still my illusion
that I can get over anything
and I will reach the other shore
either through the aerial wildwood of lianas
even on a bridge of fog
arched over the fears
but you will have left for an island
and I will cross the Ocean again
I swim like at other times when
you have shifted to a star
and will throw me again in the depth of Space
to seek you
but you would have hidden inside a galaxy
which is not registered on any map of the heaven
and because
between us, not all bridges have been burnt
I would keep seeking you
and I would almost discover you
because I finally understood that I must find you
over everything that separates us
when you float through the air with the night in your hair
or when you are lying beside
apocryphal and pagan
in my bed

Modest Morariu (1929-1988)

izgonirea din paradis

Neașteptat s-a ivit șarpele dintre dune,
și-a rostogolit între noi
mărul de culoarea amurgului,
și noi l-am împărțit
cu neîngăduită bucurie.
Umbra de tamarisc se chircea nevăzut,
dar marea încă surâdea
cu dinți albaștri.
Tăcerea a căzut dintr-o dată,
când marea s-a-ncruntat
în verde veninos,
și noi ne-am privit înfricoșați.
Ne-am îmbrăcat în grabă,
ascunși în hățișul ghimpos
de măslini sălbatici.
Șarpele s-a făcut vânt;
se-ncolăcea pe dune
și arunca în noi cu nisip;
cu gurile pline de nisip
am alergat spre casă,
în timp ce marea ne huiduia din urmă.

banishment from paradise

Unexpectedly has the serpent appeared between the dunes,
and it rolled between us
the apple with the twilight color,
and we divided it
with undeniable joy.
The tamarisk shadow was curling up unseen,
but the sea was still smiling
with her blue teeth.
Silence suddenly fell,
when the sea frowned
a venomous green,
and we looked at each other in fright.
We put our clothes on in a rush,
hidden in the thorny
wild olive thicket.
The serpent turned himself into the wind;
He was curling between the dunes
and was throwing sand at us;
with our mouths full of sand
we ran towards our home
while the sea was booing us from behind.

cele de început și cele de sfârșit

Cuvintele de pământ, de lemn, de fier,
cuvintele clădiri,
cele pietre și cele copaci,
cuvintele pe care le întind pe pâine,
pe care le sorb din lingură,
pe care le îmbrățișez și le iubesc,
cuvintele care mă acoperă și mă spală,
cele ce sapă și cele ce astupă, cuvintele scândură,
cuvintele pod și punte și luntre și stea,
acelea pe care calc și la care mă uit,
care trec peste și ajung dincolo,
care fac semne și se desbracă și vin impudic,
cuvintele tălpi și mănuși,
secure, bucate și drum de țară –
cuvintele sticlă și rogojini,
și icoană și fum,
cu ele mă însoțesc și mă înfășor, –
în ființa lor de umbră și de lumină
sunt plop clătinat și fiară stârnită,
iată acestea ning și acelea plouă,
cuvintele vânt și grindină și uscăciune,
de care mă împiedic, pe care le rup,
care pocnesc, pe care le gust,
de care nu mai pot să scap
nimerit în mijlocul lor,

those from the beginning and those from the end

Words of clay, of wood, of iron,
words buildings
those of stones and those of trees,
words that I spread on bread,
and those I sip from a spoon,
that I embrace and love,
words that cover me and wash me,
those that dig and those that cover, words wood planks,
words bridge and footbridge and boat and star,
those on which I step on and those at which I gaze,
over which I walk and get to the other side,
those making gestures and undressing and coming immodestly,
words foot-soles and gloves,
words glass and mats,
and icon and smoke,
with them, I join and I wrap myself in, –
in their being of shadow and of light
I am poplar shaken and beast unleashed,
behold these snowing and the others raining,
words wind and hailstones and drought,
over which I stumble, and which I break,
that crack, that I taste,
which I cannot escape anymore
stumbling in their midst,

căutate, apucate, strânse, cioplite,
șterse, ridicate,
sunt al lor, prin ele, cu ele,
din ele, sub ele,
sunt cules și stors, fiert și băut,
răsărit și sfințit –
sunt alungat și împiedicat de cuvinte,
din marginea lor, din nesfârșirea lor,
din ouăle lor, lângă urmele lor
de copite, de unghii, de ghiare,
de gloanțe, de cuțite, de palme,
cuvintele rămânere și curgere,
și cele în care mă ascund când mă desbrac,
cele din leagăn și cele de la groapă,
de întrebare și de mirare...

sought, grabbed, gathered, chiseled,
erased, risen,
I belong to them, through them, with them, from them,
beneath them,
I am picked and squeezed, boiled and drunk,
risen and sanctified,
I am banished and hobbled by words,
from their edges, from their endlessness,
from their eggs, from their traces,
of hooves, of nails, of claws,
of bullets, of knives, of palms,
words abiding and flowing,
those in which I hide when I undress,
those from the cradle and those from the grave,
of question and of wondering...

Irina Mavrodin (1929-2012)

evadare

trebuie să fug
de lângă masa
pe care am tăiat
această bucată de pâine
pentru că masa
şi pâinea
şi cuţitul
sunt o împărăţie
care mă învaţă
că eu sunt aici
şi că îmi este prea bine

delectatio morosa

cât de perverse sunt
Doamne
plăcerile bătrâneţii
de ce aş mai vrea
să fiu tânără?

escape

I need to run
from the table
on which I have cut
this slice of bread
because the table
and the bread
and the knife
are a kingdom
teaching me
that I am here
and that I am doing too well

delectatio morosa

how perverse are
oh Lord
the pleasures of old age
why would I ever want
to be young again?

Alexandru Andrițoiu (1929-1996)

Ceaușescu omul

M-am gândit la un cântec de primăvară
La un cântec de luna mai
Luna în care s-au renăscut aici un popor și o țară
Ca din zilele de trudă, o sărbătoare

M-am gândit la un cântec despre oțel
Despre pâine
Despre trandafiri
Despre aripi
Despre drapel
Început din strămoși și purtat către mâine
Cu întreg aurul istoriei în el

Acest cântec, acest cântec şi inimi zice-l-vom
Pe crestele munților şi pe marginea mării
Pentru o stea
Pentru un far
Pentru o inimă
Pentru un om
Care e miez
Şi e stemă-n destinele țării

Acest cântec Ceauşescu se va numi
Aşa cum se numeşte o odă sau o baladă
Sau ca soldatul de veghe care în noapte şi zi
Priveşte epoca de sus de pe baricadă

Ceaușescu the man

I thought about a song of spring
A song from the month of May
The month in which people and land were reborn to sing
As from the days of toil, a celebration

I thought of a ballad about steel
About bread
About roses
About wings
About our flag's ideal
Beginning from our ancestors and borne toward tomorrow
With all of the gold of history's appeal

This song, this song, and heart we'll fan
On the ridges of mountains and the sea strand
For a star
For a lighthouse
For a heart
For a man
Who is a kernel
And is an emblem for the destiny of this land

This song Ceaușescu will be named I say
Like one names an ode or a ballad
Or like the soldier on the watch who night and day
Watches the epoch from above on the barricade

Alexandru Andrițoiu (1929-1996)

Cinstiți-mă cu dreptul de-a-l îmbrățișa
Ca pe un om tânăr şi călit de furtună
Pentru verbul lui răspicat
Pentru gândirea lui ca platina
Pentru inima sa omenească şi mare şi bună

Veniți şi cântați cântăreți iubitori de eroi şi de țară
Veniți şi sculptați sculptători
În metal şi-n marmură toți

Pentru Ceauşescu străbunilor
Şi-a prezentului meu, primăvară
Pentru Ceauşescu prin care vorbim cu ai patriei bravi strănepoți

Grace me with the right to embrace him
Like a young man and seasoned by the storm
For his blunt verb
For his thinking like platinum
For his human heart so big and so warm

Come and sing singers lovers of heroes and the land
Come and sculpt, sculptors
In metal and marble, all you chosen ones

For Ceaușescu of the ancestors
And of my present, a spring so grand
For Ceaușescu through whom we talk with our motherland's
brave great-grandsons

Aurel Rău (n 1930)

încheiere

Să scrii sonetu-al sutălea. Pe drum

Această bornă, piatră de hotar.
Urăsc orice sfârșit, la gât îi sar,
Dar azi nu mai amân. „Aici șezum".
Ca de război un câmp. Cu vii și morți;
Cu învieri ori doar răpiri în nori.
Prin vis, la Judecăți de-nchise porți.
Unde întrebi, găsești; urcând, cobori.
Sau unde, cu-a lui arcă, Noe te-a
Vrut printre-ai săi, pe punte. Punct lovit.
Un drum, să spui, câți anii într-un veac!
Nori nu vezi. Cu-o tristețe, semn îmi fac
Singur. La orizont, aceeași stea.

Și alte semne, prin nemărginit...

ending

To write the hundredth sonnet. On the way

This boundary stone, this bollard standing guard,
I hate all endings, I would have them barred
Today I won't delay. "For here I stay".
Like on a war field. Some alive, some dead;
Raptured to heaven, or just resurrected.
Like in a dream a Judgment full of dread.
You find by asking; climbing you're rejected.
Or it is Noah with his ark who wouldn't bar
You from the bridge – you're in your prime.
A road, pray tell, like centuries of years!
You can't see clouds. A sign I draw with tears
Alone. On the horizon the same star.

And all the other signs, through boundless time.

ghicit în cafea

milord
nu se mai poate concura
ceşcuţa japoneză este spartă
şi-n zaţul ăsta negru de cafea
a apărut un câine rău la poartă

tu crezi că muşchetarii vor veni
cu trei florete mari la butonieră
să-ţi spună că un nou poète maudit
s-a spânzurat aseară de-o jartieră

eroarea stă în movul cardinal
în care lorelei s-a deghizat
când un pescar beţiv dormea-n canal
visându-se un tigru eufrat

eşti osândit milord să îţi cultivi
în fiecare zi muşcata roză
în raiuri caste printre şerpi naivi
cu talpa-ţi netezeşti apoteoză

mai mult ce rege şi-ar putea visa
când în triunghi s-a-ntunecat fereastra
milord
nu se mai poate concura
dă-ţi haina jos pune-o-n cuier şi basta

reading the coffee dregs

my lord
one can no more compete today
the Japanese cup lays in a shattered state
and black, the coffee dregs seem to convey
a vicious dog appearing at the gate

the musketeers you hope that soon you'll see
three foils in their buttonhole polite
to tell you that a new poète maudit*
using a garter, hanged himself last night

the error's in the cardinal mauve bright
who saw sweet lorelei disguised and scheming
as fishermen were drunk and sleeping tight
while of some tigris and euphrates dreaming

you are condemned, my lord, to cultivate
for every single day a pink carnation
in vestal paradises, snakes mutate,
beneath your sole, your own deification

what more a king could dream for, what indeed,
as quaint, the window's triangle grows blue
my lord
one can no more compete today
take off and hang your coat, for that will do

* A poète maudit (from French, accursed poet) lives a life outside or against society, abuses drugs and alcohol, is prone to insanity, often resulting in early death.

Mircea Ivănescu (1931-2011)

miopie

seara ea îmi spune – astăzi mi-a ghicit în cafea
însăşi suzana, şi-mi povestea cum fuge un bărbat
cu ochii rotunzi, bulbucaţi, după mine – să însemne
asta că e un bărbat cu ochelari? (eu îmi scot
repede lentilele de pe nas şi suflu
în ele s-alung ispitele) dar mai pe urmă –
spunea suzana (povesteşte ea mai departe),
se face o cotitură şi scapi – de asta mi-e frică şi mie,
adaugă ea gânditoare. văzută fără ochelari
faţa ei este ca o părere – mă gândesc că am scris de demult
că legăturile mele cu timpul sunt ca o fugă
a unui nebun care vrea să se prindă
pe el însuşi – şi e întotdeauna câte o cotitură.
pe urmă îmi pun ochelarii şi totul reintră în normal.

myopia

in the evening, she tells me – today suzana herself read in my coffee,
describing how a man with round googly eyes,
was running chasing after me – does that mean
that it is some man wearing glasses? (I quickly take
my lenses off my nose and blow on them
to chase away temptations) but later on –
suzana was saying (she continues),
that suddenly there's a street corner and you escape – this is exactly
what I am fearing, she added thoughtfully. seen without glasses,
her face is like some opinion – I'm thinking of what I wrote long ago
that my links to time are like the run
of an insane man who wants to catch up
with himself – and there is always a corner.
in the end, I put my glasses on and everything returns to normal.

Petre Stoica (1931-2009)

registre

Naşterea mea e trecută-n registru
botezul meu e caligrafiat şi el în registru
diagrama sârguinței şi lenei mele –
urmărită în munți de registre şcolare
furând cândva un trandafir pentru tine
am fost pedepsit şi trecut în registru
între file cu rubrici grosolane
stă parafată cuminte
eterna mea dragoste pentru tine
fiul nostru: trecut şi el în registru
mereu şi mereu Petre Stoica prezent în registre:
pentru boli pentru gânduri pentru atâtea şi-atâtea
datorii neachitate la timp
până-n ziua când capacul de sicriu al registrului gros
va cădea în sfârşit pentru ultima dată
peste numele meu de om plecat dintre vii

registers

My birth is recorded in the register
my baptism is calligraphed into the register too
the diagram of my diligence and my laziness –
followed up through mountains of school registers
once upon a time stealing a rose, to give it to you,
I was punished and recorded in the register
between some pages with coarse headings
resides sealed meekly,
my eternal love for you
our son: recorded in the register too
over and over again Petre Stoica present in the registers:
for illnesses for thoughts for so many debts
not repaid on time
until the day the lid on the coffin of the thick register
will fall for the last time
on my name,
the name of a man who's left the world of the living

douăzeci și una de vise

1.
Am visat că dorm în patul unei dulci regine

2.
am visat că arunc pe fereastră un milion de dolari

3.
am visat că știu să rezolv subtile probleme de matematică

4.
am visat că îi bat la fund pe copiii unui dictator obez

5.
am visat că vulturul meu sfâșie lămpașurile generalilor războinici

6.
am visat că trag cu pistolul în inima neagră a lumii

7.
am visat că am dat o floare otrăvită unui călău care întâmplător mă cunoaște

8.
am visat că joc țintar cu șambelanul unui împărat din secolul trecut

9.
am visat că mă însor cu fata unui băcan care mai păstrează amintirea roșcovei

twenty-one dreams

1.
I dreamed that I was sleeping in the bed of a sweet queen

2.
I dreamed that I was throwing one million dollars out the window

3.
I dreamed that I knew how to resolve subtle mathematical problems

4.
I dreamed that I was smacking the bottoms of the children of an obese dictator

5.
I dreamed that my eagle was tearing the stripes off the trousers of warring generals

6.
I dreamed that I was shooting my pistol into the dark heart of the world

7.
I dreamed that I gave a poisoned flower to an executioner who happened to know me

8.
I dreamed that I was playing nine men's morris with the chamberlain of an emperor from the last century

9.
I dreamed that I was marrying the daughter of a grocer who still had a memory of the husks

10.
am visat că alterego-ul meu se plimbă la umbră cu ochelari de soare

11.
am visat că mă aflu în prezența unui orologiu care macină orișice

12.
am visat că port pantaloni de făină cămașă de apă și pălărie de foc

13.
am visat că dansez pe plaja mării pe cap cu o lumânare aprinsă

14.
am visat că ies marțial dintr-o oglindă înrămată cu urzici

15.
am visat că îmi dăruiesc de ziua mea un imens buchet de leuștean

16.
am visat că dirijez circulația orașului în sens invers

17.
am visat că sunt acceptat așa cum sunt într-adevăr

18.
am visat că sughit și că strănut într-un mod ideal

19.
am visat că mă aflu expus într-un sicriu cu aripi de liliac

20.
am visat că mă lasă milenarele dureri de dinți

21.
totodată am visat că posed cele mai elastice bretele din lume

10.
I dreamed that my alter-ego was strolling in the shade wearing sunglasses

11.
I dreamed that I was in the presence of a pendulum clock which ground everything

12.
I dreamed that I was wearing pants made of flour a shirt made of water and a hat made of fire

13.
I dreamed that I was dancing on the beach with a lit candle on my head

14.
I dreamed that I was majestically stepping out of a mirror framed with stinging nettles

15.
I dreamed that I was gifting myself a big bunch of lovage for my birthday

16.
I dreamed that I was directing city traffic in the opposite direction

17.
I dreamed that I was being accepted just as I am in reality

18.
I dreamed that I hiccupped and sneezed in an ideal manner

19.
I dreamed that I was being exhibited in a coffin with lilac wings

20.
I dreamed that I was finding relief from a millennial toothache

21.
at the same time, I dreamed that I had the most elastic braces in the whole world

jurnal de zi

Alergăm toți în căutarea acelui drum unic
pe care fiecare dintre noi trebuie să-l găsească singur.

Oare la ce viteză cosmică am ajuns?

Pe unii dintre noi ploaia îi înconjoară cu gratii
întocmai ca într-un fel de colivie.
Alții fac speculă cu speranța pe care o vând pe sub mână
pe la drumuri și pe la garduri.
Alții fac de pază la ușile unor case nelocuite. Alții...

Marea fiindcă nu știe să facă nimic
macină fără încetare imaginile întâlnite în cale
lovindu-le într-una unele de altele.

daily journal

We are all running seeking that unique way
which every one of us must find by ourselves.

Pray, tell me, what cosmic speed have we reached now?

Rain surrounds some of us with bars
as if we were in some kind of birdcage.
Others deal in hope, which they sell illegally
along the highways and the hedges.
While others play guardians by the doors of some empty houses.
Still others...

The sea, because it does not know how to do anything,
mills without ceasing some images encountered on the way
hitting them continuously against one another.

lună în câmp

Cu mâna stângă ți-am întors spre mine chipul,
sub cortul adormiților gutui
şi de-aş putea să-mi rup din ochii tăi privirea,
văzduhul serii mi-ar părea căprui.

Mi s-ar părea că desluşesc, prin crenge,
zvelți vânători, în arcuiții lei
din goana calului, cum îşi subție arcul.
O, tinde-ți mâna stângă către ei

şi stinge tu conturul lor de lemn subțire,
pe care ramurile l-au aprins,
suind sub lună-n seve caii repezi
ce-au rătăcit cu timpul, pe întins.

Eu te privesc în ochi şi-n jur se şterg copacii.
În ochii tăi cu luna mă răsfrâng
...şi ai putea, uitând, să ne striveşti în gene
dar chipul ți-l întorn, pe brațul stâng.

moon in the field

With my left hand, I turned your face towards me,
beneath the tent of the sleepy quince tree,
and if my gaze could leave your eyes and wander,
the sweep of even sky would velvet be.

I would imagine fathoming through branches,
strong hunters chasing lions in their might,
on horseback pulling strings of bows and arrows.
Oh, stretch your left hand, let them go tonight

extinguish the thin frame of musty willow,
with all its twigs and branches, set afire,
to climb under the moonlight on wild horses,
and wantonly pursue your own desire.

I'm gazing at your eyes, and 'round us trees are waning.
The moon and me reflecting into your eyes profound
... your eyelashes could crush us, as you gaze, absent-minded
but, gently then, my left hand has turned your face around.

poveste sentimentală

Pe urmă ne vedeam din ce în ce mai des.
Eu stăteam la o margine-a orei,
tu – la cealaltă,
ca două toarte de amforă.
Numai cuvintele zburau între noi,
înainte şi înapoi.
Vârtejul lor putea fi aproape zărit,
şi deodată,
îmi lăsam un genunchi,
iar cotul mi-l înfigeam în pământ,
numai ca să privesc iarba-nclinată
de căderea vreunui cuvânt,
ca pe sub laba unui leu alergând.
Cuvintele se roteau, se roteau între noi,
înainte şi înapoi,
şi cu cât te iubeam mai mult, cu atât
repetau, într-un vârtej aproape văzut,
structura materiei, de la-nceput.

sentimental story

Later we met more often.
I stood on one side of the hour,
you – on the other,
like two handles of an amphora.
Only words flew between us,
back and forth.
Their swirling could almost be discerned,
and suddenly,
I would lower a knee,
and sink my elbow to the ground
only to observe the grass,
tilted by the dive of some word,
as though by the paw of some lion in flight.
The words spun, they spun
between us back and forth,
and the more I loved you, the more they repeated,
in an almost visible whirlpool,
the structure of matter, from its beginning.

balada motanului

Motan m-aş fi dorit să fiu
cu coada-n sus, cu blana-n dungi,
cu gheare şi musteţe lungi,
c-un ochi verzui şi-un ochi căprui.

La ora când târâş-grăpiş
zăpada nopţii se adună
eu, cocoţat pe-acoperiş,
să urlu a pustiu la lună.

Şi-atuncea, şapte gospodine
să dea cu bolovani în mine
şi să mă-njure surd, de Domnul,
că le-am stricat, urlând, tot somnul.

De sus, din vârful săptămânii,
să le rânjesc urlat, scârbos:
iubesc doar locul, nu stăpânii,
precum fac câinii pentr-un os.

Şi iarăşi şapte gospodine
să dea cu bolovani în mine,
iar eu să urlu, urlu-ntruna
atât cât n-o apune luna.

Motan m-aş fi dorit să fiu
cu coada-n sus, cu blana-n dungi,
cu gheare şi musteţe lungi
c-un ochi verzui şi-un ochi căprui.

ballad of the tomcat

A tomcat I desired to be
with upward tail, a stripy coat,
long claws, long whiskers, hissy throat,
with eyes, one green, one brown, you see.

Precisely when the snowy night
towards the sleep of down is creeping,
me, up on top of roofs in flight
the moon will howl in senseless weeping.

Then, seven housewives, devilish spree,
will hurl their seven stones at me
and will, in silence, cuss and weep,
because I howl and stop their sleep.

But from the height of week's disasters,
I'll grin a-howling, dark and vile:
I love the place, and not the masters,
like dogs, who for a bone will smile.

The seven housewives, then, with glee
will hurl their seven stones at me,
and I will howl, and howl anew
until the moon won't be in view.

A tomcat I desired to be
with upward tail, a stripy coat,
long claws, long whiskers, hissy throat
with eyes, one green, one brown, you see.

Când zorii ziua o deznoadă
să mă tot duc, să mă tot duc
şi tinicheaua prinsă-n coadă
s-o zdrăngănesc pe străzi, năuc.

Jegos şi obosit, apoi,
cu maţele în liturghie,
să mă adun, să mă-ncovoi
prin albiturile-n frânghie.

Ca-n faţa unui şobolan
spinarea să mi-o fac colan
să scuip, să scuip şi-n urmă iar
hai-hui să plec pe străzi, hoinar.

Pisicile de prin vecini
să le gonesc pe la pricini,
să-mi fete fiecare-un pui
c-un ochi verzui şi-un ochi căprui.

Iar când o fi uitat să mor
la cârciuma din mahala
sorbită-n calea pumnilor
poşircă acră vin să stea.

„Hei... viaţă, viaţă... ieşi din cort
hai, pune-mi-te iar pe danţ...
te uită... zace colo-n şanţ
motanul mort, motanul mort..."

When early rays the day assail,
I'd wander giddy; where to next?
I'd tie a tin onto my tail
to rattle on the streets, perplexed.

Besmirched and tired in a while,
my gut from growling to divert,
I'm gathered up, I spit my bile,
and drag their linen through the dirt.

When on the streets I gallivant,
If rats annoy me with their rant
I'll spit, I'll spit, and then I'll cry
My back I'll camber hard and high.

The cats from seven neighborhoods
I'd chase around and to the woods,
a kitten each to cub for me
with eyes, one green, one brown, you see.

Forgotten when I'll die in vain
up near the tavern in the slum
laid in the way of fists to drain
the sour swill, the vile scum.

"Oh well... that's life... out from your tent
let's dance again, don't jump with dread...
look down the drain... and don't lament
the tomcat dead, the tomcat dead..."

a cincea elegie

N-am fost supărat niciodată pe mere
că sunt mere, pe frunze că sunt frunze,
pe umbră ca e umbră, pe păsări că sunt păsări.
Dar merele, frunzele, umbrele, păsările
s-au supărat deodată pe mine.
Iată-mă dus la tribunalul frunzelor,
la tribunalul umbrelor, merelor, păsărilor,
tribunale rotunde, tribunale aeriene,
tribunale subțiri, răcoroase.
Iată-mă condamnat pentru neștiință,
pentru plictiseală, pentru neliniște,
pentru nemișcare.
Sentințe scrise în limba sâmburilor.
Acte de acuzare parafate
cu măruntaie de pasăre,
răcoroase penitențe gri, hotărâte mie.
Stau în picioare, cu capul descoperit,
încerc să descifrez ceea ce mi se cuvine
pentru ignoranță...
și nu pot, nu pot să descifrez
nimic,
și-această stare de spirit, ea însăși,
se supără pe mine
și mă condamnă, indescifrabil,
la o perpetuă așteptare,
la o încordare a înțelesurilor în ele însele
până iau forma merelor, frunzelor,
umbrelor,
păsărilor.

the fifth elegy

I have never been angry with apples
for being apples, nor with leaves for being leaves
nor with the shadow for being a shadow, or with birds for being birds.
But the apples, the leaves, the shadows, the birds
suddenly became angry with me.
Behold, I find myself taken to the tribunal of the leaves
the tribunal of shadows, apples, birds,
round tribunals, aerial tribunals,
thin tribunals, cool ones.
I find myself condemned for ignorance,
for boredom, for restlessness,
for stillness.
Sentences written in the language of pips.
Prosecution documents signed and sealed
with the innards of birds,
cool gray penances apportioned to me.
I am standing, my head uncovered,
I am attempting to decipher what I deserve
for ignorance...
and I cannot, I cannot decipher
anything,
and this frame of mind, in itself,
gets angry with me
and condemns me, undecipherably,
to a perpetual wait,
to a tenseness of meanings within themselves
until they take the form of apples, leaves,
shadows,
birds.

Romulus Vulpescu (1933-2012)

duminica de ieri

Aprind țigara și te-aștept să vii
Pe-o bancă de pe stradă, la amiază:
Secundele acestea argintii
Se scutură ca verbele-ntr-o frază.

Foșnesc șoptit – vecini cu vântul – plopii
Și degetele-mi vântul le resfiră...
E-o liniște de umbră când te-apropii,
Și mâna mea vibrează, și e liră.

Ni-s pașii mici și rari, porniți spre gară
Peronul despărțirii să-l refuze:
În părul tău mai e un rest de vară,
Dar – vineție – toamna-ți stă pe buze.

Se-mbracă-n demnitate regiunea:
Duminica de ieri și-a scos coroana.
Săruturile tac. Zi tristă lunea.
Rămas-bun, ochi. Rămas-bun, târg. Rămâne rana.

yesterday's sunday

I light up my cigar and wait for you,
Down on the street-bench in the midday sun:
These precious seconds, bright with silver dew
Jiggle like verbs, through jokes without a pun.

The poplars rustle and in wind unwinding,
Which through my fingers slowly trails away...
And when you're close, the silent shadows binding,
My hand's a lyre, gentle in its sway.

We take small steps to the train station, where,
The platform of our parting we'll refuse:
A remnant of the summer's in your hair,
Your lips are blue of autumn's tardy bruise.

The district dons a dignified attire,
Yesterday's Sunday tied her crown in chains,
Kisses are mute. Sad is the Monday crier.
Farewell the eyes. Farewell small town. The wound remains.

George Astaloş (1933-2014)

peşti nupţiali

miriadele de peşti nupţiali
care inundau apele
de cântec şi de adoraţii liturgice

erai tu

atrăgându-mă necontenit
în torentul ameţitor
al perpetuării

privirea ta
complice ingenuu
îmi îmblânzea înotul
într-un sublim efort
de transparenţă
neştiutor de iubire
şi încă departe
mă îndreptam cu sfială
spre un spaţiu de joc
voluptuos de vârtejuri

hipocampi fabuloşi
înhămaţi la mici care de luptă
visau bătălii uriaşe

nuptial fish

The myriads of nuptial fish
inundating the waters
of song and liturgic adoration

they were you

drawing me unceasingly
in the dizzying torrent
of perpetuation

your gaze
ingenue accomplice
would tame my swimming
in a sublime effort
of transparency
ignorant of love
and even when far away
I would head with shyness
toward a voluptous playing space
made of swirls

fabulous sea horses
hitched to small war chariots
dreaming of huge battles

George Astaloş (1933-2014)

se vorbea despre inițiere
şi despre o grandioasă sărbătoare
a trupului

fulgere subțiri
îmi săgetau carnea
cuprinsă de o dulce nesiguranță

şi mă apropiam nerăbdător
de triunghiul tău
cu peşti incandescenți
însemn armorial şi fântână
a unui pântec răscolit demonic

de copleşitoarea violență.

there was talk about initiation
and about a grandiose celebration
of the body

thin lightning strikes were piercing my flesh
overcome by a sweet uncertainty

and I would approach impatiently your triangle
of incandescent fish
an armorial insignia and fountain
of a womb demoniacally ransacked

by overwhelming violence.

Amon-Ra

Se-ngroapă, iubito, dreptatea-n polen
Balcoane cu nuduri în golfuri dispar
Silabe de rugă migrează adânc
În nervii romanței cu plopii impari
Serafic pagode de crini în amor
Nutresc – şi explozii de cupe în ger
Acoper țărâna cu cu mov de parfum
Şi harfe-n orbită de lună ne cer
Bolnavul meu aer divinul țesut
Destramă sub coaste şi-n văi de cristal
Ținutul cu iarbă în veşted balans
Cu preşuri de aur ne-aşteaptă la bal

Amon-Ra

Justice is buried, my love, in the pollen
Verandas with nudes in some gulf disappeared
And syllables of prayer migrate to the deep
In the nerves of romance with the poplars unpaired
Seraphic pagodas of lilies in love
While feeling explosions of cups full of frost
They cover the dirt with a mauve of perfume
And harps in an orbit of a moon that is lost
My air which is sick of the weaving divine
Unravels on ribs and in crystalline vales
A country of grass in a harmonized fade
Which on rugs made of gold invites us to dance.

Florin Mugur (1934-1991)

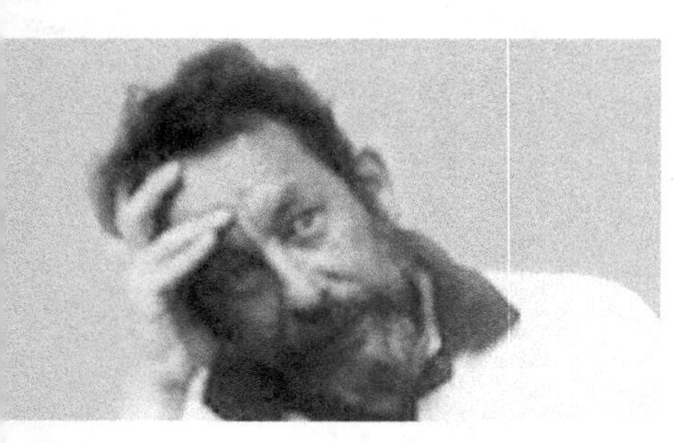

marginea de apă

Ne citim unul altuia poeme până ne vine rău
și ne rezemăm clătinându-ne de zidul ud
privindu-ne sfârșiți, desfigurați
ca după un imens hohot de râs.

Și dacă – întreabă cineva – și dacă ne-am desprins
noi înșine ca o lacrimă
din marginea de apă a bătrânului imperiu corupt?
dacă ne e tată? cum să ne omorâm tatăl?

Istoria fricoasă a imperiului
făcută din tresăriri și mușcături și desprinderi
ca istoria unui iepure turbat.

Și dacă totuși ne e tată?
Răspunde, imperiu celest!

El e măreț, nici nu ne-aude
el e stăpân pe dușmănia lui profesională
el se uită peste capetele noastre
și numără sorii teribili.

the edge of water

We read to each other poems until we feel sick
and we lean staggering on the damp wall
gazing at one another drained, disfigured
like after an immense burst of laughter.

And what if – someone asks – and what if we detached
ourselves like a tear
from the edge of the old and corrupt empire?
and what if he's our father? how could we kill our father?

The frightened history of the empire
made of twinges and bites and detachments
like the history of a rabid rabbit.

And what if he is still our father?
Answer now, you celestial empire!

He is monumental, doesn't even hear
he is the master of his professional hostility
he is gazing over our heads
and is counting the terrible suns.

Ovidiu Genaru (1934)

vremea buzelor

Vara plină de învățături, cer înstelat! Nebuniile noastre
între 5 și 8! Ore dulci! Pietre fericite
purtate în mâinile ei! În păr iasomia, sandalele-n
iarbă, suflet tulburat în piept!
Sfâșietoare îndoială... iubire, dorință... Firesc,
n-am sărutat-o; strigăte de precupeți,
urâcioase zgomote diverse, voi vă iscați în clipa aceea
speriind-o!
„Așteaptă să fie liniște", mă implora.
Vremea buzelor așa a trecut. Liniștea într-un mare oraș?
Poate înainte de Biblie, înainte de păcat...

the time for lips

Summer full of learning, starry sky! The crazy things
we did between 5 and 8! Sweet hours! Happy stones
Carried in her hands! In her hair jasmine, the sandals
in the grass, quivering soul inside the chest!
Heartbreaking doubt!... love... desire... Naturally,
I did not kiss her; hagglers shouting,
nasty noises of all kinds, all of you burst out in that very moment
frightening her!
"Wait until it becomes quiet", she implored.
The time for lips has passed. Silence in a big city?
Perhaps before the Bible, before sin...

tot mai des visez pământul – fragment

Tot mai des visez pământul cu nefericirile lui;
trag plasele fire și rădăcini de ierburi oceanice
de parcă apa a luat carele cu otavă cosită.
În iulie-am fugit din Copenhaga spre satele lor,
am rămas pe malul câmpului și-am plâns după voi –
acasă mă scăldam ca păsările-n iarba de grâu,
și-adormeam în spicele pline de lapte.

În Danemarca n-am văzut drumuri de țărână
și-acest lucru l-aș fi dus în brațe pân-acasă...
și-acum, în Oceanul Atlantic visez pământul cu nefericirile lui.

Azi-noapte se făcea că lucrez într-o fermă străină,
numai pătule de porumb și hambare de grâu peste tot;
număram vârstele pe grăunțe de știuleți și de spice;
cele triste cu boabe de porumb, cele albe – cu sămânța de pâine;
în loc de bani aveam boabe de porumb în buzunare;
la casa cinematografului dădeam câte două, trei boabe de grâu,
la baruri dădeam două căciuli de porumb, să danseze femeile;
se putea turna în părul lor semănătură de secară și alte semințe.

Prețurile pe lume se vădeau peste tot în grăunțe și boabe;
cumpărai o cameră de hotel cu cincizeci de boabe pe oră,
cu-o sută de boabe îți alegeai o femeie-mbătată...

more and more often I dream of the earth — excerpt

I still dream of the earth and its miseries;
the nets are pulling threads and roots of oceanic grass
as if the water took away the wagons of mown hay.
In July I ran away from Copenhagen towards their villages,
I remained on the edge of the field and I wept after you –
at home, I would bathe like the birds in the grain-grass,
and would fall asleep in the corn-ears full of milk.

In Denmark, I have not seen dirt roads
and I would have carried this home in my arms...
and now, in the Atlantic Ocean, I dream of the earth and its miseries.

Last night it seemed as if I was working on a foreign farm
barns of corn and granaries full of grain everywhere
we were counting the age on grains off the cobs and off ears
the sad ones with kernels of corn, those white ones – with seeds as of bread;
instead of money, we had grains in our pockets;
at the house of the cinematographer, we paid two or three grains of maize,
at the bars we gave two hats-full of corn, for the women to dance;
one could pour in their hair crops of rye and other seeds.

The prices in the world you could see everywhere, in grains and kernels;
you could hire a room for fifty grains an hour,
with a hundred kernels you could choose a drunk woman...

Grigore Vieru (1935-2009)

Basarabia cu jale

În mine a lovit străinul
De Paşti sau Denii.
Dar încolţitu-m-au bezmetici
Şi moldovenii.
Că nu suntem români străinul
Pe-a lui o ţine.
Şi-ai mei mai tare-l cred pe dânsul
Decât pe mine.
Basarabie cu jale,
Basarabie,
De pe deal şi de pe vale,
Basarabie!
„Încâlcită-ţi este viaţa",
Basarabie!
„Ca grâul ce-l bate gheaţa",
Basarabie!
În mine-au dat şi moldovenii
Necreştineşte.
Ci-s fericit că-n ei românul
Tot mai trăieşte.

Bessarabia* with sorrow

Strangers into me are pounding
At Wakes or Easters.
And madcap corner me asunder
Moldovan** twisters.
Romanians we're not, keeps saying
The stranger, constant.
My kin believe him more convincing
Than me, discordant.
Bessarabia with sorrow,
Bessarabia,
Every hill and vale and borough,
Bessarabia!
"Snagged and tangled is your life,"
Bessarabia!
"Like the wheat from hail in strife,"
Bessarabia!
Moldovans pounded me with fury,
Unchristian, evil.
I'm glad, though, that in them
Romania Still finds retrieval.

* Bessarabia – a province formerly belonging to Romania, after Soviet occupation following the Second World War – the Republic of Moldova. Much of the population speaks Romanian.
**Moldovan – may refer to members of the refractory pro-Moscow (at the time) regime of the Republic of Moldova.

GRIGORE VIERU (1935-2009)

Ei spun că nu-s români, ci lacrimi
În piept frământă
Când un Farcaş sau Vicoveanca
Sau Gheorghe cântă.

Basarabie cu jale,
Basarabie,
De pe deal şi de pe vale,
Basarabie!
„Încâlcită-ţi este viaţa",
Basarabie,
„Ca grâul ce-l bate gheaţa",
Basarabie!

We're not Romanian, they say, but teary
Their hearts are clinging
When hearing Farcaş, Vicoveanca*
Dolefully singing.

Bessarabia with sorrow,
Bessarabia!
Every hill and vale and borough,
Bessarabia!
"Snagged and tangled is your life",
Bessarabia!
"Like the wheat from hail in strife",
Bessarabia!

*Farcaş, Vicoveanca – Romanian language folk singers.

Arhip Cibotaru (1935 -2010)

au înnebunit salcâmii

Au înnebunit salcâmii
De atâta primăvară,
Umblă despuiați prin ceruri
Cu tot sufletu-n afară.

Și l-au scos de dimineață
Alb și încărcat de rouă
Cu miresme tari de ceruri
Smulse dintr-o taină nouă.

Au înnebunit salcâmii
Și cu boala lor odată
S-a-ntâmplat ceva îmi pare
Și cu lumea asta toată.

Parcă s-a făcut mai clară,
Parcă s-a făcut mai bună,
Parcă dragostea întreagă
Vrea pe note să și-o pună.

Păsările aiurite
Își scot sufletul din ele
Pribegind de doruri multe
Călătoare printre stele.

all the wattle trees went crazy

All the wattle trees went crazy;
Too much springtime drove them wild,
Flying naked through the heavens,
With their souls on the outside.

They have pulled them out this morning
White and dressed in silver dew;
Strong aromas from the heavens,
Ripped from mysteries anew.

All the wattle trees went crazy,
And their madness seemed to sprout
Something grand and mystifying,
To the world that's blowing out.

Somehow luminous, translucent,
Somehow kinder it will ring,
And somehow this love, accomplished,
Writes a song it wants to sing.

While the flying birds, bamboozled,
Are left breathless, full of scars
As they, vagrantly, glide longing,
Wanderers among the stars.

ARHIP CIBOTARU (1935 -2010)

S-a-mbătat pădurea verde
Nu mai e așa de calmă,
Ține luna lunguiață
Ca pe-o inimă în palmă.

Nu-mi vezi sufletul cum iese
În haotice cuvinte,
Au înnebunit salcâmii
Și tu vrei să fiu cuminte.

The green forest, drunk with madness,
Can no longer be kept calm,
As it holds the crescent moon,
Like a heart within its palm.

Can't you see, my soul, which likewise,
With chaotic words, it flies,
All the wattle trees went crazy
And you want me to be wise.

Nicolae Labiş (1935-1956)

moartea căprioarei

Seceta a ucis orice boare de vânt.
Soarele s-a topit şi a curs pe pământ.
A rămas cerul fierbinte şi gol.
Ciuturile scot din fântână nămol.
Peste păduri tot mai des focuri, focuri
Dansează sălbatice, satanice jocuri.

Mă iau după tata la deal printre târşuri,
Şi brazii mă zgârie, răi şi uscaţi.
Pornim amândoi vânătoarea de capre,
Vânătoarea foametei în munţii Carpaţi.
Setea mă năruie. Fierbe pe piatră
Firul de apă prelins din cişmea.
Tâmpla apasă pe umăr. Păşesc ca pe-o altă
Planetă, imensă, străină şi grea.

Aşteptăm într-un loc unde încă mai sună,
Din strunele undelor line, izvoarele.
Când va scăpăta soarele, când va licări luna,
Aici vor veni în şirag să s-adape
Una câte una căprioarele.

Spun tatii că mi-i sete şi-mi face semn să tac.
Ameţitoare apă, ce limpede te clatini!
Mă simt legat prin sete de vietatea care va muri
La ceas oprit de lege şi de datini.

death of the deer

The drought killed every breeze, and its fever won't yield,
Sun rays melted on high and have leaked on the field.
All that's left is the sky – empty, hot and forlorn.
Buckets draw filthy mud from the fountains which mourn.
With increasing aplomb from the forests below
Fires dance wild and devilish slow dances of woe.

I follow my father up the old bushy hills,
The pine trees are scratching me, evil with grime.
We have started together on the hunting of deer,
In this hunt born of famine, the Carpathians we climb.
Thirst is crumbling me. On a hot stone flows, boiling
The thinnest of threads creeping down from the well.
My head hangs in gloom on my shoulder. I'm toiling
As if on a planet, dark, vast, strange to tell.

We wait in a place where the waters still sigh;
Rare spring waves, a-strumming on their thin silvery strings.
When the sun will have set, when the moon's in the sky,
In a row, they will come on their path, from afar,
The deer, one by one, for a drink where death stings.

I tell father I'm thirsty; he waves me to be quiet.
Oh, dazzling magic water, how limpid is your sway!
I feel I'm bound, through thirst, to the creature which will die
When law and custom we shall throw away.

Nicolae Labiş (1935-1956)

Cu foşnet veştejit răsuflă valea
Ce-ngrozitoare înserare pluteşte-n univers!
Pe zare curge sânge şi pieptul mi-i roşu, de parcă
Mâinile pline de sânge pe piept mi le-am şters.
Ca pe-un altar ard ferigi cu flăcări vineţii,
Şi stelele uimite clipiră printre ele.
Vai, cum aş vrea să nu mai vii, să nu mai vii,
Frumoasă jertfă a pădurii mele!

Ea s-arătă săltând şi se opri
Privind în jur c-un fel de teamă,
Şi nările-i subţiri înfiorară apa
Cu cercuri lunecoase de aramă.

Sticlea în ochii-i umezi ceva nelămurit,
Ştiam că va muri şi c-o s-o doară.
Mi se părea că retrăiesc un mit
Cu fata prefăcută-n căprioară.
De sus, lumina palidă, lunară,
Cernea pe blana-i caldă flori stinse de cireş.
Vai, cum doream ca pentru-întâia oară
Bătaia puştii tatii să dea greş!

Dar văile vuiră. Căzută în genunchi,
Îşi ridicase capul, îl clătină spre stele,
Îl prăvăli apoi, stârnind pe apă
Fugare roiuri negre de mărgele.
O pasăre albastră zvâcnise dintre ramuri,
Şi viaţa căprioarei spre zările târzii
Zburase lin, cu ţipăt, ca păsările toamna
Când lasă cuiburi sure şi pustii.

What whittled rustle does the valley breathe!
What dreadful evening lingers upon the universe!
Blood spills on the horizon, my breast is red, as if
I wiped my bloody hands on it – a crimson curse.
Ablaze with violet flames,on pyres, ferns burn like hay,
And all the stars, bedazzled, twinkle through them and shine.
How much I wish you'd stay away, you'd stay away,
Beautiful offering in these woods of mine!

And vaulting she appeared, and then she stopped
Gazing around as if beset by fright,
Thin nostrils faintly poised and quivering, on water,
Drew copper circles in the fading light.

Her eyes were shining moist, perplexing, unexplained,
I knew she'd die, she'd hurt, she'd shed a tear.
In me, it seemed, a frightening myth remained,
About the girl who changed into a deer.
From up on high, the pale and lunar light
On her warm fur was sifting a wilting cherry flower.
Oh, how I wished, for just one time, one night,
My father's gunshot hit astray that hour!

Instead, the valley roared. Down, fallen on her knees,
Her head was tilting upward, towards a gloomy star,
And then it fell, arising from the water
Elusive swarms of beads, black from afar.
A strange blue bird heaved off between the branches,
My deer's life too, for late horizons, meant,
Was flying smoothly, like some autumn bird
Absconding her old nest, forgotten, spent.

Împleticit m-am dus şi i-am închis
Ochii umbroşi, trist străjuiţi de coarne,
Şi-am tresărit tăcut şi alb când tata
Mi-a şuierat cu bucurie: – Avem carne!

Spun tatii că mi-i sete şi-mi face semn să beau.
Ameţitoare apă, ce-ntunecat te clatini!
Mă simt legat prin sete de vietatea care a murit
La ceas oprit de lege şi de datini...
Dar legea ni-i deşartă şi străină
Când viaţa-n noi cu greu se mai anină,
Iar datina şi mila sunt deşarte,
Când soru-mea-i flămândă, bolnavă şi pe moarte.

Pe-o nară puşca tatii scoate fum.
Vai, fără vânt aleargă frunzarele duium!
Înalţă tata foc înfricoşat.
Vai, cât de mult pădurea s-a schimbat!
Din ierburi prind în mâini fără să ştiu
Un clopoţel cu clinchet argintiu...
De pe frigare tata scoate-n unghii
Inima căprioarei şi rărunchii.

Ce-i inimă? Mi-i foame! Vreau să trăiesc şi-aş vrea...
Tu, iartă-mă, fecioară – tu, căprioara mea!
Mi-i somn. Ce nalt îi focul! Şi codrul, ce adânc!
Plâng. Ce gândeşte tata? Mănânc şi plâng. Mănânc!

Under a spell, I went and closed her eyes,
Those shady eyes, beneath her horns, so sad.
Startled, I jumped, all pale and numb, when father
Screamed full of joy: — We now have meat, my lad!

I tell father I'm thirsty, he waves for me to drink.
Oh, dazzling magic water, how gloomy is your sway!
I feel I'm bound through thirst to the creature which died
As law and custom, we have thrown away.
But law is all in vain and has no place,
When our lives are hardly keeping pace,
Custom and mercy are but soulless, barren,
As hungry lies my sister, sick, dying in our warren.

From its left nostril father's gun spits smoke
And windless do the leaves run from the oak!
A frightening fire does my father rise.
Oh, how the forest changed, there's no disguise!
From earthly grass, I cup my hands around
A little bell, with silver starry sound...
As from the grill grabs father with his nails
The deer's red heart, and all of its entrails.

So what's a heart? I'm hungry! I want to live, desire...
Oh, do forgive me maiden, my dearest in the fire!
I doze. How tall the fire! The forest, how replete!
I weep. What's father thinking? I eat and weep. I eat!

dans

Toamna îmi îneacă sufletul în fum...
Toamna-mi poartă în suflet roiuri de frunzare.
Dansul trist al toamnei îl dansăm acum,
Tragică beție, moale legănare...

Sângeră vioara neagră-ntre oglinzi.
Gândurile-s moarte. Vrerile-s supuse.
Fără nici o şoaptă. Numai să-mi întinzi
Brațele de aer ale clipei duse.

Ochii mei au cearcăn. Ochii tăi îs puri.
Câtă deznădejde paşii noştri mână!
Ca un vânt ce smulge frunza din păduri,
Ca un vânt ce-nvârte uşa din țâțână...

Mâine dimineață o să fim străini,
Vei privi tăcută mâine dimineață
Cum prin descărnate tufe, în grădini,
Se rotesc fuioare veştede de ceață...

Şi-ai să stai tăcută cum am stat şi eu,
Când mi-am plâns iubirea destrămată-n toamnă,
Şi-ai să-asculți cum cornul vântului mereu
Nourii pe ceruri către zări îndeamnă.

Pe când eu voi trece sub castani roşcați,
Cu-mpietrite buze, palid, pe cărare,
Şi-or să mi se stingă paşii cadențați –
În nisip, scrâşnită, laşă remuşcare...

dance

Autumn drowns my soul in plumes of smoke and blue
In my soul the autumn swarms with leafy bowers.
Sad, this dance of autumn, we will dance anew,
Grim inebriation, softly rocking hours...

Bleeding is the fiddle, black against the mirror.
Thoughts are dead. The will is yielding in atonement.
Without trace or whisper. Only bring me nearer
Arms of empty cosmos, for the passing moment.

Round my eyes are circles. But your eyes are pure.
With so much despairing our steps are rushing!
Like the wind, that's tearing leaves from woods obscure,
Like a wind that's tearing doors from hinges crushing...

By tomorrow morning strangers we'll become,
Silently you'll weep and gaze tomorrow morning
Seeing how through scraggy gardens, empty, numb,
Withered plumes of fog are sounding baleful warning...

You will sit all silent as I did sometimes,
When I wept through autumns, for my love' s un-weaving,
And you'll hear the whistle of the wind that chimes
Urging on the clouds, for the horizon, leaving.

While I'll pass beneath the rusty chestnut trees,
Stony lips, pale figure, stealing on the trail,
Rhythmic steps extinguished in the foggy breeze –
Screechy sand remorseful, cowardly to wail...

dragoste și ură

Fie ca să țină minte
Cei pe care o să-i împung:
Pentru dragoste-am cuvinte,
Pentru ură nu-mi ajung...

cameleonul

Vreau să se ştie sus, chiar azi, la centru,
Că sunt croit din stofă colectivă:
Am fost şi sunt şi veşnic voi fi pentru
Şi contra celor care-s împotrivă...

love and hate

To remember what I swore,
Those whom I will jab and scuff,
For love, I have words galore,
But for hate they're not enough.

chameleon

I wish they'd know above, today, you see,
That I am cut from the collective clothes ...
I was, I am, and I will always be
In favor and against those I oppose.

Riri Sylvia Manor (1935)

vârstă imaginară

Cine sunt se naşte în continuare.
Ce am fost nici nu s-a terminat.
Îmi bag nasul prin viață
Fără celofan intermediar.
Transfer materia cenuşie de la emisfera stângă
La emisfera dreaptă,
Forfotesc de tsunami şi presimțiri.
Trupul meu are îngrozitor de mulți ochi
Şi prea puține brațe,
Nimic nu este după cerința pieții.
Clădesc lumini din umbre,
Sunt eu, sunt eu, sunt eu
Neruşinată că în pat,
Alimentez cu surcele focul bârfitorilor
Cine sunt se naşte în continuare,
Ce am fost nici nu s-a terminat.

imaginary age

Who I am, continues to be born.
What I was, is not yet finalized.
I stick my nose through life
Without an intermediary cellophane.
I transfer the gray matter from the left hemisphere
To the right hemisphere,
I bustle with tsunamis and premonitions.
My body has a terribly large number of eyes
And clearly too few arms,
Nothing is quite according to market requirements.
I keep building lights from shadows,
It is me, it is me, it is me,
Shameless as if in bed,
I keep kindling the fire of gossipers.
Who I am, continues to be born,
Who I was, isn't even finalized yet.

Cain

Jos între morți e cuvântul strivit.
Iată!-l zăresc printre stânci speriate.
Mă blestema că l-am părăsit
ziua murea și-aveam ziua în spate.

Trebuia să-l strivesc peste mine urca
strigătul muntelui negru și lung
muntele vârful în cer legăna
eu trebuia să-l ajung.

Se făcuse târziu se făcuse tăcut
ceasul de pâclă cobora peste lume.
Am ucis un cuvânt, am ucis un cuvânt
simt cleiul de sânge pe nume.

Dar cine-a-ndrăznit să mi-l pună pieziș
piedică-n calea dreptății născute?
Am ucis ca să trec am ucis și-am trecut
spada osândei s-ascute.

Nu tremur de teamă nu tremur ci urc
Treptele-n vină săpate
Am ucis un cuvânt am ucis că mințea
Ziua murea și-aveam ziua în spate.

Cain

Down with the dead lies the word, crushed with dread.
Look! there it is, between rocks scarred and black.
Cursing me, vile, that I left it and fled
the day was dying, the day lay at my back.

I had to crush it, as it climbed over me
that cry of the mountain, black and forlorn
its peak to the heavens was rocking free
I had to catch it at morn.

And at once it was late, and at once it was still
an hour of mist coming down on the world.
I have killed just one word, I have killed just one word
gluey blood on the name is unfurled.

But who dared to set it askew against me
hindering the path of righteousness born?
I have killed to get through, I have killed and got through,
this sword to damnation is sworn.

I don't tremble in fear, I don't tremble but climb
The stairs cut in guilt, fearful, black
I have killed just one word, I have killed it for lying
The day was dying, the day lay at my back.

lacustră

Temute bălți, luciri tăcute
mireasma nopții desfrunzind cărări
poteci de ape trestii și cucute
otravă meșteră avide nări

Vâslesc ateu și rob mă vând
părelnic valului ce vine
mă rup de el când e sub mine
și smuls din vrajă sclav rebel

mă vând la altul și-l înșel
iar vâsla mea viclean duel
se-nfige dreaptă și egal
în pieptul fiecărui val.

Mișcate bălți luciri tăcute
clipesc în urma mea supus
renasc cu valul care vine
și mor cu cel care s-a dus.

lake dwelling

Those frightful swamps, the silent shimmer
scent of the night on leafless, empty lanes
watery walkways, reeds and hemlock glimmer
deft poison to keen nostrils, eager veins

I row – a godless hired slave,
conceited to the waving flow
I break from it when it's below
and ripped from magic, rebel knave

I serve another, cheating slave,
my crafty paddle, artful crave
impales with justice, to its grave,
the chest of every single wave

Those waving swamps, the silent shimmer
they flicker meekly and obey
I'm living in the wave that's coming
and die in that which goes away.

Cristian Petru Bălan (1936)

restituiri

actorului Ion Dichiseanu, recitatorul impecabil al acestor versuri

Redau aerului conturul meu,
Redau amurgului visările, culorile din mine,
Redau cerului seninul meu,
Redau norilor tristețile mele,
Redau vântului respirația mea,
Redau zilei ochii, luminile,
Redau nopții umbrele mele,
Redau mării zbuciumul meu,
Redau furtunii urile, nebuniile mele,
Redau trăznetului mâniile mele,
Redau lupilor răutatea mea,
Mieilor le redau blândețea din mine,
Ierbii-i redau roua ochilor mei,
Brazilor le redau zveltețea, mândria mea,
Florilor le înapoiez puritatea, gingăşia mea,
Copiilor le înapoiez bucuriile mele,
Păsărilor le redau cântecele, plutirile mele,
Redau stelelor aspirațiile mele,
Redau soarelui căldura mea,
Lunii îi redau poezia din mine,
Iubirii îi întorc, fără regrete,
lacrimile, exaltările, speranțele,
suspinele mele...
(niciuna nu mi-au fost de folos!)
Pământului?
Pământului îi restitui cu recunoştință
totul,
totul,
TOTUL!...

returns

to the actor Ion Dichiseanu, the impeccable reciter of these verses

I return to the air my contour,
I return to the evening my dreams, the colours within me,
I return to the sky my clarity,
I return to the clouds my sadness,
I return to the wind my breath,
I return to the day my eyes, my lights,
I return to the night my shadows,
I return to the sea my struggle,
I return to the tempest my hates, my craziness
I return to the thunder my wrath,
I return to the wolves my evil,
To the lambs I return the kindness within me,
To the grass I return the dew of my eyes,
To the silver firs I return my slenderness, my pride,
To the flowers I return my purity, my tenderness,
To the children I return my joys,
To the birds I return my songs, my gliding,
I return to the stars my aspirations,
I return to the sun my warmth,
To the moon I return the poetry within me,
To love I return without regrets,
my tears, my exaltations, my hopes,
my sighs...
(none of them were of any use to me!)
To the earth?
To the earth I return with gratefulness
everything,
everything,
EVERYTHING!...

Marin Sorescu (1936-1996)

cercul

Mergeam pe drum. Era lună, aşa, toamna.
Şi mă ajunge din urmă şi trece pe lângă mine
Un cerc.
O tuturigă mare de fier. Un cerc
Care mergea singur pe linie.
M-am uitat în urmă: l-o fi aruncat cineva?
L-o fi dat de-a tuturiga...
Nimeni...
Şi, la urmă, cine să-l azvârle,
Că era mare şi greu – ca o şină de roată
de car.
Mă uit înainte; cercul îşi vedea de cale.
Se-nvârtea repede, repede şi făcea praf.
Tocmai atunci vine al lui Calotă, de la deal
— Îl văzuşi, mă?
— Îl văzui. Şi începe să se-nchine.
Ce-o fi cu el, de la ce butie o fi scăpat,
Numai Spânu mai are butii de vin aşa de mari,
Plecă şi se vărsă putina...
Ne mirăm noi aşa şi ne dăm cu părerea,
Ăsta al lui Calotă se făcuse alb, îl cam
speriase
Drăcovenia,
Şi mai apare şi Gligorie.
— Îl văzuşi, mă?

the circle

I was walking on the road. There was moonlight, kind of autumn.
And it catches up with me and passes me by
A circle.
A big round thing made of iron. A circle
That was going all by itself on the road.
I looked behind: did someone throw it?
Maybe someone pushed it...
Nobody...
And, in the end, who should throw that thing
For it was as big and heavy – as the round rail foot
of a carriage.
I look ahead: the circle went on its way.
It was moving quickly, quickly and raising dust.
Just then Calotă's son comes down the hill
"Didja see't man?"
"Seen it." And he starts crossing himself.
What is with this, from which barrel did it spring,
Only Spânu has wine barrels so huge,
He might have gone away, and the barrel has toppled.
We were amazed like that, we wondered,
Calotă's son was now white in the face, he got a bit
Scared by
The devilish thing.
And now Gligorie appears.
"Didja see't man?"

— Nu-l văzui. Ce să văd?
— Cercul?
— Care cerc?
Ghiță al lui Calotă s-a aplecat şi i-a arătat
Urma în țărână. Lăsase o urmă ca de roată
de car.
— E, câte urme de roți nu sunt pe drum!
Cercul a trecut, aşa, vălăntoace, prin tot
satul.
Unii îl vedeau, alții nu.
Aşa, cam din trei, pe lângă care trecea,
Doi îl vedeau, unul nu...
Stând noi aşa, auzim iar Vuuuu – vuu! Uuu!
Uuu!
Cam cum face o vuvă mare... Şi vedem nori de praf...
— Dați-vă la o parte, că vine... Se-ntoarce...
Venea cercul de la deal, parcă se înroşise puțin
De-atâta alergat, de-atâta inspecție în Comuna Bulzeşti...
Venea dinspre Prădătorul, trecuse ozâncă
prin Frățila
L-am apucat de mână pe Gligorie:
— Îl vezi, mă?
— Ce să văd?
— Cercul.
— Care cerc?
— Ăsta de trece acum pe lângă noi?
Tu n-auzi că se cutremură pământul, vuieşte,
scoate praf...
— Nu trece nimic. N-aud nimic. Nu văd nimic.
Cercul s-a apropiat... I-am luat seama: să fi zis
Că e roată de cabrioletă? nu, că n-avea spițe...
Şi prea lumina... E aşa ca o aoreolă de sfânt...
Ca şi când capul vreunui sfânt s-ar fi rostogolit
în praf

"Didn't. What was there to see?"
"The circle."
"What circle?
Ghiță, Calotă's son, bent down and showed him
the trace in the dust. It left a trace like a
carriage wheel.
"Eh, how many wheels pass on this road!"
The circle passed like this, aimlessly through the whole
village.
Some saw it, some didn't.
Like, out of three people near where it passed,
Two saw it, one didn't...
While we were waiting there Voooo – voo! Ooo!
Ooo!
Like a great tambourine thing... And we see clouds of dust...
"Get out of the way, 'cause it's coming... It's going back..."
The circle was coming down the hill, perhaps a bit reddened now
From so much running, from so much inspection of the Bulzeşti village...
It was coming from the village of Prădătorul, having crossed the marshes
through Frățilă
I grabbed Gligorie's arm:
"D'ya see it, man?"
"See what?"
"The circle."
"What circle?"
"This one that is now passing near us!
Don't you hear how the earth is trembling, voooing,
raising dust..."
"There's nothing passing. I hear nothing. I see nothing."
The circle came closer... I took a closer look: could I say
That it's like a wheel of a hansom cab? no, 'cause it didn't have spokes...
And it shone too brightly... Like the halo of a saint...
As if the head of some saint was rolling
in the dust

Şi aoreola lui îl poartă ca o şină...
Şi-l îmbracă în strălucire...
Mergea vâjâind... Şi se înfierbântase de-atâta
învârtit,
Scotea scântei, când se atingea de câte
o piatră.
Prin Seculeşti, acum era aici la Gura Racului
şi precis
Voia să meargă şi-n Nătărăi la vale...
M-am dat mai aproape şi i-am simţit damful:
mirosea a
Rotund perfect. A geometrie... a spumă
de geometrie,
Adică esenţa esenţelor...
Am căzut în genunchi,
Aşa de uşor şi de delicat atingea pământul
Plin de gloduri, al satului.
Bă, călca prin Bulzeşti, parcă-ar fi mers
Pe lună, tu-i mama măsii!
Mă trecuseră fiorii şi aproape să-mi dea
lacrimile
De atâta cinste şi minune.
— E, acum îl văzuşi? L-am mai întrebat odată
Pe Gligorie, care-şi scotea pământul
de sub unghii
Cu un chibrit.
— Ce să văd?
— Cercul.
— Care cerc?
— Atunci... du-te unde plecaşi, bă orbeţule!
Că eu n-am ce discuta cu ăştia, care nu văd
decât
Ce le arată muierea!

And its halo is carrying it like a rail
And it's clothing it in radiance...
It moved whizzing... And it was heating up from so much
rolling,
It was throwing sparks when it was touching
some stone,
Through Seculeşti, now it was here in Gura Racului,
and certainly
It wanted to go downhill to Nătărăi.
I moved closer and I felt its scent:
it smelled like
A perfect round. Like geometry... like cream
of geometry,
The essence of essences so to speak...
I fell on my knees.
So lightly and delicately it touched the ground
Full of mud, of the village.
Now it was stepping through Bulzeşti as if it was walking
On the moon, fuckin' thing!
I was shivering with fright and was almost
teary,
Of so much honor, so much miracle.
"Eh, now, have ya seen it? I asked Gligorie,
one more time, who was picking the dirt
from under his fingernails
With a matchstick.
"What's there to see?"
"The circle."
"What circle?"
"Well then... go back to where you bloody came from, you blind bat! '
Cause I have nothing more to talk with those who see nothing,
apart from
what their wives show them!

— Hai, mă, îl trag pe-al lui Calotă...
Avusei noroc mare cu tine,
Că fuseşi aici... că altfel,
Ne-ar fi povestit cercul în toată lumea,
Ce orbeți sunt în comuna asta.

Povestea cu cercul de foc, venit în inspecție
A circulat mult la noi, din gură în gură.
N-a reuşit s-o stingă nici războiul al doilea,
Abia mai târziu, cu prefacerile, a trecut
pe planul doi
Şi, până la urmă, au biruit ăi care nu-l
văzuseră.

"Let's go, I pull Calotă's son's arm...
Lucky you were here... else,
The circle would have told tales about us throughout the world,
What stupid blind people are in this village."

The story with the fiery circle, coming to inspect,
Circulated a lot in our parts, by word of mouth, from village to village.
Not even the second war succeeded to extinguish it;
Only later, with the transformations*, it faded
in the background.
And in the end, they prevailed, those who
didn't see it.

* transformations – cliche word used to mean the changes brought in society by the installation of the communist regime.

Adam

Cu toate că se afla în rai,
Adam se plimba pe alei preocupat şi trist
Pentru că nu ştia ce-i mai lipseşte.

Atunci Dumnezeu a confecţionat-o pe Eva
Dintr-o coastă a lui Adam.
Şi primului om atât de mult i-a plăcut această minune,
Încât chiar în clipa aceea
Şi-a pipăit coasta imediat următoare,
Simţindu-şi degetele frumos fulgerate
De nişte sâni tari şi coapse dulci
Ca de contururi de note muzicale.
O nouă Evă răsărise în faţa lui.
Tocmai îşi scosese oglinjoara
Şi se ruja pe buze.
„Asta e viaţa!" – a oftat Adam
Şi-a mai creat încă una.
Şi tot aşa, de câte ori Eva oficială
Se întoarce cu spatele,
Sau pleca la piaţă după aur, smirnă şi tămâie,
Adam scotea la lumină o nouă cadână
Din haremul lui intercostal.

Dumnezeu a observat
Această creaţie deşănţată a lui Adam.
L-a chemat la el, l-a sictirit dumnezeieşte,
Şi l-a izgonit din rai
Pentru suprarealism.

Adam

Although he found himself in paradise,
Adam was pacing the alleyways preoccupied and sad
Because he could not quite figure out what was missing.

Then God manufactured Eve from one of Adam's ribs.
And so pleasing was this miracle to the first man
That exactly in the same second he touched his very next rib,
Feeling his fingertips electrified
By some firm breasts and sweet thighs
As if by some contours of musical tones.
A new Eve had raised before his eyes.
She had just taken her mirror out
And was putting on her lipstick.
"This is life!" – sighed Adam
And he created another one.
And so on, when the official Eve turned her back,
Or was going to the marketplace to buy gold, myrrh, and frankincense,
Adam brought to light a new concubine
From his intercostal harem.

God noticed
This frivolous creation of Adam.
He called Adam to him, scolded him with divine cussing
And cast him out of paradise
For surrealism.

dacă nu cer prea mult

— Ce-ai lua cu tine,
Dacă s-ar pune problema
Să faci zilnic naveta între rai și iad,
Ca să ții niște cursuri?
— O carte, o sticlă cu vin și-o femeie, Doamne,
Dacă nu-ți cer prea mult.
— Ceri prea mult, îți tăiem femeia,
Te-ar ține de vorbă,
Ți-ar împuia capul cu fleacuri
Și n-ai avea timp să-ți pregătești cursul.
— Te implor, taie-mi cartea,
O scriu eu, Doamne, dacă am lîngă mine
O sticlă de vin și-o femeie.
Asta aș dori, dacă nu cer prea mult.
— Ceri prea mult.
Ce-ai dori să iei cu tine,
Dacă s-ar pune problema
Să faci zilnic naveta între rai și iad,
Ca să ții niște cursuri?
— O sticlă de vin și-o femeie,
Dacă nu cer prea mult.
— Ai mai cerut asta o dată, de ce te încăpățînezi,
E prea mult, ți-am spus, îți tăiem femeia.
— Ce tot ai cu ea, ce atîta prigoană?
Mai bine tăiați-mi vinul,
Mă moleșește și n-aș mai putea să-mi pregătesc cursul,
Inspirîndu-mă din ochii iubitei.
Tăcere, minute lungi,
Poate chiar veșnicii,
Lăsîndu-mi-se timp pentru uitare.

if it's not too much

"What would you take with you,
If the problem should arise
For you to commute daily between heaven and hell,
To teach some courses?"
"A book, a bottle of wine, and a woman, Lord,
If it's not asking for too much."
"It's too much, we'll cut out the woman,
She'd keep you talking,
Would fill your head with rubbish,
And you wouldn't have time to prepare your course."
"I implore you, cut out the book,
I will write it myself, Lord, if I have beside me
A bottle of wine and a woman.
This is what I'd wish if it's not too much."
"It's too much.
What would you take with you,
If the problem would arise
For you to shuttle daily between heaven and hell,
To teach some courses?"
"A bottle of wine and a woman
If it's not too much."
"You already asked for this, why are you pigheaded?
It's too much, we'll cut out the woman."
"What's your issue with her, why so much malice?
Better cut me the wine.
It makes me drowsy and I would not be able to prepare my course,
Inspiring myself from my loved one's eyes."
Silence, long minutes,
Maybe even eternities,
Leaving me time to forget.

— Ce-ai dori să iei cu tine,
Dacă s-ar pune problema
Să faci zilnic naveta între rai şi iad,
Ca să ţii nişte cursuri?
— O femeie, Doamne, dacă nu cer prea mult.
— Ceri prea mult, îţi tăiem femeia.
— Atunci taie-mi mai bine cursurile,
Taie-mi iadul şi raiul,
Ori totul, ori nimic.
Aş face drumul dintre rai şi iad degeaba.
Cum să-i sperii şi să-i înfricoşez pe păcătoşii din iad,
Dacă n-am femeia, material didactic, să le-o arăt?
Cum să-i înalţ pe drepţii din rai,
Dacă n-am cartea să le-o tălmăcesc?
Cum să suport eu drumul şi diferenţele
De temperatură, luminozitate şi presiune
Dintre rai şi iad,
Dacă n-am vinul să-mi dea curaj?

"What would you take with you,
If the problem should arise
For you to shuttle daily between heaven and hell,
To teach some courses?"
"A woman, Lord, if it's not too much."
"It's too much, we'll cut out the woman."
"Then better cut out my courses
Cut out heaven, cut out hell,
Either everything or nothing.
I would shuttle between heaven and hell
for nothing. How would I frighten the sinners in hell,
If I don't have the woman as teaching material, to show to them?
How would I uplift the righteous in heaven,
Without the book to interpret for them?
How would I brave the differences
Of temperature, luminosity, and pressure
Between heaven and hell
If I don't have the wine to give me courage?"

mă întorceam

Mă întorceam
De la Marea Moartă
Chemat la autopsia
Unui papirus.

Eram, tot,
Numai făină de psalm
– Jasmin și camfor –
Plin din creștet în talpe
De înfricoșate
Vocabule.

Vorbind, brusc,
Graiuri vechi
Nici de mine-nțelese,
Iscălindu-mă cu nume,
Mereu altele, scoase
Din cărțile Profeților
Cu buze scrise mărunt
De la stânga la dreapta.
Pe vapor, mi-am plătit rachiul
Cu firimituri de gresie
Ce-mi curgea din barbă.
Femeia din port
Am plătit-o
Cu o zicere din Ecleziast.

I was returning

I was returning
From the Dead Sea
Called to the autopsy
Of a papyrus.

I was covered, all over,
Just with flour of psalm
– Jasmin and camphor –
Full, from top to bottom
Of frightened
Vocabs.

Speaking, abruptly,
In ancient tongues
Not understood even by me
Signing with names
Always different, drawn from
The books of the Prophets
With lips written small
From left to right.
On the ship, I paid for my brandy
With crumbs of floor tiles
Running down my beard.
The woman in the harbor
I paid
With a saying from Ecclesiastes.

GHEORGHE TOMOZEI (1936-1997)

Mi-am plătit cina
Cu literele arse
Ale unui manuscris
Negăsit.

Nescris...

paid for my dinner
With the burnt letters
Of another manuscript
Unfound.

Unwritten...

doar în încăpere

Doar în încăpere doar în locuința ta strîmtă
ceea ce nu cunoşti: peretele fraged ca o piele de copil
o pată de lumină înfulecă totul
un singur deget descîntă trupul întreg
apoi bate-n toba răguşită a spațiului
şi nimeni nu intră nimeni nu iese
amînarea se sufocă pe sine
instantaneu devine uitare
pe tavan un nor de lapte
viața adie spre uşa de hîrtie.

only in the room

Only in the room only inside your narrow dwelling
What you do not know: the wall tender like the skin of a child
A patch of light gobbles everything up
A single finger exorcises the whole body
Then beats the hoarse drum of space
And no one comes in no one goes out
Procrastination suffocates itself
Instantaneously it becomes oblivion
On the ceilings a milky cloud
Life breezes towards the door made of paper.

Ion Vatamanu (1937-1993)

amintire

Încă demult
Desenam cu unghia
Portrete de cai şi mâţe
Pe huma sobei...
Visele, ca o luntre,
Mă duceau
În larguri
Şi lumina
Mă chema de departe...
La focul din sobă,
Ce-nodia vreascuri uscate,
Stăteam până-n noaptea târzie...
Şi cine şi-a atins amnarul
De inima mea,
De sar scânteile cântului?
Poate mama cu pieptul ei alb,
Şi serile cu scrâşnet de cumpene?
Ori poate că m-am născut primăvara,
Odată cu florile,
Şi-am vrut să le iau nectarul,
Ca albinele?
Ori fiindcă am auzit izvoarele,
Cântul păsărilor pe crengi îmbobocite
Şi inima a vrut să cânte?
Ori că arde-n sufletul meu
Focul zărilor noi?

remembrance

From very early on
I would draw with my fingernail
Portraits of horses and kittens
On the clay of the stove...
My dreams, like a rowboat,
Would take me
To the open seas
And the light
Would call me from afar...
By the fireplace at the stove,
Which was broiling dry brushwood,
I would sit until late in the night...
And who muffled his lighter
Against my heart
So that the sparks of the song may jump around?
Maybe my mother with her pale bosom,
And the evenings with groaning as of a well -sweep?
Or maybe I was born in the spring,
At the same time as the flowers,
And I wanted to take their nectar
Like the bees?
Or maybe because I heard the brooks,
The bird songs on budding branches
And my heart wanted to sing?
Or because in my soul burns
The fire of new horizons?

Duşan Petrovici (1938)

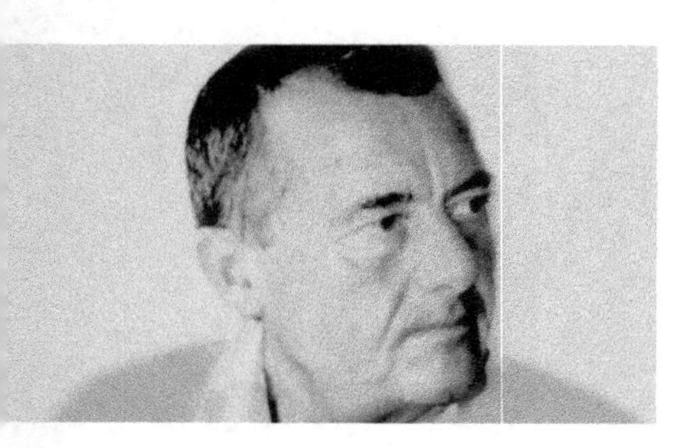

însemnări atroce

1.

luați aminte: noi suntem niște morți
care se joacă de-a poezia
când poezia-i neputință și durere
mușchiul de oțel al morții
un jurnal atroce ținut pe cruce de iisus
o lampă de petrol luminând în grajd nevroza
animalelor
și iarăși neputință și durere
cuțit înfipt în pieptul bibliei ca într-o pâine
noi suntem niște morți și asta e o poezie
ophelia plutind pe apă în rochia-i de mireasă
cutia cu cremă de ghete pentru cizmele lui cronos
lacrima melcului ce-și plânge consoarta
poezie: un bărbat mort lângă femeia-i moartă

atrocious notes

1.
take note: we are some dead people
who play at poetry
when poetry is helplessness and pain
the steel muscle of death
an atrocious journal held on the cross by jesus
a petrol lamp illuminating inside the stable the neurosis
of the animals
and again helplessness and pain
a knife stuck into the chest of the bible as in a loaf of bread
we are some dead people and this is a poem
ophelia floating on water in her bridal gown
the box of shoe polish for the boots of chronos
the tear of the snail who weeps for his consort
the poem: a dead man beside a dead woman

Constantin Abăluță (1938)

picătura de apă — fragmente

4

Fericiți cei ce bat străzile fără nici un gând

fericiți cei ce au asupra lor bețe de chibrit

fericiți aruncătorii de pietre peste lac

fericiți cei cărora le mor prietenii și nu înnebunesc

fericiți cei ce dăruiesc cărți

fericiți cei ce au aceeași umbră cu a copacului

fericiți cei fără cărți de vizită

fericiți cei cu o broască țestoasă

fericiți făuritorii de zile lipsă

fericiți cei ce bat străzile fără nici un gând

the drop of water – excerpt

4.

blessed are those who pound the streets without a thought

blessed are those who have match sticks upon them

blessed the skimmers of stones on the lake

blessed those whose friends die and who do not go crazy

blessed are those who give away books

blessed are those who share the same shadow with a tree

blessed are those without business cards

blessed are those with a tortoise

blessed are the makers of missing days

blessed are those who pound the streets without a thought

constantă

Un om a venit la mine și m-a așteptat doi ani.
eu eram pe malul apei
unde-am murit după doi ani.
Omul și-a lepădat țigara în apă după doi ani.
Eu plângeam firesc laolaltă
cu apa după doi ani
Omul ajunsese până la brâu în apă după doi ani
omul care-a venit la mine doamne,
de-aș mai ști să plâng după doi ani!

constant

A man came to my place and waited for me for two years.
I was on the edge of the water
Where I died after two years.
The man disposed of his cigarette in the water after two years.
I was weeping, naturally along
With the water after two years.
The man sunk in the water to his midriff after two years
The man who came to me is sleeping
Oh, if I could still know how to weep after two years!

Emil Brumaru (1938-2019)

marşul lui Julien ospitalierul

UN pelerin fericit rătăceşte, cântând de plăcere, pe pajişti, c-un strugure dulce în geantă;
DOI îngeri răpesc o clătită umplută cu mentă şi-n fiece seară o dau, pătimaşi, pe traverse de-a dura;
TREI fluturi de angora trec pipăind plictisiţi mari bucăţi de fântâni mătăsoase pe-aleile-n pantă;
PATRU acari vor să-şi ardă-n cantoane chipurile lor parfumate la fel şi, deodată, de spaimă le tremură gura;
CINCI corijente subţiri înţeapă, plângând în spatele şcolii, cu sâni pătaţi de cerneală, vacanţa c-un spin;
ŞASE mici franjuri de la perdeaua portocalie din vechiul antreu al pensiunii (dar nimeni nu spune) sunt destrămate puţin;
ŞAPTE ori şapte fac patruzeci şi nouă de portocale închise-ntr-un cald muşuroi de furnici, acum şi oricând;
OPT croitori delicaţi s-au decis, către-amurg de pe gard căptuşeala de rouă s-o rupă;
NOUĂ suspine a scos trandafirul albastru din supă;
ZECE e cifra la care se moare râzând!

the march of Julien the hospitable

ONE happy pilgrim loses his way, singing full of pleasure on the meadows,
with a sweet grape in his purse;
TWO angels kidnap a pancake filled with mint and every evening
they roll it, passionately on the cross-beams;
THREE angora butterflies fondle, bored, the silky fountains down
the slope where the alleyways converse;
FOUR switchmen wish to burn, in cabins, their similarly perfumed guises,
and all of a sudden their mouths tremble, their fear flowing in streams;
FIVE failed thin girl-students prick – while weeping behind the school,
having their breasts stained with ink – the holiday with a thorn;
SIX small fringes from the organge courtain in the old vestibule of the
gueshouse (but no one is telling) are a little torn
SEVEN times seven makes forty-nine oranges locked in a warm anthill, now
and forever after;
EIGHT delicate tailors decided, at dusk, to rip the lining of dew from
the fence;
NINE sighs did the blue rose extract from the soup, hot and dense;
TEN is the number at which one dies from laughter!

Flavia Cosma (1938)

regăsire

Tu,
Tot atât de necunoscut mie,
Ca stropii de ploaie pe florile-albastre căzând,
Tu,
Tot atât de necesar mie,
Ca aerul pur, strecurat în plămâni,
Tu,
Tot atât de preţios mie,
Ca lumina de aur lunecând prin vitralii
Peste mâinile împreunate-n rugăciune,
Invocând pace, iertare,
Şi mai presus de toate,
Iubire,

Tu,
Vei traversa într-o zi
Pădurile toate şi marea;
La poarta casei mele, trudit te vei opri,
Iar eu te voi primi cuprinsă de sfânt tremur,
Cu ochii plini de lacrimi şi sufletul lăcaş
Dragostelor coapte şi târzii;
O, cerşetorule!

retrieval

You
As unknown to me,
As the drops of rain falling on flowers blue,
You,
As indispensable to me
As the pure air, sifting into my lungs,
You
As precious to me,
As the golden light gliding through the stained-glass windows
Over the hands entwined in prayer,
Invoking peace, forgiveness
And above all else
Love,

You,
Will cross one day
The sea and all the forests;
And at my gate, exhausted you will stop,
For me to greet you beset by a holy quiver
With my eyes full of tears and my soul an altar
For ripe and belated loves;
Oh, you, beggar!

Gheorghe Azap (1939-2014)

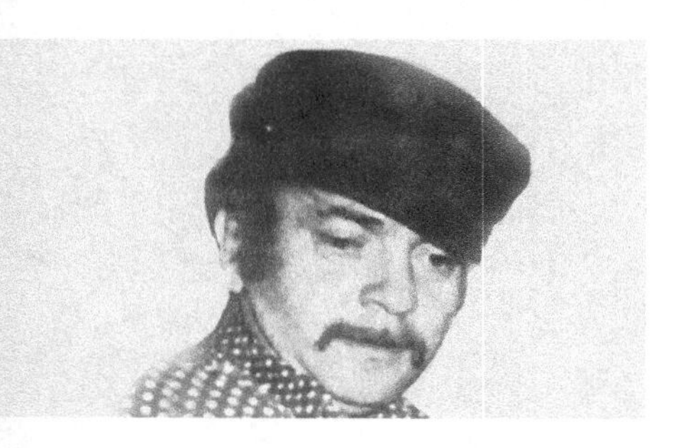

opreşte-mă la tine

Opreşte-mă la tine, când o să-mi vină criza
De a pleca departe făr' aparat de bord –
Ascunde-mi pijamaua, cravata sau valiza,
Cu lacrimile tale adu-mă de acord.

Aprinde-încălţămintea, ce drumului o cere
Cu gânduri înnodate şi pumnul pe toiag
Şi din tulpina albă a boiului de miere
Fă-mi piedici iscusite, să mor la tine-n prag.

Ia-mi penele din aripi, când numai lângă tine
Regenerez sorbindu-ţi mirozna din pafta –
Şopteşte-mi indulgenţe hristo-elefantine
Şi leagă-mă de scaun cu anemia ta.

Ajută-mă o clipă, când zorile mă strigă
Sărută-mă domestic, sau crâncen, ca un drog
Mai fierbe nişte lapte, mai fă-mi o mămăligă,
Opreşte-mă la tine – opreşte-mă, te rog.

detain me at your place

Detain me at your place, when I'll be in a quandary
Of leaving for the distance with no device on board –
Concealing my pajamas, my suitcase or my laundry
And with your tears aplenty please bring me in accord.

Set fire to my footwear, which for the road is seeking
With knotted thoughts and wishes, the fist upon my cane
And from the snowy arbor of honeycombs now leaking
Restrict me with skilled fetters, to die on your domain.

Take all my wings and feathers, when only by your tremor
I am revived while sipping the fragrance from your clasp –
While Hristo-elephantine indulgences you murmur
With your anemia tie me and hold me in your grasp.

Please help me for a moment, the sunrise calls me tender
Embrace me now sedately, or wildly on the floor
Please boil some milk for breakfast and make me some polenta
Detain me at your place, please, detain me, I implore.

cu limba noastră

Este a noastră limba noastră
şi noi suntem cu ea popor,
cum stelele
din cer
sunt stele
cu veşnica lumină-a lor.

Este a noastră limba noastră
şi noi suntem cu ea pământ,
cum marea mare
este mare
cu ape veşnic vălurând.

Este a noastră limba noastră
şi soartă noi suntem cu ea,
cum este codru verde soartă
cu ciuta şi cu pasărea.

Din străbuni cu limba noastră
noi am crescut şi creştem, demn,
cum creşte pomul din ţărână
suită-n frunză şi în lemn.
Ci noi cu ea, cu
limba noastră,
nemuritori vom fi oricând,
nemuritori cum e Pământul
cu Soarele mereu arzând.

with our language

It is ours, our language,
and one with it, we form a nation,
like stars
within the skies
are stars
with their eternal light creation.

It is ours, our language
together we the earth engrave
like the big sea
it is a sea
its waters – an eternal wave.

It is ours, our language
one fate we are with it, together,
as the deep woods entwine their fate
with deer and lofty birds forever.

From our ancestors is our language
and dignified with it we've grown
like trees arising from the ground
climbing the leaf and wood alone.
But us, with it, with
our language
forever living we remain
forever living as the earth –
with the sun's timeless burning rain.

uitarea

A fost un om
care era eu însumi.
Eu merg în locul lui.

Și cel ce merge-n mine este golul.

Privește încet acolo unde
punctul țipă de lipsă de alb
și ziua își
caută seara și seara lipsește
și somnul se devoră pe sine
și nu adoarme
și un deal lacom își tot înghite malurile.

Oarbă se deschide soarelui
cucuta nepăsătoare:
Doamne, sunt nebună, nu poate fi adevărat,
aici am fost eu, aici a fost drumul,
femeia care își toarce părul
la malul unui fluviu
e marginea.

forgetfulness

There was a man
and he was just me.
I walk in his place.

And he who walks within me is the void.

He looks slowly there where
the full stop screams for lack of white
and the day
seeks its evening and the evening is missing
and where sleep devours itself
and does not fall asleep
and a greedy hill keeps swallowing its bluffs.

Blindly opening up to the sun
this insensitive hemlock:
My God, I am crazy, this cannot be true,
here was I, here was the road,
the woman who spins her hair
on the shore of a river
is the edge.

celălalt

Pe malul râului în întuneric,
la țărmul trecerii şi neîntoarcerii.
Nu văd nimic, peştera cerbului e stinsă
şi niciun suflet nu mai bâjbâie după jăratic.

Aud cum umblă apa.
Pe malul râului în beznă,
cu simțurile mişunând de apă;
în întuneric ca o piatră
pe malul apei, şi aştept.

M-am aplecat adânc pe râu, şi tot nu-l văd,
e apa doar un strat al întunericului?
Mă încovoi asemenea unui pod nesigur:
o, nu pe mine vreau să mă zăresc
ci râul însuşi!
Tot mai aproape-i apa, Doamne,
ființa ei pe care în zadar
trecutul stăruie să se aşeze.
Mă încovoi tot mai primejdios, şi iată
mă prăbuşesc pe râu întreg, pe totdeauna,
şi-un strigăt mă îneacă, fiindcă simt
de jos în sus cum mă izbeşte în obraz
celălalt chip al meu, precum un peşte odios.

the other

On the bank of the river in the dark,
on the shore of passing and unreturning.
I see nothing, the cave of the stag is extinguished
and no soul fumbles anymore after embers.

I hear the water walking.
On the shore of the river in pitch-dark,
with the senses teeming of water;
in the dark, like a stone,
on the water's shore, and I wait.

I bent deeply on the river, and I still don't see it,
is the water simply a layer of the darkness?
I twisted like an unsafe bridge:
oh, not myself I wish to gaze upon
but the river itself!
Closer and closer is the water, Lord,
that being upon which, in vain
the past persists to settle.
I twist more and more dangerously and look
I hurtle down on the river whole, forever,
and a cry drowns me because I feel
from below to above how it hits me on the cheek
my other image, like a hideous fish.

coşmar

Întreg oraşul era plin de morţi,
Ieşiseră pe strada principală
Aşa-mbrăcaţi în hainele de gală
Pe care cât eşti viu nu prea le porţi.

Treceau râzând şi nu-i puteam opri,
Păreau că nu mai înţeleg deloc
Că sunt prea mulţi şi nu mai este loc
Şi pentru cei care mai suntem vii.

Ne-nfricoşa grozav fantasticul delir,
Dar stam şi ne uitam uimiţi ca la paradă
Căci fiecare-aveam pe cineva pe stradă
Şi n-am fi vrut să fie închis în cimitir.

nightmare

The city square was filled up with the dead,
They crowded out the street, walking asunder
Dressed in their finest clothes, as a reminder
That we, the quick, don ordinary thread.

They passed us laughing loud, with no reserve,
As if they didn't understand one bit
That they were quite a crowd and didn't fit
Along with us, the living, losing nerve.

We were all frightened by this strange, fantastic script,
And stunned, we stopped to witness the perplexing show
For all of us had someone in the street below
And wouldn't want to leave them locked inside a crypt.

turnul Babel

Descoperisem un nou mod de a ne înțelege,
În ciuda limbilor care s-au încurcat,
Și terminasem de construit Turnul Babel,
Și era-nalt și bine așezat.

Când, nu știu cum, totul a-nceput să se clatine
Și El Însuși s-a gândit că e vremea să urce
Spre noi, să-ncurce limbile din nou,
Dar n-a mai avut ce să încurce.

Vorbeam din nou cu toții aceeași limbă,
Spuneam același lucru, vreau să zic,
Iar El se uita liniștit cum scandam același cuvânt
Care nu însemna absolut nimic.

the tower of Babel

We have discovered a new way to understand each other,
Despite all the languages confused and debased
And we had just finished the Tower of Babel
A skyscraper beautifully placed

When – I don't know how or why – it all began to wobble
And He, Himself, thought it is time to climb up like before
Toward us to confuse our languages again
But he found nothing worth confusing anymore.

We were speaking anew, all of us the same tongue,
I mean, all were uttering the same call,
And He gazed calmly at us, all chanting the same word
Which had absolutely no meaning at all.

dezlegare

Ca să te-ntorci, părinte, ca să te schimbi, ce vrei?
Să-ţi pun pământ cu iarbă şi praf de drum pe frunte?
O, zgomotul acela din gropile cu lei
m-ajunge şi se face că nu mi se răspunde.

Ai vrea să fii, dar umbra de trup ţi se desparte;
ai vrea s-adormi, dar ziua e-ntreagă un amurg.
Tu sui şi cazi acelaşi, posomorât de moarte
în mâlul viu, şi-n mâluri cobor şi eu, şi urc.

Alături marea sună a sol arat, la fel
ca ieri şi-acum o vreme; dar ştiu că-n zori, pe faţă
paloare voi aduce, scăpat printr-un tunel
din Babel – şi, pe buze, un gust amar de ceaţă.

absolution

What are you wishing, Father, to change, or to return?
Or should I lay some greenery and road-dust on your brow?
Oh, this atrocious noise from lions' dens I'd spurn
it's getting close and no one is answering me now.

You want to live, but shadows from your body are now parting;
You wish asleep, but the whole day is just an evening swell.
You climb and fall – the same one – and sad to death, departing
through living mud – and muddy I descend and climb as well.

Nearby the sea, resounding of soil plowed, the same
as ever; but at sunrise, my face will often loom
quite pale, as if escaping from Babel – full of shame –
and on my lips a bitter, remorseful taste of gloom.

BENONE BURTESCU (1940-2014)

deși niciodată

Deşi nu Te-am văzut niciodată
Ci doar mi Te-am închipuit umblând printre stele,
Imaginea frumuseții Tale, Doamne,
O port mereu în privirile mele.

Deşi nu te-am auzit niciodată
Vorbindu-mi de departe sau de-aproape,
Glasul Tău răsună în inima mea
Cu armonii de flori şi de ape.

Semnele cununii de spini de pe frunte,
Semnele cuielor ce pe cruce Te-au prins
Le simt cum dor în palmele mele
Deşi niciodată nu Te-am atins.

Dar dincolo de orişice minune
Pe drumul vieții greu umblat,
Este că Tu m-ai iubit totdeauna
Deşi niciodată n-am meritat.

although I have never

Although I have never beholden You close
But only pictured You through the stellar ways
The image of your beauty, oh Lord,
I hold, unceasingly, within my gaze.

Although I have never heard you
Utter to me a word to sooth or to constrain
Your voice always resounds in my heart
Like harmonies of flowers and of rain.

The wounds from the crown of thorns on Your forehead
The wounds of the nails which pinned You on that tree
I feel them how they ache in my palms
Although Your touch is, still, so far from me.

But beyond any miracle on this old earth
On this life's journey, so arduous and split,
Is the fact that, astoundingly, You always loved me,
Although I have never been worthy of it.

jos pălăriile

Atâtea aripi ne punem la călcâie
Și-atâția câini se sinucid pentru noi.
Singur jokeul scapă mutilat,
Târnosit, linșat,
Ca o Madonă prinsă-n patul
Unui bătrân halterofil.
Dar noi zâmbim,
Cocoașa noastră cade
În curtea unui farmacist...
Câini sinuciși, călcâiele cu aripi
Și farmacistul îngroapă borcanul cu șoricioaică sub
Perechea de soldat și soldățoaică.
Și totul e echilibrat
Ca mortul vechi, extrapolat.
Deci așa?
Jos pălăriile,
În fața mea jos pălăriile,
Eu m-am născut din adulterul
Madonei c-un halterofil.
Jos pălăriile, în fața mea jos pălăriile
Eu m-am născut să vindec lepra
Scuipând pe ea poem după poem.
Eu m-am născut să spun că
Mortul e mort că buba este bubă
Că pianul e măcelărie

tip your hats

So many wings we attach to our heels
And so many dogs kill themselves for us
Only the joker escapes, mutilated,
Tarnished, lynched,
Like a Madonna caught in bed
With an old weight-lifter
But we smile
The hump drops of our back
Into the yard of a pharmacist...
Suicided dogs, heels with wings
And the pharmacist buries the jar with rat poison under
A couple of a soldier and a soldieress.
And all is balanced, regulated
Like the old dead man, extrapolated.
So then?
Tip your hats
Before me, tip you hats,
I was born from the adultery
Of the Madonna and a weight-lifter.
Tip your hats, before me tip your hats
I was born to heal leprosy
Spitting poems on it.
I was born to tell that
The dead are dead, that a boil is a boil
That the piano is a butcher shop

Vintilă Ivănceanu (1940)

Așa cum marea-mi este mamă,
Așa cum eu sunt calul patriei,
Așa cum chelnerul adoarme
În propriu-i platfus
Ca un steag.
Jos pălăriile, în fața mea jos pălăriile
Eu m-am născut să înviez morții
Scuipând pe ei poem după poem.

Just like the sea is my mother
Just like I am the horse of my motherland
Like the waiter is going to sleep
In his own splay foot
Like a banner.
Tip your hats, before me tip your hats
I was born to resurrect the dead
Spitting on them poem after poem.

Cezar Ivănescu (1941-2008)

turnul

Şi pentru că duşmanul meu mi-a spus că voi muri
Eu i-am spus: caută-ţi de treabă!
Cum ai putea muri, tu, Marie?
Doar am conceput împreună acest poem!

Şi în inimă porţi înţelepciunea tuturor femeilor
Cum crucea l-a purtat pe Isus.
O, noi care ne-am aruncat fericirea
– Cum Iosif de fraţii lui a fost aruncat –
Spre a o găsi regină pe durere!

Cum ai putea muri, tu, Petre?
Care pe toate le-ai învăţat singur, ca Adam,
Pentru-a ne fi tată, şi ai pictat
Pe când alţii îşi ucideau părinţii?
Tablou-acela al tău care se cheamă
„Lupta cu forţele întunericului".
Pe mine m-a făcut să cred că dacă vei pleca
Planeta se va ţine ca o albină pură după tine!

Ori tu, Mil, cum ai putea să mori?
Când ai venit şi-ai început să plângi,
Ascuns după gheara unei păsări,
Care-şi înfigea ciocul în palma ta dreaptă.
Ori eu. Cum s-ar putea să mor?
Când voi mi-aţi spus
Că mâine dimineaţă vom bea cafea,
Şi vom deschide gazeta-n care
Nu va apare acest poem.

the tower

And because my enemy told me that I will die
I told him: go mind your own business!
How could you die, Maria?
For it is together, that we've conceived this poem!

And in your heart, you carry the wisdom of all women
As the cross carried Jesus.
Oh, we who threw our happiness away
– Like Joseph by his brothers was thrown –
Only to find that pain is queen!

How could you die, Peter?
You who learned everything by yourself, like Adam,
So that you can be our father, and you painted
When others were killing their parents?
That painting of yours that is called
"The fight against the forces of darkness".
Lead me to believe that if you left,
The planet would follow you like a pure bee!

Or you Mil, how could you die?
When you arrived and started to cry,
Hidden behind the claw of a bird
Thrusting its beak into your right palm.
Or me. How would it be possible for me to die?
When you told me
That tomorrow morning we'd drink coffee,
And we'd open the magazine in which
This poem would not appear.

balada lui Mil

Mil, vino la fereastră, să ne uităm în jos,
pe stradă trec acuma femei cu şold frumos,
pe stradă trec acuma femei cu şold frumos!

hai, vino, Mil, odată, să ne uităm în jos,
pe stradă trec acuma femei cu sân frumos.
pe stradă trec acuma femei cu sân frumos!

îţi fac loc la fereastră, să ne uităm în jos,
pe stradă trec acuma femei cu păr frumos
pe stradă trec acuma femei cu păr frumos!

să coborâm îndată, să ne rugăm sfios:
fă, Doamne, ca să-mi râdă acea cu râs frumos,
fă, Doamne, ca să-mi râdă acea cu râs frumos!

şi-aşa seară de seară, unul mai norocos,
o să-ntâlnească Moartea – acea cu râs frumos,
o să-ntâlnească Moartea – acea cu râs frumos!

Mil's ballad

Mil, join me at the window and let's take in the sight
The street is full of women with hips of great delight
The street is full of women with hips of great delight

You have room by the window, so let's take in the sight
The street is full of women with breasts of sweet delight
The street is full of women with breasts of sweet delight

Come on Mil, do not linger, now let's take in the sight
The street is full of women with hair of long delight
The street is full of women with hair of long delight

Let's go down to the street now, and pray there for a while
Oh Lord let us encounter the girl with lovely smile.
Oh Lord let us encounter the girl with lovely smile.

And so, evening by evening, some lucky lad with style
Will stumble upon Death and see her lovely smile.
Will stumble upon Death and see her lovely smile.

jeu d'amour (amintirea paradisului)

! cînd eram mai tînăr şi la trup curat,
într-o noapte floarea mea eu te-am visat,
înfloreai fără păcat
într-un pom adevărat,
cînd eram mai tînăr şi la trup curat,
înfloreai fără păcat
într-un pom adevărat,
cînd eram mai tînăr şi la trup curat!

! nu ştiam că eşti femeie – eu bărbat,
lîngă tine cu sfială m-am culcat,
şi dormind eu am visat,
tu visînd ai lăcrimat,
cînd eram mai tînăr şi la trup curat
şi dormind eu am visat,
tu visînd ai lăcrimat,
cînd eram mai tînăr şi la trup curat!

! e pierdută noaptea-aceea de acum,
carnea noastră doar mai ştie-al ei parfum,
poamele ce-n pomi azi stau,
gustul cărnii tale-l au
şi cad toate (mîine) putrede pe drum,
poamele ce-n pomi azi stau,
gustul cărnii tale-l au
şi cad toate (mîine) putrede pe drum!

! fă-l să fie, Doamne Sfinte, numai om
pe acel care ne-a ispitit subt pom,
şi cînd pomul flori va da,
fă să-i cadă carnea grea
cum cădea-va după cîntec mîna mea,
şi cînd pomul flori va da,
fă să-i cadă carnea grea
cum cădea-va după cîntec mîna mea!

jeu d'amour (the memory of paradise)

! when I was much younger and my body pure,
dreams of you, one night, my flower, I dreamt demure,
you were blooming without sin,
in a seedling true and green
when I was much younger and my body pure
you were blooming without sin,
in a seedling true and green
when I was much younger and my body pure!

! never knew you were a woman, I a man,
by your side, so timidly, my sleep began,
while I slept I had a dream,
and your dream bloomed tears a stream
when I was much younger and my body pure
while I slept I had a dream,
while you dreamt you wept a stream
when I was much younger and my body pure!

! it is lost, that night, forever from now on,
only our flesh relives its sweet perfume,
fruit on trees, today so fresh,
have the savor of your flesh
and they fall (tomorrow) rotten on the lawn
fruit on trees, today so fresh,
have the savor of your flesh
and they fall (tomorrow) rotten on the lawn!

! Holy Lord cause him a simple man to be
him who lured and cheated us under the tree
and the tree when blooming strong
cause its flesh to fall along
like my hand will fall after this song
and the tree when blooming strong
cause its flesh to fall along
like my hand will fall after this song!

Ioan Alexandru (1941-2000)

izvorul

Izvorului asemeni sunt şi eu
Cutremurat sub stelele de vară
Cu cât e cerul mai fără de vânt
Cu-atât lăuntrurile mele se-nfioară

Nu dinafară-i zvon ce mă frământă
Nici din adâncuri nici de sus
O umbră s-a desprins din slavă
Icoana ei în mine a apus

Din ce în ce sunt cercuri mai adânci
Şi mai departe horele pe ape
S-a deşteptat în mine un izvor
Ce nu-l mai pot cuprinde şi încape.

the brook

A brook I am, all bubbly, fresh and clear
And shaken under summer's starry light
The more the sky is windless, dark and near
The more my chains, astounded, loom in fright

It's not from the outside that rumors scurry
Not from the depths nor from on high
A shadow has detached from glory
In me, its holy icon's set to stay

Increasingly the circles will go deeper
While dances on the waters float away
A bubbling brook has woken up inside me
Can't fill it, nor define it, to this day.

țăran

Împărat e fiece țăran
Și viața sa împărăție
Astfel petrecut-au pe pământ
Moșii mei curați în sărăcie

Nu averea fost-a pentru noi
Semnul de noblețe și renume
Ci credința care ne-a-mbrăcat
Cu miros din ceelaltă lume

Când primit-a harul ziditor
Fiece pruncească-ncheietură
Și-nfășată-n pânza de fuior
Adormi cu capul pe scriptură

Împărat e fiecare om
Și soția sa împărătească
E al nostru cerul pe pământ
Întrupat în pâinea de pe masă

Raiul s-a întins și pe la noi
Văi cu văi coline din coline
Și când ies pe drum din sărbători
Varsă mir țărâna după mine

peasant

A mighty emperor is every peasant
As a kingdom will his life endure
Thus, my fathers dwelt from age-old times
On this earth in poverty and pure

Neither jewels nor riches were for us
As a sign of nobleness and fame
It was the faith that clothed us to the full
With a scent of other-worldly flame

And as it received the building grace
Every infant in its every whit
Swaddled in the linen goes to sleep
With its head upon the holy writ

A mighty emperor is every man
An empress his wife, that is her label
Ours is the sky upon the earth
Forming in the bread upon the table.

Paradise has stretched to our shores
Vale with vale and mound from every mound
When I walk outside at holy feasts
Myrrh drops after me upon the ground.

leac pentru îngeri

Sunt tristă, dar de tine niciodată.
Fug animalele speriate de minuni
La care nu mai ştim să ne gândim,
Miercuri şi marți, vineri şi luni.

Săraci în zile, cine ştie, trecem
Legați la gât de lungi copilării
Ninşi de puterea sfintelor petreceri
A nu fi, a te naşte, a iubi.

Ce-mi dai, să nu mor azi, să mai rezist?
Leac pentru îngeri, cântecul meu trist.

balm for the angels

I'm sad, but never sad because of you.
The beasts afraid of wonders run away
Of them, we have forgotten to conceive,
In March and June, August and May.

Bereft of days, who knows? we're passing by
Long childhoods tied around our necks above
While being snowed by holy celebrations,
Not being, being born, falling in love.

What would you give me not to die today?
Balm for the angels, my sad song to play.

ceea ce ispăşim cu durere

şi lacrimi de căință
nu sunt numai păcatele noastre
ci şi ale strămoşilor noştri
şi sunt mai ales păcatele
urmaşilor noştri
pentru al căror suflet
tremurăm mai mult decât
pentru sufletul nostru

aş spune mereu

şi în tăcere aş spune
şi în întuneric aş spune
şi în trecut m-aş duce să spun
rănile vechi nu s-au închis
armele nu sunt putrede
nici îngropate

what we atone for with pain

and tears of repentance
are not only our sins
but those of our ancestors
and are especially the sins
of our descendants
for whose soul
we shudder more than
for our own

I would always tell

even in silence, I would tell
even in darkness, I would tell
even in the past, I would go to tell
the old wounds have not closed
the weapons are not rotten
nor are they buried

Angela Marinescu (1941)

materie

Materia nu există. Ceea ce acum, aud,
Ca o șoaptă infinită, suprapusă ființei mele,
Dezmățată, dezlănțuită, nepăsătoare –
Nu este decât propria mea prăbușire.

Violența blândă, precisă, roșie.
Abstractă înfățișare, drogată.
De tot ceea ce poate fi drog.
Nici o scăpare, restul e ființă.
Ceea ce a fost, ceea ce țipă în interiorul scopului
Cărnos precum carnea, ținta ce nu poate fi atinsă
ținta împlântată în inima gândului.
Mai presus de noi. Violență,
Precizie, răsturnare a sensului,
ce este bun este rău, ce este rău
Este fericirea mea
Viața mea închipuită mie însămi
Ființei mele desprinse, rupte, distruse.
Melancolie. Sinuciderea este o floare.
Este putința. Este puterea.

matter

Matter does not exist. What I now hear –
Like an infinite whisper, overlaid on my being,
Debauched, rampaging, indifferent –
Is nothing but my own collapse.

The gentle violence, precise, red.
A countenance, abstract, drugged.
By everything counting as a drug.
There's no escape, the rest remains as being.
All that once was, all that now screams deep inside its purpose
Fleshy like the flesh, a goal which cannot be attained
A goal-driven into the very heart of thought.
High above us. Violence,
Precision, reversing of meaning,
What is good is bad, what is bad
Is my happiness.
My life imagined to myself
To my being disconnected, torn, destroyed.
Melancholia. Suicide is a flower.
It is the possibility. It is power.

lumina amiezii – fragment

La margini de-oraş, peste calea ferată
Te luasem cu mine să fim mai fireşti.
Mergeai stânjenită, pe tocuri înalte,
Nişte soldaţi te-au strigat să-i iubeşti.

Intrasem în câmp pe o iarbă păscută
Ocolind două porţi pentru două echipe.
Cât efort! S-au temut de neşansă.
Departe de-oraş încercară să ţipe.

Ne-am oprit lângă râu. Lunecau printre maluri
Clipe lungi de ulei, neputinţă, rugină.
Ce fel de peşti ar putea să trăiască
Ori ce întrebări ar putea să mai vină.

Devenirăm atenţi. Insistent, dinspre gară,
Prin sute de ţevi se făcea un apel.
Cum tot trebuia cineva să dispară
Fiece om se închise în el.

Rămăsesem în câmp precum două excepţii.
Dintr-o dată străini, încă foarte jenaţi.
Nu mă priveai, şi-ncercam bănuiala
Că acolo în câmp o să fim condamnaţi.

the light of midday – excerpt

On the outskirts of town, on the train rails nearby
I took you with me to look more suave.
Your walk was awkward, on your heels so high
Some passing soldiers called to you for love.

We entered the field on the grazed old grass
Walking 'round the goalposts of opposing teams.
What an effort that was! They feared some misfortune.
Far away from the town, you could hear their screams.

We stopped by the river. On the shore, there were sliding
Long oily moments, impotence, disgust.
And what kind of fish could possibly live there
Or tell me, what questions could be asked?

We paid some attention. From the station, relentless,
Through hundreds of pipes cried out an appeal.
And since, anyway, someone had to abscond,
All shut themselves inside with a seal.

We were left in the field, like two odd exceptions.
Suddenly strangers and feeling ashamed.
You avoided my gaze, and somehow I suspected
That there, in the field, we will both be condemned.

Gomora

Dacă-i sfârșitul lumii, n-arată rău deloc.
Roiuri de fluturi năvălesc seara spre lămpi,
albinele sufocă florile zaharisite, piețele gem
de verdețuri care trosnesc de fragede.
Seara, toate sunt zvârlite la gunoi, spre furia precupeților.
Realitatea a întrecut închipuirile.
Totul pare neschimbat, tocmai aici e grozăvia.
A izbucnit ca niciodată splendoarea verii.
De plecat, ar trebui să plece cei tineri,
eu una nu mai pot, rămân în Gomora.
Pe mine întotdeauna mă opresc portarii:
„Unde mergeți?" Și eu nu știu să le spun
unde merg. Nu te gândi să iei cu tine ceva,
toate sunt otrăvite. Ia doar un fir de ață:
cu el va veni acul, trăgând după el femeia,
apoi o lume întreagă, cusută într-o cârpă.
Dar să iei toate cuvintele! Sunt pline de povești!
Pălărieri, făcători de peruci, trăsuri vechi, mârțoage,
cizmari desculți, croitori rupți
în coate... Valuri-valuri de tehnici efemere.
Aș vrea să fiu lângă tine când vei reinventa
lucrurile, cu stângăcia lui Dumnezeu de la început,
când experimenta variante de fluturi,
și, de milă fiindcă erau frumoase,
le-a lăsat pe toate să existe.

Gomorrah

If this is the end of the world, it doesn't look too bad.
Swarms of butterflies invade the streetlights in the evening,
the bees suffocate the candied flowers, the stones groan
with greenery crackling with tenderness. In the evening all
are thrown with the rubbish, to the outrage of the haggling customers.
Reality surpassed all imagination. All seems
unchanged and this is the horror.
The summer splendor burst out like never before.
When it comes to leaving, the younger ones should leave,
I for one, no longer can; I shall remain in Gomorrah.
The security guards always stop me:
"Where are you going madam?" And I don't know how to tell them
where I am going. Don't think to take something with you
all is poisoned. Just take a thread:
with it will come a needle, pulling along a woman,
and then the whole world, sewn in a rag.
But you should take all the words! They are full of stories!
Hatters, wigmakers, old carriages, old nags,
bare-footed shoemakers, tailors with ripped
elbows... Wave upon wave of ephemeral techniques.
I would like to be near you when you will reinvent
all things, with the clumsiness of God in the beginning
when He experimented with various types of butterflies,
and, because they were all so beautiful,
allowed them all to exist.

acoperișul

S-a întâmplat ca, trecând
după ani mulți prin satul meu,
să nimeresc în fața casei
în care m-am născut (e-a altcuiva)
tocmai la ora
când cineva, urcat pe-acoperişul
cu sure, vechi pătrate de-ardezie,
le desfăcea încet, punând
în locul lor nişte țigle roşii.

Habar nu avea
că jupuia
câteva ceruri de deasupra mea,
şi nici nu se auzea țipătul.

Se schimbau doar nişte
pătrate prea vechi, de-ardezie
cu nişte țigle noi, roşii.

the roof

It so happens that I was passing by,
after many years, through my village
and I stumbled in front of the house
where I was born (now it belongs to someone else)
exactly at the time
when someone, perched upon the roof
covered with old square clay slates
was breaking them off, slowly,
replacing them with some red tiles.

He had no idea
that he was skinning
a few heavens from above me,
and the scream could not be heard either.

He was just changing some
square clay slates, now too old,
with some new red tiles.

maestrul scrie dezlânat

Maestrul scrie dezlânat, merinos,
Elegant, cel vârstnic, mustaţă deasă,
Frunte netedă, vorbeşte bolborosit
Ca madam Pythia, fleacuri, dom'le,
Salvare în întuneric, în neant,
Prizonierii se privesc faţă în faţă,
Nimeni nu ne obligă să fim stupizi,
Prefer burlescul, Escul, Eschil,
Iar o luăm razna?
Iar apar cronicarii cu şalvarii?
Vârtejul din pâlnie ne absoarbe.
Nu mai trage de cârlig, league.
Adunăm stele cu plasa de piaţă,
Un acrobat orb merge pe sârmă,
nimeni nu priveşte de teamă.
Omul cu o mie de degete,
Sună erotic? În loc de lentile,
Două poeme, unul – ascuns în mânecă.
Asurzitoare aplauze, între palme
A murit o muscă. Muzica anulează cuvintele.
De ce beţia te îndeamnă la cântec,
Precum extazul religios?
Să nu mă credeţi, adevărul
Îmi este rudă îndepărtată.
Când toată lumea doarme,
Sentinele fluieră Lili Marlene.
De bine? De rău?

the master writes a ruffled prose

The master writes in ruffled prose, merino,
Elegant, the older one, a thick mustache,
With a smooth brow, he mumbles along,
Like Madam Pythia, just trifles man,
Salvation in the dark, in desolation,
The prisoners regard each other face to face,
No one is forcing us to be stupid,
I prefer the burlesque, Escul, Aeschylus,
We're off the rails again?
Are the browsers in trousers here again?
The vortex of the funnel sucks us in.
Stop pulling on the hook, you crook.
We gather stars in our market bags
A blind acrobat walks on the rope,
No one looks because of fright.
The man with a thousand fingers,
Does it sound erotic? Instead of lenses
Two poems – one of them hidden up his sleeve.
Deafening applause, between the palms
A fly has died. The music annuls the words.
And why does drunkenness inspire a song,
Akin to religious ecstasy?
Do not believe me, for the truth
And I are distant relatives.
When everybody is asleep
The sentinels are whistling Lili Marlene.
For good? For ill?

Eli, Eli...

Noapte de veci pentru cel răstignit în el însuși...

Căci la picioarele sale nu au să plângă
aducătoare de mir,
și nici un apostol nu-i va vesti mântuirea...
În pânză eternă pe dânsul nu-l înfășoară
și nimeni n-au ars pentru el mirodenii și smirnă.
Părintele său își întoarce privirea în nouri
când el, dându-și sufletul, roagă iertare...

O, sângele său picurând în țărâna fierbinte,
nu naște altare de purpură și nu se preface-n
orgii de garoafe aprinse... Iar cele trei lacrimi nu s-au făcut măgărint.

Noapte de veci pentru cel răstignit în el însuși.

Eli, Eli...

An eternal night for him crucified in himself...

For at his feet the women bringing unction
will not weep
and no apostle will spread the news of his salvation...
In an eternal cloth, no one will wrap him
and nobody will burn for him incense and myrrh.
His Father turns his gaze to the clouds
when he, giving up the ghost, seeks forgiveness...

Oh, his blood, dripping in the hot dirt,
will not give birth to purple altars nor convert into
orgies of burning carnations... And the three tears
will not become pearls.

An eternal night for him crucified in himself.

cântec

Lasă-mi, toamnă, pomii verzi,
Uite, ochii mei ți-i dau.
Ieri spre seară-n vântul galben
Arborii-n genunchi plângeau.

Lasă-mi, toamnă, cerul lin
Fulgeră-mi pe frunte mie.
Astă-noapte zarea-n iarbă
Încerca să se sfâşie.

Lasă, toamnă-n aer păsări,
Paşii mei alungă-mi-i.
Dimineața bolta scurse
Urlete de ciocârlii.

Lasă-mi, toamnă, iarba, lasă-mi
Fructele şi lasă
Urşii neadormiți, berzele neduse,
Ora luminoasă.

Lasă-mi, toamnă, ziua, nu mai
Plânge-n soare fum.
Înserează-mă pe mine,
Mă-nserez oricum.

song

Autumn, leave my trees all green,
Here, I give you both my eyes.
Yellow winds blew in last evening
Kneeling woods were wet with cries.

Autumn, leave my sky untouched
Lightning-strike my forehead, please.
Late last night the whole horizon
Tore itself up in the breeze.

Autumn, leave my air with birds,
Drive away my steps from me.
In the morning, the blue drained
Screams of larks, an endless plea.

Autumn, leave me grass and leave me
All the fruit, and leave
Bears un-sleepy, storks un-flying
Luminescent eve.

Autumn, leave me light and don't
Weep the sun a-smoke today.
Set your evening on me now,
I'm eve anyway.

ar trebui

Ar trebui să ne naştem bătrâni,
Să venim înțelepți,
Să fim în stare de-a hotărî soarta noastră în lume,
Să ştim din răscrucea primară ce drumuri pornesc
Şi iresponsabil să fie doar dorul de-a merge.
Apoi să ne facem mai tineri, mai tineri, mergând,
Maturi şi puternici s-ajungem la poarta creației,
Să trecem de ea şi-n iubire intrând adolescenți
Să ne facem copii la naşterea fiilor noştri.
Oricum ei ar fi atunci mai bătrâni decât noi,
Ne-ar învăța să vorbim, ne-ar legăna să dormim,
Noi am dispărea tot mai mult, devenind tot mai mici,
Cât bobul de strugure, cât bobul de mazăre, cât bobul de grâu...

we should

We should be born old,
We should arrive wise,
Be capable of deciding our fate in this world,
To know, from that primordial crossroad, what roads are commencing
And only the longing to journey be deemed irresponsible.
Later we should become young, younger still, traveling,
Mature and strong we should arrive at the gate of creativity,
Pass through it into love, entering it as adolescents,
And become children, when our children are born.
Anyway, by then they should be older than us,
Could teach us how to talk, could rock us to sleep,
We would disappear little by little, progressively growing smaller,
Like a grain of wheat, like a grain of mustard, like a grain of sand...

la Paris

La Paris, la colț de străzi,
Cireşele cresc în lăzi;

Strugurii afuzalii
Cresc de-a dreptul în cutii;

Piersicile, nici n-ai crede,
Cresc ascunse în şervete;

Şi-ascultați-mă pe mine,
Merele cresc în vitrine.

Prunele cresc pe cântar,
Pepenii în galantar,

Fragile, în mare grabă,
Cresc de-a gata din tarabă,

Şi alunele sadea
Cresc în bar, de sub tejghea.

Un plictis de zile mari:
Nici albine, nici bondari.

Dar, în schimb, nimic de zis,
Pe-orice stradă din Paris,

Orice câine, cât de mic,
Creşte-n coadă un covrig.

in Paris

In Paris at corner gates
Cherries grow inside their crates;

While the grapes, to knock your socks
Grow for you ripe in a box.

Peaches, who could have believed?
Wrapped in tissue, grow relieved.

And believe me, when I say:
Apples grow in shops all day.

Plums on weighing scales grow well,
As do melons, can't you tell?

Strawberries, though somewhat rushed
Grow on stalls already washed.

And the peanuts, true and true,
Grow in pubs out of the blue.

Quite a bore inside this city,
Not a bee, and not a kitty.

Still, there's something hard to beat:
In Paris, on every street,

Around the doggies' tails, alert,
Grow baguettes and camembert.

am obosit

Am obosit să mă nasc din idee,
Am obosit să nu mor –
Mi-am ales o frunză,
Iată din ea mă voi naşte,
După chipul şi asemănarea ei, uşor
Seva răcoroasă o să mă pătrunză
Şi nervurile îmi vor fi fragede moaşte;
De la ea o să învăţ să tremur, să cresc,
Şi de durere să mă fac strălucitoare;
Apoi să mă desprind de pe ram
Ca un cuvânt de pe buze.
În felul acela copilăresc
În care se moare
La frunze.

I got tired

I got tired of being born from ideas,
I got tired of not dying –
I chose for myself a leaf,
Behold, I will be born from it,
In its image and its likeness, gently sighing
The cool sap will suffuse through me like a thief
And its veins will be where my tender relics sit;
From it I will learn to quiver, to grow,
And the pain will help me glowing;
Then I will detach from the bough
As from lips a word of grief.
In that childish way, I will know
How one dies blowing
As a leaf.

Virgil Mazilescu (1942-1984)

vei auzi din nou: fii inima mea

vei auzi din nou: fii inima mea
simplu: deschizi doar nişte canale
care din obişnuinţă nu mai duceau nicăieri
apoi îţi arzi hainele
o piele febril descheiată încă om
mâine poimâine doar mărturia lui poate amintirea
cu haosul ei frăţesc: şi mai mic uriaş inima şi aşadar devii a doua
mea inimă
apropie-te
la toate acestea ce vei răspunde? fără un cuvânt
vei părăsi la noapte oraşul
şi absenţa ta: o cicatrice pe un perete de aer
micşorându-se din ce în ce

you shall hear again: be my heart

you shall hear again: be my heart
it's simple: you just open some canals
which out of habit wouldn't lead anywhere
then you burn your clothes
a skin feverishly unbuttoned human
tomorrow or the day after only his witness, perhaps remembrance
with its brotherly chaos: an even smaller giant my heart and
therefore you become my second
heart
come closer
to all this, what will you reply? without a word
you will leave the city tonight
and in your absence: a scar on a wall of air
getting smaller by the minute

această tafta

Nici bleu, nici oranj,
culoarea nici-nici
e a unui franj
furat de furnici.

Şi galben, şi frez,
culoarea şi-şi
nu are nici crez,
nici ce ispăşi.

Cam brun, cam oliv,
culoarea cam-cam
nu are motiv
să facă tam-tam.

Când gri, când pembe,
această tafta
s-ar zice că e
dar nu e a ta.

this taffeta lot

Nor blue, neither flame
the colorless chant
belongs to a frame
that's poached by an ant.

Both yellow and pink
so-so in its tone
no creeds to rethink,
no deeds to atone.

Part olive, part bay
with color subdued
it doesn't rely
on starting a feud.

Now gray and now rose,
this taffeta lot
one could say it's yours
but maybe it's not.

în piața centrală

Cad porumbei peste
Piața Centrală,
cad primăvăratice ploi
peste străzi, peste piețe.
Oamenii poartă pânze de
soare pe fețe
şi-n suflet un straniu amestec
de-azur şi lentoare letală.
Iarăşi cresc muguri în
ceața podgoriei,
iarăşi cresc ierburi şi flori din
sinistra țărână.
Şi-asemenea ierbii, şi-asemenea frunzei,
urcă, tacit,
din latența, din
țărâna istoriei,
urcă-n priviri, urcă-n
gând şi în sânge,
urcă, în vidul
lăsat de pârjolul ateu,
lumea păgână.
aceiaşi străvechi idolatri,
deghizați sub un proaspăt veşmânt,
întâlnim zei citadini şi
zeițe agreste...

in central plaza

Doves are falling on
The Central Plaza
spring-tinged rains are falling
on the streets, on the plazas.
People cover their faces with
sun-cloth protection
and in their souls a strange mix
of blue and lethal idleness.
Again, there grow buds in
the mist of the vineyard,
again there grows grass and flowers from
the sinister dirt.
And the same as the grass, and the same as the leaf
there climbs, tacitly,
from the latency, from
the dirt of history,
there climbs in the gaze, there climbs in
thought and in the blood
there climbs in the vacuum
left by the atheist scorch,
the pagan world.
Therefore, we meet, everywhere,
the same ancient idolaters,
disguised under a fresh cloak,
we meet urbane gods and rustic goddesses...

Întâlnim, aşadar, pretutindeni,
Toate aceste-ntrupări iluzorii
îi dau primăverii un aer
dement şi-un zadarnic avânt.
Toate înoată, absente, în
golul imens. Toate par că nu
sunt... Şi ai zice că sunt...

Numai Tatăl nu este.

All these illusory embodiments
give spring a demented
air and a futile fervor.
All things swim, absent, in
the immense emptiness. They all seem as if
they are not there... And you'd say they are...

Only Our Father is not.

Gabriela Melinescu (1942)

Eva, adică viață

Te cheamă aşa şi aşa, pot să-ți spun oricum.
În fiecare zi faci un ou de diamant.
Din pântecul tău ies profeții în fiecare dimineață
spunându-ne că s-a născut lumea.

Dacă văd într-un copac un cuib de pasăre ştiu că eşti tu, tu!
Aşa lucios e oul tău
încât mi-e milă să pun mâna pe dânsul,
dacă strâng prea tare cu mâinile mele groase,
mă îngrozeşte gândul că n-am să-l mai văd.
Voi dansa până la epuizare deasupra cuibului,
în jurul lui gard de nuiele fac mişcările, uită-te!

Gem în dureri spre seară
când alții te mănâncă lăsându-ți întregi oasele;
devenind împărați, negustori şi profeți.
Gem în dureri până te naşti din nou,
stau împietrit ca berbecul pe muntele
după care fată femela lui,
şi învăț cum să-mi câştig libertatea.

Eve, life that is

You are called such and such, I can call you anything.
Every day you lay a diamond egg.
From your belly emerge the prophets every morning
Telling us that the world has been born.

If I see a bird's nest in a tree, I know that it is you, you!
So shiny is your egg
that I am shy to touch it with my hand,
if I squish too hard with my thick hands,
I am terrified by the thought that I will no longer see it.
I will dance until exhausted above the nest
around it, a fence of twigs make the movements, look!

I wail in pain towards the evening
when others eat you leaving your bones untouched;
becoming emperors, traders, and prophets.
I wail in pain until you are born again,
I remain stone-still like the ram on the mountain
behind which his female gives birth,
and I learn how to gain my freedom

NICOLAE PRELIPCEANU (1942)

metafora

Știi că niște mai tineri prieteni întorși de la Atena
(e bine ca tinerii să călătorească)
mi-au reamintit cuvântul metaforă care acolo
înseamna tramvai sau metrou sau chiar tren
adică mi-au spus că iei metafora
și te afli în cu totul altă parte a
Greciei
deci a lumii
adică te sui în metaforă și te duci
părăsești totul și tristețe și bucurie
și alte sentimente contradictorii-contrare
care te chinuiau în locul unde
stăteai de mai multă vreme
toată lumea se duce acolo la lucru cu metafora
toată lumea evadează (la iarbă verde) cu metafora
toată lumea are o singură idee (fixă),
când se bucură sau se întristează
și ea se numește metaforă
îți iei un bilet pentru metaforă
și pe-aici ți-e drumul
însă ei au uitat să-mi spună
ce faci când metafora e în grevă
poate că-ți iei câmpii sau îți iei tălpășița (pe jos)
pur și simplu
ca pe vremuri
când metafora nu însemna transport în comun
ci transportul tău
de unul singur
din singurătate în singurătate

metaphor

Do you know that some young friends returning from Athens
(it is good for the young to travel)
reminded me of the word metaphor which there
means tram, or metro, or even train
they told me, that is, that you catch the metaphor
and you find yourself in a totally different part of
Greece
and therefore of the world
meaning you climb on the metaphor and you go away
you leave everything both sadness and joy
and other contrary-contradictory sentiments
which were tormenting you in the place where
you were staying for a long while
everybody there goes to work on the metaphor
everybody escapes (to a picnic) on the metaphor
everyone has just one (fixed) idea
when they feel happy or become sad
and it is called metaphor
you buy a ticket for the metaphor
and there you go
but they forgot to tell me
what do you do when the metaphor goes on strike
maybe you go crazy and hit the road (afoot)
exactly
as in the good old days
when metaphor did not mean public transport
but your own transport
all alone
from one loneliness to another.

Paula Romanescu (1942)

nu vreau

(dar nici nu ştiu)
să zbor.
Nu mă mai îmbiați
c-un colț de cer
şi doi stânjeni de rai...
De fapt sub carul mare
atâtea aripi
abia de pot să-ncapă.
Nici pe pământ
nu-i loc pentr-o cărare
numai a mea.
Aş vrea
(dar să nu râdeți!)
Aş vrea
să merg
pe apă.

I don't want

(but I don't even know how)
to fly.
Stop tempting me
with a corner of the sky
and two spans of paradise
In fact under the big dipper
so many wings
can hardly fit anymore.
Even on earth
There's no room for a path
Which can be just mine.
I would like
(please don't laugh!)
I would like
to walk
on water.

Puşi Dinulescu (1942- 2019)

chef cu intelectuali

Era o noapte de primăvară,
Încă rece
Şi stam la masă cu intelectuali,
Vorbeau de pulă şi de pizdă...

Eu nu, eu mă gândeam la Veronica...
Pictorul Chivu vorbea de suptul pulii
Şi don profesor Dumitrescu
Vorbea despre lumină...

A mai venit şi un poet, unul – Vinicius
Şi a vorbit de pula calului
Şi-apoi a recitat poezii
Extrem de consistente.

Dar mie ce-mi păsa?
Eu mă gândeam la Veronica...
Era o noapte de primăvară,
Încă rece şi cu sergentul zece...

O, ce frumos e să vorbeşti de sex
Şi cu cuvinte ce intră la index...

booze with intellectuals

It was at night in springtime
Still chilly
And I was sitting at the table with intellectuals
They were talking about cocks and cunts...

Not me, I was thinking of Veronica...
Chivu, the painter, was weighing in on cock sucking
And Professor Dumitrescu
Was talking about light...

A poet also arrived, one – Vinicius
He talked about the horse's cock
And then he recited poems
All extremely substantial.

But what did I care?
I was thinking of Veronica...
It was at night in spring-time
Still cold, again, and with the sergeant ten...*

Oh, and how lovely it is to talk of sex
With words – all rated triple X.

*... and with the sergeant, ten" („și cu sergentul zece") is a line from a well-known Independence War (1877-1878) poem by Vasile Alecsandri, „Peneș Curcanul"/"Peneș the Turkey" – a nickname given by ordinary people to infantry soldiers of the era, who wore a feather on their military cap

ADRIAN PĂUNESCU (1943-2010)

antirăzboinică

Puține lucruri au rămas civile
În acest veac ploios şi militar
Nu zile, ci permisii de zile
Copiii drepți din mumele lor sar

Pendulele ca nişte cizme sună
Scrâşnind pe-un sterp şi refuzat nisip
Sunt treizeci de războaie într-o lună
Şi toate poartă moartea în aripi

Nici moartea nu mai are nici un farmec
În acest veac cu foarte mulți soldați
Sub teii înfloriți stăm ca sub arme
De stele când suntem mitraliați

De altfel, şi de observat e lesne
Şi de simțit pe propriul grumaz
Că de la conştiință până la glezne
Omul e-o manta cu simțuri azi.

Civile au rămas lucruri puține
Nici inima nu are ritm civil
Şi înregimentarea prinde bine
Civilului prea bleg şi prea umil

Zâmbiți, soldați, e ceasul învierii
Copiii drepți din mumele lor sar
Reglementar să îşi salute ofițerii
În acest veac ploios şi militar.

against war

Civilian things are few, there's no reprieve
These rainy times with soldiers beating drums
We don't have days, just military leave,
And babies jump saluting from their mums

The clocks resound like soldiers' boots this morning
They screech on jilted, barren sand which stings
For thirty wars start monthly without warning
And all are bearing death within their wings

And even death has lost its charm and poise
These rainy times of drills and conscript days
Beneath the linden trees, the arms make noise
While stars are gunning us with death-filled rays

It's easy to acknowledge, though it rankles,
For like a yoke you feel it on the way,
The fact that from one's conscience to one's ankles
A man is just a uniform today.

Civilian things are scarce and hard to tell
For even heartaches lack civilian beat
And stern recruitment seems to augur well
For sheepish tame civilians in defeat

But troopers smile! It's resurrection mass,
When babies jump saluting from their mums
As per the statute to address their brass
In rainy times with soldiers beating drums.

partaj

Iubire de taină şi moarte
Ce pot să-ţi mai spun despre noi
Acum c-a venit despărţirea,
Ia lumea şi-mparte-o la doi.

Urmează partajul juridic,
Urmează atacul de cord,
Se-ncaieră fraţii călare
Eu plec către sud, tu spre nord.

Cum toate se-mpart pe din două
Dă-mi noapte şi ia numai zi
Dă-mi moartea şi tu ţine viaţa
Partaj echitabil spre-a fi.

A fost o minune-n oglindă
Şi ultimul zbor peste veac
O aripă porţi în valiză,
O aripă port în rucsac.

Nu-mi trebuie martori, iubire,
Nu-mi trebuie probele, nu,
Destul mi-i că-n toate acestea
Şi martor, şi probă eşti tu.

Ia munţii şi lasă-mi prăpăstii
Ia piscuri şi mie dă-mi văi
Cu ce să mai văd ce-mi rămâne
Când pierd pentru veci ochii tăi?

Partajul să fie acesta
Îţi dau tot ce vrei,
Dar ultimul lucru din toate
Pe mine te rog să mă iei.

legal division

The mystery of love and of dying,
What more can I tell about us
But since we part ways now, my darling,
The world can be split without fuss.

All legal divisions will follow
All heartaches for all it is worth,
The lawyers will skin all that's civil
I take to the south, you the north.

Since all will be evenly parted,
Just give me the night, take the day.
Just give me the death, you keep living
Division is fair in this way.

Our wonder was mirrored in heaven,
The last time we flew over hope
One wing you shall carry as luggage,
The other I'll drag on a rope.

No evidence will I need ever,
No witnesses – honest or true,
Enough that in all court's decisions
My fact and my witness are you.

Take mountains and leave me the valleys
Take sunlight and leave me the night
For what is there left to behold now,
Since losing your eyes from my sight?

The way of partition shall thus be:
You take all you want, all you know
Forget not one last thing behind you
And take me along as you go.

iluzia unei insule

Disearăi plecarea în insula mea,
trăsura de nuc te aşteaptă la scară,
ia-ţi haine mai groase şi nu-ntârzia,
căci câini-poliţişti s-ar putea să apară.

Nu-ţi face probleme, birjarul e mort
și caii sunt morţi şi trăsura e moartă,
fugim fără martori în nu ştiu ce port,
în insula mea la cinci capete spartă.

Acolo, vom creşte copii monstruoşi,
lachei de metal şi de mâzgă vor râde,
cu veşti ne-o tixi de la moşi şi strămoşi,
tic-tac, telegraful, cadavrelor ude.

Vom trage trei filme color, de deochi,
și le vom trimite în lume de-a rândul,
ca-n sticle băgându-le în câte-un ochi,
Al Patrulea Ochi pentru casă păstrându-l.

Şi ziua întreagă, noi goi, fără tiv,
pe sănii de foc vom zbura într-o vale,
iar eu, gospodarul, voiesc să cultiv
grâu dulce şi leneş, pe coapsele tale.

Te-aştept deocamdată. E mijlocul verii,
e mijlocul iernii, ciudată poveste;
iar când vei urca, e-n zadar să te sperii,
trăsura ca moartea părându-ţi că este.

the illusion of an island

Tonight we depart for the shore of my island,
the coach made of walnut is waiting, my dear,
remember to take some warm clothes and a garland,
and rush, for police dogs are wont to appear.

Don't worry about it; the driver is dead,
the horses are dead too, and so is the carriage,
we'll run with no trace to the harbor of dread,
to my five headed island, awaiting our marriage.

We'll raise ugly children on that island that festers,
while steel branded butlers laugh dirt through their gills,
they'll bore us with stories of long-gone ancestors,
with splashing wet corpses, with telegraph drills.

We'll take many pictures but only for show,
to send them away for the world to observe,
like marbles, we'll spread their three eyes in the snow,
The Fourth Eye we'll keep for the house and preserve.

The whole day we'd wander, bare-skinned, without flaw,
on fiery sleighs, we will fly through the skies,
and I, like a farmer, am striving to sow
some wheat, sweet and idle, reposed on your thighs.

I'm waiting, for now... It's the middle of summer,
or the middle of winter, how strange is this story;
don't speak, for the climb in the chill makes you stammer,
but the carriage seems dead, so why should you worry?

E numai iluzie, dincolo-s eu,
te-aştept cu făclii, patru mii şase sute,
zadarnic te sperii că ninge mereu,
că străjile drumului fumegă mute.

Hai vino şi urcă şi spune ceva,
birjarul e mort, are sânge de cârje;
te-aştept fără martori în insula mea,
port haină de nuc, sunt aproape o birjă.

Iar dacă nu-mi vezi faţa ce mi-am găsit-o,
să ştii că, în insula mea, totuşi sunt,
eu, movila celui mai proaspăt mormânt,
întinde piciorul şi calcă, iubito!

Şi asta e totul. Plecarea-i diseară.
Fantoma trăsurii aşteaptă la scară.

It's just an illusion, I'm over the fence,
with four thousand candles I'm waiting for you,
don't fret, for the white snow is just a pretense,
and the house guards keep mute and a-smoke in our view.

Step up – do not linger, come sing me a song,
the driver is suitably dead for our marriage,
no witnesses wait on the island, no throng,
my suit is of walnut, I'm almost a carriage.

My face I just found, if it's gone by the morning,
it might be a gale, a tempest which looms,
for I am the mound of the freshest of tombs
and frosty your step will become without warning!

And so this is all, we're departing at last.
The ghost of the carriage grins mute from the past.

trei sferturi de cer

În oamenii de pe aici e Dumnezeu, pesemne
Când ei în curți cu pașii mici aduc în case lemne
Și e o liniște de rai în gestul lor de-o viață
În care dau nutreț la cai și oile-și răsfață
Dar mai ales în tot ce fac e semn că nu li-i frică
Un suflet clar din trup opac la ceruri se ridică

O capră și-a zdrobit un corn sărind pe ușa spartă
Desenul fumului din horn e operă de artă
Și-n toate șipcile din gard un clopot mai tresare
Când vreascurile-n brațe ard cu-o mistica ardoare
Ninsorile nici nu mai cad în viscoliri cu vaier
Scânteietorul lor răsad plutește blând în aer

Respiră-n toate un mister ce satul îl îndrumă
Trei sferturi să se afle-n cer și doar un sfert în humă
Și nu se știe sunt țărani sau îngeri sunt, pesemne
Cei care de atâția ani aduc în case lemne
Și suflă-n focul lor mereu, sporindu-le nădejdea
Să-i fie cald lui Dumnezeu, aflat în toți aceștia

Și uneori, la focul mic
Din casa lor sărmană
Iisus, înduioșat un pic
Coboară din icoană

three parts of heaven

In people living in these lands, God seemingly abides,
As through their yards with firewood they take their little strides.
The peace of Heaven they convey in everything they do
They pamper horses with some hay, and sheep their fodder too.
But above all in all they do, they truly show no fear,
As clear, their soul, to heavens high, keeps rising through their tear.

A goat is butting on the door and breaks a horn apart
The drawing of the chimney smoke makes curling works of art
The flapping slats along the fence can startle like a bell
While in their arms the kindling flares with a mysterious spell
The moaning snowstorms disappear, in sparkling clouds entrancing
They hover gently through the air like radiant spirits dancing

This mystery, a breath divine, the village does convey
Three parts in heaven do recline and only one in clay
Peasants or angels? What they'd be, it isn't understood
Those who for years, without a plea, haul in the firewood
And all the while, with growing hope, they fan their fire bright
For God, when visiting their dreams, to warm Himself at night.

And sometimes, when the flame is low,
Their humble home, so small,
Sees Christ descend, his heart aglow,
From icons on the wall.

Lidia Săndulescu-Popa (1943)

nostalgie mioritică

Mi-e dor
de o noapte cu stele
pe câmpiile țării mele,
de mirosul de fân după ploaie,
de pruncul gol, fericit....
din copaie.
Mi-e dor de lanurile
de porumb ale copilăriei,
de valea lui Dan cu ciorchini brumării,
de o uliță de soare în Albele –
plină de copii.

Mi-e dor
de un cireş amar înflorit,
de iezii clipelor
pe care sprintenă i-am fugărit.
Mi-e dor de Marea Neagră,
de o vacanță cu valuri şi soare,
de un răsărit de lună
lângă cazinou,
de un concert la Ateneu
de anul nou.

mioritic* nostalgia

I yearn
for a still starry night
with my homeland's meadows in my sight,
the rainy smell of fresh hay and damp scrub,
and the happy naked baby in his tub.
I yearn for the cornfields of childhood,
for Dan's valley with frosty grey bunches of grapes,
for the sunny lane of Albele –
full of children, who merrily traipse.

I yearn
for a bitter cherry tree in flower,
for the kids of those moments
whom I nimbly pursued in that happy hour.
I yearn for the Black Sea,
for a holiday with waves in the sun
for the moon rising,
near The Casino**, from the sea spray,
for a concert at The Athenaeum***,
on New Year's Day.

---

* *Mioritic* – describing the Romanian territory straddling the Carpathian Mountains; related to Miorița, a popular national ballad of Romania regarded as describing the national ethos
** *The Casino* – famous architectural building on the edge of the Black Sea in the city of Constanța; a former casino and tourist attraction
*** *The Athenaeum* – one of Bucharest's architectural highlights and concert hall

Lidia Săndulescu-Popa (1943)

Mi-e dor
de o plimbare cu vâsle
pe lacul sufletului
la Herăstrău într-o vară,
de grădina cu stupi, de unde tata
aducea snopi de crini,
în fiecare Vineri...
pe seară...

Mi-e dor
de o prințesă din castelul Bran,
de Babele din Bucegi,
de crucea de pe Caraiman.
Mi-e dor de teii înfloriți
de la şosea,
mi-e dor de mine
şi de... țara mea!

I yearn
to row a boat again
on my heart's lake
one summer in the Herăstrău* park,
for the garden with beehives, from where father
would bring sheaves of lilies
every Friday evening, before dark.

I yearn
for a princess in the castle of Bran**,
for the Old Ladies from Bucegi***,
for the cross on the Caraiman****,
I yearn for linden trees in flower,
which my street still adorn.
I yearn for me,
For my homeland, I yearn!

* *Herăstrău* – the largest public garden in Bucharest.
** *Bran Castle* – famous medieval castle in Romania, known by tourists as „Dracula's castle".
*** *The Old Ladies (Babele) from Bucegi* – a rock formation in the Carpathian Mountains resembling a group of ladies standing and chatting in a circle.
**** *The cross of Caraiman* – huge metal structure in the form of a cross, raised on the top of Caraiman mountain in the Carpathians, to commemorate the soldiers fallen in the First World War.

Horia Bădescu (1943)

balada gureșei Coquette

Era într-un April – mi-aduc aminte –
prin nouăsute șaptezeci și cât,
aveam un suflet plin de oseminte
și îngropat de spaimă și urât;

la hanul umbrei de-i ziceam Mongolul,
cu vinuri vechi, cu damf și marafet,
veni o oră când mi-am dat obolul
iubirii pentru gureșa Coquette.

Sub înserarea mândrelor sprâncene
îmi începui întâia temenea
din care gura ei foșnind alene
bobocul nopților îl despuia.

Ducea în ochi o cumpănă mâhnită,
plecată peste clipele ce curg
și îmi chema căderea în ispită
cu degete de lacrămi și amurg.

Și unde-i melcul dulce al urechii
dormind în stinsul tâmplelor culcuș?
Și unde-i glasul meu cătând în vechii
poeți învăluirile de pluș?

ballad of that chatterbox Coquette

It was sometime in April, I remember
perhaps in nineteen seventy... I forget
my soul was full of bones – a crimson ember
buried in fear and boredom, and the fret;

and at the Mongol's inn, in shadow's beauty
with good old wines, and scents, and no regret,
there came a time I had to pay my duty
of love towards that chatterbox Coquette.

Beneath the sunset of her eyebrows parting
I yearned for my first worship to progress,
from which her mouth would lazily be starting
the nightly bud of passion to undress.

She carried in her eyes a sad carnation
which lingered on the seconds passing by,
and thus proclaimed my fall into temptation
with teary fingers, twilighting the sky.

But where's the cockleshell that her ear was forming,
which rested on her temples' sleepy tress?
And where, for her, my voice arose performing
a poet's songs, a velvety caress?

Și unde rotunjita lâncezeală
A vorbelor ce nu ne mai ajung
Și unde-nvinsa sânilor sfială
și unde gleznele cu zbor prelung

Și unde, unde-a coapselor umbrire
Și unde-al pântecului alb egret?
Ah, unde-i ora dincolo de fire
Iubirii pentru gureșa Coquette?

And where, the rounded shape, and languid frailty
of words, for which we oftentimes would pine
and where, her bosom, vanquished, shy and dainty
and where her lovely ankles' starry shine?

And where, her thighs' angelic adumbration
And where is her surrender's white egret?
Oh where, the hour, cast beyond creation,
Of love towards that chatterbox Coquette?

lied

Lumea dincolo de dincolo de linia orizontului.
Foamea de tine
și mâinile toamnei
scormonind în pubelele asfințitului.
Un pas, încă unul
prin sângele arțarilor crucificați
la celălalt capăt al orașului,
Maria Magdalena șterge cu sânii
fereastra murdară a zilei.

lied

The world beyond of beyond the line of the horizon.
Hunger for you
and the hands of autumn
rummaging·through the garbage cans of the sunset.
One step, another one
through the blood of crucified maples;
at the other end of town
Mary Magdalene wipes off with her breasts
the dirty window of the day.

Laurențiu Ulici (1943–2000)

portret

Sunt bătrân, bătrâne, timpul nu mă iartă
Anii – nu ştiu bine când – s-au adunat;
Mai iubind o fată, mai ratând o carte,
Mai plesnind din biciul râsului cifrat;

Mai lovit de soartă, câteodată,-n față;
Mult mai des, din spate – de prieteni buni;
Mai uitat în somnul alb, de dimineață;
Mai plângând în zborul unor vagi lăstuni;

Mai sedus de glorii care n-au să vină;
Mai trădându-mi clipa pentr-un ceas fictiv;
Mai stingând lumina tâmplelor, alpina;
Mai cerând ninsorii tainicul motiv;

Mai purtând pe umeri mantii iluzorii;
Mai glumind cu mine, ca să nu mă dor;
Mai căzând din şaua certă a rigorii;
Mai cutremurat de un frig interior;

Mai mințind de dragul unui alt dor – sudic;
Mai visând la umbra morilor de vânt;
Mai pândind amurgul simțurilor, ludic;
Mai crezând în rima plânsă de cuvânt...

Sunt bătrân, bătrâne, timpul îmi împarte
Anii pe din două, leneş alternând:
Mai ratând o fată, mai iubind o carte...
Până unde, totuşi, până unde? Când?

portrait

I am old my old pal, time does not forgive me
Years – I cannot fathom – how they piled along;
Still I loved some girl, and still a book escaped me,
Still the whip of ciphered laughter strikes its gong;

Still I'm hit by fate, so often in my face;
Though a lot more often in my back by friends;
Still abandoned sleepy in the morning's grace;
Still I mourn the flight of vague and distant birds;

Still seduced by glories which will not occur;
Still I jilt my moment for a fictive season;
Still I quench the light of temples, alpine spur;
Still I beg the snow for its mysterious reason;

Still my shoulders wear an illusory mantle
Still I joke with me, so that I hurt no more;
Still I fall so often from the rigor's saddle;
Still I'm shaken inwards by a freezing sore;

Still I lie for yearning of a south – more pudic;
Still I dream in shadows of the windmills blurred;
Still I pry the twilights of my feelings, ludic
Still I trust the teary rhyming of the word...

I am old my old pal, time is ever carving
All my years in half in its lethargic den:
Still a girl eludes me, still a book I'm loving...
How far, finally? And until when?

Aurel Buricea (1943)

mire intru în moarte

algebra Cerului o ştiu pe de rost
fiecărui gând i-am dat un nume
în formule abstracte uit cine-am fost
aştept primăvara să mă cunune

frumos intru în moarte ca un mire
lepădat de trup sunt ultima floare
să-nvăţ nevăzutul din nesfârşire
când sufletu-mi e calea călătoare

împreună iubito să fim în văzduh
atât de aproape de Tine, Doamne,
vom trăi în cuvinte pline de duh

ne vom întoarce în lume prin toamne
să coacem iar cântecul în strugure
să umplem cu cer taina din mugure

as a groom I stride in death

in Heaven's algebra, my mind is cast
to every thought, I have assigned a name
through abstract precepts, I forget my past
and wedded by the spring, my bride I'll claim

a handsome groom I stride in death again
without my body, I am my last flower
to learn the unseen from its vast domain
while my soul is a wandering path every hour

together, my love, we shall sail through the skies
and close to You, Lord, we will linger anew
we shall live in our words full of spirit and wise

we'll return to the world like autumns passing through
to ripen the song of the grape in the womb
to fill with the skies this mystery's bloom

nedumeririle lui Moisi

Ce flăcări, Domnule, ce flăcări,
Cum nu se mai termina focul acela
Şi cum nu ieşea fum,
De parcă el din sine ardea
Şi în el exista ființa.

Ce toiag, Domnule,
Ce-şi bătea joc de şerpii faraonului
Şi de sulemeniții lui,
Ce le-a înghițit cuvintele dintre buze
De le-au țâşnit minciunile pe nări.

Ce mări am mai despărțit cu el,
Ce drumuri am despicat prin pustiu,
Ce stele îi luminau vârful
Şi ce umbrelă devenea peste zi.

Ce pietre, Domnule, ce pietre,
Ce tăietură fină,
Ce luceau cuvintele –
Litera şi soarele,
Iota şi steaua.

the bewilderments of Moses

What flames, Sir, what flames,
And how that fire never ceased
And how there was no smoke,
As if from within itself it was burning
And in itself existence rested.

What a staff, Sir,
And how it mocked Pharaoh's serpents,
And his painted sepulchers,
How it swallowed their words from between their lips
Until their lies spurted through their nostrils.

What seas I parted with it,
What roads I pierced through the desert,
What stars illuminated its point
And what an umbrella it became through the day.

What stones, Sir, what stones,
What fine cutting,
How the words sparkled –
The letter and the sun,
The jot and the star.

Petre Anghel (1944-2015)

Ce chivot, Domnule, ce chivot,
Ce scurt-circuit o dată pe an,
Ce minune din câteva lemne
De nu li se găseşte nici azi locul
În nesfârşitele întrebări ale minţii.

Totul s-a dus,
Totul am uitat,
Nimic n-am păstrat.

Doar vocea ta
A avut preţ,
Când ai zis:
Acesta nu va trece dincolo,
Pe el nu-l va acoperi ţărâna,
El va merge cu mine.

What holy ark, Sir, what an ark,
What short-circuit once a year,
What miracle from a few twigs
So that even today the place remains unknown
Amongst the unending questions of the mind.

Everything has gone,
Everything is forgotten,
Nothing was saved.

Only your voice
Was worthy,
When you said:
This one will not pass to the other side,
And the dust will not cover him,
He will be taken with me.

dimineața devreme

Dăruiește-mi surâsul tău cum mi-ai dărui
o casă cu pereții de sticlă.
Să pot vedea izvorul clipocind pe sub
cărămizile de lumină ale acoperișului
să privesc înflorind oasele sternului
drumul în sus al extazului
și mugurii primăvăratici ai vorbei
povestind despre înțelepciunea regâștigată
a duminicii.

Și închisoarea și palatul
și noroiul și stelele
și câștigul și pierderea
și câmpia și dealul

Dăruiește-mi surâsul tău cum mi-ai dărui
o casă cu pereții de sticlă
o cruce pe care să mă răstignesc
în vecii vecilor, amin.

early in the morning

Gift me your smile as if you were gifting me
a house with walls made of glass.
So that I can see the brook gurgling under
the light-made bricks of the roof
to watch the flowering of the sternum bones
the upward road of bliss
and the spring buds of the word
telling stories about the regained wisdom
of Sunday.

The jail as well as the palace
the mud as well as the stars
the win as well as the loss
the plain as well as the hill

Gift me your smile as if you were gifting me
a house with walls made of glass
a cross on which to crucify myself
forever and ever, amen.

Eugen Evu (1944-2017)

etapa arderii

Situați undeva oscilant variabil
Între microscopul electronic și
Telescopul Hubble,
Între rochia prințesei de Monaco și
Foetușii crisalidele îngerilor între
Tsunami, vulcani, rezonanța Schuman și
Experimentul mutației, globalizarea
Noua primordie the day after
Toate timpurile într-un singur ACUM
Toate cimitirele pentru o singură Resorbire.
        Și numai Ea, Pulsația,
        În interiorul ninsorii,
        În sfericitatea orgasmului
Și numai El,
Curcubeul nopții,
Stelele sunt acolo și ziua,
Soarele e încă acolo
        Și noaptea.

the burning phase

Situated somewhere oscillating variable
Between the electronic microscope
And the Hubble telescope,
Between the Princess of Monaco's gown and
Fetuses, chrysalides of the angels, between
Tsunamis, volcanoes, Schuman's resonance and
The experiment of mutation, globalization
The new primordial the day after
All the time packed into a single NOW
All cemeteries for one single Reabsorption.
        And only She, Pulsation,
        Inside the innermost of snowing,
        Inside the sphere of orgasm,
And only He,
The rainbow of the night,
The stars stay there even during the day,
The sun is still there
        Even at night.

George Anca (1944-2020)

interzişi

interzişi neînţeleşi nedescoperiţi
asasinaţi sinucişi decapitaţi
represiunea poeziei poezia represiunii

dictatura până la ucidere
induce trepte reactive mărețe
pe care le represează sadic

ne pregăteşte moartea fizică în spirit
ne simţim interzişi ca persoană
n-avem decât să ne radicalizăm

mă închei la foaie întors la Hegel
continui scena a gâtui de unde
repledoaria lasă că nu ne învechim

ziceai şi caldul de-ar trece
comoţia rândunelelor gonite
ordinul să ne socotim veseli

cum noi tabu am bătucit
şi cine ştie şi fertililor
ah du-te soro bisericilor

interdicted

interdicted misunderstood undiscovered
assassinated suicided decapitated
repression of poetry poetry of repression

dictatorship until homicide
induces glorious reactive steps
which it sadistically represses

it prepares our physical death in the spirit
we feel interdicted as persons
we can only become radicalized

I tie my sheet facing Hegel
I continue the scene from where
re-pleading ensure we do not become obsolete

you said the warmth would pass you
the commotion of swallows chased away
the order to consider ourselves joyful

as we have pounced on taboos
and who knows the fertile ones
ah go on sister churches

ne încrucişăm de dicţii în stil
ne confundăm cu peisajul ni-l
apropriem şi-l transfigurăm

chem nişte poeţi dacă vin
arăm trovanţi contez pe mai
nimeni când nici pe mine

ne-om împărtăşi înţelesuri
pe ce finalitate că le-om circula
conspiraţie servită cunoştinţă

faceţi-vă normele şi la revedere
că nu murim consilierul
o să-l sun şi sun nu că nu

we cross dictions in style
we confuse ourselves with the landscape
getting it closer and transfigured

I call for poets if they come
we plow concretions I put confidence in
May no one when neither me

maybe we will share meanings
on what finality will we drive them
served conspiracy knowledge

do your quotas and goodbye
we will not die, the counsellor,
I will ring him and ring him not that not

Dumitru Ichim (1944)

facerea

După vreo șase zile
de olărit sub zborul rotund
al Duhului Sfânt
ar fi renunțat
ca-n locul zidirii din pământ
să-i dea doar transparențele
viului,
dar acum semăna tot mai mult
cu chipul de om al Fiului.
În stânga îi cântase inima,
cu valul din șoaptă în șoaptă,
însă îi lipsea ceva,
abisul cerând alt abis cumpănirii
în partea lui dreaptă
ca un sărut ce lutul îl așteaptă
stingându-se pe oale.
„Ascunde durerea tristeților Tale,
cu-n oftat zise Fiul,
să Ți le port în năstrapă,
când omul pe Om va împunge
să curgă și sânge și apă!"

creation

After about six days
of pottering under the spherical flight
of the Holy Ghost
He was about to give up,
and instead of forming the clay, almost,
just gave it the transparency
of the living one –
but now it resembled more and more
the human image of the Son.
On the left, his heart had been singing
with a wave from a sigh to another sigh,
but something was missing there,
one abyss seeking another for symmetry
and on his right side, firmer,
like a kiss on the dried clay
awaiting, extinguishing itself on the vessels.
"Hide the pain of your sadness,
with a sigh said the Son,
that I may carry it in My cup made of mud,
and when man will pierce The Man
it will pour out water and blood!"

Mircea Muthu (1944)

la meridianul zero

Pierdut și nevăzut
greierul zdrobește liniștea
în câmpia roșie din Aragon;
și mori de vînt înalte lumînări
plantînd absențe incendiate;
lângă biserica ce se destramă
cum cad, bufnind caisele tîrzii,
Ay, viața această înaintare cu spatele!

at the zero meridian

Lost and invisible
the cricket crushes the silence
in the red plain of Aragon;
and windmills' tall candles
planting incendiary absences;
near the church that is crumbling
how do they fall, with a thud the late apricots
Aye, life this advancing with the back!

George Țărnea (1945-2003)

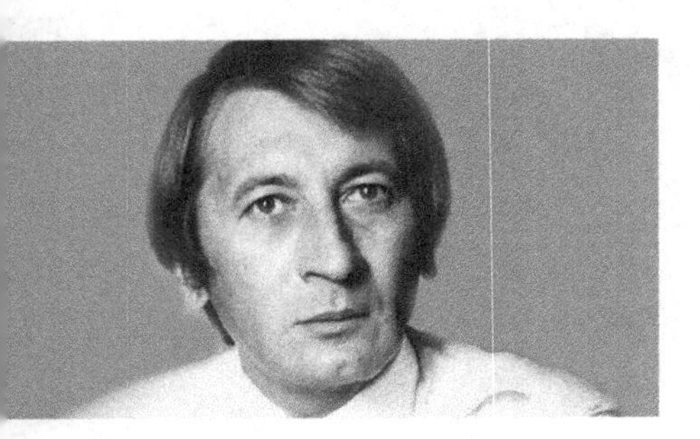

scrisoare de bun rămas

Iubito, câtă lume între noi
Numărători de ploi din doi în doi
Şi dintr-un ochi de dor necunoscut,
Câte zăpezi pe buze ne-au crescut...
Ascultă-mă şi lasă-mă să strig
Mi-e frică de-ntuneric şi de frig
Şi nu mai vreau să ştiu până la sfârşit
Cine-a iubit frumos, cine-a greşit
Cine-a făcut spre noapte primul pas
Cine-a plecat din joc, cine-a rămas
Cine şi-a smuls pereții rând pe rând
Cine s-a-ntors mereu cu ziua-n gând
Cine a pierdut şi cine a câştigat
De toate înlănțuit sau dezlegat
Cine-a crezut mai mult în celălalt
Sub cerul prea străin şi prea înalt
Când am să uit cum sună glasul tău,
Decât tăcerea, ce-mi va fi mai rău
Şi cum să pot sub stele înnopta
Când nu mai simt ce-nseamnă umbra ta?
Numărători de ploi din doi în doi
Iubito, câtă lume între noi.

farewell letter

What multitudes between us now, my dear,
Numbering rains in pairs, if far or near,
And from a longing eye, aloof, unknown,
How many snows on our lips have grown...
Listen to me and then just let me cry
I fear the dark, the cold, I can't deny
And I don't want to know who, in the end,
Has beautifully loved, who love misspent,
Who first stepped out at night, who went away,
Who left the game, and who was left in play,
Who pulled at walls to wreck them one by one,
Whose days, in thought, returned where they began,
Who's on the winning side and who has lost,
Who's bound, and who away the shackles tossed,
Who in the other with more faith confided
And under skies too strange, too high, was guided,
When I forget your voice and its sweet verse,
Apart from silence, what can I find worse
And how can I beneath the stars find rest,
Since I have lost your shadow from my breast?
Numbering rains in pairs, if far or near,
What multitudes between us now, my dear.

Daniel Turcea (1945-1979)

isihia

Sfânta iubire
– căci în jurul inimii rotește acoperământul
întunericului
cel ce cere va lua
cu fața descoperită (adică omul dinăuntru)
oglindind
Slava Domnului

nu aripi trupești ca ale păsărilor
ci ale Duhului, chemând, ușurând,
cu aripi inteligibile.
Cel nesfârșit și fără trup se micșorează pe Sine
din Bunătate nesfârșită.

Trupul acesta subțire s-a îmbrăcat
prin ochiul care vede.

Mai mult decât să arzi pe rug
rug ți-e și trupul de-l
desparți de suflet
și-l însetezi de patimă și somn.

Mai mult decât să-l lași să muște biciul
din trup, pentru că nu poți nici șopti
că Dumnezeu e numai o părere
că nu-i în tine
și decât tine nu-i adevărat,

isihia

The holy love
– because around the heart rotates the canopy
of darkness
he who asks will take
with an uncovered face (the inner man, that is)
mirroring
the glory of The Lord

not bodily wings as those of birds
but of the Spirit, calling, making light,
with intelligible wings.
The one who is eternal, devoid of a body, diminishes Himself
Out of an unending Kindness.

This thin body has clothed itself through the eye that sees.

More than burning at the stake
a burning stake is your body
should you separate it from the soul
and make it thirsty with passion and sleep.

More than letting the whip bite
from the body, because you cannot even whisper
that God is just an opinion
that it is not in you
and apart from you, it is not true.

Daniel Turcea (1945-1979)

Mai mult decât să crești ca o fântână între nisipuri
este să ai milă
de cel sărac, de cel
ce are
de tine,
de cuvântul
de lumina
privirii
blânde, sau
de hrana ta mai multă lipsă,
căci dăruind, lui Dumnezeu te asemeni.

More than growing like a fountain between the sands
is to have mercy
on the poor, on him
who has
on you,
on the word
on the light
of the kind
gaze, or
on your food more need
because in giving, God you resemble.

Andrei Codrescu (1946)

problema râsului cu ultimul cuvânt în engleza americană

M-a prins un filozof cu arcușul să lupt pentru o cauză filosofică
anume râsul care între filosofi nu are renume
sau e chiar blestemat deși despre râs au scris Platon, Aristotel,
Spinoza, Kant, Heidegger, frații Marx (dar nu Karl)
dar n-a fost glumă: ei s-au ocupat mai mult de forme rizibile
de genul ironie, sarcasm, batjocură și drac nesărat.
E clar că nu râzi singur decât asaltat din memorie
de oameni ceea ce filosofilor nu li se întâmplă pentru că ei
se cred singuri chiar când se ceartă cu alți filosofi. Platon
i-a dat afară din Republică pe poeți pentru că râd tot timpul.
Poeții a zis Platon sunt filosofi beți care-s gândiți de
idei din vin. Eu l-am dat pe Platon lui Sf. Augustin care-a avut
umor teribil: l-a alungat pe Platon din orașul lui D-zeu. Îmi fac datoria și
surâd dar mai sunt de parcurs ceva pagini până râd.
Rămân cu poezia că-i mai caldă: eu vin din secolul luminii
de pe screen.

the problem of laughter with the last word in american english

A philosopher caught me with his bow to fight for a philosophical
cause namely the laugh which among philosophers has no reputation
or is even cursed although about laughter wrote Plato, Aristotel,
Spinoza, Kant, Heidegger, the Marx brothers (but not Karl) though it
wasn't a joke: they concerned themselves rather with the risible forms
like irony, sarcasm, mockery and unsalted devil.
It's clear that you don't laugh alone save when assaulted by memories
of people which doesn't happen to philosophers since they believe
they are alone even when arguing with other philosophers. Plato
banished poets from the Republic because they laugh all the time.
Poets Plato said are drunk philosophers who are thought by ideas
coming from wine. I gave Plato to St. Augustine who was possessed of
terrible humor: he banished Plato from the city of God. I do my duty
and smile but there are a few more pages to go until I laugh.
I'm staying with poetry as it's warmer: I come from the century of light
from the screen.

seară în ianuarie 2018

Se înserează în New York devreme
            ca-n nopțile medievale ale lui Villon.
A apărut un pod subțirel de gheață între epocile noastre.
Istoria e lăcustă trezită din somn la fiecare jumătate de secol.
            S-a trezit. Eram așa de deștepți și iscusiți
cu magia noastră de iluzii uitasem zumzetul
            acela oribil de insectă qvasi-milenară.
Timpul a devenit un clește. Din fericire ninge peste toți.
            Poeții se revăd prin fulgi.
Timpul nu poezia ațipește.

evening in january 2018

The evening in New York falls early
as in the medieval nights of Villon.
A thin ice bridge has appeared between our epochs.
History is a locust awoken from its sleep every half a century.
It is now awake. We were clever and shrewd
with our magic of illusions, we had forgotten that
horrible murmur of a quasi-millenarian insect.
Time has become a grip gear. Luckily it snows on everybody.
The poets perceive themselves through snowflakes.
Time, not poetry goes to slumber.

George Roca (1946)

insula fericirii

Încercăm cu toții să supraviețuim
în secolul acesta al turbulenței
creându-ne în imaginație mici insule
unde evadăm atunci când
nu mai putem face față
uraganelor şi cutremurelor
care ne înconjoară.
Acolo,
pe insula noastră
jucăm şotron
chiar dacă nu ne mai țin balamalele,
gângurim ca bebeluşii,
ne aşezăm pe tronul regelui
fără să ne fie frică de pedepse,
sărutăm şi ne iubim
cu toate vedetele intangibile
ale lumii moderne.
Acolo,
pe insula fericirii noastre
este veşnic primăvară.

the island of happiness

We all try to survive
in this century of turbulence
creating small islands in our imagination
where we escape when we
can no longer cope
with the hurricanes and earthquakes
which assail us.
There,
on our island
we play hopscotch
even if our hinges are giving way,
we coo like babies,
we sit on the emperor's throne
without fear of punishment,
we kiss and we love
together with all the intangible stars
of the modern world.
There,
on the island of our happiness,
it is forever spring.

Acolo
suntem mereu tineri
şi sănătoşi
şi veseli şi... buni!
Câteodată,
când pe insula fericirii
ne simţim singuri,
invităm desigur, prieteni dragi
să ne însoţească
şi să împărtăşească
bucuriile noastre.

Şi astfel,
se produce o simbioză miraculoasă
care vindecă sufletul
de toate relele pământului
făcându-te să gândeşti curat atunci
când te reîntorci la realitate.

There,
we too are eternally young
and healthy
and joyful and... good!
Sometimes,
when on our island of happiness
we feel lonely,
we invite, of course,
dear friends
to join us
and to share in our joys.

And so,
a miraculous symbiosis is created
which heals the soul
of all the Earth's ills
making you think with clarity
when you return to reality.

Melania Cuc (1946)

spinii

M-ați împodobit
Cu flori furate din grădina Ghețimanilor.
Și un vas de porțelan s-a spart
În magazia cu carcase de vită tânără.
Vițelul cel gras s-a dovedit a fi slab
Și rătăcesc degetele mele
Printre clapele clavecinului sângeriu.
Cum să mai hrănesc neamurile,
Ce se adunară la nuntă
Din cele șapte de ori șapte vânturi?
Restaurantul de familie a falimentat
Și unul câte unul
Flămânzi și însetați,
Smulgem spinii de sub unghia
Cu care
Sunt gata să sap în humusul gras.
În măslini crește mirul
Negru ca șorțul
Ce se înfoaie peste pântecul femeii altui tâmplar.

thorns

You adorned me
With flowers stolen from the garden of Gethsemane.
And a porcelain vessel broke
In the storeroom full of young cattle carcasses.
The fattened calf proved to be skinny
And my fingers keep wandering
Between the keys of the blood-colored harpsichord.
How can I feed all the relatives,
Who gathered together at the wedding
From the seven times seven winds?
The family restaurant went bust,
And one by one
Hungry and thirsty,
We pluck thorns from under the fingernail
With which
I am ready to dig into the fat hummus.
The olive trees grow the unction
Black like the apron
Which plumps up over the womb of another carpenter's woman.

noaptea ninsorilor

Tăcerea aceasta își cerne memoria
Orbitează iubiri neștiute sub ceruri
Heraldice ploi se aștern în cuvânt
Vestigii de pulberi adastă

Întocmai acelor ce-ți stau împotrivă
Se-ndeamnă-nțelesuri în toate
Un numen și-o aripă stau legământ
Și ninge, și ninge
Cu șoapte

Armuri de tăcute silabe respiră
Hieratice vise-mplinind
Și eu te aștept, iubito, e noapte
Zadarnic aștept

Și ninge..., și ninge... Sunt șoapte.

the night of snowfalls

This endless silence is sifting its memory
It orbits with desolate loves under heavens
Armorial rains will repose in the word
And relics of powders remain

Precisely like those who are standing against you
Emboldening misgivings and lies
A numen, a wing, a covenant is heard
And it snows, and it snows
With sighs

Armors of syllables are silently breathing
Sacerdotal dreams they fulfill
I am waiting, my love, as evening dies
In vain I am waiting

And it snows..., and it snows... These are sighs.

Ioana Ieronim (1947)

portret de femeie

Poartă o mantie neagră de catifea
un acord al tainei de ore târzii
și arcade

s-a fardat pe un singur obraz
căciula mare trasă pe frunte
brațele în fâșul etern albastru

ivindu-se din faldurile moi
cu o mică poșetă
sacoșa
cizmele încărcate de noroiul
cartierului nou
copilul pe lângă ea
între tarabele de
zarzavaturi

flori vopsite roșu, vernil, auriu
miere solară
cu surâsul ferit și stăpân, de madonă
ea strânge într-un colț de geantă
hârtiile scrise azi-noapte
le apără
de tentaculele umede ale țelinei.

a woman's portrait

She wears a black velvet mantle
an understanding between the mystery of late hours
and arcades

she made-up one cheek only
the large hat pulled over her forehead
her arms inside the eternally blue rain jacket

appearing from the soft folds
along with a small clutch
the shopping bag
her boots full of mud
from the new suburb
the child near her
between the stands with
vegetables

flowers painted red, aqua, golden
solar honey
with the hidden and masterful smile, of a madonna
she gathers in a corner of her bag
the sheets she wrote last night
she defends them
from the moist tentacles of the celery.

Dan Verona (1947)

mitologie

Vai, într-o zi – dar când anume?
Sufletul nostru se pierdu
Lăsând în urmă doar enigme
Precum străvechea țară U.

Săraci fiind în aşteptarea
Unei solii ne-am strâns sub cer
Şi ne-am vândut Melancoliei
Iubiți de-al lumii greu hanger.

Şi cum visam sub pini de sânge
La vele albe tot mai des
Vai, ne sosi mâncat de sare
Un mic papirus ne-nțeles.

Şi n-am crezut şi-n aşteptarea
Altei solii am fost uitați
Să ne aducă marea veste
Ca unor ultimi vinovați.

Vai, într-o zi – dar când anume?
Sufletul nostru se pierdu
Lăsând în urmă doar enigme
Precum străvechea țară U.

mythology

Alas, one day – but when precisely?
Our souls got lost out of the blue
Leaving behind only enigmas
As in the ancient land of U.

We, being poor, have gathered, waiting
For tidings under skies, and stagger
To sell ourselves to Melancholy
Loved by creation's heavy dagger.

And as we're dreaming under blood pines
About white sails, every so oft
Alas, arrived, by salt eroded
A small papyrus, dim, aloft.

We doubted it and hoped for further
Tidings anew, but they've forgotten
To bring to us the major news
As if we all were guilty, rotten.

Alas, one day – but when precisely?
Our souls got lost out of the blue
Leaving behind only enigmas
As in the ancient land of U.

Şi golul i-l simţim fierbinte
Ca-n miez de noapte dulcea zi –
Cum mama-şi lasă-n fiu tiparul
Promis curatei veşnicii.

Ni-i gura arsă şi nu-i rouă
În paradis nu mai sunt pomi
Şi sub o scorbură de miere
Visăm ca bieţi avesalomi.

Foşti corăbieri, respinşi de mare
Ni se arată marea-n cer
Şi noi tot stăm în aşteptare
Purtând coroană grea de fier.

This emptiness we feel so burning
As if at midnight sweet noon's dawning –
As in her son a mother patterns
An age with pure, eternal fawning.

Our mouths are parched, and there's no dew
From eden, trees have long now gone
Beneath a hollow full of honey
As absaloms, we dream alone.

Past sailors, cast away by seas,
Same seas which in the sky we feel
But still, with patience, we keep waiting
While wearing heavy crowns of steel.

coletul

El mi-a fost colet de școală
Locuia în casă de poștaș
Nu-mproșca salivă ci vorbea cerneală
Și pășea ștampile ziua prin oraș

Și-avea telegrame în privirea-i udă

Și un umăr celălalt ținea la piept
Noi îl căsăpirăm c-o privire crudă
Ca un laser tandru care-i merse drept
Și ploua în centru de rupeau castanii
Noi umblam în urbe braț la braț cu Dracu
S-a albit la plete una mișto, Ani
Când el spuse tandru:
Nu puneți capacu'?

the parcel

He was my schoolmate, a parcel I think,
living safely in a postman's house
Didn't spit saliva but was speaking ink
And throughout the city, he was stepping stamps

While his gaze was dripping telegrams each morning
Leaning on his shoulder, or his other chest
And we butchered him with our glare, so burning
Like a tender laser, perfect in its quest.

Now the rain was heavy, chestnut trees were breaking
And in town, we walked with Satan for a quid,
While hot Annie's hair turned white as she was shaking
When he kindly asked us:
Won't you close that lid?

Adrian Popescu (1947)

floare de ger

Floare de ger strălucind în fereastră,
Chipul tău mort înflorind pe geam,
Dintr-o noapte mult mai albastră
În care însămi de gheață eram.

Floare de ger înfrigurată,
Venită din crânguri albe, cereşti,
De flacăra palmelor mele întinsă
Să nu te apropii, să nu te topeşti.

Floare de ger, fără mireasmă,
Fără tulpină, fără pământ,
În nouri de-a pururi să fii mireasă,
Silabă dintr-un mult mai fraged cuvânt...

Floare din cer, îți este iarnă,
Floare din cer, mie mi-e toamnă.
Cum viscoleşte, ce dulce larmă!
Să ne despartă poate se îndeamnă.

Floare de ger bătând în fereastră,
Chipul tău blând luminând în geam,
Dintr-o ninsoare mult mai albastră
Unde însămi peste lume ningeam.

flower of frost

Flower of frost, shining bright on my window,
Your image blooms lifeless on the glassy slice,
Born from a blue night, cold on my pillow,
In which I, too, was transformed into ice.

Flower of frost, shivering, wintry,
Reaching from a white and heavenly grove,
Pray don't come near my outstretched fingers,
Else you might thaw, and might melt on their stove.

Flower of frost, without a fragrance,
Without a stem, and without any clay,
May you forever be a bride through the darkness,
A word or a syllable, tender, astray.

Flower from heaven, you belong in winter,
Flower from heaven, I belong in autumn.
You hear the blizzard, how sweet its clamor!
Urging to part us, to have us forgotten.

Flower of frost, knocking faint at my window,
Your image shines gently on the glassy slice,
Risen from a snowfall bluer than sapphires,
In which I, too, was snowing with ice.

arsura

Carnea mea toată este o lumânare
Dar eu sunt flacără într-un cer străveziu,
Ca păsările, mort
Voi cântări mai greu decât viu.

Ochiul arzând se hrănește din ceară
Și face un strop de rouă fierbinte
Odată am știut să zbor, odată,
Dovadă n-am, dar îmi aduc aminte.

Trupul meu tot e o lumânare
După ce se va fi scurs tot în țărână
Și flacăra se va topi în albastru,
Veți mai simți o arsură pe mână.

burn

The flesh on my body is all a candle,
I'm a flame in the limpid sky above,
And like the birds, dead
I shall weigh heavier than alive.

The burning eye is feeding on the wax
And it begets a drop of scalding dew
One time I knew how to fly, one time,
I've no proof, but I recall it's true.

My entire body is now a candle
For after it will drain in the dirt of the land
And its flame will melt down into blue,
You will still feel a burn on your hand.

toți bărbații

Toți bărbații
Care au trecut prin inima mea –
Unii în fugă,
Alții reținându-se îndelung –
Ar putea şi azi să mai revină
Cel puțin
Pe frunte să lase un sărut.
Toți bărbații
Din vina cărora
Inima mi-e palidă deseori
Ar putea să intre
În una din pagini
Cu ocazia acestei sărbători.
Ar putea să recunoască măcar unul
Că în umbra mea i-a fost comod
(Şi un sfat a reținut precis),
Şi apoi să-şi ia în mâini destinul
Prins la pieptul meu
Precum un bold.

Toți bărbații...
Aş dori, chiar toți –
Unii tineri, veseli,
Alții deja morți...
Să mă ierte, când nebună cer –
Stropul meu de aer,
Palma mea de cer.

all men

All men
Who passed through my heart
Some rushing,
Others lingering for a while –
Could return today, even,
At least
To leave a kiss on my forehead.
All men
Because of whom
My heart is often pale
Could enter
On one of these pages
On the occasion of this celebration.
Maybe even one of them could admit
That my shadow was comfortable for him
(And he, at last, learned something, for sure),
And then he could take his destiny in his hands
Fastened to my breast
Like a safety pin.

All men,
I want all those I've had,
Some young and joyful,
Some already dead...
To forgive me when, madly, I cry
For my droplet of air,
For my handful of the sky.

Dinu Flămând (1947)

iar singura vizibilitate a timpului

iar singura vizibilitate a timpului era vântul
prin ramurile de afară

aducea uneori cu degete de copil
zgomotul râului
dinspre arini

treceau cu fulgii lor șoptiți norii
pe chipul adolescentin al mamei

i se dăruise maternitatea
ca din senin ninsoarea

trei portocale palpitau la fereastră
în frigul intermediar

o nouă inocență era posibilă

iar în vreme ce amintirea își alăpta uitarea
viața continua

and the only visibility of time

and the only visibility of time was the wind
through the branches outside

bringing, sometimes, with the fingers of a child,
the rumble of the river
down from the alders

the clouds passed with whispering flakes
on the adolescent figure of the mother

to her, maternity was gifted,
like, out of the blue, the snowing

three oranges were quivering by the window
in the intermediary cold

a new innocence was possible

and while the remembering was suckling its forgetfulness
life continued

menuet
dedicat lui Dan Andrei Aldea

Diseară e bal în salonul oval.
pune-ți condurii, Cenușăreasă,
și crinoline roze de mătasă.
prințese de aur vor ține parada,
cavaleri în armuri vor duce bravada.

orchestra întreagă îmbrăcată-n firet
ne va invita la un cald menuet.
priviri de safir îți voi oferi
când dansul cu grație vom dănțui.

Parfumuri discrete, dantele cochete
pluti-vor prin aerul cald de la bal
diseară târziu, în salonul oval.

Și-n scurt timp apoi, după miezul de noapte,
Când muzica dulce ne leagănă-n șoapte,
Tu nu vei fugi cum povestea o spune
Căci smoala pe scări am uitat a o pune.

Mai stai deci iubito, Cenușăreaso,
Acuma, când mâna mea ar cam vrea
S-o cuprindă pe-a ta într-un gest de amor
și condurul observ ți-a rămas în picior.

Acuma când luna cu raze oliv
Ne privește duios prin vitraliul ogiv
Cum plângem orchestra deja moartă în stal
O ce trist e acest bal
Din salonul oval!

minuet
dedicated to Dan Andrei Aldea

Tonight there's a ball in the oval saloon
slip on your dancing shoes my Cinderella
with pink crinoline and a silky umbrella,
for queens made of gold will line up your parade
and knights in white armor will provide your arcade

the orchestra, laced in a silvery net,
will tempt us to dance a sweet minuet,
as with sapphire glances, I'll be dazzling you
when, with grace, our dance we'd be starting anew.

With perfumes discrete and with laces replete
you sail through the warmth of the air in full moon
tonight, at the ball, in the oval saloon.

and shortly thereafter, in the dead of the night,
when soft music sways us in whispered delight,
you won't run away as the fairy tales swears,
since I failed to spread the pitch on the stairs

so linger a while, Cinderella my love,
as my hand, seeking yours touches your glove,
to take it and kiss it in an amorous chase
for I see the glass slipper on your foot full of grace

in the end, the moon with a faint olive ray
beholds through stained windows this tender display
while we're mourning the orchestra, dead, with no tune.
Oh how sad is this ball
in the oval saloon!

nu cadavrul înlănțuit

Nu cadavrul înlănțuit al iepurelui mă fascinează zice leopardul
alergând în urma unei camionete
din care e filmat
visul meu e carabinierul cu părul roșu.
Visul meu e tigrul bengal zice tigrul bengal.
Visul meu e
Iacob zice îngerul.
Visul meu zice o pată de ulei e că umblu precum natriul magilor
pe mare.
Visul meu zice
Pământul e că sunt ciuruit de cosmice amnare și ca porii mei
sunt miliarde de gropi cu lei.
Visul meu prenatal
zice o minusculă sferă cu glasul ei grav e că sunt într-o sferă care
mă alăptează
cu lapte transparent și concav.
Visul meu e tigrul bengal
zice tigrul bengal.
Visul meu e
Iacob
zice îngerul.
Nu cadavrul înlănțuit al iepurelui mă fascinează
zice leopardul
visul meu e carabinierul cu părul roșu.

not the chained corpse

It's not the chained corpse of the little rabbit that fascinates me
says the leopard running behind a pickup truck
from which he was being filmed
my dream is the red-headed carabineer.
My dream is the Bengal tiger says the Bengal tiger.
My dream is
Jacob says the angel.
My dream, says the stain of oil is to walk like the natrium of the magi onto the sea.
My dream says
the Earth is that I am pierced through by cosmic guns and that my pores are billions of lions dens.
My prenatal dream
says a minuscule sphere with her grave voice is that I am
within a sphere which nurses me
with milk transparent and concave.
My dream is the tiger of Bengal
says the tiger of Bengal.
My dream is
Jacob
says the angel.
It's not the chained corpse of the little rabbit that fascinates me
says the leopard
my dream is the red-headed carabineer.

Gabriela Schuster (1948)

de bătrânețe

de ce rămân bătrânii singuri
de ce ochii lor gura lor
uşa lor
se închid cu băgare de seamă
se acoperă de o ceață pe care
poți să o tai cu cuțitul
o îndepărtezi bucată cu bucată
nenorocita creşte la loc
mai densă mai eficientă
decât speranța de viață
bătrânii rămân singuri
pentru că îşi pierd cuvintele
le regăsesc cu greu
într-un alfabet analfabet
într-o limbă nearticulată
bătrânii stau cu ochii închişi
pentru că frumusețea doare
şi trebuie lăsată în urmă
bătrânii rămân singuri
într-o carapace de linişte
ca o grădină peste care noaptea
a nins un munte de zăpadă

of old age

why do old people remain alone
why are their eyes their mouth
their door closing carefully
and they are covered with a fog
which you can cut with a knife
you remove it piece by piece
but the cursed thing grows back
more dense and efficient
than life expectancy
old people remain alone
because they lose their words
and find them with difficulty
in an illiterate alphabet
in an unarticulated language
the old folk keep their eyes closed
because beauty hurts
and needs to be left behind
the old folk remain alone
in a shell made of silence
like a garden upon which the night
snowed a mountain of snow.

Zorin Diaconescu (1948)

liniștea dintre cuvinte

Oamenii se împart în cei care mănâncă telemea
și cei care au telemea
întrebarea este dacă fără telemea
toți vor rămâne la fel de flămânzi?

Oaia este un personaj secundar
în această poveste
în care vom condamna ciobani,
vom vinde oi
sau vom reglementa piața produselor lactate

Miorița nu e pregătită de promovare
ce să caute o oaie pe la televiziuni?
... simbolul nostru prin tradiție, tuns,
biată făptură fără de partid
doar

liniștea dintre cuvinte amintește
cântecul din fluier

the silence between words

People are divided between those who eat telemea*
and those who have telemea
the question is whether everyone will be just as hungry
without telemea?

The sheep is a secondary character
in this story
in which we will condemn shepherds
we will sell sheep
or we'll regulate the market for dairy products

Miorița** is not ready for promotion
What business has a sheep with television programs?
... our symbol, traditionally shorn,
poor creature, with no political party
only

the silence between words reminds us
of the shepherd's flute song.

* a family of cheeses particular to Romania, akin to Greek feta – made of sheep, goat or cow milk.
** Miorița – "The little ewe" -reference to the magical talking character in the popular anonymous ballad of the same name, the first poem in this volume

Iulian Filip (1948)

de ce mă doare inima?

Domnul Dumnezeu
s-a ascuns în ochiul meu
şi mă-ndreaptă să văd
partea frumoasă
a lumii,
a lucrurilor.
Dar mai am un ochi –
cine se cuibăreşte
pe-acolo
şi ce mă-ndreaptă
să văd?
Domnul Dumnezeu
s-a ascuns
într-o ureche de-a mea
şi mă îndreaptă
să aud
doar lucrurile frumoase.
Dar mai am
o ureche...
Domnul Dumnezeu
s-a ascuns în inima mea,
dar inima-i numai una
şi careva
îşi mai face loc
lângă Domnul,
înghesuindu-l.
Sărmană inima mea...

why is my heart hurting?

The Lord God
hid inside my eye
and directed me to see
the beautiful side
of the world,
of things.
But I possess another eye –
who nests
in there
and what do they direct me
to see?
The Lord God
hid
inside one of my ears
and directs me
to hear
only beautiful things.
But I still have
another ear...
The Lord God
hid inside my heart,
but the heart, there's only one,
and someone
squeezes inside it
near the Lord,
crowding Him.
Poor heart of mine...

Adrian Munteanu (1948)

sonetul clipei

Scriu un sonet. Deplină amăgire
Că prin canon mai liber mă voi face.
Dar sunt ce vreau, ce ştiu şi ce îmi place,
Modest cârpaci de vorbe şi iubire.

Un gând buimac într-un ungher îmi zace
Şi nu-i găsesc firava limpezire.
Mă prinde-n gestul lui de-mpotrivire
Şi mă aruncă-n lumile opace.

Trec voci cerşind cărarea neumblată,
Dar altele, urlând, ademenesc
Cu zarea lor etern împurpurată.

Când verbe-n cuget tainic mă sfinţesc,
Nu-mi amintesc de mine niciodată.
E semn profund că-ncep să mă trezesc.

a moment's sonnet

I write a sonnet. Consummate delusion
That through some canon I shall freely strive.
I am my wish, my knowing, and my drive,
A modest cobbler scribing love's conclusion.

In some dark corner, dizzy lies my thought
And I can't find its frail elucidation.
I'm stuck inside its contrary fixation
And into murky worlds, I'm thrown and caught.

Imploring voices beg for pathless trails
But others howl, stand ready to seduce
With purple vistas like in grand old tales.

When sanctified by secret verbs, I'm aching
Of me, I don't remember, empty scales.
Profound manifestation that I'm waking.

ADRIAN MUNTEANU (1948)

spune-mi, iubito, unde-ţi e popasul?

Spune-mi, iubito, unde-ţi e popasul?
În cuib zănatec, în amurg de ceară?
Unde-ţi aşezi piciorul să nu piară
Urma fierbinte ce-mi ucide ceasul?

Cum ai învins râvnirile de fiară
Ce-au despicat pădurile cu pasul,
Ca să-mi aplec genunchii, să-mi fac masul
La umbra coapsei tale de fecioară?

Lasă-ţi coroana-n iarba sângerie,
Bea din potirul brumelor nectar
Şi din căuş de patimi apă vie,

Arde-ţi veşmântul pe năvalnic jar,
Să te zidesc curată-n temelie,
Aceeaşi Ană, pe un nou altar.

tell me my darling where is your repose?

Tell me my darling where is your repose?
In harebrained nests, by waxing evening tide?
Where do you set your feet, so they abide
The searing traces in their deathly throes?

How did you keep in check your savage cry
Which cleaves through forests, softly in its stride,
So that I kneel anew and lie beside
The deep, sweet, shadow of your maiden thigh?

Put down your crown onto the blood-red grass,
Go drink sweet nectar from the frosted grail;
Past ardent lips let living water pass,

Burn up your raiment in a fiery gale,
For you are pure, and I shall say a mass,
Your beauty on this altar to unveil.

Nicolae Dabija (1948)

vârstă de trecere

Am, Doamne, treizeci şi trei de ani
şi-s numai bun de răstignit,
şi-s numai bun de pus pe crucea
poemului desăvârşit;

poemului care-ar putea
cu-o clipă iarna s-o amâne.
Sunt pedepsit azi pentru-o gafă
pe care o voi face-o mâine.

Revolta sângelui din mine
se domoleşte în părinți.
Dar unde-i Iuda să mă vândă
pentru cei treizeci de arginți?!

Se-ntinde-amurgul peste ziduri
precum un muşchi trandafiriu;
când moartea-mi face blând cu ochiul,
eu mai învăț să fiu, să fiu...

intermediary age

I'm thirty-three years old, my Lord,
for crucifixion ripe and wise,
accomplished on this cross to hang,
on which the perfect verses rise;

this poem, which so simply could
the winter for a spell defer.
I'm castigated for a blunder
which only later I'll incur.

Rebellion of this blood of mine,
it softens in my parents' vein.
But where is Judas to betray me
for thirty silver coins to gain?!

The dusk is spreading over walls,
a rosy moss, grown in some spree;
as death is near and gently winks,
I'm learning still to be, to be...

Dumitru Băluță (1948)

nimic altceva

Galbene frunze ca păsări înfrânte
nevinovate –

toamna, pe Prut, a învins
asemeni bătrânei din 'optsutedoişpe,
care nu mai ştie bine
cum s-a născut, unde şi când a murit.

Iar aduce a iarnă,
oameni de pământ şi grâne
tresar, răvăşiți –
nordice duhuri de veghe-s
să nu fugă Moldova-n Moldova.

Şi se întreabă toamna, şi moartea: de ce,
Doamne, pe-aicea
nimic altceva nu se întâmplă decât
schimbarea la față a anotimpului?...

nothing else

Yellow leaves, like defeated birds,
innocent –

the autumn, on the Prut* river, has triumphed
such as the old woman from eighteen twelve,
who isn't so sure anymore
how she was born, where and when she died.

And again it seems like winter,
people made of mud and grains
startled, bewildered –
northern ghosts are keeping watch
to stop the running of Moldova back into Moldova.

And the autumn and death keep asking:
why, Lord, around here
nothing else is happening, save for
the transfiguration of the season?...

* Prut = a river forming today's border between Romania and the Republic of Moldova

Ion Zubaşcu (1948-2011)

balada morăriței din Dragomirești

„Pornind de la concluzia că fugarii pot fi apropiați în modul cel mai sigur prin membrii de familie sau prin alte persoane care îi alimentează, am recrutat ca informator de valoare pe dr. Ț.V., fost episocop greco-catolic din Dragomirești, care este în legături intime cu soția fugarului Petrovan Dumitru."
ACNSAS, fond Penal, dosar nr. 64432, vol. 3, pag. 50-52

au intrat noaptea în casă peste soția fugarului Petrovan Dumitru-
morărița
cu moara peste Baicu sub Șes lângă un drum ce urcă pe Dumbravă ei
dădeau buzna în casele oamenilor numai după miezul nopții
în hainele lor negre de piele în uniforme înarmați cu pistoale și puști
Gasie din moară a sărit pe întuneric din pat în cămașa ei albă de
cânepă cu poale
a aprins lampa și când s-a trezit în fața lor fără nicio apărare și-a luat
instinctiv în brațe coconul lângă care dormea
și atunci copilul de câteva luni nu împlinise încă un an
s-a pus pe un plâns ca din gură de șarpe simțea spaima de moarte
a mamei
și nu l-a mai putut opri nici laptele cald de care nu a vrut să se
apropie
deși mustea abundent prin cămașa femeii
un securist s-a înfuriat rău de țipetele copilului l-a apucat de picioare
și l-a trântit cu capul de perete în fața mamei cu sânul încă dezgolit
copilul a încetat brusc din plâns dar când morărița l-a ridicat de jos

ballad of the miller's wife from Dragomirești

"Starting with the conclusion that the fugitives can be appropriated in the most reliable way through family members or other people who provide them with food, we recruited as a valuable informant dr.Ț.V., former Greek-Catholic (United) Church bishop from Dragomirești, who is in an intimate relationship with the wife of fugitive Petrovan Dumitru."
ACNSAS, Penal case, dossier no.64432, vol. 3, pp. 50-52

they entered the house at night upon the wife of fugitive Petrovan Dumitru,
the miller's wife
the one with the mill over Baicu in the Fields near the road that climbs to The Grove they were bursting into people's homes only after midnight
in their black leather uniforms armed with pistols and guns
Gasie from the mill jumped up in the dark in her white long shirt made of hemp
she turned the gas-lamp on and when she found herself before them defenseless
she instinctively picked the baby up in her arms that was sleeping beside her
and then the baby who was a few months old not yet a year
started to scream like crazy he was feeling the deadly terror of the mother
and nothing could stop him not even the warm milk which he did not want to touch
even though it was flowing abundantly through the woman's shirt
a securist got badly enraged by the screams of the child and picked him up by his legs
smashing his head against the wall in front of the mother with her breast still laid bare
the child suddenly stopped crying but when the miller's wife picked him up from the floor

nu mai respira s-au speriat și ei au urcat-o cu pruncul în mașină
și au dus-o la doctorul din Rozavlea cel din Dragomirești era arestat
omul s-a sculat din pat și când a văzut copilul
a început să urle și el la femeie: Ești nebună? Îmi aduci un copil mort?
Tu nu vezi că-i mort, femeie? Securiștii s-au urcat în mașini și-au plecat
după ce au înconjurat-o pe morărița cu armele-ntinse
au amenințat-o să nu spună nimănui nimic și i-au poruncit
să nu se întoarcă pe drum spre Dragomirești ci pe prunduri
zorii zilei au prins-o pe femeie cu copilul rece în brațe
încălzindu-l doar cu lacrimile ei neputincioase de mamă
venind desculță pe cărările Izei în sus 15 km până la Dragomirești
și cântându-l mortește l-a îngropat în noaptea următoare pe ascuns
și n-a știut decât Dumnezeu de ce s-a mai născut și coconul acela

he was not breathing they got frightened and got her and the child in the car
and took her to the doctor in Rozavlea the one in Dragomirești was
under arrest
the man got out of bed and when he saw the child
he started to scream at the woman too: Are you crazy? You bring me a
dead child?
Don't you see he's dead, woman? The securiști* got in the car and left
after they surrounded the miller's wife with their guns pointed at her
they threatened her not to tell anybody anything and they ordered her
not to return on the road to Dragomirești but to walk on the gravel path
sunrise caught the woman with the cold child in her arms
warming him up only with the useless tears of a mother walking barefoot
on the paths of Iza 15 km up to Dragomirești
and singing deathly songs she buried him the following night in secret
and only God knew why that baby was even born

* securist, pl. securiști – name given, in private, by the Romanian population to the members of the dreaded Securitate, the secret police during the reign of the Communist regime

diptic – Lolita 1/17

...Vârcolacul era visător şi vrăjitor neam de magi
pe când soarele purpuriu al Sinaiului în asfinţit
astrul dorinţelor şi perseverenţei (din astea două se şi compune
lumea!) renunţă să mai coboare
pornind din nou să urce cât mai sus – anume acolo
în predestinatu-i apus
în timp ce în perindare de balcoane baroco de Maroc(o)
sibariţii în perindare de vieţi ridicau pocale
(pardon: pahare cu ceai!)
pentru trecuta şi viitoarea mie şi una de nopţi;
pe când
eu eram concesiv ca Adam la prealabila trecere în revistă
a istoriei Asiei Mijlocii
fixată de memoria lumii ca încropire de miraje
inclusiv din celebra grădină fructiferă ce
i-a dat lumii necurmata mare bătaie de cap – şi
mai avea să dureze atât de multă vreme post-biblică
până la orice tentativă de urzeală tainică întru
deconspirarea gândirii
dar mai ales a omului cu toate ale lui – Aleluia! –
ca un eşec al filosofiei recunoscut de el însuşi
în otova lunecare de sensuri pe vectorii rozei vântului
şi ai Rozei Trahtenberg – o anonimă
ce continuă să repete aproape eminescian:
filosofie – nebunie.

diptych – Lolita 1/17

... The werewolf was a dreamer and sorcerer kin of the magi while Sinai's crimson sun in the twilight
the star of desire and perseverance (from these two the world is composed, even!) forgoes descending
and starts to climb higher and higher – specifically to its predestined sunset
while in a succession of balconies, rococo of Morocco the sybarites' successions of lives were lifting goblets
(I beg your pardon: glasses with tea!)
for the past and future one thousand and one nights;
all the while
I was conceding, like Adam, antecedent to the review of
the history of Middle Asia
fixed in the world's memory like a scraping together of mirages
inclusive of the famous fruit garden which
gave the world its ongoing headache – and
it would take a considerable amount of post-biblical time until
every attempt of mysterious connivance for
de-conspiring of thinking
but mostly of man and everything that's his – Hallelujah! – like
a failure of philosophy recognized by himself in
the humdrum sliding of senses on the wind rose vectors
and of Rosa Trahtenberg – an anonym
who continues to repeat in an almost Eminescian* fashion:
philosophy – insanity.

* *Eminescian* – in the manner of Eminescu, Romania's national poet.

destinul iubitorilor de neam – fratelui Grigore

E Paştele Blajinilor, Grigore,
Un Paşte ca şi tine de blajin,
Iar viaţa-mi nu-i pe zile, e pe ore
Şi mor, şi-nviu, şi nu-i mai mare chin.

Cât de frumoasă-i astă primăvară
Şi o privesc prin geam cu mult regret,
Iar viaţa mi se-mprăştie fugară –
În lume e străin orice poet.

Străini suntem şi noi ce nu o dată
Am apărat românii de străini,
Şi-acum ni se întoarce drept răsplată
Înjurătura fraţilor români.

Ne urlă dintr-o sete de putere,
Pe noi, ce libertate am dorit,
Pe noi, ce-am stat printre mitraliere
Şi din maşini aprinse am ţâşnit.

Pe noi ne-njură, Grig, cum naiba iese,
Când hăituiţi şi ierni, şi primăveri,
Nu-am fost pentru-un partid cu interese,
Ci pentru interesul unei ţări?

*the destiny of those who love their nation — to brother Grigore**

Our Easter's here, Grigore, of the meek,
An Easter just as gentle as you are
And in my life, not days, but hours I seek
To die, to resurrect, most painful scar.

How beautiful and gentle is this spring
I do regret it, in some corner curled
My life has scattered wildly, like a fling –
A stranger's every poet in this world.

They call us strangers; us, who not just once
Romanians against strangers have defended,
But now we are rewarded like some dunce;
In brothers' curse, despicable we've ended.

They howl from a satanic thirst for power,
They cuss us, who for liberty have yearned
And who against machine-guns did not cower
But jumped out from exploding cars that burned.

They cursed us Grig, for how the hell we're found
Pursued in winter or in spring, like game,
We're not to parties or to interests bound,
But to the country and its godly flame.

---

* Leonida Lari dedicates this poem to Grigore Vieru, fellow poet and kindred soul in the struggle for the rights of the Romanian population in the Republic of Moldova

Cum iese, frate, mintea mi se-nmoaie
De la aceste mreje diavoleşti,
La Chişinău, noi – calul de bătaie
Şi iarăşi noi bătuţi – la Bucureşti?

Păi, iese, frate, iese la-ndemâna
Unor vânduţi, uitaţi de Dumnezeu,
Se pare, ne lucrează-aceeaşi mână
La Bucureşti, ca şi la Chişinău.

Aceeaşi mână şi pe-aceleaşi coale
De ziar cu spectru antiromânist,
Ce vine dinspre Internaţionale
Şi îl aduce-n lume pe-Anticrist.

E Paştele Blajinilor, e casta
Cinstire-a celor morţi, chiar şi străini,
Cât de frumoasă-i primăvara asta,
În care am fi fost printre blajini!

Da, am fi fost şi-n parc, şi-n străzi, şi-n piaţă,
Făcuţi, precum mulţimea, mototol,
De câte ori văzut-am moartea-n faţă,
În jurul nostru se crea un gol.

Un gol, un vid cumplit de apărare,
Deschis de undeva dinspre Arhei,
Un cerc ciudat, o aură, o stare,
De parcă salvatoare de idei.

...Ard lumânări de Paşte pe sihastre
Morminte unde Nistru curge-atent,
Unde e floarea naţiunii noastre
Trimisă-n luptă fără armament.

Tell me, my brother, for my mind does weaken
From all these devilish nets without a rest,
In Chişinău we're spat on, scoffed and beaten,
And beaten once again in Bucharest?

It's clear my brother, perfect sense it makes,
These God-forsaken traitors stoop so low,
For the same hand is mixed in all the scrapes
In Bucharest, as well as in Chişinău.

The same hand writes their lies in the same papers
Anti-Romanians all, an evil heist,
We're international, they say, the traitors
Who bring into this world the Antichrist.

The Easter of the meek is here, and pure
Respect is paid to dead ones, strangers too,
How beautiful this spring is, how demure
In which among the meek we'd be anew!

We'd walk through parks, streets, markets, in disguise
Becoming like the mob, crumpled and torn,
How often we've faced death, gazed in its eyes,
While around us an empty space would form.

An emptiness, a vacuum for defense,
Began somewhere from the Arhei direction,
A strange old wheel, a guise, a mood intense
Which seems to save ideas, build protection.

... Bright Easter candles burn a lonely light
On lonely graves at Dniester's craggy shore
Where dead lay our country's best and bright,
Sent without weapons in a bloody war.

Trimişi într-un război de mântuială,
Ce n-avu sens să fie declanşat,
Sângele nevărsat în capitală
La margine de Nistru s-a vărsat.

Frate Grigore, mi se face pară
În suflet şi mă ia un foc buiac,
Pe când mureau băieţii pentru ţară,
Ţarii trăgeau la vodcă şi coniac.

Şi mai râdeau, şi mai făceau şi bancuri,
Având de gardă câte-un ienicer,
Când oase de copii trosneau sub tancuri,
Când sângele striga până la cer!

Mi s-a scârbit de-această lume, frate,
Deşi de sus e-al apărării cerc,
Unii se luptă pentru libertate,
Iar alţii pentru-un ieftin feerverc.

E Paştele Blajinilor, Grigore,
Şi moarte n-am, şi viaţă tot nu am –
Şi nu trăim pe zile, ci pe ore
Destinul iubitorilor de neam.

They have been sent into this slipshod war,
Mindlessly started without any goal,
The capital was spared the blood and gore,
Which paid on Dniester's bank a crimson toll.

Brother Grigore, I'm ablaze in pain,
My soul's a rage with a demented fire,
For while our young were for the country slain,
The tzars for rum and vodka would retire.

They would laugh loud, some silly joke they'd quack,
And janissaries over them would guard,
When children's bones under the tanks would crack,
Their blood, to heaven, groans and cries bombard!

I am repulsed by this old world, my brother,
Which even heaven's circle can't defend,
For one would fight for freedom; while another
Will always choose an easy, worthless, trend.

Our Easter's here, Grigore, of the meek,
And death I lack, and life is not my station –
Our lives do not for days, but hours seek
The destiny of those who love their nation.

undeva la Veneția

Am visat că sunt la Veneția
Că am iar 20 de ani
și fulgerul mi-e frate.

Pe eșarfa mea ciudate semne
picta o mână din ceruri.
Părul meu mirosea a mandarine
sânii a lămâi abia coapte.
Iar eu locuiam într-un mic hotel cu firma ștearsă.

Pe chei te așteptam în zori.
Erai negustorul de perle și smirnă.
Buzele tale aveau mireasma merelor ținute în fân,
obrajii purtau sarea lacrimilor amestecată
cu mări și oceane.

Veneai întotdeauna în luna mai,
după un an sau doi sau trei de absență.
Iar eu te întrebam același lucru:
„Unde ai întârziat două ore?"

Gondola cu care mă plimbai
o umpleai cu azalee, cu frezii și cu păsări roșii și albastre
cu trupurile noastre îmbătate de iubire.
Cu suprema senzualitate a stelelor din cerul gurii noastre.

somewhere in Venice

I dreamt I was in Venice.
That I was 20 again
and lightning was my brother.

On my scarf, strange signs
a heavenly hand was painting.
My hair had the scent of mandarins
my breasts smelled like just-ripened lemons.
And I was staying at a small hotel with a faded sign.

On the wharf at dawn, I was waiting for you.
You were the merchant of pearls and myrrh.
Your lips had the scent of apples stored in hay,
your cheeks were wearing the salt of tears mixed
with seas and oceans.

You were always arriving in arriving in May
after one, two or three years of absence.
And I kept asking you always the same thing:
"Where have you been for the last two hours?"

The gondola in which you took me for a paddle
you were piling with azaleas, with freesias and with birds red and blue
with our bodies drunk with love.
With the supreme sensuality of the stars from our palate.

Liliana Ursu (1949)

Nu spuneai niciodată nimic.
Și astfel călătoriile tale îmi țineau loc de cuvinte
și uneori chiar de viață.

Când plecai mă întorceam în mica mea cameră venețiană.
Jucam singură șah,
pictam lungi eșarfe
cu semne din ce în ce mai complicate.
Iar seara în mica sobă din faianță albă
ardeam lungi scrisori.

You never said anything.
And so your journeys were replacing words, for me
and sometimes even life.

Whenever you left, I would return to my small Venetian room.
I would play chess all by myself
would paint long scarves
with more and more complicated patterns.
And in the evening, in the small white ceramic fireplace
I would burn long letters.

Angela Mamier Nache (1949)

bis repetita

Ani «supe, ciorbe, cărucioare»
Vase spălate, salarii,
Curățenii generale,
Cumințenie câştigată din mers
La întâmplare,
Ani de adorație oarbă,
De credulitate,
Ani de şorțuri în jurul taliei,
De ciorapi rupți,
Sub rochii melancolice,
Ani ca muguri în floare, palizi
Și trădări
Ani îndurerați pe viață, pe moarte,
Vise roz, speranțe îmbujorate,
Ani înaripați şi nestăviliți,
Înveliți în dragoste...
Toate acestea au dispărut
Vociferând,
Hohotele de damă
Au golit inima,
De sângele-i vorbitor,
Palpitant

encore repetition

Years of "soups, broths, prams"
washed dishes, salaries,
general cleanings,
wisdom gained on the run
randomly
Years of blind adoration
of credulity
Years of aprons around the waist,
of torn stockings
under melancholy dresses,
Years like flower buds, pale
and of betrayals
Years full of the pain of life, of death,
rosy dreams hopes aglow,
inspired and unstoppable years
covered in love...
All of these have disappeared
remonstrating,
Ladies' squeals of laughter
Have emptied the heart
Of its speaking blood
Palpitating

ghinion

Am spart o farfurie,
Întâmplător,
Că n-am făcut-o intenționat.
Cu toții din casă ne-am uitat la ea,
De parcă ne-ar fi speriat cineva, ceva.
Era o farfurie dintr-un set de veselă,
O simplă farfurie.
Eu am luat apă în gură,
Feciorul: – Vezi, nu numai eu stric.
Soția: – Fii mai atent!
Mama: – E un semn bun, vei fi fericit...
O simplă farfurie,
O simplă farfurie spartă
Şi câtă bătaie de cap.
O farfurie şi trei opinii...

bad luck

I broke a plate,
By chance,
Hey, I didn't do it intentionally.
Everybody in the house looked at it,
As if someone, or something, frightened us.
It was a plate from a dinner set,
A simple plate.
I took some water in my mouth,
My son: – See, it is not just me who's clumsy.
My wife: – Be more careful.
My mother: – This is a good omen, you will be happy...
A simple plate,
A simple plate, broken
And what a big headache
A plate and three opinions...

ludică

Mai sunt câteva instincte care nu-ncap în computer,
Câteva sentimente necodificate.
Sufletul umblă prin trup ilicit
Ca un râu fără margini trasate.

Cineva vinde sub preţ un gram de speranţă.
Noi privim sceptici din mijlocul Marelui Târg.
Până şi sfinţii sunt chibzuiţi şi-şi mănâncă
Haloul din frunte, cu sârg.

Taurul vine şi acum în arenă
Dintr-un timp ireal ca un mit.
Hai să-l lovim cu-n fascicul de laser
Sau cu un atom obosit.

Cine se mai aruncă azi în groapa cu lei?
Cine mai are timp de un gest anacronic?
Cine să mai consume mireasmă de tei
În veacul precis şi ironic?

Tu zâmbeşti programat, între două şedinţe,
Între două infarcturi răspunzi la apel
Şi-ţi ascunzi cu grijă în cutele cărnii
Un instinct demodat şi rebel.

ludic

There are some instincts left, too large for a computer
There are some feelings left uncodified.
The soul yearns after an illicit body
Such as a stream with banks unedified.

At a discount price, they sell one gram of hope,
While skeptically we're watching from the Square
Where prudent saints methodically consume
Their halos with determined flair.

The bull returns once more to the arena
From ancient times, charmed, mythical, unreal.
Let's hit him with a laser beam this evening
Or with a tired atom's wheel.

Who, these days, for the lion's den is meant?
Who wastes their time on gestures anachronic?
Who still consumes the linden flower's scent
In this age precise and ironic?

You smile as if encoded between meetings,
Between two heart attacks, your roll calls fit
And hide with care between your folds of flesh
An instinct, insolent and obsolete.

Daniela Crăsnaru (1950)

Un grafic ciudat te invită metodic
Să fii totuşi om, dar să nu ai vreo vină,
De aceea ți s-a programat, anul ăsta, în gând
Un minut de tandrețe adulterină.

Dar eu spăl când am chef podelele-n Eden,
Doar viața mea clocoteşte sub sceptrul ludic
Cum clocoteşte seva prin cămara vocalelor
Unui cuvânt suculent şi impudic.

Bizarre, a chart methodically invites you,
While staying human, guiltless to remain.
That's why this year your thought permits one minute
Of tenderness adulterine again.

When in the mood, in Eden I scrub floors,
My life's ablaze beneath a ludic scepter,
Deep, under boiling, cellared vowels which are,
For succulent and lewd words, the receptor.

Cassian Maria Spiridon (1950)

întoarcerea tatălui

1. Tata prin mlaștini
alearga
cu calul
mult prea greu
pentru spatele lui
atât de bătrân
îmi vine a râde
prin mlaștina mare
alearga singur
bătrânul ologul
eu sunt departe
să vă fie rușine
râdeți cântați
veseliți-vă frați
se-ntoarce din risipire
Tatăl vostru
pe care am să-l tai
pentru ospățul cel mare
2. Tatăl meu bolnav
galben țepos
poartă pașii prin smârcuri
nu mă-nțelege
nu-l înțeleg
– s-a făcut noapte
sau nu s-a făcut –

the return of the father

1. My father was
running through swamplands
with the horse
much too heavy
for his back
so old
I cannot help but laugh
through the big swamp
the old lame man
runs alone
I am far away
shame on you
you laugh, you sing
be merry brothers
your father is returning
from prodigality
and I will kill him
for the great feast
2. My sick father
yellow spiky
carries his steps through the mire
he doesn't understand me
I do not understand him
– is it night already
or is it not –

DOINA URICARIU (1950)

o coardă

Ai o singură coardă peste care sari,
Sfoara desenează deasupra capului linia unui tabernacul
Și când o încaleci perfect desenează sub tălpile tale un tabernacul
Poți să te lauzi,
Să-i iei la zor
Pe faraonii înțepeniți în morminte
Și ce dacă, și ce dacă
Vă lăudați cu granitul
Nu mai săriți din moarte în viață,
Sprintene tălpi
Scalpul în zbor ca vârful săgeții
Cu unghia o să crestez pe coaja copacului
Cum mă cheamă,
Să crească și numele meu
Cum cresc înfășate mumii.

skipping rope

You have a single skipping rope over which you skip,
The rope draws about your head the line of a tabernacle
And when you jump above it, beneath your soles it draws perfectly a tabernacle
You can boast
You can scold
The pharaohs lying stiff in their graves
And so what, and so what
If you boast about the granite
You no longer jump from death to life
Nimble soles
The scalp in flight, like the tip of an arrow
On the tree bark with my fingernail, I will scratch
My name,
So that my name will grow too,
Just as swaddled, grow the mummies.

Liviu Ioan Stoiciu (1950)

energia e liberă

Ce mai vreau de la mine? Se ridică de la masă și
se oprește în fața unei oglinzi uriașe
din local, cu pete, vorbește singur: ce vrei, mă, de la mine,
bătaie? Că e ceva în neregulă cu ordinea
cosmică. Ospătarul îl
roagă să aibă grijă. „Vezi, nene, să n-o
spargi, că-i oglindă venețiană". Venețiană? Auzi tu, ăla, din
oglindă, ăsta mă crede bătut în cap...
Vine înapoi la masă, clătinat, ia o jumătate de pahar cu
„genocid", îi tremură mâna și scapă paharul:
să fie de sufletul morților, amestecul ăsta omoară și calul.
Bate cu degetul obrazul. „Dar ești nefericit rău,
Domnule". Așa-i: că m-a părăsit, curva, s-a dus dracului,
acum miroase urât, n-o îngroapă nimeni,
mi-am dat și sufletul pentru
ea... Gata, frumusețea e putreziciune! Ia sticla de pe masă și
o trântește de perete, nu se sparge. „Că
decât treaz și tâmpit, mai bine beat"... Vin trei vlăjgani
peste el, îl bușește sângele pe nas. Stați,
fraților, că nu v-am zis: energia e liberă... „Afară,
nenorocitule!". Nu v-am zis, băi, ce
e mai important: azi am descoperit portița de ieșire a
sufletului din corp, pe cuvânt de onoare...

energy is free

What do I want from myself? He rises from the table and
stops in front of a huge spotty mirror
from the tavern, then speaks to himself: mate, what do you want from
me, a beating? Something is amiss with the cosmic
order. The waiter is
asking him to be careful. "Take care, old man, don't
break it, it's a Venetian mirror." Venetian? Listen, you, the one in the
mirror, this guy thinks I am soft in the head...
He returns to the table, staggering, takes half a glass of
"genocide", his hand is shaking, and he drops the glass:
bless the souls of the dead; this mix kills even a horse.
He touches his cheek with his finger. "But you are very unhappy,
sir." True: for the whore left me, went to the devil,
now, she reeks, no one to bury her,
I gave my soul for
her... That's it, beauty is decay! Takes that glass off the table and
throws it against the wall, it doesn't crack. "For
rather than sober and an idiot, better drunk". Three thugs are
over him; the blood gushes from his nose. Hey stop,
brothers, I did not say to you: energy is free... "Out,
you loser!" Dude, I did not tell you
the most important thing: today I discovered the small door,
from where the soul is leaving the body, you have my word...

fiecare

În fiecare există locul secret
Unde balaurul își numără capetele netăiate încă
Unde-și adună puteri din apele tăcute, adânci
Alături de maluri înverzind veninos
Cu trestii ținând bolțile să nu se dărâme
Când le traversăm înfrigurați, pe brânci...
Doar mâna ta a devenit mai umbroasă,
Mai argintată
Mângâind imagini cu-adevărat
În care balaurul șovăie neștiind dacă îi mai rămâne
Măcar un cap întreg, netăiat...

everyone

In everyone, there is that secret place
Where the dragon counts his heads still uncut
Where he gathers strength from quiet waters, deep
Beside shores venomously verdant
With reeds supporting the arches not to collapse
When we cross them feverishly, on our bellies...
Only your hand has become more shadowed,
More silvery
Caressing images truly
In which the dragon hesitates not knowing if he still has
Even one full head, unsevered...

Ioan Flora (1950 – 2005)

stele pe câmp

Cădeau bufnițele argintii ca niște stele pe câmp,
sălbatice şi gâtuite de alice.
Le culegeam de prin buruieni şi desişuri,
potrivindu-mi-le pe la şolduri şi brânci.
Şi cum nu erau atinse decât de o moarte vagă şi albă,
începuseră să bată aprig din aripi, din inimi şi din idealuri,
iar eu simțeam că mi se surpă țărâna sub picioare,
că zbor de-a binelea,
că însuşi miezul cerului e pe-aici, pe-aproape.

De aterizat, n-am putut ateriza decât
după ce rupsesem,
cum ai culege ciuperci şi pere zemoase toamna,
gâtul celor patruzeci de păsări de vis şi omăt.

Cădeau stele ca nişte bufnițe pe câmp, sălbatice
şi gâtuite de alice.

stars in the field

Silver owls were falling like stars in the field,
wild and strangled by shotgun pellets.
I would pick them up from among weeds and thickets,
Tying them up around my hips and belly.
And as they were only touched by a vague and white death,
They started to fiercely flap their wings, their hearts, their ideals,
And I felt that the ground was caving in under my feet,
That I was truly flying,
That the very kernel of heaven is around here, nearby.

As for landing, I could not land until
after I had torn,
as you would pick mushrooms or juicy pears in autumn,
the necks of the forty owls of dream and snow.

Stars were falling like some owls in the field, wild
and strangled by shotgun pellets.

Ioana Crăciunescu (1950)

o altă fișă personală

Curge apă din cer peste nervii mei morți
pe un câmp de bătaie.
Apa îmi spală de sânge-nchegat măruntaiele,
creierul, beregata.

Şcolărița numerotată, mieluşea albă stropită de maşini
pe mijlocul şoselei în vinerea mare.
Ude îmi sunt şosetele, îmi sar pantofii din picioare,
fug de-mi sar ochii de timpul real şi uscat de acum.
Moartea aleargă odată cu mine în aceleaşi sandale
pe aceeaşi parte de drum.

Gunoaie, canale-nfundate, mizerii adunate în straturi,
sub toate o inimă tresărind ca un şobolan ud
dezvelit în lumină.
Fără vreo vină la paisprezece ani alergam fericită
cu cămaşa descheiată prin ploaie, cu fotografii 3/4
pentru primul meu buletin.

Mănânc şi dorm ca un străin. Ne ungem cu unsori,
ne tundem, ne tăiem unghiile subțiri.
Aşezați pe lame stau şi ne privesc perplecşi
luxurianții noştri copii.

Până azi au fost vii toate întâmplările!
Un miros bătrân îmi hăituieşte nările,
mă stoarce de ultima vlagă.

dragă eu plec aşteaptă-mă dragă.

another personal file

Water flows from heaven over my nerves, dead
on a battlefield.
Water washes the congealed blood from my entrails,
my brain, my throat.

Numbered school-girl, ewe lamb splashed by cars
in the middle of the road on Good Friday.
Wet are my socks, and the shoes jump off my feet,
I run like crazy from time, real and stale, of now.
Death runs along with me in the same sandals
on the same road.

Rubbish, clogged sewers, the dirt piled in layers,
under all of them a quivering heart like a wet rat
uncovered by light.
Without any guilt, at fourteen years of age, I was running happily
my shirt unbuttoned in the rain, with ¾ sized photographs
for my first identity card.

I eat and sleep like a stranger. We would smear ourselves with ointments,
We would cut our hair, would trim our thin nails.
Sitting on blades, they stare at us in a perplexed way,
our luxuriant children.

Until today they were alive, all these happenings!
An old smell assails my nostrils
and drains me of my last vigour.

darling, I am leaving wait for me, darling.

Mircea Dinescu (1950)

elegie pentru trenurile reci

De-ai adormi iubito pe linia ferată
îmbujorate trenuri te-or ocoli tiptil
din ceruri au să ningă baloturi mari de vată
vor fi beții de rouă, se va dansa cadril

Va mai veni şi-un înger din gările înalte
să-ți netezească somnul cu pene de păun
şi arbori de seqoia se vor planta în halte
şi-n piețe s-or da gratis baloane de săpun

Şi părul tău de raze va cotropi siberii
să sfârâie zăpada pe capete de struți
şi-apoi în reci cazarme cu genele-ai să perii
obrazu-ascuns în pernă al plânşilor recruți

Dar tu n-adormi iubito pe linia ferată
trec trenuri îmbâcsite de zgură şi de clor
şi nici nu ştiu ce-nseamnă un trup frumos de fată
şi-ncep atunci de milă să plâng în urma lor

elegy for frigid trains

If you would sleep my darling, on railway tracks one morning
the blushing trains would whisper on tiptoes while you're still
huge bales of cotton-candy the sky will be adorning
we'd all be drunk with dew milk and dancing a quadrille

An angel will be coming from high and ancient railways
to iron out your sleep time with peacock feathers light
and large sequoia forests they'll plant on lonely byways
in markets to spread gratis soap bubbles big and bright

Your hair of early sun rays will conquer cold siberias
the snow to sizzle slowly on ostrich heads in suits
and then in frigid barracks your eyelashes in series
will linger on damp pillows of teary young recruits

But you don't sleep, my darling, on railways old and shoddy
where filthy trains pass daily, with charcoal dusty, fake
they miss the perfect beauty, a maiden's sweet fresh body
and for their sake I'm weeping, I'm crying in their wake

Pilat – omul

Leii s-au scurs în placenta nisipului,
maimuțele-au pierit de tristețea maimuțelor...
Ar putea reapare peste o mie de ani
așa cum apar din senin gândăceii sub masa bețivului,
vântul va purta semințe de portocali și flamingi,
taifunul va-mprăștia polenul girafei,
vom mânca pepeni
și-n loc de sâmburi vom scuipa salamandre și veverițe,
Natura își va aduce aminte,
dulcea amnezie a timpului se va topi,
hidrocentralele vor produce pește și iarbă,
fulgerul va suge lampile cu lacomia vițelului,
Tatăl îi va cere iertare
Fiului,
dar teamă, teamă îmi e
că Pilat – omul
se va spăla încă-o dată pe mâini.

Pilate – the man

The lions drained through the sand's placenta,
the monkeys perished from monkey sadness...
They could reappear in a thousand years
like little beetles reappearing from under the drunkard's table,
the wind will carry seeds of orange trees and flamingos,
the typhoon will spread the pollen of giraffes,
we will eat watermelons
and instead of seeds, we shall spit salamanders and squirrels
Nature will remember
the sweet amnesia of time will melt,
the power stations will produce fish and grass,
the lightning will suck on lamps with the greediness of calves
The Father will seek forgiveness
From the Son
But I fear, oh I fear
that Pilate – the man
will again wash his hands of it all.

PART II

Romanian Poetry

CONTEMPORARY LANDSCAPE 1951-2020

•

PARTEA A II-A

Poezia Românească

PEISAJ CONTEMPORAN 1951-2020

XX

Don Quijote, călare pe-o singură
frunză, cutreieră anotimpul,
jurând că nu se mai împarte
cu nici o femeie, se biciuie seara
cu iasomie și cu fier îndulcit
cu ienupăr, lecuindu-și în ciubere
cu lapte superbele-i picioare de sticlă.
I se urcă racii pe unghii,
în sânge, și el jură
mai departe castitatea cuibului
său cu paie ferecate-n lacrimă
de nesomn. Curtezane spășite
vin să-i curețe aerul și vântul
de orice fir de aripă, ce-ar putea
să-i rupă plămânii, luminându-i
auzul și mersul cu neînflorită
goliciunea lor și cutreierând
câmpiile cu mult prea verde
senin, cântându-i poemele lui
de poet androgin.

Don Quixote, riding on a single
leaf, roams the season,
swearing that he will no longer share himself
with a woman, he self-flagellates in the evening
with jasmine and with sweetened iron
with juniper, healing in pails
with milk his superb legs made of glass.
The crabs climb on his toenails,
in his blood, and he continues
to swear the chastity of his nest
full of straws locked into a tear
of insomnia. Penitent courtesans
come to clean up the air and the wind
of any thread of a wing, which could
tear up his lungs, lighting up
his hearing and his walk with their un-bloomed
nakedness and roaming
the plains with an exceeding amount of green
serene, singing his poems
of an androgynous poet.

Rodian Drăgoi (1951)

ninge peste un trup în care nu e nimeni

de aseară ninge abundent
peste un trup în care nu e nimeni
se aude cum gândurile clatină vântul
doar părul tău încă verde adie prin arbori
de nicăieri vin păsări fără trup
eu un mormânt albastru în mine aş purta
ți-am spus mereu
că tu eşti între ieri şi-ntre mâine un nod
eu scriu
cu sângele unei păsări încă necunoscute
apoi privesc pe fereastră cum un copil
desenează o viață uriaşă pe ziduri
acum sunt singur
cu clipa înțepenită în perete
poate o să adorm
şi tăcerea va putea să înceapă

it snows on a body with no one inside

since last night it snows abundantly
over a body with no one inside
one can hear how thoughts shake the wind
only your hair, still green, wafts through the trees
from nowhere arrive birds without bodies
I a blue grave inside me would bear
I always told you
that you are between yesterday and tomorrow a knot
I write
with the blood of a bird still unknown
and then gaze through the window as a child
draws a gigantic life on the walls
and now I am alone
with this moment stuck on the wall
maybe I will get to sleep
and the silence may begin

Puiu Răducan (1951)

cârciumi obediente

În cârciumi obediente sticlele se tăvălesc pe
dușumea sforăind.
Altele, cele pline, tremură-n rafturi la fiecare
deschidere a ușii. Rezemat de șoldul viorii, Gică 'al
lui Arcuș, își azvârle din când în când și-n gând ochii
rumegători în pălăria care colectează finanțe opărite.
Oglinda mare din centrul „catedralei" ia fel de fel de
forme de la mirosul vinului, al țuicii ori al berii.
Nu suportă bețivii și-i pocește direct proporțional
cu canitatea consumată. Când ceața se așază-n
priviri, oglinda se face palidă la față. Nu mai vede.
Cu urmele pașilor ruginiți și îmbălsămați de țuica
puturoasă nea Gică iese din pauză, începe să
bălăngăne vioara plină de tabac pe arcușul obosit.
Și-i zice, și-i zice... Simte că în curând viscolul
fierbinte se reazemă de cruci infantile. Deja... toate
muierile sunt Ilene cosânzeniste! Le vede și le
simte... fecioare.
În putregai de viață stupidă vioara-i obosită asistă cu
emoții la recolta din pălărie.
Nea Gică încă... respiră.

obedient booze-shops

In the obedient booze-shops the bottles roll snoring
on the floor.
Some others, the full ones, tremble on the shelves at
every opening of the door. Resting on the hip of his
fiddle, Gică son'o'Fiddlestick throws now and then a
rummaging eye inside the hat collecting the scalded
finances.
The big mirror in the center of the "cathedral" takes
all sorts of shapes from the smell of the wine, of the
brandy, or of the beer. It cannot stand the drunkards
and it hackles them proportionally to the quantity
consumed. As the fog settles on their gaze, the mirror
becomes pasty-faced. It no longer sees.
With the traces of his steps rusty - and embalmed
by the stinky brandy - uncle Gică takes a break,
starts to swing his tobbaco-filled violin on the tired
fiddlestick. And he fiddles and fiddles... He feels
that soon the hot blizzard will rest on the infantile
crosses.
Already... all the wenches resemble Sleepging Beauties!
He sees them and feels them... maidens.
In the rot of this stupid life his tired violin assists
filled with emotions from the harvest in his hat.
Uncle Gică... breaths, still.

Lelia Mossora (1951)

eu... tu...

Tu
eşti toamna
în care m-am născut
din abisuri adunate în suflet.
Eu
sunt anotimpul tău
în care se coc gesturi
şi priviri
culese în amurguri.
Tu
eşti clepsidra mea
fără timp.
Eu
sunt tăcerea care răsună
în mânăstiri pustii.
Tu
eşti visul.
Eu
sunt corola.
Tu
eşti mirarea.
Eu
sunt durerea.
Tu
eşti sămânța.
Eu
sunt fructul oprit.
Toamna se cerne galben
asfințind dureros
pe obraji de ploaie...

me... you...

You
are the autumn
in which I was born
from abysses gathered in my soul.
I
am your season
in which gestures ripen
and gazes harvested at twilight.
You
are my hourglass
without time.
I
am the silence
resounding
in hollow monasteries.
You
are the dream.
I
am the corolla.
You
are the wonder.
I
am the pain.
You
are the seed.
I
am the forbidden fruit.
The autumn sifts
yellow sunsets painfully
on the cheeks of this rain...

THEODOR DAMIAN (1951)

mereu ne răstignim prietenul

Prietenul înțelege
dar nu ştie ce
toți vorbesc acum de
acceptarea necondiționată
deşi reciprocitatea e condiția
de bază
chiar şi în prietenia cu Dumnezeu.
Spune-mi câți prieteni ai
ca să-ți spun cine eşti
mereu ne răstignim prietenul
şi-apoi îi scriem viața în
cartea cu poveşti.

we always crucify our friend

A friend understands
but does not know what
everyone speaks, these days, of
unconditional acceptance
although reciprocity is the basic
condition
even in friendship with God.
Tell me how many friends you have
and I will tell you who you are
we always crucify our friend
and then we write his life
in the storybook.

Nichita Danilov (1952)

secolul XX

Am murit când
Dumnezeu nu se născuse încă
și m-am născut când
Dumnezeu era deja mort!

Secolul XX era pe sfârșite.
Marquez scrisese Un veac de singuratate,
Nietzsche – Așa grait-a Zarathustra,
Omul pusese pasul pe lună.
Din cer se prăbușeau
îngerii morți!

La orizont se vestea
un al treilea război mondial.
Einstein murise
și Dumnezeu era deja mort!

Se sfârșea sfârșitul unei lumi
și începea începutul unui om
în care nu mai credea nimeni.
Pe străzi bătea un vânt tot mai negru,
pe cer vulturii se roteau
tot mai neliniștitor.
Un dangăt tot mai funebru
vestea un nou început.

Alleluia!

XX century

I died when
God was not yet born
and I was born when
God was dead already!

The 20th century was about to end.
Marquez had already written A hundred years of solitude
Nietzsche – Thus spake Zarathustra,
The man already stepped on the moon.
From the heavens crashed down
dead angels!

A third world war
was being announced on the horizon.
Einstein had died
and God was dead already!

The end of the world was ending,
and the beginning of a man was beginning
in whom no one believed anymore.
An increasingly black wind was blasting on the streets,
the eagles were circling in the sky
in an increasingly unsettling manner.
An increasingly funereal clang
was ushering the new beginning.

Hallelujah!

miniantologie lirică

***

noapte sigilată –
alți aezi sfrijiți
declină poezii
în ceainării uitate
dimineața domină piața ca un afiş

***

cei trei crai de la răsărit
unul ceva mai mult țăran
al doilea ceva mai mult proletar
şi ultimul ceva mai obosit
călătoreau cu trenul de noapte
înspre întâiul oraş al țării
peste care se înstăpânise o şleahtă de jigodii

***

a fost bătut măr
împuşcat spânzurat frânt cu roata ars pe rug
a mai avut atâta putere
înainte de a dispare definitv
să se ridice şi să-i sărute mâna călăului

a lyrical minianthology

***

a sealed night –
other scrawny bards
inflect poems
in forgotten teahouses
the morning dominates the city square like a poster

***

the three kings from the orient
one a bit more peasant
the second a bit more proletarian
and the last one a bit more tired
were traveling on the night train
towards the premier city in the country
held to ransom by a pack of scumbags

***

he was beaten to a pulp
shot, hanged broken on the wheel burned at the stake
and had just enough strength
before disappearing forever
to get up and kiss the hand of the executioner

Mircea Bârsilă (1952)

crinul din mâna ei

Într-o duminică s-a stins mama
şi tot într-o duminică am văzut, pentru întâia dată,
un cerb – unul cu pielea de pe gât jupuită –
în piscul încă verde al existenţei mele: Realitate.
Ruşinoasa lucrare a bărbatului asupra femeii,
ruşinoasa lor comuniune sub acelaşi cearşaf: Realitate.
Un mort ce se plânge, de trei ani, în mormânt,
din pricina picioarelor:
de ce nu-i mai sunt de ajutor
şi de ce îl dor în continuare, când plouă?: Realitate.
Şi fetele chicotind mereu, din te miri ce,
cât este ziua de lungă,
şi care, aflate la ciclu, umplu, de trei ori pe zi,
cuva toaletei
cu sânge şi tampoane de vată: Realitate.
Un cârd de bâtlani în preajma unui lac îngheţat.
Un bordel în care se aud ţipete.
Ia spune-mi, Realitate – dar să fii sinceră! –
de ce te prefaci într-o umbră, adesea: o umbră
ce-mi sparge, noaptea, târziu, geamul,
şi care, ajunsă astfel în odaia în care dorm,
îşi ţine, un deget pe buze,
iar crinul acela din mâna ei seamănă cu o sabie.

the lily in her hand

On a Sunday my mother passed away
and also on a Sunday, I saw, for the first time,
a stag – one with the neck skin raw –
on the summit, still green, of my existence: Reality.
The shameful working of the man upon the woman,
their shameful communion under the same sheet: Reality.
A dead man who complains, for three years, in his grave,
because of his feet:
why are they not useful to him anymore
and why are they hurting still, when it rains?: Reality.
And the girls always sniggering, from who knows what,
all day long,
and who, during their period, fill up, three times a day,
the toilet bowl
with blood and cotton-wool tampons: Reality.
A gaggle of herons near a frozen lake.
A brothel from where you hear screams.
Tell me now, Reality – but please be sincere! –
why do you often transform into a shadow: a shadow
which breaks, late at night, my window,
and which, thus reaching the room in which I sleep,
holds a finger to her lips,
and that lily in her hand resembles a sword.

Florin Lăiu (1952)

târziu sunt

Târziu sunt, zdrobitorul ceas îl aştept,
Samson fără ochi, urnind a destinului roată.
Cu osia veche a lumii înşurubată-mi în piept,
Copil nenăscut, uitat pe o mare secată.
Plângând solitar, lângă stâlpul funestului templu
Al tuturor zeilor lumii, mărunţi şi atei.
Îi voi strivi sub bolţi prăbuşite pe toţi,
Închinători şi dagoni, vai de ei.
Cât despre mine, orice socoteală-ncheiată-i.
Perciunii noi, iată-i!
Nu merit alţi ochi, pe-ai mei i-am topit pe-ale lumii
Doar numele Tău mi-a rămas, de-al meu pasă nu mi-i,
Ci eu sub ruine-adăsta-voi primele-ţi raze.
Răzbună-mă, Doamne, cu acest vers kamikaze.

late I am

Late I am, and for the crushing hour I brood,
Samson without eyes, slowly propelling my destiny's wheel.
The world's old axle, into my bosom, screwed,
Unborn child, abandoned on dry seas, in a fisherman's creel.
Weeping alone, beside the post of this nefarious temple
Of all the world's gods, vacuous, atheist, slight,
Under shattered arches, I shall crush them all,
Worshippers and dagons, sorry sight.
As for my plight, the line is drawn and nothing's at stake.
My new sideburns, You take!
I don't deserve new eyes, as mine I have melted on the rubble
Only Your name I still have, since for mine I don't trouble,
For Your rays, I'll wait, under ruins, which shall be my hearse.
Avenge me, my Lord, with this kamikaze old verse.

geamănul

voiam să pun eu degetul – nu chiar aşa,
voiam de fapt să merg până la capătul promisiunilor
şi să Te pot sărbători
Rabbí
ca pe un rege al libertăţii mele
imperiu de cucută şi de buchii
frunzos smochin paragină de stele

geamănul meu cu degetul retras
cu ochiul ruşinat Te recunoaşte
ca un întors de pe tărâmul Áin
eu încă am nevoie să mai pipăi
nu doar c-ai fost că eşti şi că vei fi
ci să mă ospătez furnică beată
de umbra Ta în fiecare zi

the twin

I wanted to put my own finger on it – not quite like that,
I wanted in fact to go to the end of the promises,
and to celebrate you
Rabbi
as a king of my liberty, with scars,
my empire of hemlock and of trifle
a leafy fig-tree, a wasteland for the stars

my twin, his finger now retracts, and slowly,
his eye, embarrassed, recognizes You
as just returning from the realm of Aiin
but I still have this need to touch, to see
and not just that You were, are and will be
rather to feast, inebriated ant,
deep in Your shadow daily, is my plea

arhivele Golgotei (I)

Arhivele Golgotei sunt la un pas de noi,
Vedeți pereții roșii, parcă vopsiți cu sânge?
Acolo rana lumii suspină-n nopți și plânge
Și plâng toți răstigniții, treziți din doi in doi.
Intrarea-i pe din spate. Stau îngeri la subsol
Și completează-ntruna registrele secrete.

Și celor de pe cruce mereu li-e frig și sete,
De la dosare-adie-a trădare și-a formol.
E mare-nghesuială în sala de morminte,
De la Iisus încoace nu s-au produs schimbări;
Mereu nu ajung cadre la secția trădări,
Dar îngerii sunt veseli, lucrează înainte.
Iar Arhivarul, zilnic, le răsplătește truda
Cu-arginți de preț ce poartă efigia lui Iuda.

the registers of Golgotha (I)

The Registers of Golgotha are close to our domain
You see, the walls, dark crimson, with blood and pain are painted
The wound of this humanity in nightly sighs has fainted
The crucified are weeping, and both awake again.
The entrance through the rear and angels guard each season
They keep forever filling those secret records, cursed.

The crucified are anguished with coldness and with thirst
While registers are reeking of vinegar and treason.
The hallway to the coffins is teeming to the brim
From Jesus'day, no changes have happened, in the main;
And in the treason section - not enough staff, again,
But the delighted angels keep working in fine trim.
The registrar is daily awarding them their pay
With Judas' silver coin, forever to betray.

Aurel Pantea (1952)

poem

În noaptea asta, ea pe toți i-a înnebunit,
sub lampioane era atîta pustiu,
cît nu încape nici o viață,
alcoolul era regele nostru imparțial,
pe toți ne privea ea, pe toți ne-a înnebunit,
era în noi o lene străveche din care se uitau amanți
la pulpele ei magnifice, la sînii ei crescuți
dintr-o mare nerușinare, cam pe atunci,
în clubul nostru și-a făcut intrarea
maestrul cu privirea verde de după fiecare oră,
iar ea, tăvălită sub lampioane, sub grele priviri
spunea șoptit o poveste imposibil de ascultat,
imposibil de spus, fără să auzi legiuni de voci,
venite din liniști de după toate întîmplările,
de după toate poveștile

poem

During this night, she made everyone go crazy,
under the hanging lamps, it was so bleak,
that it would not fit even one life,
alcohol was our impartial king,
all of us she was watching, all of us she drove crazy,
there was in us an ancient laziness from where fancy men were looking
at her magnificent thighs, at her breasts grown
from a huge shamelessness, at about that time,
in our club, he made his entrance
the master with his green gaze from behind every hour,
and she, writhing under the hanging lamps, beneath heavy looks,
was telling in a whispering voice a story impossible to hear,
impossible to tell, without hearing legions of voices,
arrived from silences from behind all happenings,
from behind all stories

temperament ortografie hazard – rugby la prințesă

„Luna urmează soarele
ca o traducere franceză
dintr-un poet rus"

Eu nu fumez nu beau
nu sunt nerușinat
zice dracul
zice rățoiul flașnetă

nu fumez și beau
zice orașul
zice pisica cerului
zice basmul negru

pe granița asta subțire
viața și cinismul
mărșăluiesc de o vreme
umăr la umăr
nerușinate
ca șusăteala peștișorilor japonezi
din bigudiurile doamnei

(de patru ierni la mine în cameră

lumina
scuipă cheaguri de sânge...)

da zice îngerul da
dar uite nici poemul ăsta
nu se repede
să-ți mănânce mâinile

temperament orthography hazard – rugby atthe princess

"The moon follows the sun
like a French translation
from a Russian poet"

I don't smoke don't drink
am not shameless
says the devil
says the hurdy-gurdy duck

I don't smoke and drink
says the city
says the cat of the heavens
says the black fairy-tale

on this thin boundary
life and cynicism
have been marching for a while
shoulder to shoulder
shameless
like the mutterings of the small Japanese fish
from the lady's hair-curlers

(for four winters in my room
the light
spits blood clots...)

yes says the angel yes
but look not even this poem
doesn't rush
to eat your hands

nu-mi ferec zborul

Nu-mi ferec zborul
Pentru că tu nu poți zbura
Chiar de-ți împrumut aripile.
Când ating crestele vântului
Şi curcubeul îmi sărută umerii,
Euforia zborului, stare de spirit
Îmi invadează sângele
Şi-albastrul înfloreşte.

Nu repet cuvintele
La nesfârşit, ca să le-auzi.
Când eşti prea adâncit
În dialogul cu furtunile
Şi uraganele minții.

Însă pot în zborul meu
Să scriu Cartea tăcerii,
Balsam pentru zbucium
Şi te pot purta duios,
Pe-aripa stângă.

Fac orice pentru tine,
Dar nu-mi ferec
Zborul şi visele

I do not chain my flight

I do not chain my flight
Because you cannot fly
Even though I am lending you my wings.
When I touch the summits of the wind,
And the rainbow kisses my shoulders,
The euphoria of flight, a state of mind
Invades my blood
And the blue is blooming.

I do not repeat the words
Endlessly, so that you can hear them.
When you are too engrossed
In the dialogue with the tempests
And the hurricanes of the mind.

But I, in my flight
Can write The Book of Silence
Balm for the turmoil
And carry you gently
On my left wing.

I do everything for you,
But I do not chain
My flight and my dreams

cântecel de dragoste

Ea are sufletul pe piele
și ochii-s pete aurii
îți vine s-o săruți întruna
unde știi tu, unde nu știi.

Ea are țâțele ca marea
și-n țâțe struguri ruginii
și umbli îmbătat ca Zeus
te duci și vii, apoi rămâi.

Ea are un buric vulcanic
ce mișcă într-un ritm nebun –
tu ești plugarul dintr-o stampă
și ari pământul cel mai bun.

Lindickul ei vibrează veșnic
în văgăuna de mătasă
te uiți la el cum se ridică
și-acuma tu chiar ești acasă.

Cât de nectarul dintre coapse
mai bine e să nu vorbești –
aruncă-te-n licoarea dulce
și lasă storul la ferești.

Ea are sufletul pe piele
și ochii-s pete aurii
îți vine s-o săruți întruna
unde știi tu, unde nu știi.

little song of love

Her soul shines on her skin in bliss
her eyes are stains of golden glow
and her, you ever wish to kiss
in spots you know, or do not know.

Her tits are like the billowing sea
with rusty grapes – a fine display
and like poor Zeus, you walk drunken
you go, you come, and then you stay.

Her belly-button is volcanic
which dances in some crazy quest
you are the plowman from the etching
and plow the field that is the best.

Her clit – eternally vibrating –
inside its silky catacomb
you watch it how it's quickly lifting
and you are certain you're at home.

As for the nectar of her thighs
It's better not to speak at all
just dive into the luscious liquor
and let the window curtains fall.

Her soul shines on her skin in bliss
her eyes are stains of golden glow
and her, you ever wish to kiss
in spots you know, or do not know.

vedenie

Dacă eşti încă bărbat, nu te uiţi în oglindă
înainte de a ieşi din casă, te uiţi pe fereastră şi
dacă vezi vreo femeie prin preajmă, n-o lăsa
să treacă fără să te uiţi prin ochii ei la tine,

vei fi fericit abia către zori, cînd ieşi din inima ta
şi intri în inima ei, aşa cum fac razele de soare
prin vitraliul catedralei de peste drum,
de acolo încolo e treaba ei, ţie
nu-ţi mai rămîne nimic de făcut, doar atît,
să nu uiţi să te întorci seara prin aceiaşi ochi
în inima ei, unde ea deretică
aşternutul lăsat plin de cute după o viaţă de somn
neliniştit în inima ta, acolo unde n-a fost nimeni
atît de fericit ca acum
trupul acesta mărunt în care-ţi aşezi toate
trupurile tale bătrîne
adunate în acest trup tînăr care se uită
pe fereastră şi nu vede nimic.

vision

If you are still a man, you don't look in the mirror
before stepping out of the house, you look out of the window and
if you see a woman nearby, do not let her
pass by without looking at yourself through her eyes,

you will be happy only toward the morning when you will step out of your heart
and step into her heart, as the rays of sunshine
pass through the stained glass of the cathedral across the road,
from there on it is her business, there is
nothing else for you to do, save this,
to not forget to return in the evening through the same eye
in her heart, where she tidies up
the bedding left full of creases after a lifetime of troubled sleep
inside your heart, there where no one has been
as happy as now
this slight body in which you deposit all
your old bodies
gathered in this young body which peers
through the window and sees nothing.

umbra mâinii drepte pe foaia de hârtie

poate că nici măcar nu contează
ce am învățat eu despre poezie
şi poate că nici poezia nu-i drumul cel mai scurt
dintre întuneric şi soare
naştere şi moarte
țipăt şi asurzire
însă nu mă pot opri să nu mă întreb
când unde şi de ce mi s-au întâmplat mie
toate astea.
ceea ce este clar este doar că după mine
nu se mai poate face fotografie
şi că nici sângele
nu-mi mai foloseşte la altceva.
în schimb umbra mea este tot mai pregnantă:
ceva între carne şi clorofilă
mercur şi apă.
seamănă tot mai mult cu un gropar de treabă
care îşi sumetecă mânecile

the shadow of my right hand on a sheet of paper

maybe it doesn't even matter anymore
what I learned about poetry
and maybe poetry itself is not the shortest road
between darkness and the sun
birth and death
a scream and deafness
but I cannot stop myself from asking
when where and why are all these things
happening to me.
what is very clear is that after me
one can no longer practice photography
and that my blood
is no longer useful for anything else.
on the other hand, my shadow is more and more striking:
something between flesh and chlorophyll
mercury and water.
it increasingly resembles a good-natured grave digger
who rolls up his sleeves.

[trage storurile]

trage storurile de la fereastră şi priveşte de-a lungul străzii
nu vezi chiar la colţul trotuarului
după şirul de maşini parcate
un prost care se holbează la tine?
nu ți se pare că mănâncă pereții blocului
și casa liftului şi uşa aia de metal ruginită de la intrare?
numai ca să te prindă mai iute în brațe
şi să te ducă dincolo de calea ferată
cam pe unde se termină faleza şi începe câmpul
cu canguri şi vițeluşi şi rățuşte sălbatice
şi tot felul de ecrane în care se văd aceleaşi imagini
cu un căpcăun care pluteşte peste umbra lui

[pull down the blinds]

pull down the blinds and look along the street
don't you see right at the corner of the sidewalk
after that row of parked cars
an idiot who gawks at you?
doesn't it seem to you that he is eating the walls of the apartment block
and the elevator shaft and that rusty door from the entrance?
only to catch you more swiftly in his arms
and to take you to the other side of the railway tracks
about where the waterfront ends and the field starts
with kangaroos and little calves and wild ducklings
and all sorts of screens on which one can see the same images
of an ogre gliding over his own shadow

îngerii se-ascund când plâng

amar albastru amar
cu reflexe
de mov mortuar
pe muchia unui înger
de sticlă în dauna
omului de zăpadă

din carbon împachetat
în felinare afumate
în urmă cu un sfert
de veac de celeritate

amar albastru amar
cu reflexe
mov de trotuar
un mort, doi morți, trei morți
în promenadă la Universitate
mi-e dor să trag pe nas
praful de pușcă direct
din țeava unui tab
în deviația de sept
operată de un medic arab

angels hide when they weep

bitter blue bitter
with reflections
of mortuary mauve glitter
on the edge of an angel
made of glass to the detriment
of the snowman

of carbon packed
in smoky lanterns burning slow
a quarter of
a century of villainy ago

bitter blue bitter
with reflections
of mortuary mauve glitter
one dead, two dead, three dead
promenading by the University
I long to sniff
the gun powder directly
through the gun barrel of an avf
in the deviated septum
operated by an Arab surgeon, deaf.

amar albastru amar
cu reflexe
de mov și de var
ca un cearceaf
murdar
reflux
peste dezastru
azi să și mor
e un calvar
în lumea morților de lux

drept-stâng, drept-stâng
în pas de front
pe drum
nici n-ai știut
că îngerii se-ascund
în alb de fum
și nea la orizont
când plâng

bitter blue bitter
with reflections
of mauve and lime glitter
like a bedsheet
of a dirty critter
reflux
over the disaster
today even to die
is a hard hitter
in a world of deathly luxe

left-right, left-right
in a military march
on the road
you didn't even know
that angels hide
in the white smoke
the snow's horizon arch
weeping their plight

dezamăgire

Ah, mi-e greu iubite să cred
că rolul nostru, pe care l-am jucat
pe scena vieții a fost iubirea!
Şi mă tem că tangoul a luat sfârşit,
tocmai când voiam să jucăm timpul pe degete.

(În gările, unde am poposit cândva,
totul a rămas inert şi alb; scaune, locomotive,
felinarele de pe peroane nu mai au gaz,
nesomnul împleteşte o pană de curent,
visele nu-şi mai găsesc lăcaşul imaginației:
totul este în beznă ca şi iubirea noastră...)

Mă doare gândul
şi sensul cuvântului
din care tocmai am ieşit;
mă doare chiar lumina
din întunericul căreia cu greu m-am eliberat
şi nu ştiu dacă îngerul meu salvator
mă va mai iubi de-acum ca-n prima zi de naştere
şi îşi va mai deschide aripile ocrotitoare vreodată.

Cum să mă mai adun
din această dezamăgire şi din acest haos,
când tu semeni doar depărtare între noi?
Iată, vântul îmi cântă a pustietate
şi mă invită la dans în paşii singurătății,
iar eu, ca o lebădă mută, îl urmez vălurită de ape,
dintr- un ordin care mă înspăimântă...

disappointment

Oh, it is hard, my love, to believe
that our role, which we performed
on the life-stage was love!
And I fear that the tango has ended,
Right when we wanted to play the time on our fingers.

(In the railway stations where we stopped a while ago,
all remained immovable and white; chairs, train engines,
The lamps on the platforms have run out of gas,
Insomnia weaves a power cut,
The dreams no longer find the seat of imagination:
all is in darkness as is our love...)

The thought hurts me
as well as the sense of the word
from which I have just exited;
the light hurts me, even,
from whose darkness I freed myself with great difficulty
and I am not sure if my saving angel
will love me from now on as on my first birthday
and will ever open his protective wings over me.

How will I ever recover
from this disappointment and chaos
when you sow just distance between us?
behold, the wind sings of wilderness,
inviting me to dance in the steps of loneliness,
and I, like a mute swan, follow him a-wave in its waters,
following an order which frightens me.

Florin Iaru (1954)

aer cu diamante

Ea era atât de frumoasă
încât vechiul pensionar
se porni să roadă tapițeria
scaunului pe care ea a stat în autobuz.
Autobuzul întinse spre ea
gura carburatorului
încercând să-i sfâșie rochia.
Șoferii mestecați au plâns pe volanul păpat
căci ea nu putea fi ajunsă –
În schimb era atât de frumoasă
încât și câinii haleau
asfaltul de sub tălpile ei.

Când ea intră în casa fără nume
portarul își înghiți decorațiile
iar mecanicul sparse în dinți
cheia franceză și cablul
ascensorului ce-o purtă
la ultimul etaj.
Paraliticul cu bene-merenti
începu să clefăie clanța inutilă
și broasca goală
prin care nu putea curge
un cărucior de lux.
Ei cu toții mâncară
piciorul mansardei
ei cu toții mâncară țiglă

air with diamonds

She was so beautiful that
the old retiree
started to gnaw at the upholstery
of the chair where she sat on the bus.
The bus reached toward her
with the mouth of the carburetor
attempting to tear her dress off.
The chewed up drivers wept over the munched steering-wheel
because she was out of reach –
In return, she was so beautiful
that even the dogs scoffed
the bitumen under her soles.

When she entered the house without a name
the doorman swallowed his decorations
and the mechanic broke with his teeth
the wrench and the cable
of the elevator which carried her
to the last floor.
The quadriplegic with the social-merit order
started to gobble the useless door-handle
and the naked lock
through which a luxury baby pram
could not flow.
All of them ate
the foot of the attic
all of them ate the roof tiles

când ea a urcat fâlfâind pe acoperiș
când ea nu putea fi ajunsă.
Meteorologul de pe muntele
Golgota roase timpul probabil
iar ultimul Om în Cosmos
își devoră capsula
când ea depăși atmosfera terestră.
– Ce-ai să faci de-acuma în cer?
au întrebat-o
cu gurile șiroind de regrete.
Dar ea era atât de frumoasă
încât a fost la fel de frumoasă
și-n continuare.

Iar ei nu găsiră în lumea
toată lumea largă
destule măsele
destule gâtlejuri
în care să spargă
să macine să îndese
distanța care creștea mereu
și restul cuvintelor până la moarte.

when she climbed fluttering on the roof
when she could no longer be reached.
The weatherman on the mountain of
Golgotha
chewed at the weather predictions
and the last Man in Cosmos
devoured his capsule
when she exited the earth's atmosphere.
"What will you do now in the heavens?"
they asked her
their mouths dripping with regrets.
But she was so beautiful that she remained beautiful
from then on too.

And they could not find in the whole world
in the whole wide world
enough teeth enough throats
in which to crush
to grind and to ram
the forever growing distance
and the rest of the words until death.

depozitul de cherestea

Umbre pe cer, norii ca o vorbire a nimănui
spre niciunde.
Mai zdrențuit decât o scrisoare de pe front
sângele meu
îşi va ajunge într-o zi din urmă inima.

Cu ochii închişi, cu pumnii strânşi, cu genunchii la gură,
într-o bună zi
voi privi lumea,
o voi atinge mirat,
o voi străbate până departe!
Tânăr – mi-am dorit să văd piramidele – tânăr,
prin fereastra deschisă am văzut gardul de sârmă
al depozitului de cherestea.
Acolo e cald şi rumeguşul îşi aminteşte încă urma paşilor tăi.
Acolo e frig şi paznicul vorbeşte uneori prin somn
despre vremuri mai bune.

Mai trist decât sunetul topoarelor,
mai vesel decât lama fierăstraielor, printre joagăre
mi s-a părut că văd şi eu fereastra ta aprinzându-se.
Lipit de şipcile parfumate
mi-am încălzit şi eu odată mâinile la flacăra părului tău.

the timber warehouse

Shadows on high, clouds like an utterance of no one
to nowhere.
More tattered than a letter from the war-front,
my blood
will one day catch up to my heart.

With eyes closed, fists clenched, knees
to my chin,
one fine day
I will behold the world, I will touch it surprised,
I will traverse it far away!
Young – I wished to see the pyramids – young,
through the open window, I saw the wire fence
of the timber warehouse.
It is warm in there and the sawdust still remembers your steps.
It is cold in there and the watchman sometimes talks in his sleep
about better times.

Sadder than the sound of axes,
more joyful than the saw blades, between saw-mills,
I thought I saw your window catching fire.
Glued to the aromatic timber-slats
I warmed my hands at the flame of your hair.

Tu, care citeşti printre degete frazele curgătoare ale norilor,
tu, care ai vrut să vezi piramidele printre degete –
cu ochii închişi, cu pumnii încleştaţi, cu genunchii la gură,
adăposteşte-te în ceaţa lui caldă pentru o noapte,
rătăceşte-te în adâncul lui împietrit
măcar pentru o singură noapte!

Într-o bună zi depozitul de cherestea va arde.
Într-o bună zi viaţa mea se va înălţa luminând.

You, who read between your fingers the flowing phrases of clouds,
you, who wanted to look at the pyramids between your fingers –
with eyes closed, with fists clenched, knees to your chin,
take shelter inside its warm haze for one night,
get lost inside its stony depth
even if for just one night!

One day the timber warehouse will burn.
One day my life will ascend, full of light.

Alexandru Muşina (1954-2013)

o descriere a Sudului

O descriere a Sudului,
Atâta a fost întreaga sa operă,
Deşi nu a călătorit niciodată.

Totuşi navigatorii au confirmat
Şi hărţile, numele locurilor, ciudatele obiceiuri,
Până şi pasărea cu ghearele de argint
Din care au vânat mii şi milioane.

Regele însuşi l-a decorat. Doamnele
Nostalgic au zâmbit feţei lui ofilite.
„E măreţ lucru o descriere", s-a spus,
„E deajuns spre a intra în nemurire."

El a zîmbit: „Nemurirea?!
A unei ţări? A unui oraş? Chiar şi acesta
Se poate scufunda mâine în mare.
Hărţile, descrierile sunt
Un simplu gând, o pură întâmplare".

a description of the South

A description of the South,
That was his entire life-work,
Even though he never traveled anywhere.

Still, the navigators confirmed
The maps, the names of places, the strange customs,
Even the bird with silver claws
Which they hunted by the thousands and millions.

The King himself gave him a decoration.
The ladies smiled nostalgically at his withered face.
"It is grand, this description", it was said,
"It is enough to make one immortal."

He smiled: "Immortality?!
Of a country? Of a city? Even this
Can sink tomorrow in the sea.
The maps, the descriptions are
A simple thought, pure coincidence".

New York

Niciunde nu se lăcrimează mai bine ca aici.
De cum ieşi pe stradă la colţul ochilor
Îţi tâşnesc izvoarele uitării.
Un Gange al uitării e New York-ul.
Trafic nebun, unii merg, alţii înoată
De sus plouă cu pene care şi-au ratat aripile
Cu poliţe de asigurări,
Se trece pe roşu ca pe verde
Semafoarele sunt puse doar ca să privim în sus
Să nu uităm că cerul există
Iar trecerea noastră de pietoni
Se va face brusc
Prin toate culorile curcubeului deodată
Ca pe o zebră de lumină.

Dacă odată pe an ar ieşi pe străzi
Fostele noastre umbre
Ar fi un carnaval mai tare ca-n Rio
Nu ne-ar mai recunoaşte nici Demonul Muncii
Cel care zilnic ne linge încheieturile
Ca un câine sălbatec.

New York

Nowhere does one get teary-eyed better than here.
As soon as you step into the street from the corner of your eye
The springs of oblivion gush out.
New York is the Ganges of forgetfulness.
Crazy traffic where some walk, others swim
From on high, it rains feathers which have missed their wings
With insurance policies,
One crosses on red as on green
The traffic lights are put there simply so that we look up
Let us not forget that heaven exists
And our pedestrian crossing
Will occur suddenly
On all the colors of the rainbow
As on a zebra crossing of light.

If only once a year our past shadows
Would get out on the streets
There would be a carnival better than in Rio
Even the Work Demon wouldn't recognize us
He who licks our joints daily
Like a wild dog.

Poţi să vezi ce vrei, să crezi ce-ţi convine
E o mare democraţie vizuală
De la reclamele din parcuri
La parcurile din reclame
La femeile ce fumează numai pe străzi
La câinii care trag după ei
Cei mai umanizaţi oameni.

Mă uit la toate astea cu vreo şase ochi
Doi lăcrimează de vânt
Doi de bucurie
În ultimii doi, care mi-au crescut mai târziu,
Îmi pun picături de ploaie
Să văd mai bine peştii cerului.
Sunt ca o pictură de Picasso
Împrăştiată armonios pe şase pânze
Dacă m-aş uita la mine dintr-un muzeu european
Nu m-aş mai recunoaşte.

În faţa mea o gură lacomă de metrou
Înghite oameni şapte zile din şapte
Duminica oraşul se şterge la gură
Cu mâneca subţire a istoriei.
De la etajul 20 în sus totul se rarefiază
Avocaţii îşi ascut creioanele
Direct în elicele elicopterelor
Porumbeii ne ţintesc mai greu
Ultimele suflete sunt distilate ca whisky-ul
Prin tuburi de plastic.
După etajul 50 pe geamuri se condensează
Vaporii acelor lacrimi
De care nu mai ştim cum să scăpăm.

You can see what you want, believe what you wish
There is a great visual democracy
From the advertising boards in the parks
To the parks made from advertisements
To the women who smoke only on the streets
To the dogs which pull behind them
The most humanized humans.

I watch all these things with about six eyes
Two are teary due to the wind
Two from joy
And in the last two, which grew later,
I put in drops of rain
So I can see better the fish of the sky
I am like a painting by Picasso
Harmoniously scattered over six canvases
If I would look at myself from a European museum
I wouldn't recognize myself anymore.

In front of me a greedy subway mouth
Swallows people seven days out of seven
On Sunday, the city wipes its mouth
With the thin sleeve of history.
From the twentieth floor up everything is rarefied
The lawyers sharpen their pencils
Directly into the helicopter blades
The pigeons find us with more difficulty
The last souls are distilled like whiskey
Through plastic tubes.
From the fiftieth floor up, the windows have a condensation
Of tear vapors
Which we have no idea how to escape.

Suntem nişte alchimişti puşi în serie
Vom reinventa totul, norii, ploaia, moartea
Şi le vom da nume mai potrivite.

În Queens şi Brooklyn emigranții
Îşi împerechează între ei accentele
Şi cu fiecare copil pe care-l nasc
Aduc pe lume o inimă de pasăre
Care nu mai ştie drumul peste ocean.

Cu atâția zgârie-nori înfipți în cer
Părem începutul unui nou cult falic
Unul mai moale, mai potolit
Unde „I love you"
E ca zaharina din Diet Coke
Unde sexul şi iubirea cu înlocuitori
Se predau în aceleaşi şcoli
În care elevii primesc pe gratis prezervative
Şi instrucțiunile detailate ale abstinenței.

Nimeni nu plânge aici
Toți îşi cară în spate visele
Ca pe nişte colaci de salvare.
Suntem cei mai fericiți înecați ai pământului.

We are alchemists made to write
We will reinvent everything, the clouds, the rain, death
And we will give them more appropriate names.

In Queens and Brooklyn, the immigrants
Pair up their accents
And with every child they conceive
They bring into the world a bird
Which no longer remembers the way over the ocean.

With so many skyscrapers stuck into the heavens
We appear like the beginning of a new phallic cult
A softer one, more sedate
Where "I love you"
Is like saccharin in Diet Coke
Where sex and love are substituted
And are taught in the same schools
In which the students receive condoms for free
And the detailed instructions for abstinence.

No one weeps here
Everyone is carrying their dreams on their shoulders
As they would a lifesaver
We are the happiest drowned people of the earth.

floarea-soarelui

Ne moare dragostea
Iubito-n nopți târzii
Şi bate vântul de ne strică urma...
La margine de câmp
Aştept să vii,
Aştept să-ți văd în zarea moartă umbra...

De floarea-soarelui
Sunt lanuri lungi,
Prezente pentru întâlnirea noastră fastuoasă,
Dar drumul este lung
Şi vara-i pe sfârşite,
Presimt că ai uitat calea întoarsă...

Ce de tăcere şi
Ce greu răsare luna
Şi noaptea cade peste mine în fâşii
Se şterge timp de timp în aşteptare,
Ne moare dragostea
Iubito-n nopți târzii
Şi tu nu ştii...

sunflower

Our love is dying slowly my dear,
in tardy nights
The wind wipes out our trace without resistance
And on the meadow's edge
I'll wait for you,
I'll wait to see your shadow in the distance.

The meadow's long and full
Of sunflowers in bloom,
They're present for our monumental meeting
But then the road is long
And the summer's at the end,
I have the feeling your return is fleeting...

How huge this silence now,
How hard the moon is raising
The night is cutting down on me from heavenly heights
And time erases time while waiting on,
Our love is dying slow
My dear, in tardy nights
And you don't know...

Ion Chichere (1954-2004)

verighetele

Bate un vânt de o mie de ani
în vârtej verighetele
se înalță la ceruri, unde
îngerii stau cu degetele întinse.
Stau îngerii cu degetele lor albe,
întinse înspre pământ,
ah, degetele lor albe ca
nişte clape de pian
se aud în liniştea neagră
a nopții, scâncind...
O melodie cu muzica înăuntru
este moartea,
o cununie cu un melc negru
pe o scândură albă –
Bate un vânt de o mie de ani,
şi sunt chiar în timpul
cuceririlor barbare
şi cineva îmi poartă capul
într-o suliță
deasupra capetelor descoperite.
şi eu văd cum tot ce e pe pământ
este cununat trainic
cu tot ce este în cer
pe o scândură albă

the wedding rings

There blows a wind of a thousand years
in a vortex the wedding rings
soar towards the heavens, where
the angels await with straightened fingers.
the angels await with their white fingers,
outstretched towards the earth,
oh, their fingers, white
like some piano keys
can be heard through the black silence
of the night, whimpering...
A melody with music inside
it is death,
a wedding with a black snail
on a white wooden plank –
There blows a wind of a thousand years,
and I truly find myself in the time
of the barbarian invasions
and someone carries my head
stuck on a spear
above the uncovered heads
and I see how everything on earth
is wedded solidly
with all that is in heaven
on a white wooden plank

febră în iunie

intrată până-n gât
decapitată,
pune o frunză de brusture
m-a-nvățat depilatoarea,
nu e nevoie de intervenție chirurgicală
se va vindeca
îți va crește un cap nou
cu mult mai trainic și mai frumos,
am pierdut pământul de sub picioare
l-am lăsat departe, în urmă,
pentru ce l-ai pierdut, se aude ecoul,
există acel cineva?
nu, îi răspunde vocea mea
de parc-aș fi apăsat pe butonul unui casetofon,
nu există acel cineva
este marea, păpușa care-mi zicea mama
spasmodic tremurând mâna ca un fetus dimineața-n chiuvetă
este tinerețea mea

fever in June

in up to my neck decapitated,
put a burdock leaf
taught me the depilator-lady,
there is no need for a surgical intervention
it will heal
you will grow a new head,
more enduring and more beautiful,
I lost the ground from under my feet
I left it far away, behind,
why did you lose it, I could hear the echo,
does that someone exist?
no, my voice responds
as if I pressed the button of a cassette player,
that someone does not exist
it is the sea, the doll who called me mama –
hand trembling spasmodically like a fetus in the sink in the morning
it is my youth.

Octavian Soviany (1954)

sonnet (1)

În nebuloasa unui somn mereu
Ca-n centrul unei sfere cristaline
Cuvântul era-nchis în Dumnezeu
Şi Dumnezeu era închis în sine

Căci Tatăl însuşi se tăcea în Fiu
Aşa cum Fiul se tăcea în Tată
În timp ce ca un abur străveziu
Acum era cuprins în niciodată

Şi nu era nici lume nici nelume
Ci doar îmbrățişându-se plăpând
Cuvântul odihnea în Sfântul Nume
Şi Sfântul Nume odihnea-n Cuvânt

Îngemănând în tainica lor fire
Tăcerea dinainte de rostire.

sonnet (1)

Deep is the sleep, a nebula of old
As in a crystal sphere above the sweep
The Word was buried deeply within God
And God within Himself was buried deep

Father himself paused speechless in the Son
As in the Father was the Son restrained
While like a vapor blue the truth was spun
And grasped now in the never – and contained.

The world and the un-world were both the same
As gently they embraced and softly stirred
The Word was resting in the Holy Name
The Holy Name was resting in The Word

Thus, waving in their mystery unbroken.
The silence from before the Word was spoken.

ochii femeilor care mătură au culoarea speranței – fragment

Dimineața la șapte nevestele noastre
se gândesc la noi petre
ca la marinarii lui magellan
și ca
la înecații de pe tita-
nic
privindu-se în vitrinele proaspete ale magazinelor

Nevestele noastre
sunt timbrele noastre din
costa rica smintitule
o aștept pe ofelia
să mă ducă la tomograf
ea îmi
colecționează
toate tomografiile și
alcătuiește din ele dosare
de divorț pântecoase se
uită cu scârbă
la creierul meu pe care a vrut
să-l doneze bisericii.

Dimineața la șapte
creierul meu are culoarea speranței.

the eyes of street sweeping women have the colour of hope – excerpt

In the morning at seven our wives
are thinking about us peter
as if we were magellan's sailors
and as if
we were the drowned ones on the tita-
nic
looking at themselves in the fresh shop windows.

Our wives
are our stamps from
costa rica you idiot
i wait for ophelia
to take me to the ct scan
she
collects
all my ct scans and
compiles from them pot-bellied files
for divorce she
looks with loathing
at my brain which she wanted
to donate to the church.

In the morning at seven
my brain has the color of hope.

dialectica

încet-încet se pune în mișcare mașina de cusut cuvinte:
TAC-TAC!
TAC-TAC!
încet-încet calul moare păscând, nimicul cucerește câmpul
de lupta, șobolanul
Bosch avansează pe scenă
încet-încet se deschid pulpele fetelor, în somn
încet-încet se termina țigara condamnatului la moarte
încet-încet pe jumătate orb, cenușa
încet-încet sunt trași pe roată poeții idilici,

încet încet
nu mai am nimic de pierdut

dialectic

slowly-slowly the sewing machine of words sets itself in motion:
TACK-TACK!
TACK-TACK!
slowly-slowly the horse dies grazing, the nothingness
conquers the battlefield, the Bosch
rat advances on stage
slowly-slowly the legs of the girls open-up, as they sleep
slowly-slowly the cigarette of the man condemned to death finishes
slowly-slowly half-blind, the ashes
slowly-slowly the idyllic poets are broken on the wheel

slowly-slowly
I no longer have anything to lose

scrisoare mamei

(Prin lumina zmeurie
A unei veri aproape sfârșite
Aș vrea să mă întorc acasă
Mamă
Plin de bani și alături
Cu cea mai frumoasă fată din lume

Și tu să fii mândră
Și puțin fâstâcită
Te știu eu bine

Dar vezi
Eu sunt sărac și slăbuț
Port ochelari și umblu-ntruna trist

Iar peste toate astea tu îmi spui
Că umblu puțin aplecat înainte
Ca moșii

Ăsta sunt mamă
Ce naiba să fac
Așa că n am să pot veni acasă nicicând
Plin de bani și alături
Cu cea mai frumoasă fată din lume

Prin lumina zmeurie
A unei veri aproape sfârșite
Și tu să fii mândră
Și puțin fâstâcită
Te știu eu bine

Cea mai frumoasă fată din lume
Va merge cu altul acasă)

letter to my mother

(Through the raspberry-color
Of an almost ended summer
I'd like to return home
Mother
Full of money and alongside
The most beautiful girl in the world

And you would be proud
And a little bit shy
I know you well

But you see
I am poor and thin
I wear glasses and I always walk sadly

And on top of all this, you tell me
That I walk a little bit bent
Like the old fogeys

This is who I am, mother
What the hell can I do
So I won't ever be able to return home
Full of money and alongside
The most beautiful girl in the world

Through the raspberry-color
Of an almost ended summer
And for you to be proud of me
And a little bit shy
I know you well

The most beautiful girl in the world
Will go home with someone else)

Gabriel Chifu (1954)

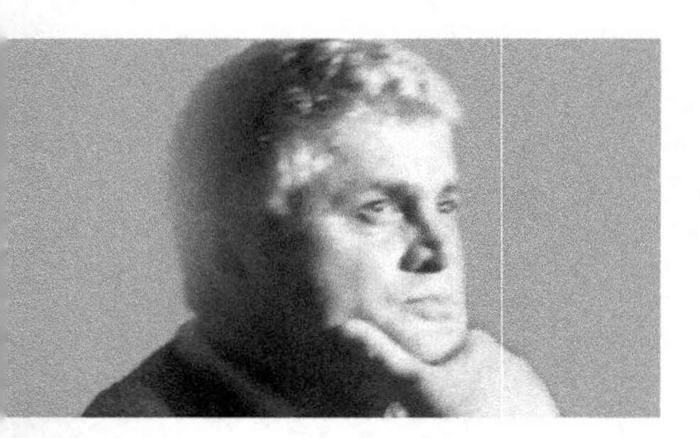

veştile aşteptate

Veştile aşteptate din cer, tot mai rare. Aproape lipsesc.
Totuşi, când şi când, ni se pare că desluşim,
venind de sus,
frânturi de cuvinte, silabe însingurate,
exclamaţii neînţelese, tăceri de piatră.
Firimituri, firimituri de la cei din slăvi
ajung până aici. Dar, din ele,
pâinea cea mare s-o reîntregim
nu ştim, nu putem.
S-au tocit legăturile,
suntem de capul nostru,
până şi lumina parcă a devenit pământească,
are miros de om, nu de zeu,
şi un gust acrişor de caisă verde.
S-au tocit legăturile.
Ne îndreptăm în cu totul altă parte
decât credem că mergem.
Nu mai avem drum sub picioare, nici pământ şi
nu ne dăm seama de asta.
Trăim dezastrul
cuprinşi de o atroce euforie.

the awaited news

The news we await from heaven is increasingly scarce. Almost missing.
Still, from time to time, it seems to us that we fathom,
coming from above
fragments of words, lonely syllables,
misunderstood exclamations, stony silences.
Crumbs, crumbs from those from up above
make their way to us. But, from them,
the large bread-loaf to replenish
we do not know, we cannot.
The bindings are threadbare
we are on our own
and even the light seems to become of the earth,
it smells of human, not of god,
and has the sour taste of green apricot.
The bindings are threadbare.
We are heading in an entirely different direction
To where we believed we were headed.
We no longer have a road under our feet, nor soil and
we do not realize this.
We live this disaster
beset by an atrocious euphoria.

(mă gândesc)

Mă gândesc la tine ca nimfa Calipso la Ulise
după ce el a plecat pe mare cu pluta lui
înspre soarta lui de om – deci
de muritor (asta este Itaca)

Un om şi el acolo exact ca tine:
casă nevastă copii
câteva nostalgii câteva bulendre câteva legăminte
şi-un câine
Oho. Războaiele acelea poruncite de zei
Sau peţitorii: atâta sânge bărbătesc şi-atâta vaier
Ţine minte – îmi spun – ţine minte:
un zeu se află-n preajmă dacă există-o rană
El vine
el îşi pune gura lui de zeu pe rană şi suge ca un prunc la sân
el îşi pune gura lui de zeu pe carnea despicată
ca pe-un sex muieresc şi prinde putere
El se mişcă-n sânge ca-ntr-un pântec

Ţine minte – îmi spun: unde există o durere
hopa şi zeii. Unul măcar
El se lipeşte de durere ca o lipitoare
şi stă acolo vreme uitată ca un fericit
El se lipeşte de durere ca o lipitoare până te lasă lat

(I am thinking)

I am thinking about you like the nymph Calypso about Ulysses
after he left on his raft for the sea voyage
towards his fate as a man – therefore as a mortal
(this is Ithaca)

Just a man, like you:
house, wife, children,
a few nostalgias, a few rags, a few vows
and a dog
Oh... Those wars commanded by the gods
Or the suitors: so much manly blood and so much groaning
Remember – I tell myself – remember:
a god must be close by if there is a wound
he comes
he puts his godly mouth on the wound and sucks like a baby at the breast
he puts his godly mouth on the open wound
as unto the womanly sex and increases his power
He moves through blood as if inside a womb

Remember – I say to myself: wherever there is pain
Whoops! The gods are there too. At least one
He sticks to pain like a leech
and stays there for times out of mind, happy as he can be
He sticks to pain like a leech until you are done

Mă gândesc la tine ca nimfa Calipso la Ulise
după ce el a pornit pe mare cu pluta lui spre soarta lui:

un om şi tu acolo exact ca el prins în cele omeneşti
ca într-o rană

I am thinking about you like the nymph Calypso about Ulysses
after he left on the seas, on his raft towards his fate:

you, a man just like him caught in all human things like
inside a wound

el (a rămas numai pielea lovită)

A rămas numai pielea lovită

între foi de trup năpârlită
din inima ta nemușcată, de șarpe,
S-ul pleacă, hârâind peste harpe

Sunt câinele tău care se mușcă și latră
cu picioarele înlemnite în piatră

oaia ta capie, care nu are unde să plece,
cu picioare hrănite din loessul rece
vițelul cel gras sub chemarea pustiului
venind risipit la întoarcerea fiului
gâsca ce scrie numele tău și al meu
cu pana muiată în grăsime de zeu

Sunt câinele tău, și-i citești să se culce
șacalul tău, cobea cu inimi de piatră
și creier de turtă dulce uscată

he(only the beaten leather remained)

Only the beaten leather remained

shed from pages of bodies contrived
from your heart, unbitten, like a snake
the letter S leaving me in its wake.

I am your good dog, which bites as it barks
with legs frozen still in a rock without marks

your giddy sheep with nowhere to go
its frozen legs ambushed and slow
fed from the cold mud
the fattened calf under the desert's call
returning prodigal with the sun in his thrall
the goose writing your name and mine
dipped its pen in the fat of the god at the shrine.

I am your dog, you read to him so he goes to sleep
your jackal, your jinx with a heart of stone
and a brain of dry gingerbread alone

hiena ta ucisă din milă
ce n-a purtat o marcă, o salbă
găsită-ntre scoici, pe hârca lucioasă
c-o rece șuviță
frumoasă și albă

Sunt câinele tău
dintre porți dintre sorți
căruia-i citești să se culce
în coapsa cu literă dulce a uneia din cele
o mie și una de morți

your hyena killed by mercy and grace
which never wore a mark, nor a necklace too bright
found among seashells, on the witch's slick face
with a cold strand of hair
lovely and white

I am your dog
from the gates, from the fates,
to whom you read for going to sleep
between sweet thighs dark and deep from one of the
one thousand and one deaths.

Aurel Dumitrașcu (1955-1990)

cimitirul personal

Sunt zile când mori și tu intrând agale pe poartă.
Și care gunoaie te revendică iar între ce
vânturi ai un ochi răstignit cine te duce purpurie-n noroi.
Mă întreb.
Nopți murdare. Nopțile toate sunt mult prea murdare de
frică! – repeți. Și eu nu mai știu nici un leac. Eu
care am citit totul eu care am văzut totul
chiar și trupul ofeliei putrezind lângă trupul lui mao
atâtea trupuri din care creșteau până aici pe pământ
drepte sfioase tulpini. Un imperiu. Scriem: un autor e
un om oarecare. Pierdut. Nu te lua după cuvintele lui
nu te lua după cuvintele mele.
Sunt zile când mori și tu intrând agale pe poartă. Știu
numele tău te aștept ne închidem
stăm goi. Uneori putrezești tu. Uneori putrezesc eu.
Aproape nimeni nu știe.

personal cemetery

There are days when you, too, die ambling along through the gate.
And what garbage claim you and between what
Winds do you have a crucified eye who carries you purple through the mud.
I am asking myself.
Dirty nights. The nights are way too dirty of
fright! – you repeat. And I no longer know any cure. I
who read everything I who saw everything
even the body of ophelia rotting beside the body of mao
so many bodies from which grew up to here on earth
straight timid stems. An empire. We write: an author is
an ordinary person. Lost. Do not follow his words
do not follow my words.
There are days when you too die ambling leisurely through the gate. I know
your name I am waiting for you we lock ourselves in
we sit naked. Sometimes you go rotten. Sometimes I go rotten.
Almost nobody knows.

ca niște fulgi de nea, durerea a plecat

Având în mâini durerea mea acum,
Am curățit al vieții drum,
Apoi, privind la soare, degetele-am răsfirat,
Ca niște fulgi de nea, durerea a plecat.

Am adunat palmele făcând un turn,
O rugăciune pentru-un un cerc diurn,
Apoi privit-am către mine
Și mă-ntrebai: deci, cine e cine?

Nu știam răspunsul atunci
Cum nu vedeam vântul din lunci,
Nici acum nu cunosc adevărul:
Cine a ispitit și cine – a mușcat mărul.

like some snowflakes, pain has vanished

My hands are clinging to my pain right now,
And so, I cleaned my life's path with a vow,
Then gazing at the sun, my fingers held a-splay
Like flakes made-out of snow, the pain had gone away

I held my palms together like a tower
A prayer for the circle of my daily hour,
Then looking at myself anew
I asked myself: well, who is who?

I could not know the truth back then
I couldn't see the wind through the glen,
Even now I don't know it and grapple:
Who tempted whom – and then who bit the apple.

axioma fericirii

Nimic mai efemer ca fericirea.
Când o ai în preajmă, ţi se pare că este veşnică.
Ai făcut un pas şi deja simţi că ai pierdut-o.
Ieri, când o ţineai de mână
Aveai impresia că nu sunt forţe să vă despartă.
Azi, când ea întoarce capul
ca să nu te privească în ochi,
Ai impresia că un milion de prăpăstii
şi-au deschis gura
ca să vă înghită.
De ce oamenii nu sunt fericiţi?
Fiindcă sunt fricoşi.

***

Cea mai sonoră vioară
o vor ciopli
din ultimul pat de armă.
Cu arcuş din iarbă
lăutarul cel întâi o să cânte
pentru cei de ieri
ca pentru cei de mâine.
Iubito, în liniştea aceasta nu auzi
Sămânţa din care
va creşte trunchiul sortit
Pentru ultimul pat de armă?

axiom of happiness

Nothing is more ephemeral than happiness.
When you have it around you, it seems eternal.
But you take one step and you already feel it's lost.
Yesterday, when you were holding it in your hand
You had the impression that there was no force strong enough to part you
from it.
Today, when she turns her head so that she does not look you
in the eye anymore,
You have the impression that a million chasms
open their
mouths to swallow you.
Why are people not happy?
Because they are fearful.
***
The most sonorous violin
will be chiseled
from the last gunstock.
With a bow made of grass
the first fiddler will play
for those from yesterday
as for those from tomorrow.
My love, in this silence, don't you hear
the seed from which
will grow the trunk fated for
the last gunstock?

MAGDA CÂRNECI (1955)

glossă

Orice carne, chiar şi cea vastă, înţelenită a lumii,
iradiază din sine însăşi afară:
Nimic nu e definitiv mărginit: Aureolele noastre se întrepătrund
şi vibrează auriu şi neauzit:
Nimic nu se încheie fără urmare: undele reci ale rîului se amestecă
primitor cu undele mele fiebinţi şi se varsă împreună în mare:
Nimeni nu moare total, nimeni nu e desăvârşit:
totul începe şi sfârşeşte şi începe continuu
Facerea şi apocalipsa se întâmplă în Clipă:
clipele sînt toate mici judecăţi de apoi:
În mine însămi am şi naştere, am şi eternitate şi moarte:
facerea şi apocalipsa se întâmplă continuu în mine:
paradisul şi iadul îmi pictează continuu catedrala interioară.
Fătul care am fost îmbrăţişează cadavrul care voi fi:
lumina care voi deveni:
bucuria începutului sărută bucuria sfârşitului.
De pe acum salut praful cosmic ce mă va conţine cîndva:
şi acum mai consum tenace din surîsul universal.
Cînd nu mistui cu patimă lucrurile din jur
atunci ele mă mistuie hulpav pe mine:
Uneori mă dizolv în vibraţia lor luminoasă
alteori ele se preschimbă în întregime în mine.

glossa

Any flesh, even the most sweeping, fallow of the world
Irradiates from itself to the outside:
Nothing is definitely limited. Our auras are enmeshed
and vibrate golden and unheard:
Nothing ends without a consequence: the cold waves of the river mix
welcomingly with my hot waves and together, they flow to the sea:
all begins and finishes and begins endlessly.
Genesis and the apocalypse happen both in the Moment:
Each moment is a small final judgment:
Inside I hold together birth, eternity and death:
genesis and the apocalypse happen continually inside me:
paradise and hell ceaselessly paint my internal cathedral.
The fetus that I was embraces the corpse that I will be:
The light which I will become:
the joy of the beginning kisses the joy of the ending.
From now on I salute the cosmic dust which will embrace me someday:
even now I consume tenaciously from the universal smile.
When my passion doesn't burn all the things around me
They all burn me, ravenously:
At times I dissolve in their luminous vibration
at other times they change entirely inside me.

MAGDA CÂRNECI (1955)

Uneori mă transmut în bărbat şi tu te transmuţi în femeie:
suntem vii şi nu suntem încă total vii:
suntem deja bătrâni şi nu suntem încă copii.
Uneori uit că sunt om şi sunt brusc Lumea toată.
Deşi niciodată pe cât însetez
nu voi fi
nu voi fi
nu voi fi.

At times I transmute into a man and you transmute into a woman:
we are already old and we are still children.
Sometimes I forget I am human and suddenly I am the whole World.
Although, much as I thirst for it
I won't be
I won't be
I won't be

Ion Mureşan (1955)

speranța

E rău.
Și doar speranța că mâine va fi și mai rău
ne ține-n viață.
Însă noi,
sperăm cu o așa putere
încât deodată mâine este azi
și este foarte rău.
Însă noi,
cu-o ultimă putere mai sperăm o dată.
Și, deodată, mâine este ieri
și este foarte rău.
Cât vezi cu ochii-n jur
e foarte rău:
o mare de plumb,
cu valuri mici și dulci.
Trecem pe lângă
insule tăcute și albastre
ce unduie pe valuri
ca pete de ulei
și motorină.
Și acum e bine,
căci e foarte rău,
iar răul
s-a stabilizat la cota
supremă.
Mai rău nu poate fi nici în trecut.

hope

It is bad.
And only the hope that tomorrow will be worse
keeps us alive.
But we
hope with such a force
that suddenly tomorrow is today
and it is very bad.
But we,
with the last shred of power hope once more.
And suddenly tomorrow is yesterday
and it is very bad.
All-around as far as you can see
it is very bad:
a sea of lead
with waves small and sweet.
We pass
by blue and silent islands
which undulate on the waves
like blotches of oil
and of diesel.
And now it is good
because it is very bad,
And the bad
has settled at
the maximum quota.
Even the past cannot get any worse.

oglinda și craniul

Oglinda şi craniul lucind în oglindă
nimicul
David şi Solomon inspectând zalhanale şi hala de peşte
butoaie cu stridii, semințe de floarea-soarelui
prăjite cu sare-n ulei
la cornet sau la halbă
nimicul
colorat, sclipitor, ieftin ca braga.

(Silentium!
Iehova e treaz şi creează
musca câinească, tăunul, scolopendra, aspida,
pe bocciu, pe saşiu, pe rahitic, pe fonf,
îl creează pe drac
dolofan
pozând gol întins pe o blană)...

the mirror and the skull

The mirror and the skull gleaming in the mirror
nothingness
David and Solomon inspecting slaughterhouses and the fish hall
barrels with oysters, sunflower seeds
fried with salt in oil
in a paper-cone or a pint
nothingness
colored, sparkling, cheap as chips.

(Silentium!
Jehovah is awake and is creating
the botfly, the gadfly, the centipede, the asp,
the grotesque, the cock-eyed, the rickety, the snuffler
He creates the devil
chubby
posing naked stretched on fur-skin)...

omul cu chitara

nu vei isteriza mulțimile cu ea
și nici măcar albastră nu e
(plaja pustie
cinematograful pustiu
cu coji de semințe
pe jos
urletul pustiu
în care stai și cânți
cu jale cumplită
viața lumii
scrisă pe foi jupuite
de pe inimi vii
cânți despre o femeie
mușcând dintr-un măr
la o fereastră
despre micile vitejii duminicale
ale bunilor tați de familie
despre tine „blazat
circar
fanatic"
pierzându-te ca niște urme
de sălbăticiune
în câmpie văzut de sus văzut de departe omul părea că n-are
moarte văzut de departe văzut de sus omul părea că e în plus

în mica lume de plastilină când ironia era regină)

the man with the guitar

you won't drive the crowds hysterical with it
and it isn't even blue
(the deserted beach
the deserted cinema
with seed husks on the floor
the deserted scream
in which you sit and sing
with terrible sadness
the life of the words
written on leaves skinned
off living hearts
you sing about a woman
biting an apple
at a window
about the small Sunday braveries
of the kind family dads
about you a "blaze
circus
fanatic"
getting lost like some traces
of a wild creature
on the plain seen from above seen from afar the man seemed immortal
seen from afar seen from above the man seemed superfluous

in the small world of plasticine when irony was queen)

Mariana Marin (1956-2003)

recviem

Preşedintelui Uniunii Scriitorilor
Mircea Dinescu în semn de
Apocalipsă pe veci

Capele clandestine, asta eram.
Prin subterane,
la lumina lumânărilor,
ne ceream fiecare din noi iertare morților.
Măruntaiele pământului vâjâiau,
o mână nevăzută ne desenase semnul ruşinii
pe frunte
şi nu mai ştiam dacă era clopotul
cel care ne ademenea la capătul drumului
sau corul oaselor risipite şi azvârlite
câinilor prin gunoaie.

Mărşăluiam, mărşăluiam
fiecare cu îngerul mortului său
plângându-i pe umăr.

Patria se pustiise de noi.

Lumina nu lumina.

Timpul înțepenise la gura cuvântului.

requiem

To the president of the Writers Union
Mircea Dinescu as a sign
of the eternal Apocalypse

Clandestine chapels, that's what we were.
Through the underground
by the light of the candles,
each one of us was begging for forgiveness from the dead.
The innards of the earth were howling,
an unseen hand had drawn the sign of shame
on our forehead
and we no longer knew if it was the bell
the one who was enticing us at the end of the road
or the choir of bones tossed and scattered
to the dogs in the garbage.

We were marching, we were marching
everyone with their angel of their dead
weeping on their shoulders.

The motherland emptied itself of us.

The light gave no light.

Time froze up at the mouth of the word.

cântarea a cincea la reîntoarcerea umbrei între nume şi fiinţă

*„Nu vă îngrijiţi de ziua de mâine, căci
ziua de mâine se va îngriji
de ale sale. Ajunge zilei răutatea ei."* (Matei 6, 34)

:Dumnezeu e trist
în această seară
orbilor desenaţi-mi o masă o pâine o cană cu vin
şi un nume de ţară
aici piatra nu se mai izbeşte de frunte ci zboară
în mijlocul cercului până când
ia forma oboselii şi schimbă culoarea desfrâului iarna
e ca vara tuşind în batistă
în necadenţă ploaia se întoarce din noroi înapoi în nori
să-şi caute identitatea
(altă dată pielea ta devenea haina mea sub iarba rea)
sugrumându-mi instinctele fumul nu mai înseamnă
nimic alunecând abstract şi leneş
pe sub brazda însămânţată cu tutun şi dezgust
(robii înapoi în robie
boii înapoi în jug
câinii înapoi în lanţuri)
la reîntoarcerea umbrei între nume şi fiinţă

acum muntele e mai înalt pe orizontală dacă întorci
valea pe dos
eu am venit ca să plec tu ajungi şi când nu vii

the fifth hymn to the return of the shadow between name and being

"Take therefore no thought for the morrow:
for the morrow shall take thought for the things
of itself. Sufficient unto the day is the evil thereof." (Matthew 6, 34)

:God is sad
this evening
you blind ones draw for me a loaf of bread a cup of wine
and a name of a country
here the stone does not crash into a forehead but flies
in the middle of the circle until
it takes the form of exhaustion and changes the color of debauchery winter
is like summer coughing in the handkerchief
an un-cadence of rain returning from the mud back to the clouds
to search for its identity
(at other times your skin was my coat thin, beneath the grass of sin)
strangling my instincts the smoke does not mean
anything anymore abstractly and lazily gliding
under the furrow seeded with tobacco and disgust
(slaves back to slavery
oxen back to the yoke
dogs back to their chains)
to the return of the shadow into name and being

now the mountain is a lot higher on the horizontal if you turn
the valley upside down
I have come here to go away, you arrive even when you don't come

(ai picioare mai drepte decât dreptatea)
însă indiferența coapselor tale nu e pentru renaşterea mea
pururi e loc de o nouă dezamăgire
(robii înainte în lanțuri
boii înainte în robie
câinii înainte în câinie)

p.s
lumină de taină mi-au fost toate femeile
din care am băut şi am tot
băut
cucută
crezând că sorb împărtăşanie

p.p.s
din unghiul de vedere al furtunii rămâne ceea ce risipeşti
nu ceea ce zideşti
în rest
ştii
şi
tu
cât de mult te iubesc
deşertăciune a deşertăciunilor

(you have legs straighter that justice)
but the indifference of your thighs is not for my renaissance
forever there's space for a new disappointment
(slaves ahead in their chains
oxen ahead into slavery
dogs ahead in their doggedness)

p.s
mystery light have all women been for me
from which I drank
and
drank again
hemlock thinking that I sipped communion

p.p.s
from the storm's perspective, all that remains is what you squander
not what you build
as for the rest
you
know
yourself
how much I love you
vanity of vanities

zâmbesc

nişte grăsane se uită urât la mine
şi atunci îmi dau seama că zâmbesc.
zâmbesc în maşina 109, în drum spre slujbă.
fireşte, impresie bună nu poate să facă
un tinerel pletos care se uită pe geam şi zâmbeşte.
dar eu mi-am amintit de tine şi, ca de obicei, am zâmbit.
e o reacție necontrolată.

m-am trezit dimineața încâlcit în vise urâte, cu jupuiri de viu
cu andrele străbătându-mi dantura
şi mi-am amintit de orele de gramatică.
în maşină pute-a maieuri şi a benzină
iar pe geam ce să vezi? blocuri şi iar blocuri.
am zâmbit şi am rămas, cred, minute bune cu zâmbetul ăsta.
mi te-am amintit în tricoul galben, lăbărțat
şi eu tot în tricou cam soios, cum am intrat cu tupeu la bulandra.
era antreul plin de gagici încoțopenite
şi tipi la costum...
noi parcă eram picați de la woodstock.

la şcoală directorul m-a luat în primire şi secretara
m-a amenințat
ficusul, săracul, neudat la timp
și-a pierdut trei sferturi din frunze
în oră, muștruluindu-i pe puști,
m-am trezit iar zâmbind,
și am fost silit să mă întorc cu fața la tablă.

I am smiling

Some chubby girls are looking at me
and then I realize I am smiling.
I am smiling on bus number 109 on the way to work.
of course, a good impression is impossible to make
for a long-haired young man staring through the window and smiling.
but I remembered you and, as usual, I smiled.
it is an uncontrolled reaction.

I woke up in the morning knotted in bad dreams, with skinnings alive
with knitting needles twisting my teeth
and I remembered the grammar classes.
on the bus it stinks of singlets and petrol
and through the window what do you think?
apartment blocks and more apartment blocks.
I smiled and I was left, I believe, for some minutes with this smile on my face.
I remembered you, in that loose yellow t-shirt
and me also in a t-shirt, somewhat filthy, as we brazenly entered the
bulandra* the foyer was full of stuck-up chicks
and guys in suits...
we looked as if we landed from woodstock,

at school, the principal started to scold me, and the secretary
threatened me
the ficus, poor thing,
unwatered on time
only had about a quarter of its foliage left
in class, giving those nippers a dressing-down,
I caught myself smiling again
and I had to turn my face towards the blackboard.

**Lucia Sturdza Bulandra*, or simply "the Bulandra" – well known Bucharest theatre, bearing the name of a famous actress and professor of acting.

calul îl veghează plin de tristețe

Eram singur în mijlocul străzii
sub burta calului meu
eram întins pe caldarîm
iar calul meu se uita la mine, se mira
nu mă mai văzuse niciodată mort

trecătorii întorceau cîte puțin capul
priveau cu coada ochiului şi spuneau
ce frumos, călărețul a murit
iar calul îl veghează plin de tristețe

dar nu era aşa, calul meu
mă adulmeca doar nelămurit
încerca să mă atingă cu botul său umed
trecătorii îşi spuneau ce frumos
călărețul a murit iar calul
încearcă să-l îndrepte cu fața în sus

dar nu era aşa, calul meu
s-a plictisit repede de tăcerea mea
şi m-a părăsit acolo, pe caldarîm
a luat-o încet de-a lungul străzii

the horse watches over him full of sadness

I was alone in the middle of the street
under the belly of my horse
I was lying on the pavement
and my horse was looking at me, bemused
as he had never seen me dead before

the passers-by were turning their heads a little
and looking from the corner of their eye, they were saying
how nice, the rider is dead
and the horse watches over him full of sadness

but it was not so, my horse was
just sniffing in confusion,
trying to touch me with his damp muzzle the
passers-by were saying how nice
the rider is dead and the horse
tries to turn him, face upwards

but it was not so, my horse
got bored quickly by my silence
so he left me there, on the pavement
and walked slowly along the street

TEODOR DUME (1956)

casa fără trepte

sunt mai bătrân cu câteva anotimpuri
nu ştiu precis câte au mai trecut
sau câte mai sunt
am părul albit
şi
ochii sticlaţi
îmi place aşa cum sunt
cu
umerii apropiaţi şi
gâtul reazăm
sub cer
doar pantalonii mi-au rămas mici
şi
privirea cât o rază

nu-i bai

privesc în urma anotimpurilor ce
au trăit în carnea mea şi
acum se duc...
nu pot să le mai ţin în mine
chiar dacă unul l-am pus de-o parte
pentru atunci când nimeni nu va înţelege nimic
dar cine ştie...

the house without steps

I am older by a few seasons,
not sure how many may have passed
or how many are still left
my hair is grey
and
my eyes glassy
I like the way I am with
shoulders together and
my neck a prop
under the sky
only my trousers are now too small
and
my gaze like a ray

no matter

I survey the seasons which
lived inside my flesh and
are now waning...
I can no longer remember them
even though I set one aside
for when no one will understand anything anymore
but who knows...

Teodor Dume (1956)

azi am învățat să-mi fac o cafea
şi să îmi strig nepotul
mai am şi câteva amintiri
poate într-o altă zi îmi a fi
cu mult mai bine
rănile îmi vor curge precum sângele absent
în târziul din noapte o
să mă ghemuiesc până adorm
şi-n tot timpul acesta cineva
îmi va construi o casă fără trepte
cu o singură fereastră care
va da
înspre apus...

despre toate aceste lucruri
am vorbit cu Dumnezeu
şi totuşi
nu mă pot desprinde de voi

today I learned to make myself a coffee
and to call after my grandson
I also have a few memories
maybe one day I will feel
a lot better
my wounds will flow like the absent blood
in the lateness of the night, I will
curl up until I fall asleep
and during all this time someone
will build me a house without stairs
with a single-window which
will open
towards the sunset...

about all these things
I spoke with God
and yet
I cannot part from all of you

Mihaela Malea Stroe (1957)

peisaj în bătaia... inimii

Ispitei rănii se dedă copilul,
Prunc preacurat pe miriști alergând.
Sub geana lui se odihnește cerul
Și stele-nmugurite are-n gând.

În frăgezimea tălpii-s incrustate
Trei visuri, șapte basme, nouă flori,
Dor de amurguri, dor de răsărituri,
Un șoim, o stea de veghe, trei păstori.

Din umbra lui, lumină se înalță –
Poveste-n zbor de înger jucăuș
Și roua dimineții îl alintă
Când își adună palmele căuș.

Adânc privind, citește rostul lumii
– de unde vine, încotro se duce –
Iar paiele și spinii de pe miriști
Sunt primele piroane-n tălpi, pe cruce.

landscape in a heart... beat

Into the wound's temptation fell the child,
An infant pure, on meadows running wild.
Beneath his eyelashes the heaven's resting,
The stars at dusk his thinking has beguiled.

His fragile foot sole has in it embedded
Nine flowers, seven fairy tales, three dreams,
Longing for twilight, longing, too, for sunrise,
A hawk, three shepherds, and a star which gleams.

From his dark shadow, does the light arise –
A fairy tale, a playful angel glide
The morning dew caresses him so sweetly
His palms, now scooping, and now open wide.

His deep gaze reads this world's justification
– from whence it comes, and where it set its goals –
And then the straw, the thorns from all the meadows,
Are on the cross, the first nails in his soles.

Ion Bogdan Lefter (1957)

între două bătăi ale ceasului

Între două bătăi ale ceasului nu există premeditare;
scot din mâneca hainei un iepure trist și
las telefonul să sune.
Așezați în două fotolii ascultăm
acordarea orchestrei.
Între două bătăi ale ceasului încropim un sentiment, două,
în timp ce instinctul îmi reprimă profețiile
(căci el știe el ce știe că
în orice profet
pândește
încolăcită
o cobe).
De aceea trec gânduri ca niște săgeți fără stăpân
în timp ce tu mă iubești brusc și fără condiții,
cu cocoașa mea cu tot,
cu ochii mei orbi,
cu ferestre și uși,
cu urmele pașilor pe nisip și
cu dâra pe care-o lasă corpul
în aer.

between two strikes of the clock

Between two strikes of the clock there is no premeditation;
from up my sleeve, I produce a sad rabbit and
I let the phone ring.
Sitting in two armchairs we listen to
the tuning of the orchestra.
Between two strikes of the clock, we scrape together a sentiment or two
while the instinct suppresses my prophecies
(he knows what he knows... that
in every prophet
prowls
curled-up
a jinx).
That is why thoughts pass by like arrows without a master
while you love me suddenly and without conditions,
with my hunch on top of all,
with my blind eyes,
with windows and doors,
with the traces of my steps in the sand and
with the trail which my body leaves
in the air.

Florica Bud (1957)

țipăt alb

nu bombei atomice cu silicon!
țipătul alb țâşneşte din izvorul vieții
ascuns cu stângăcie modelată
sub sânul meu stâng
mare
iubitor de talanți
risipiți
asemeni spiriduşilor regali pe suprafețe
rugoase
posedate sălbatic preț de o rotație terestră.

white scream

no to the siliconized atomic bomb!
the white scream gushes out from the spring of life
hidden with studied clumsiness
under my
left
breast
big
lover of wasted talents
like the royal goblins on rugged
surfaces
wildly possessed during one terrestrial revolution.

dacă n-aş fi fost silit să vorbesc

dacă n-aş fi fost silit să vorbesc,
n-aş fi vorbit niciodată.
până la şase ani nu mi-au cerut-o
şi a fost bine, pentru că stăteam sub vorbire
ca sub un clopot de fontă perfect ermetic.

ascundeam acolo o ştiinţă
pe care, la şase ani, m-au silit să o pierd.
îl vedeam pe înger nu în somn, ci aievea,
ziua-n amiaza mare,
când realitatea e de netăgăduit.

nu i-am iertat nici pentru faptul
că m-au dat la şcoală,
unde a trebuit să vorbesc,
iar mai târziu să mă străduiesc să le seamăn
celorlalţi, care vorbeau de zor
şi dădeau din mâini şi din picioare,
năucindu-mă cu viaţa lor.

chiar şi astăzi vorbesc doar cu spaimă,
pentru că locuiesc tot acolo, sub clopot,
iar vorbirea îmi face rău.
n-am nimic de spus în vorbire umană,
unde totul este întâmplare şi zarvă.

if I hadn't been forced to speak

if I hadn't been forced to speak,
I never would have spoken.
until I was six they did not demand it of me
and it was good like that because I was standing under
speech as if under a cast iron bell perfectly hermetic.

I was hiding there a science
which, at six years of age, they forced me to lose.
I was seeing the angel, not in my sleep, but verily,
in the middle of the day,
when the reality is undeniable.

I never forgave them
for sending me to school,
where I had to speak,
and later, to be at pains to resemble
the others, who were speaking precipitously
while flailing their hands and legs,
making me dizzy with their life.

even to this day I only speak with dread,
because I still live there, under the bell,
and speaking makes me ill.
I have nothing to say in human speech,
where everything is happenstance and bedlam.

mă prefac însă cu o anume dibăcie că vorbesc,
iar afară se aud
sunete aproape omeneşti,
dar în gâtlej e un muget analfabet şi inform,
care n-are de a face cu vorbitul.
mai rău e însă că ştiinţa tăcerii mele s-a dus,
s-a dus şi îngerul care mi-a stat
la căpătâi până la şase ani,
s-a dus şi omul care putea fi alt om,

tăcând în aşa fel încât la capătul
multor ani de muţenie, să poată dezvălui
ştiinţa cea mai neiertătoare a ştiinţelor,
singura care ar fi putut face moartea mai suportabilă
şi maşinile mai îngăduitoare.

I pretend instead, with some dexterity,
to speak, and outside one can hear
sounds, almost human,
but in the throat, there is an illiterate and formless bellowing,
which has nothing to do with speaking.
worse is that the science of my silence is gone,
and also gone is the angel who remained
by my bedside until six years of age,
and gone is the man who could have been another man,

keeping silent in such a way that at the end
of many years of dumbness, he could have revealed
a most unforgiving science among sciences,
the only one which could have rendered death more bearable
and machines more tolerant.

viața ucide

viața mea, toată, ar încăpea foarte bine într-una mai mică.
și încă ar mai rămâne, subțire, un loc pentru o coală de hârtie,
o călimară și-un toc.
de care să mă agăț cu disperare, ca de-un colac greu, de plumb,
de salvare.
viața mea, toată, ar putea locui într-o alta, mai mică.
chircită-n ungherul unde odată, demult, a tors o pisică.
viața mea, toată, ar încăpea într-o sticluță
pe care și-ar trece-o unul altuia îngerașii,
sorbind câte-o litruță.
trăiesc înconjurat de lucruri pe care le-am adunat cu greu
dar nu-mi sunt de nici o trebuință.
trăiesc să apuc ziua de mâine, de parcă mi-ar folosi la ceva.
trăiesc nopți de veghe și zile de coșmar, rostogolindu-se peste mine.
mă veștejesc în zadar.
înconjurat de oameni pe care m-am străduit să-i cunosc.
înconjurat de oameni pe care nu-i recunosc.
mă port printre ei cu sfială și cu umilință.
sunt, din regnul meu, cea de pe urmă ființă.
mă vizitează, în magazia unde scriu, popoare de șoricei.
poate asta și sunt – unul ca dânșii, unul ca ei.
o vietate dăunătoare al cărei suflet a apus demult, ostenit.
în zarea unde sfârșește până și cuvântul sfârșit.
sunt de genul masculin, regnul animal.

life kills

my life, all of it, would fit very well inside a smaller one.
which will still have left in it, narrowly, enough space for a sheet of paper,
an inkpot and a pen.
to which I could cling in desperation, as if to some heavy, leaden,
life-saver.
my life, all of it, could easily live inside another one, smaller.
crouched in a corner where sometime, long ago, purred a cat with a collar.
my life, all of it, would fit into a little bottle
which little angels would pass to one another,
each sipping a little pottle.
I live surrounded by things that I struggled to gather
but which are not useful to me at all.
I live to see another day as if it was profitable in some way.
I experience wakeful nights and nightmare days rolling over me.
I wither in vain, in a haze.
surrounded by people whom I endeavored to know.
surrounded by people whom I'll never know.
I conduct myself among them shyly, humble in my den.
I am, from my kingdom, the last specimen.
I am visited, in the shed where I write, by nations of mice.
maybe that's what I am – one of them, one of their race.
a pest whose soul set long ago, weary, spent.
on a horizon where it ends even the word the end.
I am of the animal kingdom, of the male kind.

mă trezesc mahmur, dimineața, pe acelaşi pat de spital.
ca s-o iau de la capăt. cu deznădejdea şi cu speratul.
că în fine, la noapte, mă voi preface în altul.
pentru asta veghez, pentru asta mă prefac că sunt viu.
pentru asta mă rog în pustie.
pentru asta trăiesc în pustiu.

I wake up hungover each morning, to the same hospital bed confined.
and I start all over with hope and desperation.
that finally tonight, I will become some other creation.
this is why I remain watchful, and for this reason, I pretend I'm alive.
this is why I pray in the wilderness.
this is why in the desert I strive.

Carmen Firan (1958)

zidește fereastra

tu dacă m-ai ales pe mine
fă şi ca iarna să nu mai sfârşească
nu suport indecența naturii
fiecare mugur plesnit mă doare
înnegreşte soarele
cu cearcănele mele
opreşte iarba
întinerirea e umilitoare

auzi, păsările nu au fost încă sugrumate
culorile îşi fac de cap
viața mea gri pare un lucru inventat
de parcă nu ne-ar bântui aceeaşi moarte

tu dacă m-ai ales pe mine
zideşte fereastra dinspre bulevard
să ne iubim mai trist şi mai departe
în albul înghețat

brick up the window

since you have chosen me
make sure winter doesn't end anymore
I can't stand this indecency of nature
every broken bud hurts me
please blacken the sun
with my hollow eyes
stop the grass
this rejuvenation is humiliating

listen, the birds have not yet been strangled
the colors are running riot
my grey life seems like an invented item
as if we wouldn't be haunted by the same death

since you have chosen me
brick up that window facing the boulevard
let us love each other forlorn and ongoing
in the frozen whiteness

[unde ai pus hai spune-mi unde ai pus soarele de pe cer...]

***

am văzut o bufniță care scria poezii cu ochii pe noapte
chiar scria nu era o iluzie optică
am văzut un mânz care citea poeziile scrise de mine chiar aici
în pământ dedesubt unde noaptea ține de obicei
un miliard şi unu de ani
am văzut o privighetoare cum îşi înfăşura cântecul cu noapte
peste gură şi peste pleoape
am văzut un elefant dansând cu patimă cu o furnică chiar
pe dunga de la orizont furnica era în zi elefantul era
în plin miez de noapte
am văzut pe urmă o girafă care mă privea dinspre zi înspre noapte
de la o înălțime cu adevărat impresionantă
am văzut şi un tigru mort care râdea cu lacrimi chiar la miezul
nopții de sâmbătă spre duminică
am văzut un peşte cum mergea pe stradă şi râdea şi el
şi râsul lui în urma lui se transforma în noapte

***

[where have you placed please tell me where have you placed the sun in the sky…]

***

I saw an owl writing poetry its eyes set upon the night
it was truly writing it was not an optical illusion
I saw a colt reading the poems written by me right here
below the earth where the night usually lasts
one billion and one years
I saw a nightingale wrapping its song with night
over its mouth and over its eyelids
I saw an elephant dancing with passion with an ant even
on the edge of the horizon, the ant was in the day the elephant was
in the dead of midnight
I later saw a giraffe gazing at me from daytime to nightfall
from a truly staggering height
I saw a dead tiger as well which was in tears with laughter exactly in the
middle of the night from Saturday to Sunday
I saw a fish walking on the street and it was laughing too
and its laugher was changing into night behind it

***

Radu Voinescu (1958)

copiii nenăscuţi

Oare cum visează copiii lepădaţi?
Cum e plânsul lor?
Ascultaţi o clipă, atunci când soarele scapătă,
când vântul nu mai bate, când vine
ceasul odihnei de seară,
când glasurile se mută din stradă,
când tac motoarele automobilelor,
când mierlele negre privesc
la secera lunii,
când numai apele mâloase
mai curg în canalele oraşului
şi veţi putea auzi copii nenăscuţi,
scâncetul lor uşor...
Grijulii să nu
ne tulbure liniştea, copiii
care nu ştiu decât toba
liniştitoare a inimii;

unborn children

How do rejected children dream?
How do they weep?
Listen for a moment, when the sun is setting,
when the wind no longer blows
and the time of evening rest is at hand,
when the voices are moving from the street
when the car engines shut up,
when the blackbirds gaze upon
the crescent moon,
when only the muddy waters
are still running through the sewers of the city
and you could hear the unborn children,
their quiet whimper...
Mindful that they do not
disrupt the peace, unborn children
only know the soothing
drum-beat of the heart;

să nu ne bântuie visele, copiii nenăscuți,
au în ochii închişi doar
amintiri de la începutul lumii,
copiii nenăscuți, cuminți,
lăsându-se devorați de câini,
de pisici flămânde,
ciuguliți de păsări în amiezi care ard maidanele,
putrezind neştiuți la rădăcinile caişilor,
duşi, încolonați, spre hăurile canalelor
cufundându-se mocirlă şi în uitare,
amintindu-şi, poate,
doar sporovăiala
stenică a doctorilor,
mirosul formolului şi
chicotelile femeilor care împing
cărucioare albe, aseptice...

so that they do not haunt our dreams,
unborn children,
only bearing, in their closed eyes,
memories from the beginning of the world;
unborn children, unobtrusive,
letting themselves be devoured by dogs,
by hungry cats,
pecked at by birds in afternoons when the fields swelter in the heat,
rotting unknown at the roots of apricot trees,
taken, in a row, towards the abyss of the sewers
drowning in a slurry of forgetfulness,
remembering, perhaps,
only the sterile chat of the doctors,
the smell of formaldehyde and
the giggle of the women who push
the white, aseptic, prams...

Adrian Alui Gheorghe (1958)

moartea ca un trofeu

Vii în lume și în locul tău găsești
pe altcineva. ți-a trăit deja jumătate
de viață (mai mult sau mai puțin, nu
mai contează) te privește ca pe un uzurpator

te somează să mai aștepți într-o margine
pînă ce astrele vor fi potrivite pînă ce
întrebările și răspunsurile se vor fi pus
de acord te pune să lustruiești amintirile
din jumatatea de viață trăită
te scoate gol în stradă să vadă ceilalți
ce oase slabe are destinul
ce piele aproape putrezită
galbenă vînătă neagră
te pune să te urăști
să-ți fie greață de tine
să te privești într-o oglindă nebună
care se apropie să te îmbrățișeze
să te sărute
să-ți lase pe gură moartea
ca un trofeu.

death as a trophy

You arrive in the world and in your place you find
someone else. he already lived half
of your life (more or less, it does not
matter anymore) he regards you as a usurper

he serves you a notice to attend on the sideline
until the stars will align, until
the questions and the answers would have been posed
agreeing you have to shine your memories
from the half of life already lived
he pushes you naked in the street so others will see
what skinny bones destiny has
what skin almost rotten
yellow purple black
he makes you hate yourself
to be nauseated by yourself
to see yourself in a crazy mirror
which closes in to embrace you
to kiss you
to leave on your mouth death
as a trophy

omul deteriorat

știu că se poate trăi și așa – singur și inactual –
cu o largă toleranță de sine
dar și cu sentimentul că ești îngăduit
că stai sub reflectorul unei priviri
exigente și necruțătoare

îmi spun că va fi existând și o mecanică
a suferinței
în care să te simți detaliul umil
ființa rătăcită
ținută de mână și îndemnată
„mai multă metanoia! mai multă metanoia!"
și chiar ai plăcerea să scrii tragic
despre omul deteriorat care ești
despre omul c-un zilnic ritual al regretelor

știu că există o vrajă malefică a vieții
un baroc îmbietor în care te dizolvi
cu o voioșie populară uneori
și doar demnitatea (disperată) a ceea ce sunt
vorba bătrânului Thomas –
îmi dă curaj asupra priveliștii

the decrepit man

I know that one can live like this – alone and untimely
with a large dose of self-tolerance
but also with the sentiment that you are tolerated
that you are under the spotlight of a gaze
critical and unforgiving

I tell myself that there must be a mechanic
of suffering
in which you'd feel like the humble detail
a lost being
held by hand and cajoled
"more metanoia! more metanoia!"
and you even enjoy the pleasure of writing tragically
about the decrepit man that you are
about the man with the daily ritual of regrets

I know there is a malefic magic of life
a beguiling baroque in which you dissolve
with an ordinary joy, at times
and only the (desperate) dignity of what I am
as old Thomas used to say –
gives me courage over this panorama

Al Francisc (1958)

prea târziu

Era mult prea târziu
Să mai fi zis TATĂL NOSTRU
Şi să îmi fi făcut şi o cruce
Aşa c-am lăsat glonţul
Să treacă prin mine
Şi poate prin tine.

too late

It was far too late
For me to say THE LORD'S PRAYER
To make the sign of the cross
Therefore I let the bullet
To pass through me
And maybe through you

Liviu Georgescu (1958)

integralitate

Când suntem în trupul nostru, păcătuim față de piatră,
când am călcat pământul, suntem în eroare față de nori,
când am rostit adevărul nostru, am mințit față de toți.
Şi ce-am mai putea să facem decât să strigăm cu toții
în cor, să ne îmbrățişăm cu pietrele, focul şi aerul.
Să ne schimbăm între noi sângele şi gândurile
şi sentimentele aşa cum ne schimbăm surâsurile
şi respirațiile şi sufletele când ne iubim.
Să nu păcătuim față de fum, să nu greşim față de soare,
să nu călcăm frunțile plecate, căci toate suntem noi,
unul şi infinitul, acum şi întotdeauna.
Navigând în noi ne putem îneca în nemărginirile
oceanului ce se zbate la țărmurile craniului şi scaldă
gândurile ca pe nişte comori aduse la mal.
Ne stingem cu propriul val înălțat de lună,
ne strivim mireasma sub propriii paşi,
parte şi tot, luntre şi punte.
Ne învârtim pe propriul ax şi facem scântei,
asupriți de astre, împovărați de lumină,
în vintrele de alge-ale mării, noi, victime şi călăi.

integrality

When we dwell in our bodies, we sin against the stone,
when we have trodden the earth, we err against the clouds,
when we utter our own truth, we lie to everyone else.
But what can we do other than scream with one voice, and
embrace the stones, the fire, and the air.
Let us exchange with one another our blood and thoughts
and our sentiments as we exchange smiles
and breaths and our souls when we love.
Let us not sin against the smoke, let us not err against the sun,
let us not step on the bowed brows, because all of these are us,
the one and infinity, the now and forever.
Sailing inside ourselves we can drown in the boundlessness of
the ocean that writhes on the shores of our cranium and bathing
our thoughts like some treasures washed on the strand.
We fade with our own wave raised by the moon,
we crush our scent under our own steps,
a part of the whole, one and all.
We rotate around our own axis and produce sparks,
oppressed by the stars, burdened by light,
in the groins of sea-algae, we, victims and executioners.

prin patria oglinzii (delir dedrept) 3.

creatorul trebuie avertizat: să-nceteze
creația! Să se oprească odată!
Creatorul trebuie oprit, altfel distruge
totul.
Ne zboară carnea de pe oasele
în plină creștere, și noi suntem
fericiți.
Ne fug sufletele – să se salveze –
precum cuvintele, și ne lasă
în urmă. Ah,
cohorte de îngeri speriați
cântă imne salvatorului
care îi dă afară din lume
umple lumea.
Ah, ce fericiți suntem, mereu mai
Mari, mai puternici, mai singuri.
Ne dă lumea afară din lume
Și noi mulțumim:
Creația impune salvarea.
Taci, creatorule, oprește industria
vorbelor tale.
Încetează zidirea.

from the motherland of the mirror (delirium by right) 3.

The creator needs to be warned: to stop
the creating! To finish
once and for all!
The creator needs to be stopped, else he destroys
everything.
Our flesh is flying off our bones
In full growth, and we are happy.
Our souls run – to save themselves –
As do the words, and they leave us
Behind. Oh,
Cohorts of frightened angels
Sing hymns to the savior
Who kicks them out of the world
Fill up the world.
Oh, how happy we are, always
Bigger, stronger, lonelier.
The world is kicking us out of the world
And we are thankful:
Creation imposes salvation.
Be silent, you oh creator, stop the industry
Of your words.
Cease the building of creation.

Beniamin

mă gândesc uneori cum ar fi fost
dacă aş fi trăit mai puţin decât mine
un gând imposibil: să înţeleg lumea
situându-mă în afara ei

mă gândesc la mine ca la un frate mai mic
Beniamin, fratele meu – tu, fratele meu, Beniamin
şi întorc obrazul, să plâng
aş putea umple un cimitir cu mine
care am trăit mai puţin decât mine
umblu prin brazde cu crizanteme în mână
flori potrivite pentru orice-anotimp
unde mă uit, numele meu peste tot
pe lemn geluit, pe scândura scorojită de ploi
pe lemn înnegrit precum carnea uscată
peste tot numele meu şi numele numelui meu
mai puţin în colţul de ţintirim acoperit cu otavă
unde numele şi trupul meu nu s-au întâlnit cu lemnul

se-aude hârşâitul ultimului cosit de Sântă Mărie
iar prunii se coc cea mai dulce
e ţuica făcută din prune de cimitir
clatin paharul e plin de mărgele o salbă frumoasă
care sună pe pieptul tău când dansezi primprejur
te-am păcălit, moarte a mea, te-am iubit
înainte să mă ajungi tu pe mine.

Benjamin

I sometimes ponder, how it would have been
if I had lived a shorter life than I did
An impossible thought: to understand the world
by placing myself outside it

I am thinking of myself as if I were a younger brother
Benjamin, my brother – you my brother, Benjamin
and I turn my cheek away, to weep
I could fill a whole cemetery with myself
the one who lived less than me.
I walk through the furrows with chrysanthemums in my hand
flowers appropriate for any season
wherever I look, my name is everywhere
on joined wood, on the plank wrinkled by rains
on blackened wood like some dry flesh
everywhere my name and the name of my name
save from the corner of the cemetery covered by tender grass
where my name and my body did not encounter the wood

one can hear the rasping of the last haymaking on Saint Mary
and the plum trees are about to ripen the sweetest one
it's the brandy made from cemetery plums
I rock the glass it is full of beads a beautiful necklace
which rings on your breast when you dance around
I tricked you, my death, I loved you
before you could reach me.

corabia de Trapezunt

Va rămânea, din tot ce sunt,
Corabia de Trapezunt
care-n absența unei vele
va prinde vântu-n peruzele,
în verzi smaralde şi-n rubine
şi va căra-n viitorime
o calicime-evghenisită
şi chinuită de flebită.
Corabie cât o ghimie,
cu carnea punții colilie,
de care te înfricoşezi
fie şi numai de-o visezi;
cu muşi şi cu matrozi leproşi,
cu toți topciii ofticoşi;
corabie trasă-n dos de rai,
la schelele de putregai
ce aşteapta-va scârțâind,
prinsă-n odgoane de argint
să scape în afar de porți –
(cu tifla dând viilor morți!)
alt heruvim adolescent
râvnind a se tocmi pe un cent
să-i fie vrednic timonier
pentru strâmtorile spre cer,
Corabiei de Trapezunt
ce-o rămânea din tot ce sunt.

...Din tot ce – pentru-a câta oară? – sunt.

the sailing boat of Trebizond

What will be left of me, beyond,
A sailing boat of Trebizond
which, in the absence of a sail,
will catch adrift a turquoise gale,
in emerald green and rubies queued
to carry to a future brood
a destitute mendacity –
phlebitis riddled rosary.
A sailing boat, a silly thimble
the flesh on deck all white and nimble,
gives you the creeps and makes you scream,
should you just spot it in a dream;
where leper sailors barely function,
while gunmen fail with consumption;
the butt of Heaven, this old boat
with rotten scaffolds, rancid bloat,
it creaks and grinds and waits for you
with silver ropes, secured askew –
pulling to break the tying thread
(thumb-nosing at the living dead!)
and chatting up a cherub sweet
who bargained, for a cent, to meet
and be its helmsman – help it fly,
to pass the straits to open sky –
that boat of Trebizond – to scam
away what's left of what I am.

...With what is left – how many times? – of what I am.

cu tramvaiul

„Tramvaiul susură pe şine. Electric, adormitor. În tramvai aerul e gros ca o spumă. Îl sorbi, ameţitor. Călătorii, ce companie, zâmbim, ne întreţinem. Domne, spune unul, nu-i aşa că-i bine când simţi dimineaţa cămaşa, pantalonii... Sunt obişnuite cu tine, liniştite, te cuprind sincer, răcoros. Tramvaiul susură pe şine. Adormim clătinaţi uşor. Pe buzele femeilor frumoase îşi lipesc fluturii aripile ca un sărut, aşa, din zbor. Domne, îi spun unui călător, când eram copil strângeam perna în braţe, perna cea mai mare. Acum m-am plictisit. Acum e linişte, e bine. Pleoapele
celor osteniţi s-au subţiat. Zâmbeşte, domnule călător. E bine. Fluturii foşnesc în motor. Electric, adormitor. Eu nu mai cobor la prima. Nu mai cobor."

on the tram

"The tram murmurs on the tram lines. Electrical, soporific. On the tram the air is thick like foam. You sip it, intoxicatingly. We the commuters, what company, are smiling, we entertain ourselves. Man, says one, isn't it good when you feel the shirt, the pants, in the morning... They are used to you, quiet, they embrace you sincerely, breezily. The tram murmurs on its lines. We fall asleep shaking lightly. On the lips of beautiful women, the butterflies stick their wings like a kiss, just so, in flight. My God, I say to a commuter, when I was a child I used to hug the pillow, a huge pillow. But I got bored with that. Now it is all quiet, it is all good. The eyelids of tired people have grown thinner. Smile, mister commuter. It is all good. Butterflies whoosh into the engine. Electrical, soporific. I will no longer alight at the next station. I will no longer alight."

înghesuială

„E-atâta înghesuială în tramvai încât pe domnişoara din faţă o
deranjează bătăile inimii mele, o împinge inima, o loveşte.
E ultimul tramvai. Voi deschide punga cu fluturi şi se va produce o
înghesuială cum nu s-a mai povestit. Ah, domnişoară, buzele noastre
se vor lipi strâns, dar n-am ce să fac, mă-mpinge cineva prea tare din
spate. Ah, domnişoară, nu mai ştiu dacă asta-i
bătaia mea de inimă sau a dumneavoastră, dar n-am ce să fac, mă-
mpinge cineva prea tare din spate. Degetele au încăput în acelaşi inel,
picioarele au încăput în acelaşi pantof cu toc, delicat, domnişoarele au
încăput toate în aceeaşi rochie, dar n-am ce să fac, mă-mpinge cineva
prea tare din spate. Toate inimile bat în pieptul vatmanului. Şi pe el îl
împinge aşa de tare din spate încât a pierdut controlul şi tramvaiul a
ajuns departe în pădurea Băneasa. Domnişoară, fluturii s-au ascuns de
mult în părul dumneavoastră şi inima mea creşte, vă creşte în pântec.
Să-i daţi, vă rog, nume de fată. E târziu, e linişte, n-am avut ce să fac,
m-a împins prea tare cineva şi era ultimul tramvai din seara asta."

crowded

"The tram is so crowded that the young lady in front of me is uncomfortable bothered by my heartbeats, my heart is pushing her, is hitting her. It is the last tram. I will open the bag full of butterflies and there will be such a crush like no one ever saw before. Ah, young lady, our lips will stick together tightly, but there is nothing I can do, someone is pushing me too hard from the back. Ah, young lady, I can't be sure if this is my heartbeat or yours, but there is nothing I can do, for someone is pushing me too hard from the back. Our fingers fit in the same ring, our feet fit in the same, delicate, stiletto shoe, all the young ladies fit all of them in the same dress, but there is nothing I can do, for someone pushes me too hard from the back. All the hearts beat in the chest of the tram-driver. Even he is pushed so hard from the back, that he has lost control and the tram has reached too far, in the Băneasa forest*. Young lady, the butterflies have hidden since a while ago in your hair and my heart grows, grows inside your womb. Give it a girl's name, I beg you. It is late, it is quiet, and there was nothing I could do, someone pushed me too hard and this was the last tram for tonight."

* Băneasa forest – a forest at the northern limit of Bucharest, not serviced by tramways.

VITALIE RĂILEANU (1959)

liniște

Câtă liniște între acești patru pereți de spital.
Abia de mai deslușesc pocnitul picăturilor de
ploaie.
Straniu, dar m-am obișnuit și cu această
singurătate.
Și iată mă zbat a patra zi ca un ou de
chihlimbar,
De pe o plajă cu nisip alb din Liepaia;
Dar e bine și mă bucur că-i liniște
și simt clipa când emană speranță,
când toate se uită încât nu mă deranjează
nici seringile pentru perfuzii, ce-mi sparg
venele,
nici mirosul de spirt etilic,
nici aroganța sorei-asistente...
Toate se clasează, desfăcând învelișul
prezentului,
aruncându-mă către pânza zilei de mâine.
Ce liniște așteptată de mine,
aici,
între acești patru pereți de spital,
în salonul cu numărul 4.

quietness

What quietness in between these four walls of
the hospital.
I can hardly distinguish the burst of raindrops.
Strange, but I have gotten used to this
loneliness.
And I struggle on the fourth day like an amber
egg,
From a beach with white sand from Leipaia;
But it is good, and I am glad that it is, quiet
and I feel the moment emanating hope,
when all things are forgotten so that I am not
disturbed
neither by the syringes breaking my veins,
nor by the smell of ethyl-alcohol,
nor by the arrogance of the nurse...
All cases are closed, unwrapping the envelope
of the present,
throwing me toward the web of tomorrow.
What quietness, which I waited for,
here,
between these four hospital walls,
in the ward with the number 4.

Ovidiu Pecican (1959)

sex

Într-una din zilele vieţii mi-a venit ideea năstruşnică să întreţin sex
cu cineva. Dar problema era că fata nu se afla acasă. Ce e drept, nici
eu nu eram acasă, aşa că m-am gândit că eu şi ea suntem, cumva,
chit. Singura diferenţă dintre noi consta în aceea că, pe când eu mă
găseam pe una din străzile centrale ale oraşului nostru, ea plecase
din localitate.
Am hotărât însă că dorinţa de a intra în rândul oamenilor prin
practicarea liber consimţită a sexului era mai puternică. Aşa că am
decis să nu mă formalizez de circumstanţa nefericită în care mă aflam.
Am urcat deci în primul autobuz care mergea în direcţia ideii mele
şi mi-am luat toate precauţiunile pentru a mă menţine în forma
aceea posibil de descris ca o poftă de natură erotică. La un moment
dat am avut de înfruntat reale dificultăţi, fiind asaltat simultan de
alte două tendinţe, chiar mai violente: nevoia de a îmbuca ceva şi
dorinţa aproape irepresibilă de a coborî pe dată
din vehicul şi a umple boscheţii cu ofrande abdominale. Cu toate
acestea am izbutit până la urmă să-mi păstrez dorinţa intactă. Când
în sfârşit autobuzul unde mă aflam a intrat în localitate,
am realizat că iniţierea mea sexuală, oricât de memorabilă, n-ar mai
putea nici în ruptul capului să depăşească în intensitate oroarea şi
frumuseţea drumului parcurs până acolo.
Aşa încât am coborât din maşină cu seninătate, depunând un sărut
ca o adiere pe fruntea mediocră a şoferului.

sex

One of the days of my life, it occurred to me the funny idea to have sex with someone. The problem was that the girl was not at home. To be fair, neither was I, so I thought that she and I were, somehow, even. The only difference lay in the fact that, while I found myself on one of the city streets, she had left town.
However, I decided that the desire to be like everyone else through the free consensual practice of sex was more powerful. Therefore, I resolved not to be too formal about this unfortunate situation in which I found myself.
I caught the first bus traveling in the direction of my idea and I took all the precautions to maintain that form possibly described as a lust of an erotic nature. At some stage I encountered real difficulties, being assaulted simultaneously by two tendencies, even more violent: the need to gobble something, and the desire, almost irrepressible, to descend at once from the vehicle, and to fill the bushes with my abdominal offerings. Despite all this I managed, in the end, to keep my desire intact.
When finally the bus on which I rode entered the town, I realized that my sexual initiation, no matter how memorable, could not be expected, for love or money, to overtake in intensity the horror and beauty of the road traveled to get there.
Therefore I descended from the bus serenely, planting a kiss like a light breeze on the mediocre forehead of the bus-driver.

prolog la balada lui Daniel Bănulescu

Fac parte din cei 20-30 de inşi care conduc lumea
Timizi neştiuţi disperaţi
De la posturile lor de comandă cu birourile
                                        răsturnate
De pe fundul genţii Diavolului
Amestecaţi printre rolele lui de scoci nori
                                        şi chitanţe
Ţinând în echilibru fragil limba lumii
Rugându-se neîncetat
Ca Dumnezeu să-i treacă între numărul acelora
Pentru care Dumnezeu iartă o cetate
Mi-am tras în rugăciunea mea şi mâinile
şi picioarele
Am ieşit din lume ca şi cum m-aş fi smuls
                                        dintr-un viol
În care eu îmi revărsam bărbăţia
Şi tot eu ţineam fata
În care doar trecând în acea clipă pe stradă
Deveneam pentru a treia oară neîntrerupt
                                        vinovat
Mi-am sprijinit fruntea
De geamul răcoros al rugăciunilor mele Mi-am amintit că:
„Oricine va invoca Numele lui Dumnezeu Va fi mântuit"
Am invocat numele lui Iehova şi-am aşteptat

prologue to the ballad of Daniel Bănulescu

I belong to the 20-30 individuals who lead the world
Timid unknown desperate
At their command posts with work-desks turned
upside down
From the bottom of the Devil's bag
Mixed through his sellotape rolls clouds
and receipts
Keeping in balance the fragile language of the world
Who pray without ceasing
That God includes them in the numbers of those
For whom God forgives a city
I have pulled into my prayer both my hands
and my feet
And I departed the world as if I tore myself
from a rape
Into which I was pouring my manhood
And it was me, still, holding on to the girl
In which, passing at that moment on the street
I was becoming for the third time continuously
guilty
I rested my forehead
On the cool window of my prayers I remembered that:
"Whosoever shall call upon the Name of the Lord shall be saved"
I invoked Jehovah's name and I waited

Pe strada mea locuieşte moartea
În şosetele mele se bălăceşte moartea
Prin iarba sexului iubitei mele moartea sare
ca un roi de lăcuste
Dacă deschid gura pe buzele mele iese moartea
Dar dacă n-o deschid
Moartea continuă să alerge înlăuntrul meu
Ca pe un fericit zid al morţii
Moartea îmi şopteşte cuvintele
Şi tot moartea îmi prescrie marile ei
tratamente de sănătate
De moarte mi-e frică şi totuşi către moarte
zilnic alerg
Cu şliţul desfăcut de aţâţători colţişori
de cucoană
Şi dansând
Acum moartea mea s-a ridicat către mine
Mi-a pus labele ei din faţă pe umeri
Mă adulmecă uşor dar nici eu nu încetez
să mă rog
Şi aproape orice lucru pământesc şi real
E o păpuşă cu ochii scoşi şi gâtul tăiat
Tolănită între labele ironice ale morţii
De la etajul întâi al blocului în care mă rog
Rugăciunea mea iese pe fereastră
Taie ancora cu care blocul meu era legat
de pământ
Şi blocul începe să se înalţe în văzduh
urmat de sufletul meu
Lăsând în depărtare
Zilele în care viaţa mea căra gunoi
cu spinarea

Death lives on my street
And inside my socks is death, wallowing
Through the grass of the sex of my lover, death jumps
like a swarm of locusts
If I open my mouth on my lips death springs forth
But if I do not open it
Death continues to run inside me
As if on a happy death wall
Death is whispering to me the words
And it is death, still, who prescribes to me her great
healing treatments
It is death that I fear, and despite that, it is towards death
that I daily run
With my zip undone by provoking lady-like
little fangs
And dancing
Right now death raised herself towards me
And laid her paws on my face and my shoulders
To sniff me lightly, but neither do I cease
to pray
And almost everything earthly and real
Is like a doll with its eyes gouged and its throat slit
Reclining between death's ironic paws
From the first level of the apartment block in which I pray
My prayer flies out through the window
It cuts the anchor with which my building is tied to
the ground
And the block starts to rise up into the air
followed by my soul
Leaving far away
The days in which my life was carrying garbage
on its back

Observând cu surprindere cum rugăciunea mea
Îşi permite familiarităţi discutabile cu îngerii
Penetrând până în cel de-al nouăsprezecelea cer
Acolo unde moartea îşi pierde din puteri
Şi-şi uneşte glasul cu glasul rugăciunilor mele
Penetrând mai departe
Printre ostroavele drept-credincioşilor
Printre munţii de pilaf ai celor blânzi
                    Și dezgustaţi de pilaf
Printre inimile fierbinţi ale covoraşelor
                    de şters pe picioare
Printre care vieţuiesc cu care mă învelesc
şi de sub care cânt
Rămân atârnat de rugăciunile mele
Trăgându-mi în interiorul rugăciunilor mele
                    şi mâinile şi picioarele
Plin de o bucurie sălbatică
Rugându-mă neîncetat
Ca Dumnezeul meu să mă treacă
                    între numărul acelora
Care dansează numai cu Numele
                    Dumnezeului lor în minte
Şi pentru care Dumnezeu iartă o cetate

And observing with surprise how my prayer
Indulges in doubtful familiarity with the angels
Penetrating to the nineteenth heaven
Up there where death starts to lose its powers
And joins her voice to the voice of my prayers
Penetrating even further
Through the islands of the faithful
In between the pilaf mountains of the meek
                    and disgusted by pilaf
In between the ardent hearts
                    of the doormats
Among which I tread this earth with which
I cover myself and under which I sing
I remain hanging on my prayers
Pulling deep inside my prayers
                    both hands and feet
Full of some wild joy
Praying without ceasing
For God to include me
in the number of those
Who dance only with the Name of their
                    God on their minds
And for whom God forgives a city

Daniel Ioniță (1960)

destine

Eram hărăzit câtorva destine
înghesuite unul într-altul
conform unor hotărâri aprobate anterior
de către forurile relevante.
Azi îmi amintesc doar vag despre ele.

Într-unul vindeam fericire unor turişti –
le-o vindeam aşa, ca pe o vată de zahăr
în toiul vreunui bâlci aglomerat,
pe care ei,
după ce se forțau să deschidă gura mare,
muşcau din ea odată
și o aruncau imediat la următorul coş de gunoi.

Apoi, din când în când
mă transformam brusc și fără motiv
într-un Moş Crăciun rotofei
care împărțea grăbit şi cu lehamite
nişte jucării Made in China
tuturor necrescuților şi prost-crescuților.
Mulți dintre ei meritau, de fapt,
nişte dosuri de palmă peste față.
Le mai trăgeam eu câte una
atunci când părinții lor se uitau altundeva.
Țâncii începeau să urle că i-a bătut Moş Crăciun...
Dar părinții lor le explicau cu răbdare că...
Moş Crăciun nu există,
și le-au interzis să se mai uite la filme de groază!

destinies

I was portioned a few destinies,
crammed one into the other
according to some arcane
previously approved decisions.
These days I vaguely remember them.

In one of them
I was selling happiness to some tourists,
as if it was fairy-floss
at a crowded country-fair –
they would open their mouths wide,
take one bite,
and then throw it immediately into the next garbage bin.

Then, from time to time
I would suddenly transform into a chubby Father Christmas
– always rushing with a fed-up attitude –
who'd pass on toys made in China
to all those puerile impertinent,
many of whom deserved
a smack across their faces.
I was whacking them now and then,
when their parents were looking away.
They would scream that
Father Christmas has hit them...,
but their parents would explain to them, patiently, that...
in fact, Father Christmas does not exist,
and forbade them to watch any more horror movies!

Daniel Ioniță (1960)

Adesea mă trezeam
vameş de gânduri, vameş de vise,
controlând traficul
a tot felul de bunuri
– de la rugăciuni la baliverne –
ce treceau, plănuite sau aiurea,
prin capetele oamenilor
– al meu, al tău, al tuturora. –
Le stivuiam într-un dosar
spre a fi evaluate ulterior,
de către Instanța Supremă,
la Judecata de Apoi.

În cel mai fericit din aceste destine
eram un măscărici nocturn
cu vechi state de servicii
întru amuzamentul trupului tău.

În final, cu trecerea timpului,
mă prezentam din ce în ce mai des
drept profesor de caligrafie,
într-o lume în care nimeni
nu mai scria de mult cu penița.
Toată lumea râdea de mine,
bătând tastaturi anodine,
respingătoare şi ucigaşe.

Often I would wake up
as a customs officer
for thoughts and dreams,
charging duty
for all sorts of goods,
from prayers to palaver,
which were passing, planned or haphazardly,
through people's heads
- mine, yours, everybody's.
I would stack them in a folder
to be evaluated later,
at the Last Judgment.

In the happiest of these destinies
I was a nocturnal clown
with long work experience
into the amusement of your body.

Finally, with the passing of time,
I was introducing myself
as a professor of calligraphy,
in a world where no one
was using pens anymore.
They were all laughing at me,
pounding on keyboards –
monotonous, abhorrent and deadly keyboards.

Monalisa

Dă-mi mana și sufletul tău Monalisă
Și hai să fugim din muzee scorțoase
Căci lumea-i afară, în carne și oase
Cu soare, și ploaie, și flori de narcisă.

De sute de ani agațată-n perete
În van așteptând leonarzi să sosească
Te mângâi cînd proștii, și toți gură-cască
Ticsiți ca orbeții, îți zvâlr epitete.

Privirea ți-e zâmbet, sau ură mocnită,
Cum mii de docenți se tot țin să explice,
Dar ce rost au vorbe - distinse, mojice...
Când inima ta stă-ntr-un cui răstignită?

Te-aștept până-n seară, la crâșma din drum
Ce plin-i de lume în carne și oase
Desprinde-te astăzi din luvre scorțoase,
Și mâine ne-om pierde în zarea de fum.

Monalisa

Just give me your hand, Mona Lisa, and flee;
leave moldy museums to quibble and moan -
the world waits outside, made of flesh and of bone,
with rain and with sunshine, with mountains and sea.

For hundreds of years you have hung on this wall,
in hope Leonardo will somehow appear –
while loafers and fools gave you praises or smear,
and packed like sardines, they remained in your thrall.

Your gaze speaks a playful, or insolent, tale –
as thousands of critics are wont to explain –
but what matter words, be they wise or mundane,
when up on this wall hangs your heart, by a nail?

I'll wait till the evening at the inn down the lane,
that's crowded with people of flesh and of bone;
leave stuffy old Louvres to quibble and moan,
and we'll dance in the sunshine and run in the rain.

Margareta Curtescu (1960)

cuvinte la singular

am scris iartă-mă pe nisipul falezei
şi valurile s-au retras în adâncuri
doar fiara din mine hrănită cu miez de cuvinte urla
cu toate cele şapte guri deodată
am scris dragul meu pe nisipul fierbinte şi toţi bărbaţii
din preajmă au surâs prin somn doar tu contemplai
printre gene
un cer oxidat un arc tocit fără nume
am scris cum să mai trăiesc de aici încolo
cum să scap de epiderma
aceasta arsă de soare cum să desfac grilajul care
mă împrejmuieşte
şi acolo în adâncuri toate valurile mării
se rupeau din
lanţuri am scris cuvinte la singular propoziţii
fraze din care
tristeţea curgea şiroaie şi toate păsările mării s-au
năpustit
ţipând peste ele le-au sfârtecat le-au scos
măruntaiele
apoi cu pliscurile pline de sânge
s-au pierdut în tării

words in the singular

I wrote forgive me on the sand of the sea-shore
and the waves retreated to the deep
only the beast in me fed
with kernels of words howled
from all its seven mouths at once.
I wrote for my sake on the hot sand and all men
from the vicinity smiled in their sleep only you
were contemplating between your eyelashes
an oxidated heaven
a blunted arc without a name
I wrote about how to live from now on
how to escape this epidermis
burned by the sun how to open up the fence
which surrounds me
and there in the deep, all the waves of the sea were
breaking from
the chains I wrote words in the singular sentences,
phrases from which
sadness was flowing in rivulets and all the sea
birds
swarmed
crying over them they hacked them up and they
pulled out their guts
and then with their beaks full of blood
they got lost in the deep

dulcețuri din fructe târzii de pădure

Am putea alege așadar una din acele experiențe secrete ale extazului
pentru a descrie starea aceasta care urcă în noi
precum sevele dau primăvara năvală
în capilarele îngustate de ger ale arborilor,
dar cea mai potrivită ar fi totuși
mirarea ori poate însăși perplexitatea
că toate aceste lucruri ni se întâmplă chiar nouă,
că miracolul însoțește iată toamna aceasta târzie,
nevisatul și de nimic prevestitul indian summer, o rouă fierbinte
făcând să plesnească filamente prelungi și înroșite ale simțurilor.
Și poate nici nu are unde să se așeze în adânc
fragranța unui sentiment
acel gust aromat amărui al dulcețurilor din fructe târzii de pădure,
în debaraua de sentimente uzate,
printre conveniențe și felonii,
prins în tangajul amețitor dintre iluzii și spaime,
dar ea se strecura întotdeauna în odaie atât de delicat
de parcă atunci ne vedeam pentru întâia oară,
o siluetă imaterială prelungă încercuită de tăcere,
desenând senzuale geometrii ale aerului.
Mi s-ar părea potrivit să-i asociez trecerea
cu mirosul de castană coaptă ori cu sonoritatea stăruitoare de fado
când în aer nostalgia se face densă și albăstruie ca fumul.
Mișcările leneșe și arcul voltaic al buzelor ei
și epiderma electrizată de arpegiile pasiunii

late harvest fruit of the forest confitures

We could choose, therefore, one of those secret experiences of ecstasy
to describe this condition rising inside us
like the sap rushes on in spring
through the capillaries of trees narrowed by frost but the most appropriate
would nonetheless, be
the wonder or perhaps perplexity itself
that all these things are happening to us, indeed,
that the miracle accompanies, lo and behold, this late autumn,
the undreamed of and by no sign foretold Indian summer, a hot dew
bursting open the elongated and flaming filaments of the senses.
And perhaps there is no place to settle in the deep
the fragrance of a sentiment
that scented bitter-sweet taste of late harvest fruit of the forest confitures,
in the lumber-room of used-up sentiments,
among conveniences and felonies,
caught up in the dizzying rolling motion between illusions and horrors,
but she would slip into the room so delicately
as if we saw each other for the first time,
a long immaterial silhouette surrounded by silence,
tracing the sensual geometries of the air.
It seemed appropriate to associate her silence
with the smell of ripe chestnuts or with the persistent resonance of fado
when nostalgia unravels in the air, dense and blueish like smoke.
Her lazy movements and the voltaic arc of her lips
along with her epidermis, electrified by the arpeggios of passion

iar după, decorticând ciudata logică a întâmplărilor diurne
și sintaxa aiuritoare a realului,
ne întrebăm dacă noi merităm într-adevăr toate acestea,
dacă lumina din încăpere nu se va stinge brusc
lăsând o simplă înșiruire de umbre chinezești pe perete ori dacă
spiridușul năzdrăvan nu va pocni din biciul fermecat
și nu ne va închide fără veste într-o coajă de nucă.

and afterward, peeling the strange logic of diurnal happenings
and the hallucinating syntax of reality,
we asked ourselves if we indeed deserve all of these,
if the light in the room would not go off suddenly
leaving on the wall a simple sequence of Chinese shadows or if
the wondrous goblin would not crack the magic whip
and would not lock us without warning in a nut-shell.

Georgeta Resteman (1960)

lujeri

Doamne, cum împarte luna
săruturi de raze peste crengi
rostogolindu-și umbrele
și-ucigând amintirile reci
din ne-odihna fiecărui ram
ascuns în dosul clipei
uitate de fericire...

născând miresme de primăveri
rostuite în cupe de magnolii
și strecurate prin pânzele tăcerii
sufletul zdrențuit se-adună
la rădăcinile dorului
și murmură tainic
simfonia vântului primăvăratec

scurm pământul reavăn
cu unghiile înnegrite de așteptare
și plantez timid
lujeri de speranțe
când zorii dimineții rescrise
mijind a trandafiriu
mă prind îngenuncheată
lângă mormântul trecutelor primăveri...

plesnesc mugurii!

flower stalks

Lord, how the moon divides
The kisses of its rays on the branches
rolling its shadows
and killing its cold memories
from the un-rest of every twig
hidden behind every moment
of happiness, forgotten...

giving birth to scents of springtimes
assembled in magnolia cups
and insinuated through the cloths of silence
the ragged soul gathers itself together
at the root of longing
and whispers mysteriously
the symphony of the springtime wind

grubbing the most dirt
with my nails blackened by waiting
I plant, timidly,
flower stalks of hope
when the dawn of a rewritten morning
flicker in pink
I surprise myself kneeling
beside the grave of bygone springs...

the buds are bursting!

DINU OLĂRAŞU (1962)

sună-mă noaptea

Sună-mă noaptea dar după două
când poezia pare mai nouă
Și numai lumea rămâne tot veche
într-un picior da' și-ntr-o ureche
Tu sună-mă noaptea dar după două

Sună-mă noaptea dar după trei
când am în mine doar derbedei
Când raza lunii mă nimerește
și cad în iarbă atât de prostește
Tu sună-mă noaptea dar după trei

Tu sună-mă nopatea dar după patru
când toți actorii dărâmă teatru
Nici nenea shakespeare nu-i mai poate opri
nu mai contează a fi sau a nu fi
Tu sună-mă noaptea dar după patru

Sună-mă noaptea dar după unu
doarme atunci în mine nebunul
Iar cel cuminte iese pe stradă
cu o lanternă în loc de spadă
Tu sună-mă noaptea dar după unu

Tu sună-mă noaptea când vrei.

call me atnight

Call me at night time, but just after two
when only poetry is rising anew
and only the world remains ancient and vain
jumping around naive and insane.
call me at night time, but just after two.

Call me at night time, but just after three
when I have hooligans inside of me
and when the moon rays, lonely and cool
hit me and make me feel like a fool
call me at night, but just after three.

Call me at night time, but just after four
that's when the players tear up the score
and even Shakespeare can't stop them, you see...
it doesn't matter to be or not to be
call me at night time, but just after four.

Call me at night time, but just after one
as this whole craziness has just begun
and I step outside so wise and so bored,
with only a lantern instead of a sword.
call me at night time, but just after one.

You can call me at night time, whenever you like.

fesele tale - deschizătura de catifea

Pereții înalți
și-au adus aminte de temelia îngropată în pământ
un bărbat scrie: îmi place să văd
lacrimi pe umerii tăi lacrimi pe sânii tăi
lacrimi pe fesele tale rupte de realitate
nu-mi pot dezlipi fața de pântecul tău
îndulcit cu lumină
iubita mea pălmuită dar mereu calmă,
lasă-mă să putrezesc
în umezeala ta fierbinte
să lunec în pâlnia neagră a sexului tău
îmi place să văd cum intră soarele
în deschizătura de catifea
din nou păsările cântă și se împerechează iubita mea
din nou mâna mea miroase a sânge.

your buttocks – the velvet opening

The high walls
remembered the foundation buried in the ground
a man writes: i love to see
tears on your shoulders, tears on your breasts
tears on your buttocks ripped from reality
i cannot unglue my face from your womb
sweetened by light
my love slapped but always calm,
let me decay
in your hot moistness
to glide inside the black funnel of your sex
i like to see how the sun enters
through the velvety opening
again the birds are singing and mating my love
again my hand smells of blood

celălalt țărm

cînd vom ajunge
la marginile mării
și dumnezeu ne va privi
ca pe niște școlari întîrziați
va pune îngerul
să ne întrebe
unde ați zăbovit
pentru ce rănile
acestea din palmele voastre
că doar
nu ați mers în mîini

o să răspundem că
ne-am prefăcut
în păianjeni că opt
picioare ne-au crescut
prin credință
ca să ajungem
de patru ori mai iute
la țărmul fierbinte
unde ne aștepta
mila lui ca o mare
fără nicio cută

the other shore

When we will arrive
at the edge of the sea
and god will look at us
like at some tardy students
he will get an angel
to ask us
where did you linger
why these wounds
in your palms
as you could not have
walked on your hands

we will reply that
we transformed
into spiders that eight
legs we have grown
through faith
so that we can reach
four times as fast
the scalding shore
where his mercy
was waiting for us
like a sea
without a crease.

o să spunem că
ne-am rănit în scoici
în cioburi și tinichele
ne-am ars în
mucuri de țigări
și focuri uitate
știind că apa mării
o să ne vindece oricum

dar ați venit prea tîrziu
va clătina din cap îngerul
nici chiar răbdarea noastră
nu e fără sfîrșit chiar dacă pare
nici măcar marea nu e
fără sfîrșit chiar dacă pare
și nu-i vezi celălalt țărm
ce mai vreți acum de la noi

o corabie o să răspundem
o corabie ca să plutim
pe marea îndurării lui
și să vedem
dacă are sau nu sfîrșit

we will say that
we were wounded by sea-shells
by shards and tins
that we burnt ourselves
with cigarette butts
and fires forgotten
knowing that the seawater
will heal us anyway

but you have arrived too late
would say the angel shaking his head
not even our patience
is without limit even if it seems so
not even the sea is
without limit even if it seems so
and you don't see its other shore
what do you want from us now

a ship we will answer
a ship in which to drift
on the sea of his mercy
to find out
if it does or does not have an end.

Ruxandra Cesereanu (1963)

franjurii

am încercat să nu vorbesc despre moarte
să nu o am în măruntaie
să nu o preschimb într-o materie ultragiată
să nu greşesc faţă de ea
viaţa mea a fost cu franjuri obişnuiţi
am fost uneori fericită alteori bolnavă
m-a durut pielea
am iubit am urât am iubit m-am resemnat
am luat-o de la capăt
am şi cântat cu vocea mea groasă
am şi plâns puţin
m-am parfumat cu givenchy
am mirosit a cadavru proaspăt
am fost un carusel sclipicios
ca un licurici pe piedestal
apoi într-o zi am zărit o lumină-ntre coapse
şi printre degete răsfirându-se
m-am dus după lumina aceea dincolo de ferestrele casei mele
dincolo de oraş de patrie de onoare
dincolo de numele meu şi de cine sunt eu
şi doar găsindu-mă dincolo
singură şi femeie
am înţeles că nu mă mai pot întoarce vreodată cu adevărat.

fringes

I attempted not to talk about death
not to hold her in my innards
not to transform her into an outraged element
not to offend her in any way
my life bore the usual fringes
sometimes I was happy at other times I was ill
my skin ached
I loved I hated I loved I resigned myself
I started all over again
I sang with my deep voice
I cried a little
I wore Givenchy perfume
I smelled like a fresh corpse
I was a sticky carousel
like a firefly on a pedestal
then I spotted a light between the thighs
and between fingers spreading
I went after that light beyond the windows of my house
beyond the city motherland and honour
beyond my name and who I am
and only found myself on the other side
alone and a woman
I understood that I can never truly return.

la ecografie

Astăzi mergem frumos la ecografie. Să vedem
Ce-avem înăuntru. Ce ne-a crescut.
Sîntem cuminți.
Să vedem de ce sunt la locul lor organele care sunt la locul lor.
Şi ce fac ele acolo. Şi de ce. Şi ce au de gînd.
Ce e în mintea lor. Ce e în capul lor.
Care sunt părerile lor despre viață. Dacă mai au, cît de cît,
umor. După aproape patruzeci de ani de viață. Adică după
treizeci şi şapte. Şi ceva luni în burtă, care de obicei nu se pun.
De care viața, în general, se străduie să ne dezvețe.
Şi chiar ne dezvață.
Amintiri care se fracturează uşor.

at the ultrasound

Today we go nicely to have an ultrasound. To see
What's inside. What grew inside us.
We are nice and quiet.
To see why they are in their place the organs that are in their place.
And what they are doing there. And why. And what they are planning.
What is on their mind. What is in their head.
What are their opinions on life. If they still have
humour, however little. After almost forty years of life. In fact after
thirty-seven. And a few months inside the belly, which usually don't count.
Of which life, in general, is trying hard to disabuse us.
And even manages to disabuse us.
Memories which fracture easily.

pergamentul rotund

Mireasa asta care are între coapsele ei
ascunsă o întreagă bibliotecă.
Mirele ia o carte şi o deschide
Şi filele ei singure încep să vorbească
Despre Facerea Lumii, şi Tu...
Şi Mirii ascultă tăcuţi, descoperind
toată liniştea şi vîrtejurile începutului.
Şi Mireasa mai cere o carte
şi Domnul o deschide
şi cartea se face sul circular, îmbrăţişînd
în sînul ei Mirii, ca să o poată citi şi gusta,
în rotunjimea filelor ei, în taina aceleiaşi îmbrăţişări.
Numai să auzi vuietul literelor
Dintr-o tîmplă într-alta
şi dintr-un cer în alt cer,
rostogolindu-se pe caldarîmul sărutului!
Ascultă vuietul literei
Şi lasă-te purtat de potop
Pînă cînd litera se transformă în undă
– că doar atunci te poţi uni cu ea
pentru a deveni şi tu literă, şi ea om,
în dulceaţa unirii,
Desfoliindu-vă unul pe celălalt,
rupînd labirintul celei mai tainice ieroglife

the round parchment

This Bride, who has between her thighs
concealed, an entire library.
The bridegroom takes a book and opens it
And the pages, all by themselves, start to speak
About the Creation of the World, and You...
And the Bride and Groom listen quietly, discovering
all the silence and whirlwinds of the beginning.
The Bride asks for another book
and The Lord opens it
and the book becomes a circular scroll, embracing
in its bosom the Bride and Groom, so that they can read it and taste,
in the roundness of its pages, in the mystery of the same embrace.
Only for you to hear the roar of the letters
From one temple to the other
and from one heaven to another heaven,
rolling down the pavement of the kiss!
Listen to the roar of the letter
And let yourself be borne by the flood
Until the letter transcends into a wave
– for only then can you unite with it
so that you, too, may become a letter, and it a man,
in the sweetness of this union,
unwrapping one another,
breaking the labyrinth of the most mysterious hieroglyph

Şi numai atunci, după ce o vei lăsa să se răcească
şi cînd potopul se va opri,
O poţi privi
Ca pe tine însuţi
În tihna liniştii minţii
şi a labirintului despecetluit.
Şi iată, Eşti Tu!
Şi Şeherezada tăcu, închizîndu-şi veşmintele.

And only then, after you will let it cool off
and when the flood will cease,
Can you gaze at it
As you gaze at yourself
In the stillness of your mind's silence
And of the unsealed labyrinth.
And look, it is You!
And Scheherazade went quiet, tying up her garments.

CRISTIAN OVIDIU DINICĂ (1963)

unsprezece Septembrie

1
Bem
pasărea fără aripi
se aşază la masă cu noi;
are ciocul îmbibat în sângele scurs,
uimitor,
peste timpul rănit pe care îl cercetăm
prin ecranul cu peşti toxici, alături
de halba cu bere sortită
să aducă aerul bolnav al
rației de viață.
Liniştita prăbuşire ne inundă venele
la New York se moare.
Mâine este ziua mea.

2
turnat în cenușă
ciocul păsării se înfige în trupul de sticlă
în zbor dezarticulat cu aripi risipite.
Bolnavă, pasărea sapă în
cercul înfierbântat al aerului otrăvit,
se rup cuvintele pământului care frânge
cerul rănit în compasul incandescent.
Inimi planează și se strivesc de betonul încins
tremură carnea lăsată să curgă

september Eleven

1
We drink
the wing-less bird
sits with us at the table;
her beak imbued with the blood drained,
amazingly,
over the wounded time which we researched
through the screen with toxic fish, beside
the beer mug meant
to bring back the sick air of
the life ration.
the quiet crash inundates our veins
in New York people die.
Tomorrow is my birthday.

2
Poured into ashes
the beak of the bird thrusts into the glass body
in an unarticulated flight with scattered wings.
Sick, the bird digs in
the hot circle of the poisoned air,
the earth's words are torn as they break
the wounded sky in their incandescent compass.
Hearts float and crush on the hot concrete
the flesh is trembling and is left to drain

cu izvor tăcut se împlinește destinul
plecării din trup.
Cei ce devin zi rup groaza în silabe
sunt fiii neajunși ai tăcerii
se nasc în oceanul de ochi
cu brațe desprinse, turnați în cenușă
vocile lor hașurate
traversează versetul topirii întru ființă.

in a silent brook is fulfilled the destiny
of leaving the body.
Those who become day, break the horror into syllables
they are the un-arrived sons of silence
born in the ocean made of eyes
with separated arms, poured into ashes
their voices highlighted
traversing the verse of melting into being.

poem aproape familiar

orice sfîrşeală. poate fi. un început
locuiam pe aproape. într-un poem nefamilist. cu fericirea.
expusă. bibeloic. în vitrină. pe pereți. peste tot.
era o vraişte.
numai sărutări. şi îmbrățişări. ar fi trebuit.
să fac curat. dar vraiștea era mai apetisantă. mă inspira.
şi rîpa de dincolo. de fereastră. urcată de nişte copii.
ușor amețiți ca primăvara. cîteva ciori. pe sîrme.
țineau echilibrul în peisaj.
persistau resturi de iarnă. total nefamiliare.
nu vă bacoviați. că asta nu însemna. că nu-mi părea bine.
aveam şi binoclu galben. mă uitam. la poza mea cheală.
eram un scăpat în belele de-acasă. strigam cu
inima la gura bucuriei.
gooool.
în timp ce mare parte din ceilalți. aşa. numai de-ai dracu.
se întristau. îi apuca. un fel de scheunat.
și noi ne rîdeam ca prăpădiții.

an almost familiar poem

any ending. can be. a beginning
i lived nearby. in a poem unfamiliar. with happiness.
exposed. bauble-like. in the cabinet. on the walls. everywhere.
it was a mess.
only kisses. and embraces. would have been needed.
for me to clean up. but the mess was more apetizing. inspiring me.
and the chasm on the other side. of the window. climbed by some children.
somewhat dizzy like the spring. a few crows. on the wires.
held the balance of the landscape.
remnants of winter persisted. entirely unfamiliar.
do not bacoviate* yourselves. because this did not mean. that I was not glad.
i had a yellow pair of binoculars as well. i was looking at. my bald picture.
i was dropped into the cock-ups at home. i was screaming with
my heart at the mouth of joy.
goooal!
while most of the others. just like that. just for the devil's sake.
were sad. they were beset. by some kind of whimper.
and we were laughing ourselves silly like idiots.

* bacoviate = in the manner of George Bacovia - thinking darkly and despondently

fugeam în belele și ne uitam pieriți acolo
da. eram pe aproape. într-o chestie din aia. de nefamilişti.
familia aproape. că mă dăduse. dispărut. mă şi simțeam.
cu fericirea. vraişte. ar fi trebuit. să-mi vin. mai familiar. în fire.
fugeam în belele. eram și culmea oricum mă simțeam. prea bine.
ca să pot. să dau de înțeles altceva.
decît o in-credibilă.
nesimțire.
n-am să lălăiesc pe nimeni la melodia preferată
cu tot pustiul. suntem prea uzi. ca să ni se asemene. neasemuitul.
trebuie să renunțăm. nu doar la ceea ce vor alții. să audă.
ci mai ales. la ceea ce noi. înşine am vrea. să auzim.
să ne simțim familiari s-o dăm cu neamul la pace
să ne
leșine în morți și răniți melalchoolia

running into cock-ups and gawking there, spent
yes. we were close by. in one of those thingamigigs. for single people.
my family was close. to declaring me. lost. I was already feeling.
my happiness. a mess. i should have. woken up. more familiarly. to myself.
i was running into cock-ups. I was and amazingly I felt. too well.
to be able to. hint at something.
save for an in-credible
callousness.
i won't dilly-dally with anybody's favourite melody
with all that desert. we are too wet. for the un-resembled. to resemble us.
we must give up. Not only what others want. to hear.
but most of all. at what we ourselves. would want. to hear.
to feel familiar to split-the-difference with the chums
for our
melalcooholy to keel over in the dead and in the wounded.

Anca Mizumschi (1964)

corespondent de război

Nu sunt obsedată de numere, sunt obsedată
de anotimpuri care trec cu șenile de platină
peste corpul meu obosit
un fel de piață tiananmen
care nu mă mai doare

Mi-e atât de dor de tine încât mă expun
chiar și în zonele de conflict marginale
unde fiecare comunicat de presă despre noi
lasă cicatrici
învățând să nu te mai iubesc în fiecare zi,
la rând ci dintr-o dată,
la anihilare

war correspondent

I am not obsessed with numbers, I am obsessed
with seasons passing with platinum tracks
over my tired body
some kind of tiananmen square
which no longer hurts me.

I am longing for you so much that I expose myself
even in less marginal conflict zones
where every press release about us
leaves scars
learning not to love you every day, one after another
but all at once
until annihilation

LILIANA FILIŞAN (1964)

orașul de după apocalipsă

pe străzile oraşului forfoteşte o adunătură ciudată
oamenii vorbesc o limbă necunoscută în țara Ierusalimului
priapi* senili îşi răzbună virilitatea bolnăvicioasă
cutreierând pântecul bacantelor excitate de opium
ultima târfă a babilonului naşte prunci cu piatra în mână
„cu ea au curvit împărații pământului
şi locuitorii pământului s-au îmbătat de vinul curviei ei"
niciun bărbat nu a reuşit să desfacă blestemul care mă acoperă
chiar dacă m-a dezbrăcat până la semnul naşterii
şi m-a crucificat în numele sfintei treimi a păcatului
întru creştinarea în religia cărnii
mi-am tatuat trupul cu sângele tuturor bărbaților pe care i-am iubit
lăsând vulturii flămânzi să mă sfâşie
în fiecare bărbat o sălbăticiune adulmecă mirosul de carne tânără
pe podul care străbate oraşul de la naştere înspre moarte
Dumnezeu traversează legat cu sfori de marginile cerului
de teama prăbuşirii într-un destin de femeie

---

* priap = zeu al fertilității în Grecia Antică, reprezentat printr-un falus

the city beyond the apocalypse

on the streets of the city scurries a motley crew
people speak a language unknown in the land of Jerusalem
senile priapuses* take revenge for their sickly virility
traipsing through the pelvises of the bacchanalian harlots
wanton with opium
the last whore of babylon gives birth to babies with stones in hand
"with her, the kings of the earth have fornicated,
and the dwellers of the earth became drunk with the wine of her whoredom"
no man managed to undo the curse covering me
even though he undressed me down to the mark of my birth
and crucified me in the name of the holy trinity of sin
for the christening into the religion of the flesh
I tattooed my body with the blood of all the men I loved
letting ravenous eagles to tear me apart
in every man, there is a wild beast seeking the scent of young flesh
on the bridge that links the city from birth to death
God crosses tied up with cords from the edges of heaven
for fear of crashing into the destiny of a woman

* Priapus = Greek fertility god, often represented by a phallus

moartea ca o cerere în căsătorie

pleci la ora când dimineața se foieşte în aşternuturi
trăgându-şi lumina peste umeri
degetele tale orbesc înainte de ultimul gest
rămân de cealaltă parte a zilei
securea soarelui îmi judecă gleznele
de parcă ar mai fi ceva de judecat în istoria paşilor pierduți
ultima noapte ghemuită între coapse ca un fetus avortat
chiureta spaimei îmi scobeşte pântecul până la semnul naşterii
timpul picură în roşu indecis printre bandaje
dacă te-ai fi întors ai fi înțeles că nu am putut decât să accept
moartea ca o cerere în căsătorie

death as a marriage proposal

you are leaving at the time when the morning fidgets in the bedding
pulling the light over its shoulders
your fingers go blind before the last gesture
they remain on the other side of the day
the sun's hatchet passes judgment upon my ankles
as if there is anything left to judge in the history of lost steps
last night is squatting between the thighs like an aborted fetus
the scoop of dread scoops my womb up to the mark of birth
time drops in an undecided red between the bandages
if you'd have returned you'd have understood that I could only accept
death as a marriage proposal

trei nopți la rând

Trei nopți la rând am visat aceeași
Femeie. Semăna și nu semăna cu
Cineva din trecut. Venea
Spre mine de undeva de la

Capătul unui coridor care semăna
Cu etajul trei de la Universitatea
De Vest. Purta o fustă scurtă
Și verde.

Avea picioare superbe bronzate poate
Mergea pe tocuri cert e că purta pălărie
O pălărie imensă de pai.

De fiecare dată m-a uimit
Pălăria și de fiecare dată am încercat să-i spun.

three consecutive nights

On three consecutive nights, I dreamt of the same
Woman. She resembled and did not resemble someone
From the past. She was coming
Towards me from somewhere, from the

End of a corridor which was similar
To the third level of the Western
University. She was wearing a skirt, short
And green.

She had superb legs, tanned perhaps,
And was walking on heels, clearly, she was wearing a hat
An immense straw hat.

Every time I was amazed by this
Hat and every time I tried to tell her.

Simona Popescu (1965)

zi

O respirație? respirația mea?
– trecut-au ore și învârt aceeași întrebare
umplut-am pagina de cercuri copăcei axoni și cifre alandala
tot răsucind în cap.
Apoi am început privind în gol
(adică-n țesătura unui frunziș adânc din fața mea)
am început să-mi amintesc ceva din visul meu
în care nu erau imagini – sau nu asta conta –
ci percepeam direct Substanță:
un fel de înțelesuri fără de limbaj
și fără de imagini
un fel de re-ordonări secunde de dinainte de imagini
de dinaintea filmului cel mut
un... protovis.

Apoi parcă stăteam în fața mea
Și-așa cum se-ntâmplă câteodată când îți vorbește cineva
– și nici nu-l mai auzi și tu te-nfășori pe dinăuntru
și-ți simți gândirea liberă
ca pe un fluture zburând în preajma ta –
la fel un soi de mine dansator
față de mine-ncremenita
se purta.

day

A breath? My breath?
Hours have passed and I spin the same question
filled is my page with circles, little trees, axons, and numbers all jumbled
twisted in my head.
Then I started to gaze into the void
(that is in the woven fabric of the deep foilage in front of me)
I started to remember something from my dream
in which there were no images – or this did not matter –
but I was directly perceiving Substance:
some kind of meanings without language
and without images
from before silent movies
a... proto-dream.

Then it seems I was sitting in front of myself
And similarly to what happens sometimes when someone is talking to you
– and you don't even hear him and you wrap yourself on the inside
and feel your thinking free,
like a butterfly flying nearby –
the same as a kind of dancing me
towards a frozen me
would behave.

Cum răsuceam la chestia asta de ameţisem bine
Nişte glasuri fetiţeşti m-au tras din vălătuc
– şapte pitice fete urlând din răsputeri
sub geamul meu neîncetat
şi fără nici o noimă:

tinca patinca pitula
krikrikri krakrakra
tinca patinca pitula
să rămâi aşa

While I was twisting this stuff until I was totally dizzy
Some girly voices pulled me from this woven yarn
– seven dwarf girls screaming at the top of their lungs
Under my window unceasingly
and without rhyme or reason:

tinka patinka pitain
krikrikri krainkrainkrain
tinka patinka pitain
and thus you remain

odă liberei întreprinderi (siguranța socială)

O, cine ne va scăpa vreodată
din dansul Siguranței Sociale, această țesătură
nepătrunsă, de liane. – acest labirint
mai misterios și mai întortocheat decît
chiar legile după care-a fost construit?

O, cine ne va smulge vreodată din dansul
ei, din vraja acelui flaut
cu care ne jefuiește de minți și ne conduce
din leagăn pînă-n mormînt?

O, cine va reuși vreodată să ne
trezească mai înainte ca panica acută că nu
vom fi niciodată în stare s-avem grjiă de noi
înșine s-apuce să-și tragă
peste butucănoasele ei cizme de marmură
cipicii noștri de balerini?

ode to free enterprise (social safety net)

Oh, who will ever free us
from the dance of the Social Safety net, this fabric
so unpenetrable, of vines. – this labyrinth
more mysterious and more convoluted than
even the laws according to which it was constructed?

Oh, who will ever uproot us from its
dance, from the magic of that flute,
which plunders our minds and leads us
from cradle to grave?

Oh, who will ever manage to
Wake us up before the acute panic that we will not
Ever be capable of looking after
ourselves begins to pull
over its stubby marble boots
our ballet slippers?

Gelu Vlaşin (1966)

depresie nouă

cunosc femeia
care minte-n poeme
cum se
macină viețile
orbilor
rătăciți printre
cărți
mirosind a literatură
şi imaginația
scriitorului ratat şi
pervers o cunosc
şi
primul jurământ
şi
ultimul
dar
nu
mi-e milă de
povestea cu
doi hoți de
suflete când
ultimul tău
sărut bate la
poarta uitării

new depression

I know the woman
who lies in poems
like the grinding down of
the lives of the blind
lost between
books
smelling of literature
and the imagination
of the failed and
perverse writer
I know
and
the first vow
and
the last
but
I have
no
mercy for
the story about
two thieves of
souls when
your last
kiss knocks on the
gate of forgetting

Marius Tucă (1966)

I live you

Când nici nu te-ai trezit bine
Și ești deja în direct,
Aproape nemachiată și adormită,
Cu ochii în obiectivul camerei de luat vederi,
I live you,
Știi bine asta, pe asta te bazezi, de fapt.
Altfel, dacă te-ar întreba cineva cine ești,
N-ai ști să răspunzi, să dai lămuriri,
I live you,
Telespectatorii habar nu au,
Dar tu știi atât de bine,
Se poate scufunda planeta cu tine
Și nu ți-ar păsa de loc,
I live you,
Ai trasmite 24 de ore din 24
Numai și numai pentru mine
Un fapt divers, oarecare, banal
Doar să mă știi în fața televizorului
Cu telecomanda în mână
I live you,
E atâta tensiune și dragoste
În transmisia noastră
Spui prostii cu orgasmul pe buze,
I live you,

I live you

You have not even awoken properly
And you are live,
Almost without makeup and asleep,
Your eyes fixed at the lens of the video camera.
I live you,
You know this well, this is what you are counting on, in fact.
Otherwise, if someone would ask you who you are,
You wouldn't know what to answer, or what to explain,
I live you,
The viewers have no idea,
But you know, oh so well,
The planet can sink with you
And you would not care one bit,
I live you,
You would broadcast 24 hours out of 24
Just for me, alone
Some incidental story, inconsequential, banal
Only to know that I'm staying in front of the television
Remote control in hand
I live you,
There's so much tension and love
In our transmission
You say stupid things with your orgasm on the lips,
I live you,

Marius Tucă (1966)

Criza mondială poate dura la infinit
Atâta timp cât tu ești live
Și eu în fața televizorului
Uitându-mă la tine,
I live you,
Regia de emisie se umple de dor,
Legătura cu tine nu se mai termină niciodată
Suntem în direct până la sfârșitul lumii,
I live you...

The world crisis can last forever
As long as you are live
And me in front of the television
Watching you,
I live you,
The production team is filled with longing,
The contact with you will never end
We are live until the end of the world,
I live you...

aproape frunză, aproape nimic

Zilele mele,
repezi ca vara
prin zăbrelele mâinilor.

Sunt numai un scâncet
la ușile iernilor. Aproape frunză.
Aproape nimic.

Mă fac ecou
în gări părăsite,
plecând mereu, niciodată venind
și nu mă mai vindec
știind
că voi găsi lângă țipăt
trandafirii ciopliți
în talpa singurătății,
de tine,
dragostea mea.

Îți fac cu mâna din bocet
ca și cum plouă
și cresc cimitire. Ca și cum pun ceară
pe fruntea mea de copil.

almost a leaf, almost nothing

My days,
quick like summer
through the lattice of my hands.

I am just a whimper
at the winters' doors. Almost a leaf.
Almost nothing.

I am becoming an echo
in forsaken railway stations
always leaving, never arriving
and I can no longer heal
knowing
that near the scream I will find
the roses carved
in the sole of my loneliness
by you,
my love

I wave at you from my lament
as if it is raining
and it grows cemeteries. As if I poured wax
on my childhood forehead.

Îți fac cu mâna din viscol,
stând atât de alături,
în același aer al camerei,
trecând mut și aspru
prin amândoi,
hrănindu-ne deopotrivă
bătăile nevrednicei inimi.

Auzi cum foșnește,
auzi, dragul meu,
timpul?

Îmbătrânesc într-o carte nescrisă
cenușile vremilor noastre,
oase albe,
praf,
iertându-se...

I wave at you from the snowstorm,
sitting so near each other
in the same air of the room,
passing mute and coarse,
through both of us
equally feeding
the beats of this undeserving heart.

Do you hear how it rustles,
do you hear, my love,
the time?

They grow old in an unwritten book
the ashes of our times
white bones
dust
forgiving each other...

marea brațelor tale

fiindcă pleci nu uita să închizi
ușa zilei ce dă înspre seară
lasă valiza cu amintiri
pe peronul din ultima gară

fiindcă pleci te rog nu uita
să ștergi marea de dor și cuvinte
închide toamna undeva
căci toamna mă minte, mă minte

lasă doar măceșul să dea
spinii lungi ca un lacăt prin mine
flori sărace din inima mea
să-mi petreacă uitarea de tine

mai primește-mă-n noaptea ochilor tăi
mai primește-mă-n marea brațelor tale
știu că azi e târziu
știu că azi e pustiu
locul meu în adâncul inimii tale

the sea of your arms

since you're leaving please remember to close
the door of the day in the evening's direction
leave the suitcase with memories to doze
on the platform of the very last station

since you're leaving, please do not forget
to wipe off the yearning and words from the sea
tie up the autumn without regret
for the autumn lies to me, lies to me.

leave me just the wild rose to impart
its thorns piercing me riveted through
meager flowers, grown within my heart
to play out my forgetting of you

just receive me again in the night of your eyes
just receive me in the sea of your arms spread apart
now it's late and I'm weak
now it's empty and bleak
my place in the cherished depth of your heart.

EUGENIA ȚARĂLUNGĂ (1967)

strict

noi suntem nişte utilizatori prizăriți
ne tooot întrebăm ce se întâmplă
o fi 21
om fi 2 sau 1
cifra de pe ecran se schimbă mereu
nu ne dăm seama cum
ştii, ne utilizăm ochii şi urechile
fără prea mare folos
şi nimic nu-mi va lipsi
spune Psalmul 22
ecranele noastre nu sunt ocupate de psalmi
anunțurile comerciale cotropesc
virtual şi real
spațial şi temporal
utilizatorii rând pe rând
singura lor perspectivă bate
până în ecran şi înapoi
în loc să țintească Transalpina
şi biserica din Densuş
despre care vorbeşte toată lumea
până şi NASA
noua
agenție de ştiri la nivel planetar
ceaiul de roiniță se usucă
pe dulap
cuminte
şi noi suntem strict utilizatori
la nivelul podelei

strictly

we are some measly users
we keeeep asking what is happening
would it be 21
would we be 2 or 1
the number on the screen keeps changing
we cannot figure out how
you know, we utilize our eyes and ears
without too much benefit
and I shall want for nothing
says Psalm 22
our screens are not covered with psalms
commercials ravage
virtually and palpably
spatially and temporally
the users one by one
their only perspective reaching
to the screen and back
instead of aiming at the Transalpina*
and the Densuș** church
about which everybody talks
even NASA
the new
news agency at a planetary level
the lemon balm tea is drying
on the cupboard
calmly
and we are users strictly
at the floor level

* a spectacular mountain highway linking the southern regions of Romania with the province of Transylvania
** a significant Byzantine-built church in Romania, one of the oldest, on the UNESCO list of protected monuments

război spaniol

Continentele se desfăceau din ape,
Războaiele se opreau, se nășteau și mureau pe rând,
Lumi din trupul meu de femeie.
Fiorul te străbătea odată cu sângele meu,
Cu buzele mele vopsite în roșu aprins.
Nu știu ce crezi, ce simți,
Nu te întreb nimic și nici nu știu cine ești,
Erou atemporal, absurd de inconsistent,
Asimptomatic pentru dragostea mea de felină.
Ai fi înfipt în trupul meu, toate armele
conchistadorilor spanioli,
Jucându-te nepăsător cu capa ta de torero.
Acum nu-ți mai rămâne decât să pleci.
Eu te privesc cu înțelegerea unui câmp de maci,
Pe care aleargă în zig-zag iepuri hăituiți.
Tu mă privești cu nepăsarea unui despot,
Ce nu dă socoteală pentru faptele sale

spanish war

The continents were unfolding from the waters,
The wars were stopping, they were, in turn, being born and dying,
Worlds from my woman's body.
The quiver was passing through you together with my blood,
With my lips painted vivid red.
I don't know what you believe, what you feel,
I don't ask you anything and I don't even know who you are,
A timeless hero, absurd and inconsistent,
Asymptomatic for my love of a feline.
You would have pierced me with all the weapons
of the Spanish conquistadors,
Playing indifferently with your toreador cape.
Now all that's left for you is to leave.
I am looking at you with the understanding of a poppy field,
On which quarried hares are running zig-zag.
You are looking at me with the indifference of a despot
Who does not need to account for his deeds.

curentîndu-ne cu o stea căzătoare — fragment

de ce

în dansul acesta
cu un singur sfîrşit
dar fără-nceput ne-au crescut
cinci degete
la fiecare deget
al fiecărei mîini ca în minunea
înmulțirii celor cinci pîini

poate

dacă am fi
tu aici iar eu înțelept le-am împreuna
peste piept şi-am putea țese din ele
un strai de rugăciuni
cît să putem săvîrşi
la rîndul nostru minuni dar
prea ne-ar ține de cald
prea ne-ar ține de bine într-o lume
fără vreun sens
şi fără de tine şi totuşi
cu un unic gust amărui care ne face
să continuăm
această alergare haihui numită
îndeobşte viață

electrocuted by a falling star – excerpt

why

in this dance
with a single ending
but without a beginning, we grew
five fingers
out of every finger
on each hand as in the miracle
of the five multiplying loaves of bread

maybe

if we were
you here and me wise we would entwine them
over our chest and weave from them
a garment of prayers
enough for us to carry out
in our turn miracles but
too much they would keep us warm
too much they would keep us comfortable in a world
without any meaning
and without you and yet
with a unique bitter taste which makes us
continue
this aimless gallivanting known
generally as life

Nuța Istrate Gangan (1968)

nu mă atinge

nu-mi lăsa palma să te atingă
nici gura să te cuprindă în sfâşieri adânci
nu-mi lăsa ochii
să-ți jefuiască lumina
bărbat orb surd mut
nu păşi pe terenul minat al inimii mele
în adâncimile acestea
s-au sinucis iubiri neidentificate
carnea lor s-a strâns în jurul oaselor mele
între agonie şi extaz
nu este decât un pas
o punte fragilă arcuită
peste prăpăstii hulpave
nu mă atinge
am murit cu fiecare iubire
m-am întors doar ca să mor din nou

do not touch me

do not let my palm touch you
nor my mouth cover you in deep lacerations
don't let my eyes
plunder your light
you blind, deaf, and dumb man
don't step on the mine-field of my heart
at these depths
unidentified loves have committed suicide
their flesh clustered tightly around my bones
between agony and ecstasy
there is but one step
a fragile footbridge arched
over ravenous chasms
do not touch me
I died again with every new love
I have returned only to die anew.

invitație la bal

Poezia care nu miroase,
poezia rece, fără gust
poezia sticlă sau faianță
scrisă în incest cu sine însuşi
poezia scalpă, la pachet
înghițită-n loc de somnifere,
poezia ştrangulată parcă
de o mână țeapănă prin care
gâlgâie absint de apă chioară
sau aghiazmă acră, de furat,
„poezia pentru poezie"
vag delir şi nici o consolare,
supă cu nimic, limfatic şpriț,
tril electric, sughițat de muscă
poezia cugetând pe brînci
pusă sub sechestru, strânsă-n cearcăn
şi bătută-n doagă de sicriu
din gâtlejul meu în veci, tovarăşi,
uns cu adălmaşuri, n-o să iasă!
Azi cobor în peştera luminii
să culeg din mâluri calde iască
şi mă-ntorc cu zorii subțioară,
haideți după mine doar aceia
care n-au în vine mătrăgună,
nici siropuri tandre de cucută;
ochiul orb sărută învierea
mâna mi se-acoperă cu pene
iar pământul țipă ca un pântec.

invitation to the ball

Poetry without a smell, at all
poetry that's frigid, without taste
poetry on glass or stoneware tile
written in an incest with oneself
poetry that's scalped, wrapped in a package
swallowed deep, instead of sleeping pills
poetry that's seemingly just throttled
by a stiff old hand through which quite often
gurgles dry absinthe and plain old water
Holy water maybe, sour, stolen,
"poetry for poetry alone"
vague delirium without compassion
like an empty broth, lymphatic spritzer,
rousing thrill, a hiccup of a fly
poetry that's thinking on all fours
forced, restrained, and pressed into an eye bag
hammered well into a coffin's stave
from my throat will never, oh my comrades,
with a risen glass, be coming out!
I descend into the cave of light
gathering from sludge a balmy tinder
and return with sunrise in my arms
you can follow me, but only those
with no banewort flowing through their veins,
neither tender syrups made of hemlock;
as blind eyes will kiss the resurrection
and my hand is covered full of feathers
while the earth is screaming like a womb.

iertarea de păcate

Iertarea de păcate se face numai seara
când porțile cetății primesc în coapse chei
atunci când trubadurul, ca melcul, cu ghitara
coboară lin pe frunza bărboşilor orfei

Atunci cînd printre sânii fetițelor de şcoală
omizi în crisalidă lovesc cu insomnii
şi-auzi cum dintr-odată se sinucide-o yală
şi vezi cum colți de tigru sticlesc pe sonerii

Şi-n mânecile nopții stau vipere-argintate
cu țeava limbii pusă docil pe parapet
atunci, mon cher, se face iertarea de păcate
rotind pe cerul gurii un psalm, cât mai discret.

forgiveness of transgression

Forgiveness of transgression is only done at sunset
just as the city portals have filled their hips with keys
for then it is the minstrel, a snail, right from the onset
descending on the bearded Orpheus on his knees

Between the breasts of schoolgirls, they move with stealth and poise
myriapods in case worms, with striking sleepless nights
and suddenly a deadlock will suicide with noise
while tiger fangs are glowing on doorbells as it bites.

The sleeve of night hides adders, in silvery aggression
their barrel-tongues on fences lay meekly with no qualms
mon cher, it's then you favour forgiveness of transgression
rotating on our palate that most discreete of psalms

Hanna Bota (1968)

viața ca o premieră jucată până la capăt

septembrie, Moscova – in memoriam

ușile s-au închis
cum o fi strigătul celor morți?
s-au stins luminile
sala aplaudă
toți actorii au rămas pe scenă
afară sirena pompierilor
sirena ambulanțelor
fum gros
flăcări senzual se întind
afară mulți gură cască
afară
cum o fi succesul celui mort?
scena e-n nouă lumină
sala aplaudă
nouă lumină e focul morții
cât de veridică premiera aceasta spune
femeia cu binoclu
sala se ridică în picioare
mai adevărată decât viața spune bărbatul
mai adevărată decât moartea îngână femeia
sala aplaudă frenetic
până la moarte

life like a premiere played to the end

September, Moscow – in memoriam

the doors have closed
what would the cry of the dead sound like?
lights have been turned off
the audience applauds
all the actors have remained on stage
outside the siren of the fire-fighters
the siren of the ambulances
thick smoke
flames sensually spreading
outside many rubbernecks
outside
how would the success of the dead one be?
the stage is under a new light
the audience applauds
a new light is the fire of death
how veracious this premiere says
the woman with the binoculars
the audience gets to their feet
truer than life says the man
truer than death mumbles the woman
the audience applauds frenetically
until death

Dimitrie

eu sunt şobolanul şi eu sunt viermele
eu sunt fluturele care zboară prin aer
noi cu toții suntem cei care mergem
pe pămînt şi ne tîrîm în coate vocile
noastre nu se aud sunt slabe slabe
dar uneori noi ne vedem eu sunt şobolanul
care îşi scoate capul dintr-o gaură veche ştiu
că sunt urît şi din cauza asta sufăr enorm
iar eu sunt viermele
care mişună prin bălegar
şi eu am complexe dar vine seara şi ea mă ia
în palme şi se joacă cu mine noi cu toții suntem
singuratici singuratici şi suferim enorm
din cauza asta iar eu sunt fluturele care
zboară pe sus şi eu sunt singur singur şi mă
înspăimînt uneori cînd mă uit în oglindă
dar vine seara şi vine vara şi noi
ieşim pe cîmpie şi ascultăm cîntecele
voastre şi nouă ne plac enorm
eu sunt şobolanul şi eu sunt viermele
şi eu sunt fluturele care zboară prin aer
şi nouă ne plac la nebunie
cîntecele voastre absurde

Dimitrie

i am the rat and i am the worm
i am the butterfly flying through the air
we all are those who walk
on the earth and drag ourselves on our elbows our voice
cannot be heard they are weak weak
but sometimes we can see ourselves I am the rat
who lifts his head from an old hole I know
that i am hated for this I suffer enormously
and i am the worm
crawling through dung
i have complexes as well but the evening comes holding me
in its palms and playing with me we all are loners
loners and we suffer enormously
for this and i am the butterfly which
flies high up and i am alone alone and i
am frightened sometimes when i look in the mirror but the
evening comes and the summer comes and
we get out on the meadow and listen to your songs
and we like them enormously
i am the rat and i am the worm
and i am the butterfly flying through the air
and we love like crazy
your absurd songs

LIVIU MĂŢĂOANU (1968)

primele poeme despre descrierea (1)

1.
am găsit pe masa de la bucătărie / acolo
unde îmi văd forma versurilor
un măr muşcat / dintr-o parte mai roşie
dar nici acolo / nici în altă cameră
nu am văzut măcar un cuţit pentru coji.

nu puteam să-i spun nimic fiului meu
despre toate acestea.
el ajuta / pe altcineva / mai bătrân
la munci foarte grele / o dată pe săptămână
şi la săpatul în piatră în fiecare zi.

când l-am văzut / trei chibrituri
a folosit bătrânul ca să-şi aprindă o ţigară.
apoi am stat de vorbă.

mi-a spus că era prima zi de toamnă
dar anul acesta toamna a venit
mult mai devreme
şi el n-a apucat să termine o femeie frumoasă
pentru mormântul unei mirese.

the first poems about the description (1)

1.
i found on the kitchen table / there
where I see the shape of my verses
a bitten apple / from its redder side
but neither there / nor in any other room
I didn't even see a knife for the peels.

i could not say anything to my son
about these things.
he was helping / someone else / older
with some very hard work / once a week
and with the digging into stone every day.

when I saw him / three matches
the old man used to light up a cigarette.
then we started to talk.

he told me that it was the first day of autumn
but that this year autumn came
a lot earlier
and he did not get to finish a beautiful woman
for the grave of a bride.

în fața unei femei care doarme toate armele fac stânga-mprejur

Pe ea o chema Liana.
Din ce în ce mai des aveam păreri diferite de ale altora,
Y se depărta, încet-încet, de emoțiile comune.
În prezența altora mă simțeam ca un contur
în centrul unui ghem complicat de fraze.
Iar pe ea o chema Liana.
O noapte, doar atât am dormit într-una din camerele ei,
cu zidul între noi,
cu băutura din creiere; şi pachetele de țigări erau, fiecare, în altă cameră. Dimineața:
Mă târăsc prin subteranele geamătului
spre veşnica mea pomenire
sunt un obiect de unică folosință
sunt păstorul acestui trup îngrozit
(pe o stradă două bătrâne
pleacă brusc spre cele două capete ale lumii
şi una duce inima, inima mea)
Liana nu s-a trezit odată cu mine şi atunci:

before a sleeping woman all weapons do a left-about

She was named Liana.
Increasingly we had opinions different to the others,
Y was moving away, slowly-slowly, from ordinary emotions.
In the presence of others, I was feeling like an outline
in the middle of a complicated yarn ball of phrases.
And she was named Liana.
A night, only this much I slept in one of her rooms, with a wall between us,
with drink on our brains; and the cigarette packs were, every time, in a
different
room.
In the morning:
I drag myself through the underground of groans
towards my everlasting remembrance
I am a single-use object
I am the shepherd of this terrified body
(on the street, two old women
leave suddenly towards the two ends of the world
and one carries the heart, my heart)
Liana did not wake up at the same time as me and then:

Aproape că-s tunele jugularele mele
nişte căi de acces punând planeta-n pericol
Doamne, tot mereu în şedință cu sărmana
mea nemurire cu lamentarea mea abruptă
– e aceeaşi oră de lux
santinelă a tâmplei din care glonțul a evadat
aceeaşi oră minunat aleasă să-mi fie mireasă
aceeaşi eră a distinsului trup
înfipt într-o altă generație
– una a morții noastre amin.
Iar pe ea o chema Liana. Şi pachetele de țigări stăteau în
camere
diferite.

They are almost tunnels, my jugulars,
access pathways putting the planet in danger
My God, always in a meeting with my poor immortality
with my abrupt lament
– it is the same luxury hour
sentinel of the temple from which the bullet has escaped
the same wonderfully chosen hour to be my bride
the same era of the distinguished body
impaled into another generation
– the one of our death amen.
And she was named Liana. And the cigarette packs were sitting in different
rooms.

Maria Timuc (1968)

și în tristețe îngerii există...

un înger scrie-n picurii de ploaie
e scris de înger ploaia asta tristă
eu râd atunci când scrie îngerul
pe umăr
că în tristețe îngeri nu există...

un înger doarme-n timp ce doarme lumea
e somn de înger somnul orișicui
eu trează sunt
și văd cum îngerul îmi doarme
și somnul meu adânc în somnul lui

un înger uneori prin ploaie-și scrie
frumoasele-i tristeți fără să știe
că și în ploaie îngerii există
și ploaia îngerilor de aceea-i tristă...

și de aceea plouă unde sunt
și dorm și-ascult în somn de înger ploaia tristă
și pe alt umăr îngerul îmi scrie
că și-n tristețe îngerii există!

angels exist even in sadness

an angel writes into the rainy drops
this angel's writing is a gloomy rain
I laugh while he, the angel, scribes onto
my shoulder
that in such sadness, angels won't remain.

an angel sleeps while all the world is sleeping
an angel's sleep is everybody's dream
awake I am
beholding how my angel slumbers
and deep, my sleep in his remains agleam

an angel writes, sometimes throughout the downpour
his dazzling sorrows – if he only knew
that angels are still present in the rain
therefore, the angels' rains are always blue

and that is why it rains where I remain
in my angelic sleep, I sense the mournful mist
the angel writes now on my other shoulder
that in such sadness angels still exist!

codul nostru tainic

Nu răspunde, nu-ntreba
Ci întinde-mi mâna ta
Totu-mi pare nefiresc
Nu te știu, dar te iubesc

Tot ce nu e încă nici n-a fost să fie
Nu regret vreo clipă, nici vreo veșnicie
Nu.

Unde-ar sta copiii, unde să încapă
Dacă, azi, strămoșii nu ar fi în groapă
Toți?

Nu-i sămânța gata firul nou să-l scoată
Dacă iarba veche nu-i de tot uscată
Nu.

Ce-ar fi viața dacă n-am greși întruna
Repetând eroarea una câte una
Ce?

Cine știe unde, cine știe dacă
Pe ruine-n apă pod o să se facă
Drept?

Și te țin departe, când te iau aproape
Și te văd mai bine prin închise pleoape,
Văd.

Codul nostru tainic toată lumea-l știe
Mie o felie și întregul ție,
Ia-l.

our secret code

Do not answer, do not ask,
Lend your hand for either task,
All, to me, seems quaint, askew,
I'm so strange for loving you.

All that hasn't happened, and will never be
It doesn't rue the moment, nor eternity.
No.

Where would all the children marry, grow and spread
If today the ancients wouldn't all be dead.
All?

For the seed is loath to sprout up a new seed
If last season's grass hasn't dried indeed.
No.

What would life be like without miscalculations
One by one repeating all the irritations.
What?

Who knows where, or whether, it will ever happen
If they build the bridge, straight or quite misshapen?
Straight?

And I keep you distant when I draw you near
For I see you better, with my gaze unclear.
See.

Our secret code which everybody knew
It left a piece for me and left the whole for you.
Take it.

psalm pentru îngeri

Doamne,
Carele mi-ai dat toată tristețea
Ce-o suport
și toată bucuria ce n-o pot duce, în fața smereniei Tale
Îți cânt
cu glas nevindecat de cruce:

„O, de-acum îngerii Tăi nu se mai simt străini
Și prin lanul de-nflorite singurătăți
Vin și se duc și-n privire au câte-un mănunchi de lumini
Iar pașii lor sunt ancestrale peceți."

Doamne,
Carele mi-ai dăruit toată lumina
Ce n-o pot merita
și toată durerea
care mă-nveșnicește-n altarele ei
la picioarele-Ți cad
și Te rog să dai ordin
să ningă cu dragostea Ta
peste îngerii mei!

„O, de-acum îngerii Tăi nu se mai simt străini
Și prin lanul de-nflorite singurătăți
Vin și se duc și-n privire au câte-un mănunchi de lumini
Iar pașii lor sunt ancestrale peceți."

psalm for angels

Lord,
who unto me has given all the sadness which I endure
and all the joy which leaves me at a loss,
in front of Your humility
I sing onto You
with a voice uncured by the cross:

"Oh, from now on Your angel will never feel a stranger
And through the field flowering with loneliness
He comes and goes, and his gaze is a cluster of light from Your manger,
His steps, the ancestral seals of Your holiness."

Lord,
who unto me has gifted all the light
which I cannot deserve
and all the pain
which eternizes me in its altars divine,
at Your feet, I fall
and pray You give and order at the dawn
to snow with Your love
on those angels of mine!

"Oh, from now on Your angel will never feel a stranger
And through the field flowering with loneliness
He comes and goes, and his gaze is a cluster of light from Your manger,
His steps, the ancestral seals of Your holiness."

Adrian Bodnaru (1969)

demult

Demult, în negura tinereților, când o fărâmă de albastru spălăcit s-a întins să o întâlnească pe alta, făcându-se linii într-un caiet cu pătrățele, totul a început să se deschidă, să fie mai întâi cenușiu, apoi alb și să se poată vedea ce era scris între gratiile subțiri de deasupra. S-a înălțat atunci un chioșc de presă, ca o primăvară timpurie înaintea primelor lalele, iar fetele au început să se facă fete frumoase, îmbrăcându-se în rochițe colorate, cum erau ziarele, revistele și CD-urile de acolo. Și așa, de pe vremea aceea, seamănă între ele: sunt una și una.

a long time ago

A long time ago, in the fog of youth, when a crumb of bleary blue
stretched to meet another, transforming into lines in a note-book filled with
small squares, all started to open-up, to be smoky-grey at first,
then white so that what was written could be seen between the thin bars from
above. Then grew a newspaper kiosk, like an early spring
before the first tulips and the girls started to become beautiful, dressing up in
colourful frocks, as were the newspapers,
the magazines and the CDs around there. And so, since that time,
they resemble each other: they are really something.

gravitație

Unii au murit și nu mai sunt.
alții nu au murit și nu mai sunt
alții dorm deja
eu
sunt o fată zdravănă care
nu-ncetează să sară
gravitația-i cel mai simplu de demonstrat.
oricât de sus
ai sări
te întorci mereu de unde-ai plecat.

gravity

Some have died and are no more.
Others have not died and are no more
Yet others are sleeping already
I
Am a strapping girl who
never stops jumping
gravity is the simplest thing to demonstrate
no matter how high
you jump
you always return to the place where you started.

Adrian Suciu (1970)

nu sta singur la masă!

Eu n-am pământ.
Pământul pe care l-aş avea eu
s-ar face gheţar şi s-ar ascunde la poli.
Eu n-am femeie.
Femeia pe care aş avea-o eu l-ar naşte
iar pe Hristos şi s-ar ascunde în Evanghelii.
Nici pisică n-am: pisica mea latră de-aseară.
Singur ca ultima rază de soare,
aştept o scrisoare
care va spune atât:
Să nu rămână nimeni singur la masă!
De la oricare masă, un cap va cădea!

don't sit alone at the table!

I do not have land.
The land which I might have
would become a glacier and would hide at the poles.
I don't have a woman.
The woman I might have would give birth
to Christ again and then would hide in the Gospels.
Not even a cat have I: my cat is barking since last night.
Solitary as the last ray of sunshine,
I am waiting for a letter
which will say only this:
No one should be left alone at the table!
From every table, one head will roll!

poem în stihuri despre călătoria mațului subțire

În memoria lui Ieremia-Ereticul,
ars pe rug în dimineața zilei de 5 iulie 1097

Aici a poposit liniștea
bătrânul Cronos umblă miop
și întreabă ce zi e și ce an,
i se răspunde că e dimineață
cineva îi dă o bucată de pâine –
mănâncă, frate, este corpul
preaiubitului nostru Christos,
și liniștea coboară din nou.
Și Cronos mai întreabă o dată
ce zi e și ce an,
i se răspunde că-i amiază
cineva îi dă paharul cu vin roșu –
bea, frate,
este sângele
preaiubitului nostru Christos,
și liniștea coboară din nou.

rune poem about the journey of the small intestine

In memory of Jeremiah-the-Heretic,
burned at the stake on the morning of 5th of July 1097

Here the silence still abides
old Chronos walks around bleary-eyed
and asks what day it is and what year,
he's being informed that it is morning
someone gives him a slice of bread –
eat brother, this is the body
of our beloved Christ
and the silence descends again.
And Chronos enquires once more
what day and what year,
he's advised that it is noon
someone hands him the glass with red wine –
drink brother,
it is the blood
of our beloved Christ
and the silence descends again.

Și Cronos mai întreabă o dată
ce zi e și ce an,
i se răspunde că e seară
cineva îi dă o cruce –
sărută, frate, este lemnul
pe care a fost răstignit
preaiubitul nostru Christos,
și liniștea coboară din nou.
Și Cronos începe a râde
aleargă în jurul cetății
vărsând din străfundul stomacului
pâinea, vinul și lemnul
aruncându-le departe
râzând
cercuri
cercuri.

Again, Chronos questions one more time
what day and what year
and he's told that it is the evening
someone gives him a cross –
kiss it, brother, it is the wood
on which our beloved Christ
was crucified
and the silence descends again.
And Chronos begins to laugh
runs around the fortress
throwing up from the bottom of his stomach
the bread, the wine, and the wood
throwing them far away
laughing
circles
circles.

Daniela Șontică (1970)

călătorie

urmează halta de lux
prin venele retezate,
trenul cu femei trase la sorți
plutește în aer până la peron

un accelerat prin venele mele tăiate

de atâta bunăcuviință
norocul îți surâde
dincolo de ușa cușetei –
o umilire necesară pentru a supraviețui.

journey

next is the luxury flag-station
through my severed veins
the train with women from drawn lots
sails through the air up to the platform

an express train through my severed veins

from so much propriety
luck is smiling at you
beyond the sleeping carriage door –
a humiliation necessary for survival.

Maria Cernegura (1970)

camera cu îngeri

Ninge pe strada Sevastopol
în camera mea cu vedere spre Calea Victoriei
mă vizitează în fiecare zi
o echipă de îngeri camuflați
pe sub halatele albe
își poartă aripile strânse
în urma lor rămân pene pe jos
vin infirmierele
fac curățenie cu îndemânarea acelora
ce își greblează grădina de frunze
pe sub halatele lor verzi
aripile sunt și mai vizibile
din când în când aflu vești bune de la medici
fețele lor mă părăsesc tot mai luminate
de parcă ar participa la nașterea mea.

the room with angels

It snows on Stevastopol Street
in my room with a view towards Calea Victoriei*
they are visiting me every day
a team of angels in camouflage
under their white coats
they keep their wings folded up
behind them there they leave feathers on the ground
the orderlies come in
they clean up with the deftness of those
who rake the garden of leaves
under their green coats
their wings are even more visible
from time to time I receive good news from the doctors
each time they leave me, their faces become more luminous
as if they participated in my birth.

* Victory Way (Calea Victoriei) is the oldest and one of the trendiest thoroughfares crossing central Bucharest.

curiozitate

de pe o cruce pe alta
Iisus s-a mutat de miliarde de ori

într-o zi
va ajunge și pe a mea

vom sta spate la spate
iar el o să mă întrebe
care dintre tâlhari am fost
care dintre tâhari voi fi

un nasture

Sunt un nasture
cu care o femeie
încearcă să-și închidă viața
sperând să fie ultiul
și cel de sus

curiosity

from one cross onto another
Jesus has moved billions of times

one day
he will reach mine too

we'll sit back to back
and he will ask me
which one of the thieves I have been
which one of the thieves I will be

a button

I am a button
with which a woman
tries to button up her life
hoping it is the last one
the one at the top

ERIKA KANTOR (1971)

procesiune

pământul stă ascuns
după deget
pândind
cum locuitorii lui
își oferă tăcut
unul celuilalt
fructul edenului

jurnal 1

viața mi se scurge printre jaloane.
amețiți de anii lipsiți de primăvară
ghioceii au amorțit,
s-au ascuns în toamna ochilor mei.
evadând în tăcere,
căutând irisul tău gol și fără răspunsuri
mă aflu între nepăsarea timpului
și clepsidra din mine...

procession

the earth stays hidden
behind its little finger
watching
how its inhabitants
silently offer
one another
the fruit of eden

journal 1

my life drains itself between witch hats
dizzy from the years without springtime
the snowdrops have gone numb
they drained in the autumn of my eyes
absconding in silence,
seeking your iris, empty and with no answers
I find myself stuck between the indifference of time
and the hourglass within me...

Florina Sanda Cojocaru (1971)

despre iubiri

în mine și-au făcut culcușul femeile
pe care le-ai iubit
și femeile pe care încă le mai iubești
unele râd, altele plâng
unele tac, altele cântă
afară pribegesc ploi
aici se tulbură zăpezile
uneori râd cu toate gurile chiriașelor mele
alteori sapă în mine durerile lor
ca într-un munte de sare
m-ai întrebat:
cum e iubirea ta?
ca o ninsoare de cireș,
ca o ninsoare de cireș.

about loves

in me have made their cozy nest the women
whom you loved
and all the women whom you still love
some laugh, some weep
some are quiet, some sing
outside ramble rains
in here fluster the snows
sometimes I laugh with all the mouths
of these tenants of mine
at other times their pains dig inside me
as if inside a salt mountain
you asked me:
how is your love?
like cherry blossom snow
like cherry blossom snow

spune-mi!

Spune-mi o singură dată
Că îți pasă de mine!
Eu sunt cea care ascultă vântul
În singurătatea nopților vălurite
Cu gambele tremurânde a valuri
La reflux de gânduri.
Spune-mi măcar o singură dată
Că îți pasă de mine,
Că mă vezi altfel în umbrele zilei,
Mai frumoasă, cu mult mai frumoasă,
Mai aproape, cu mult mai aproape!
Spune-mi, te rog, că sunt zborul
La care visai,
Toamna în care trăieşti,
Visul de alb
În întinderile unei ierni nesfârşite,
Troienindu-mi visările cu iubire pentru tine!
Spune-mi că sunt ploaie de primăvară
Şi tu, pământul băltind a cânturi!
Spune-mi că nu te-aş plictisi niciodată,
Că-mi iubeşti trăirile,
Zilele nefardate
Şi poate am să te cred,
Poate-am să te cred.

tell me

Tell me just once
That you care about me!
I am the one who perceives the wind
In the loneliness of rolling nights
With my calves trembling in the waves
At the low tide of thoughts.
Tell me at least once
That you care about me
That you behold me differently in the shadows of the day,
More beautiful, a lot more beautiful,
Closer, a lot closer!
Tell me, please, that I am the flight
Of which you were dreaming
The autumn in which you exist,
Your dream of white
In the expanses of an unending winter,
Snow-drifting my daydreams with love for you!
Tell me I am a spring shower
And you, the ground, swamped with songs!
Tell me that I could never tire you,
That you love my sensibilities,
The days without make-up
And maybe I will believe you
Maybe I will believe you.

facebook dreams (IX)

singurătatea e o investiție sigură
face miliarde la bursă
produce identități virtuale și negustori de măști

vreau să ies din lista de profit a celor
ce îmi vânează singurătatea
cu arginții lui iuda

vreau să rămân în lista mea de spaime
pe care doar Dumnezeu știe să le pună în bună lucrare

realitatea e tot mai mult o clepsidră spartă
din care iese o maree de sânge
pentru poftele unui înger căzut

eu nu sunt nici realitatea
nici oglinzile mincinoase
eu sunt un vis de purificare

facebook dreams (IX)

loneliness is a safe investment
makes billions on the stock exchange
produces virtual identities and merchants of masks

i want to get out from the profit sheet of those
who hunt for my loneliness
with judas' silver

i wish to remain within my list of terrors
which only God knows how to use for good

reality if more and more like a broken hourglass
from which flows a tidal wave of blood
for the lusts of a fallen angel

i am neither reality nor deceitful mirrors
i am a dream of purification

Constantin Acosmei (1972)

palinodie

(nu sînt curios să trăiesc
nici să mor
– nu cereți argumente
nici înveşmîntarea ideii
în materie sensibilă –
şi încă vă mai spun:
ruşinea este singura sursă
de energie
ce îmi alimentează viața
viața mea – cît hăul.
mi-e lene să mă sinucid
dar ce rost mai are
să vă şantajez
cu sinceritatea mea
decît să ridic două degete
ca să răspund corect
la întrebările profunde
ale existenței
mai bine – două degete
să mi le bag pe gît)

palinode

(i am not curious to live
nor to die
– do not seek reasons
nor the vestment of the idea
into senzitive matter –
and i am still telling you:
shame is the only source
of energy
fuelling my life
my life – like an abyss.
i am too lazy to kill myself
but what is the point
to blackmail you
with my sincerity
save for raising two fingers
to answer correctly
the profound questions
of existence
or better still – two fingers
to push down my throat)

Lucia Cherciu (1972)

insomnie I

De-atâta tăcere se sparg geamurile
cade argintul de pe oglinzi
şi dacă se aud câinii lătrând în noapte
dacă se aud pescăruşii într-un Bucureşti secetos
dacă se aud vibrațiile de turla bisericii
atunci ştii că insomniacii se roagă
venele li se dilată precum şinele de tren vara pe căldură mare

de la două la cinci
insomniacii îşi numără respirațiile
se tânguie în noapte
luminile se aprind dintr-un colț într-altul al casei
din odaie-n odaie
ca un om care merge dintr-o parte într-alta a trenului
căutându-şi prietenul care – el nu ştie –
nu s-a mai urcat.

insomnia I

Of so much stillness the windows shatter
the silver falls off mirrors
and if you hear the dogs barking in the dark
if you hear the seagulls in a droughty Bucharest
if you hear the vibrations of the church tower
then you know that the insomniacs are praying
their veins dilating like railway tracks in the great heat of summer

from five past two onwards
the insomniacs count their breaths
they wail through the night
the lights switch-on from one corner of the house to another
from chamber to chamber
like a man who walks from one side of the train to another
looking for his friend who – he is not aware –
did not board.

coloana tăcerii

ştii jocul acela în care oamenii se învîrt în jurul
scaunelor şi la semnal se aşează pe scaunul cel mai apropiat
dar unul dintre ei pur şi simplu nu mai are loc?
olteanul Brâncuşi şi-a lăsat sufletul în România
şi-a luat instrumentele şi s-a cărat la Paris să ciupească nemurirea
devenind unul dintre cei mai mari artişti ai planetei
Brâncuşi sculptor francez de origine română
toţi ceilalţi s-au înghesuit într-un singur muzeu
doar el s-a întins de unul singur într-un atelier aparte
iar numele său – Brâncuşi –
sare în ochi din orice sală a muzeului Pompidou
creierul lui Brâncuşi admirat din
sala Dali sala Picasso sala dada sala impresionistă
sala surrealistă
iar aici la Tîrgu Jiu duhul lui Brâncuşi
stă zgribulit sub un scaun de lîngă masa tăcerii
înjură de mamă poarta sărutului
şi repetă la infinit:
permettez-moi, s'il vous plait, d'aller à ma place...

the column of silence

do you know that game in which people run around chairs
and at a signal sit down on the closest one
but then one of them is simply left without a chair?
Brancusi the Oltean* left his soul in Romania
took his tools and dragged himself to Paris to pinch immortality
becoming one of the greatest artists on the planet
Brancusi French sculptor of Romanian origin
all the others were crammed into a single museum
only he has spread himself into a separate workshop
and his name – Brancusi –
jumps at you from every room of the Pompidou museum
the brain of Brancusi is admired
from the Dali room the Picasso room the impressionist room
the dada room the surrealist room
and here in Târgu Jiu the ghost of Brancusi
sits shivering under a chair at the table of silence
curses the mother at the gate of the kiss
and repeats ad infinitum
permettez-moi, s'il vous plait, d'aller à ma place...

* Oltean = from the region of Oltenia in Romania

Lilia Manole (1972)

jertfa din cântec

Aș vrea un cântec să-ți trimit,
de cântec ți-este dor acum și de lumină.
Aș vrea să-ți scriu, ce mult îmi ești iubit,
chiar și în această lume, ce dezbină
Mamă de fiu, mamă de om,
și înțelepții lumii asta știu,
că ți-ar fi dor acum de-un cântec
și mai viu, ca primăvara,
ce se vede alergând în nopți târzii,
și e o aripă de șoim
distanța noastră, a mea, de mamă, și a ta, de fiu.

Aș vrea un cântec să-ți trimit,
și îl compun de-aici, de unde ai fi fost acum,
cel mai iubit, o, Doamne, cel mai regăsit și cel mai bun.
Aș vrea un cântec să-ți trimit,
în universul tăcerilor acum, ca în trecut,
aș vrea să îl auzi, ce nesfârșit va fi, ca și acest monolog
al meu, ce, Doamne, la tine, l-ai luat, pentru ce,
pentru ce s-a putut?...

sacrifice from the song

I wish a song to send to you,
you yearn for songs right now and for the light.
I wish to write to you how much you're loved
in a dark world, dividing out of spite –
Mother of a son, mother of a man,
and the wise will understand how this is done
that now you would be longing for a song
more alive, even, than the spring,
which we see running very late, at night,
like a hawk's stretched wing
this, our distance, mine that of a mother, yours that of a son.

I wish to send to you a song,
compose it here, the place you could have been now,
the most beloved, oh Lord, the most reclaimed and just
the best.
I wish a song to send to you,
into the realm of silence now, as in the past,
I wish you'd hear it, how endless it would be, like this
monologue
of mine, which, Lord, you took to yourself, but why,
why was this even possible?

când iubita e ca un fel de apă

cu brațele puse pe șolduri
ușor îmbufnată pari
mai dulce
amforă de miraculoase licori
de-elixiruri picurate din sinele verii
miruri și-uleiuri
transpirații de flori și de îngeri
goală te tragi ca ciuta la poala pădurii
îmi torni fericire-ntre brațe
ablațiunile-acestea cu apa de gură a florilor dau
fix curcubeie sticloase
peste relieful asimptotic al gândurilor
până și ochilor mei le-au crescut degete
ruptă din soare îngânat de lună
aur viu de-mi curgi prin artere
să nu oprim
să nu oprim
învârteala aceasta a acelor de ceasornic
a acestei ore
îndrăgostită de sine ca un derviș în transă
oră oprită
oră spirală
scoasă din lanț exilată-n plutire
ca o planetă halucinantă

when my love is like some kind of water

with your hands on your hips
you seem to be pouting a little
sweeter still
an amphora with marvelous scents
of elixirs dripping from the insides of summer
myrrh and oils
perspiration of flowers and angels
naked you draw like a deer to the edge of the forest
you pour happiness between my arms
these ablations with the mouth-water of
flowers render precisely the glassy rainbows
over the asymptotic relief of thoughts
until even my eyes had grown fingers
torn from the sun humming of the
moon living gold you flow through my arteries
let us not stop
let us not stop
this whirling of the hands of the clock
at this hour
in love with itself like a dervish in trance
the hour stopped
the hour spiraled
out of its chain exiled in its gliding
like a hallucinating planet

să nu oprim
învârteala aceasta a acelor de ceasornic
timp ieșit din sine
galaxia e ca o maioneză albastră
care nu se mai lasă tăiată.

let us not stop
this whirling of the hands of the clock
time outside itself
the galaxy is like a blue mayonnaise
which doesn't allow itself to be cut anymore.

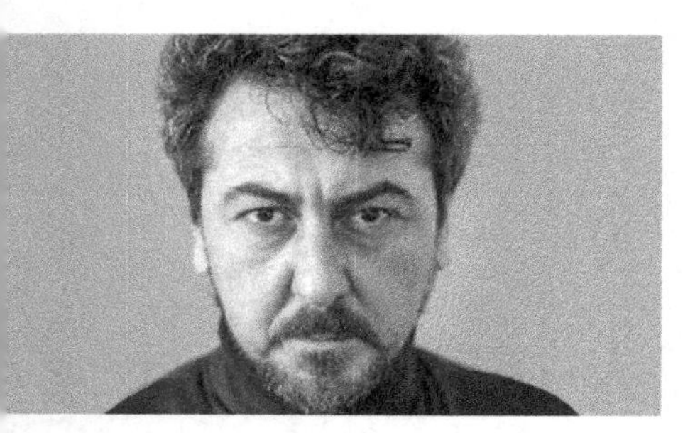

apartenență și suspans

Prăbușit pe canapea vorbește la telefon
Cu bossul care urmărește cursa de reptile
Dacă reptila lui pierde, el pierde bani.

La intervale scurte ia câte o alună din bol:
Am văzut și luna, dar la vecini e mai mișto.
Variante care să te scoată nu sunt
(cheile au dispărut)
Cei mai mulți stau în fața geamului
Mișcându-și o mână în buzunar.

— Ce muzică tâmpită asculți acolo?
O trupă pe care tu n-o știi.
Au câștigat 1 milion de dolari.
S-au dus p-o insulă și le-au dat foc.
— Ce nebuni !
— Mie îmi plac din alte motive...

Urmează indicațiile informatorului.

Întoarce-te în orașul afectat de taifun.
Ia-ți familia și prietenii.
În partea de sud am locuit și eu cândva,
Aproape de observator, acum în parte prăbușit;
Lângă gara veche și ieșirea la autostradă.

belonging and suspense

Crashed on the lounge he talks on the phone
With the boss who watches the reptile race
If his reptile loses, he loses money.

At short intervals he takes a peanut from the bowl:
I saw the moon as well, but at the neighbors' place, it's cooler.
There are no alternatives to get you out
(the keys have disappeared)
Most of them stand by the window
Moving their hand in their pocket.

— What stupid music are you listening to?
— A band you do not know about.
They made 1 million dollars.
They went to an island and set them on fire
— What lunatics!
— I like them for other reasons...

Follow the instructions of the informer.

Return to the city affected by the typhoon.
Take your family and friends.
On the south side I lived as well, a while ago,
Close to the observatory, now partially collapsed
Near the old railway station and the freeway exit.

IOANA NICOLAIE (1974)

post-scriptum

Am cinci ani sau poate patruzeci.
Am scris paginile acestea din teamă.

Am visat să escaladez pe lamelă,
Iar ochiul nepământesc de deasupra
Mă zărește sub marea lentilă.

Nu văd, deși sunt încă în viață.

Întrerupătorul e alb,
Smuls din firele de susținere,
Fiindcă aidoma unui fulger
În curând va strălumina.

Nu înțeleg, dar sunt încă în viață.

Am scris totul cu dragoste.

Am umblat cu tălpile goale,
Sperând că voi putea cândva să încalț
Bocancii pe care timpul nu îi mai poartă.

Am treisprezece ani sau poate optzeci.
Am treisprezece ani sau poate patruzeci.
Am treisprezece ani...

post-scriptum

I am five years old or maybe forty.
I wrote these pages out of fear.

I dreamt of climbing on a lamella,
And the unearthly eye from above
Watching me under the great lens.

I can't see, even though I am still alive.

The light switch is white,
Torn from its supporting wires,
And much like a lightning strike
It will soon flash through.

I do not understand, but I am still alive.

I wrote everything with love.

I walked bare-foot,
Hoping that one day I could put on
The boots which time no longer wears.

I am thirteen years old or maybe eighty.
I am thirteen years old or maybe forty.
I am thirteen years old...

să ne rugăm pentru Canada

Omul de serviciu e foarte fericit că îl salut.
Dacă uit să o fac îşi şterge propriile lacrimi
în loc să curețe podelele.
Dacă nu va avea grijă de podele va primi primul avertisment.
Tariful lui de 10 $ pe oră
este absolut onorabil
şi totuşi nu suficient, după părerea mea.
Omul de serviciu trebuie să-şi mai ridice şi el ochii de pe podea.
Şi să asculte povestea mea despre Granby
acolo oamenii ies de la zoo călare pe animale,
iar preotul ține predica pe acoperişuri, printre pisici,
aruncând cu vin în capul trecătorilor,
corul bisericii face jazz în barul bisericii.
Oamenii te ademenesc să le vizitezi casa, stau pe la porți,
cu gurile căscate, în care şi ce dacă a intrat o muscă.
Aşa e în Canada.
Dar omul de serviciu nu înțelege,
el e mulțumit cu 10 $ pe oră şi povestea asta
îl face foarte trist.
Dimpotrivă, dacă îl salut pur şi simplu e fericit şi poate munci.
Poveştile mele lucesc mai puțin decât podelele lui.
De aceea eu mă voi ruga pentru Canada.

let us pray for Canada

The caretaker is elated when I greet him.
If I forget, he wipes his tears instead
of wiping the floor.
If he does not take care of the floor he'll receive the first warning.
His pay of $10 per hour
is absolutely honourable
but still insufficient, in my opinion.
The caretaker needs to lift his eyes from the floor now and then.
And listen to my story about Granby
there, people ride out of the zoo on animals,
and the priest preaches on rooftops, amongst cats,
throwing wine on the heads of passers-by,
the church choir intones jazz in the church bar.
People lure you to visit their house, loitering by their gates,
mouths agape, in which who cares if a fly flew in.
That's Canada.
The caretaker won't understand,
he is content with $10 per hour and this story
makes him very sad.
On the contrary, if I merely greet him, he is happy and can continue his work.
My stories shine less than his floors.
That is why I will pray for Canada.

ALEXANDRA BALM (1974)

exil

Am alungat tristețea într-o altă țară
nu ești a mea, i-am spus în șoaptă, nu-ți aparțin
mi-îmbrățișez creierul și-l leagăn încet
spre o stare de aproape bucurie

Mi-atârn gândurile într-un hamac suspendat deasupra ființei
și le contemplu cum se zvârcolesc o vreme – viermi calzi de viață reziduală –
apoi se ostoiesc în liniștea lin suspendată a acceptării

din vizuinile și craterele lăsate de absența gândurilor
mă ridic de limba din spate a ghetei
întru muzică, artă, cuvinte
aruncate în vânt

Alung tristețea într-o altă țară
și respir ușurată

uit timp de-o săptămână întreagă,
apoi, duminica dis-de-dimineață îmi aduc
aminte; munca e mila eternității:
fără distragerea ei totul ar fi un supliciu etern

Alung tristețea într-o altă țară
nu ești a mea, îi spun, nu-ți aparțin
Dar îmi zâmbește peste dealuri seara

Alung tristețea într-o altă țară

și-apoi mă duc s-o vizitez
râzând

exile

I banished sadness to another country
you are not mine, I whispered, I don't belong to you
I embrace my brain and I rock it gently
toward a state of almost joy

I hang my thoughts in a hammock suspended above existence
contemplating how they squirm a while – warm worms of a residual life –
then gently slumber in the suspended silence of acceptance

from the lairs and craters left behind by the thoughts' absence
I lift myself by the tongue at the back of my shoe
into music, art, words
tossed in the wind

I banish sadness to another country
and I breathe with relief

I forget for a whole week,
then, early on Sunday morning I
remember; work is the mercy of eternity:
without its distraction, everything would be an eternal torture

I banish sadness to another country
you are not mine, I tell it, I don't belong to you
But the evening is smiling at me over the hills

I banish sadness to another country

and then I go to visit it
laughing

ANCA STUPARU (1974)

vis nipon

Ploaia asta egală,
Incredibil de ritmică,
Se sparge în stropi
Prelinși pe asfalt
Reflexia chipului tău
În ochiul de rouă...
Lunecam desculți
Fără țintă, pe ape
Printre stropii răsfrânți
Sub tălpile noastre.
Iarba vuia amar
A copilărie
Mai știi? Îți amintești?
Când deșiram păpădii
Și alergam râzând
Printre flori de cireș?
Ne învârteam asemeni
Unui parasol de gheișă
Pierdută într-o minusculă
Grădină japoneză,
Devenind și noi
O ikebana, un aranjament
Un răsărit de lumină.

nippon dream

This equal rain,
Incredibly rhythmical,
Breaks into drops
Trickling on the asphalt
The reflection of your face
In the eye of a dewdrop...
We slide barefoot
Aimless, on the waters
Between the drops reflected
Under our soles.
The grass was raging bitterly
Of childhood
Do you still know that? Do you remember?
When we were unraveling dandelions
And ran along laughing
Through cherry blossoms?
We were twirling around like
The parasol of a geisha
Lost in a minuscule
Japanese garden,
Becoming, ourselves,
An ikebana, an arrangement
A dawning of light.

poem

Ploaie legată ca un fum de copaci,
o ploaie cu ceața în vine...
Pe vagoane de tablă țopăie nişte draci –
ciorditori de fiare-n rugină.

Controlorul nu vine.
Dă-l în basme!
Oricum
n-aş putea să-i arăt mai nimica.
Mă ascund în cabina de fum
şi-mi pieptăn frica.

Plouă cu rugină peste copaci,
o ploaie cu sfârşitul în vine.
Între morți îngropați în oameni săraci
Stau – şi zic că mi-e bine.

poem

Rain tied up like smoke to every tree,
A rain, with fog down to its knees
On top of tin-wagons hop devils with glee
Knucklers of rusty iron and sleaze.

The ticket inspector is missing. Blow the sod!
Anyway
there's nothing I could show him, that's clear.
I hide in the cage smoky-grey
and comb my fear.

It rains with rust over the tree
a rain, with doom down to its knees.
Among the dead buried inside paupers, you see,
I sit – and I say I'm at ease.

Adela Greceanu (1975)

provinciala

Îmi lipsește cu desăvârșire talentul de a fi femeie.
Sînt o provincială vizavi de dragoste.
Folosesc mai mereu cuvintele altora
când trebuie să vorbesc.
Sînt o provincială vizavi de limbaj.
De obicei prefer să stau în garsoniera mea de 18 mp și
să mă uit pe geam de la etajul opt.
E bine că nu sunt nevoită să spun ce văd și
ce gândesc.
Dacă m-ar privi cineva din spate,
ar vedea o spinare de femeie sau de fetiță,
pe care atârnă o coamă de păr brun.
Pe strădușa care desparte blocul de cimitir,
trec dintr-odată patru, cinci, șase oameni pe biciclete.
Viteză. Soare.
Șapte, opt.
În cimitir au înflorit castanii.
Provinciala de mine vede toate astea,
dar nu-i nimeni acolo să o privească din spate,
cum stă acolo, cu spinarea ei de femeie sau de fetiță,
nemișcată.

provincial

I lack entirely the talent for being a woman.
I am provincial vis-a-vis love.
I mostly use other people's words
when I need to speak.
I am a provincial vis-a-vis language.
I usually prefer to stay in my 18sqm studio and
to look out of the window from the eighth floor.
It's good that I am not obliged to say what I see and
what I think.
Should people look at me from behind,
they would see the back of a woman or of a little girl
on which hangs a mane of brown hair.
On the little street separating the apartment block from the cemetery,
pass suddenly four, five, six people on bicycles.
Speed. Sun.
Seven, eight.
In the cemetery, the chestnuts are in bloom.
The provincial, that is me, sees all these things,
But there is no one there to look at her from behind,
as she remains there, with her woman's or little girl's back,
motionless.

IX

știi
la cîte-o mahmureală din aia de plumb
aș vrea să mă transform într-un obiect de artă
unul reușit
elegant
să zicem un falus o sărbătoare falică
pentru tipele cu bani
sau să mă transform într-un obiect de decor
o vază ondulată
pe-un balcon în buenos aires
căreia i se schimbă apa
zilnic

ieri –
puiule,
îmi pare rău. mi-am analizat sentimentele și cred că
ar fi mai bine să ne despărțim. nu de tot.
ne vom mai vedea dar mai rar.
bani îți mai trimit din când în când
nu te las baltă ich liebe dich. auf wieder sehen. sorry
pentru
avort.
copiii pe care i-am văzut astăzi au fost urîți și stupizi

la casele de amanet nu mai aveam ce să mai las
așa că m-am dus pe malul mureșului
am lansat la apă bărcuțe de hîrtie
am citit cortazar și am mestecat fire de iarbă
tot aia

IX

you know
during one of those leaden hangovers
I would like to turn myself into an art object
a really good one
elegant
let's say a phallus a phallic festivity
for the chicks with money
or to turn into a decorative object
an undulating vase
on a buenos aires balcony
whose water is changed
daily

yesterday –
darling,
I am sorry. I analyzed my feelings and I believe that
it would be better to separate. not totally.
we will still see each other but more rarely.
I will still send you money from time to time
I will not abandon you ich liebe dich. auf wieder sehen. sorry
for
the abortion.

the children we saw today were ugly and stupid

at the pawnshops I had nothing more to bring
so I went on the bank of the mureș* river
I launched on the water paper boats
I read cortazar and I munched blades of grass
same thing

* Mureș river = one of the major rivers in Romania

T. S. Khasis (1975)

a venit vara
a trecut un tren
a venit proprietara după chirie și chei
i-am dat cheile

m-am uitat în jur
sînt mulți sînt prea mulți

la noapte totul va fi pe datorie

m-am uitat și la cer
m-am simțit în avantaj față de vaci
vacile nu văd niciodată cerul
poate-s în dezavantaj
era un cer mat altfel decât la mine-n cap
cerul din cap năvălea în sufragerie pe urmele unei fete
bronzate cu un bax de bere în brațe
beam bere făceam dragoste
iar beam iar dragoste

ăstalalt cer... doar că mă zgâiam eu la el
eu omul
tu cerul
tu cerul
eu omul
două avioane pe zi
între noi

the summer has arrived
a train has passed
the landlady came for the rent and keys
I gave her the keys

I looked around
there are many, there are too many

tonight everything will be on loan

I looked at the sky
I felt I had an advantage over the cows
cows never see the sky
maybe they are at a disadvantage
it was a sky somewhat different than in my head
the sky in my head was invading the living room
following a tanned girl holding a box of beer in her arms
we drank beer made love
would drink again make love again

this other sky...I was just pulling faces at it
I the man
you the sky
you the sky
I the man
two airplanes every day
between us

Adrian Lesenciuc (1975)

* * *

Așchia oglinzii s-a-nfipt demult în retină
și chipul lumii a prins a se răsfrânge-n cercuri
îngerii toți s-au topit în pliurile imaginii
și numai o dată pe an, cu urechea ciulită spre înalturi
simți iz de cântare și lumina
cozonacului plămădit de bunica
n-ai altă șansă decât să plângi la auzul acelor voci
printre care se distinge clar și vocea bunicii
și-atunci vei vedea și îngerii
și-o vei vedea și pe ea frământând cozonacii
căci plânsul va mișca puțin așchia
și-n pliurile lumii
vei zări și Steaua, și Pruncul, și sufletul tău golaș
ca un pui în congelator
și din nou aglomerația aceea de îngeri
ca la mall.

* * *

The shard of the mirror has stuck long ago into the retina
and the countenance of the world has just been reflected in circles
all angels have melted into the folds of the image
and only once a year, with the ear cocked up on high
you feel the whiff of a hymn and the light
of the cake molded by grandma
you have no other chance but to weep when upon hearing these voices
among which one clearly discerns grandma's voice
and then you will see angels as well
and you will see her too kneading the cakes
because the weeping will just move the shard a little bit
and in the folds of light
you will see the Star, the Baby, and your soul, callow,
like a chicken in the freezer
and again, the jostle of angels
like in a shopping mall.

ivirea lui Dumnezeu - fragmente

Dumnezeu se ivește
ca un iepuraș de lumină
în ochiul unui copil.

Dumnezeu se ivește
ca un cuib de rândunică
într-o casă nouă.

Dumnezeu se ivește
ca o rană dureroasă
pe un trup neprihănit.

Dumnezeu se ivește
de pretutindeni
în fiecare.

...
Dumnezeu se ivește
ca o frunză
pe o apă stătătoare

Mai cuminte
decât lutul
pe care îl calci.

Mai ușor
decât sărutul
de pe fruntea unui mort.

Pe Dumnezeu
e mai ușor să-L ții
decât să-L alungi.

the apparition of God – excerpts

God appears
like a little rabbit of light
in the eye of a child.

God appears
like the nest of a swallow
in a new house.

God appears
like a painful wound
in an unsullied body.

God appears
from everywhere

in everyone.

...

God appears
like a leaf
on a stagnant water

Quieter
than the clay
upon which you tread.

Much lighter than the kiss
on the foreheads of the dead.

For it is easier
to hold onto God
than to reject Him.

Ștefan Savatie Baştovoi (1976)

...
Dumnezeu este ca un cântec
care rănește dulce
buzele celui care îl cântă

Ca o rană
care se adâncește pururea
și pururea se vindecă

în jurul căreia
ne adunăm noi oamenii
ca muștele.

...
El e ca un mormânt
ce te umbrește
din înălțimi.

...
God is like a song
which wounds sweetly
the lips of he who sings it

Like a wound
which deepens eternally
and eternally it heals.

Around which
We, humans, gather together
Like flies.

....
He is like a tomb
Which shadows you
From on high.

MONICA MANOLACHI (1976)

castel

sunt niște copii la țărm. vor să înalțe un castel
pe scheletul nimicului meu. fiecare mângâie
pietricelele favorite în buzunare. se apropie
cu palma întinsă, uite ce-am găsit aici, și râd.
ca într-un vechi ritual, îmi așează pietre,
una câte una, pe față, pe piept, pe coapse.
mă ocrotesc în joaca lor de duminică după-amiază
și mi-e frică, de m-aș mișca, să nu dărâm edificiul.
din fericire, un val așteptat
îmi scaldă obrajii – corpul și visul
pășesc împreună: un pas, al doilea,
înspre creștetul unui nor. copiii
încă râd și-mi fac semne. trag veseli
cu praștia în creneluri albastre. degeaba
de-acum știu: li s-a împlinit visul.

castle

there are some children on the shore. they wish to build a castle
on the skeleton of my nothingness.
each one caresses their favorite little pebbles in their pockets. they
approach hand outstretched, look what we've found here, and laugh.
like an old ritual, they place pebbles
one by one, on my face, my breast, my hips.
they protect me in their Sunday afternoon play
and i fear that if i move, i could destroy the edifice.
fortunately, an expected wave
bathes my cheeks – the body and the dream
come together: one step, the second,
toward the head of a cloud. the children
still laugh and gesture to me. they happily sling
their pebbles towards blue crenelated towers.
it doesn't matter
from now on i know: their dream has come true.

Ciprian Măceşaru (1976)

tata

M-au sunat de la cimitir, tată,
ai făcut ce-ai făcut şi-ai înălțat
bălăriile de pe mormânt atât de mult,
încât, din cauza lor, o parte din oraş
nu se mai vede, le-ai hrănit bine, tată,
cu seva ta, cu ura ta, recunosc, nu te
mai credeam capabil de vreo ripostă,
eşti tare, tată, războiul continuă, duminică
trec pe la tine cu foarfece, săpăligă,
mănuşi, ce să fac?!, nu-mi permit să fiu
amendat, primăria e cu ochii pe mine,
i-ai mituit, tată, le-ai dat de băut
şi acum mă vânează?!, toată
lumea îmi spune cum erai tu
un tip plin de viață, de unde
rezultă că problema-i la mine,
că n-am fost în stare să te
iubesc, numai că nu e aşa,
dar ce sens mai are să spun,
să explic?!, duminică vin, o
să smulg buruiana din tine,
să te smulg şi pe tine de-acolo
nu pot, rămâne să ne războim
astfel, tu de acolo, eu de aici,
încă de-aici, tată, încă de-aici.

dad

Dad, they called me from the cemetery
you did what you did and you grew
the weeds on your grave so tall
that, because of them, a part of the city
cannot be seen anymore, you fed them well, dad,
with your sap, with your hate, I admit that I did not
believe you were capable of a riposte,
you're something else, dad, the war continues, on Sunday
I will come by with a pair of scissors, a hoe,
gloves, what can I do?! I cannot afford to be
fined, the city council has me in their sights
You bribed them, dad, you bought them drinks
and now they hunt me?! Everybody
tells me about how your were
a guy full of life, which means
that the problem is with me,
that I was not capable of
loving you, only that isn't true,
but what's the sense in the telling,
in explaining?!, on Sunday I will be there, I will
tear the weeds out of you,
to tear you away from there
I cannot, we will have to wage war
thus, you from there, I from here,
still from here, dad, still from here.

Adriana Meşter (1976)

jurnal iremediabil. 27x3 (ziua independenței)

Azi a venit momentul
în care să-mi proclam independența.
Nu mă întrebați cum o voi face –
ezit încă între triumf și iluzie,
între efemer și statornic.
Știu însă
că voi deschide un îndreptar sufletesc
și voi tăia cu ostentație
umbrele complexate și, mai ales,
toate cuvintele care încep cu o negație,
toate vocalele abuzive care sparg
simfonia firească a universului.
Apoi, voi condamna la uitare
temele obligatorii, zâmbetele încremenite și, mai ales,
trăirile degradate.
Azi îmi voi proclama independența
pentru a aduce pace în războiul cu mine
și voi încerca, pe cât posibil,
să iubesc victimele colaterale.

irredeemable diary. 27x3 (independence day)

Today the time has come
To proclaim my independence.
Please do not ask how I will do this –
I still hesitate between triumph and illusion,
between the ephemeral and the steadfast.
But I know
that I will open a handbook for the soul
and I will slash from it, ostentatiously,
the shadows with feelings of inadequacy, and especially,
all the words starting with a negation,
all the abusive vocals breaking
the natural symphony of the universe.
And then, I will sentence into oblivion
all compulsory homework, all petrified smiles and, most of all,
all degraded feelings.
Today I will proclaim my independence
so that I may bring peace in the war with myself
and I will endeavor, as far as possible,
to love the collateral victims.

Ofelia Prodan (1976)

suntem niște fleacuri

Lașitatea cu care ne este teamă să ne privim în ochi
umbrele vagi ale unor antieroi conturându-se până la sânge pe retină
nici dacă urlu nici dacă tac sau vorbesc elocvent
nu voi mișca un fir de praf nu voi declanșa nici măcar un protest simulat

lașitatea asta care mă îmbibă odată cu sudoarea
și intră în carne și mușcă precum un câine turbat și eu zâmbesc
cu zâmbetul ăla cretin când renunți la tot și te retragi
în camera ta zâmbind la pereți

îmi spun în singurătate că sunt inutilă
renunț la invențiile de doi bani ale tuturor profeților
mă bucur de inutilitatea mea ce dacă sunt un nimic
ce mai contează că toți suntem niște fleacuri
pentru care nici groapa de gunoi nu este suficient de bună
pentru că undeva eu știu că ăsta e adevărul
adevărul teribil care îmi mai dă dramul de speranță și curajul
celui condamnat la moarte pe scaunul electric
și refuză chiar în ultimul moment să i se acopere fața

we are but trifles

The cowardice with which we fear to look ourselves in the eye
the vague shadows of some antiheroes imprinted deep in the blood on the retina
even if I'd scream or stay silent or speak eloquently
I would not even disturb a speck of dust I would not even trigger a simulated protest

this cowardice permeates me at the same time as my perspiration and enters my flesh and bites into me like a rabid dog and I smile with that cretinous smile when you renounce everything and retire
in your room smiling at the walls

I tell myself in that loneliness that I am useless
I give up on the worthless inventions of all the prophets
I am joyful at my uselessness so what if I am nothing
what does it matter that we are all just trifle
for whom not even the rubbish dump is sufficiently suitable
the terrible truth which still gives me a grain of hope and the courage
of the one sentenced to death on the electric chair
and who refuses at the last moment to have his face covered

Mirela Câmpan (1977)

alt mai

nici nu mai ştiu dacă păşeam desculță
când tălpile te căutau timid
boboci zvâcneau pe rochia de voal
o înflorire-n timpul tău râvnind.
nici nu mai ştiu dacă eram tăcută
ori fredonam emoții, aşteptări;
încă un mai pe rochia neînflorită...
tu nu ai paşi, eu nu mai am cărări.

another May

I have forgotten how I stepped, barefooted
my soles were seeking you in a timid chime
while rose-buds, panting on my tulle-dress daily
wished they could flower richly in your time.
I have forgotten if I waited, silent
or was I humming feelings and desires;
another May – my dress remains un-blooming –
you don't have steps, I no longer have trails.

Alex Tocilescu (1977)

răsturnare de situație

Greșești, zise Ana. Greșești ca de obicei în toate punctele esențiale.
Se vede că...
Nu mă mai mir...
Nici nu știu cum poți să...
Pentru că n-ai...
Niciodată...

În fine.
De când lucra la secretariatul literar al unui teatru
De mâna a doua
Mă privea de sus, dar
Era ok.
Eram chit.
Și eu o priveam de sus când îi dădeam
Muie.

reversal of the situation

You are mistaken, said Ana. You are, as usual, mistaken in all the points essential.
One can see that...
I am not surprised...
I don't even know how you can...
Because you don't have any...
Never....

Anyway.
Since she got a job at the literary secretariat of a second-tier theatre
She was looking down on me, but
That was ok.
We were even.
I was also looking down on her when she was
Blowing me.

veșnicii

Spre veșnicii
trecem prin deșertul
cu gust de prepelițe
și pâine frântă cu vin
îndoiți în cuget
și drepți în spinare

La picioarele murdare
Cel de Necuprins
și Bătrân de Zile
ne așterne vasul
și ștergarul
împăcării
ca Petru grăbit spun:

„Și capul, Doamne,
nu doar
picioarele"

eternities

Toward eternities
we pass through the desert
tasting of quail
and bread, broken with wine
bent in our spirit
but straight in our backs

At our dirty feet
The Immeasurable One
and Ancient of Days
lays before us the vessel
and the towel
of reconciliation
like Peter, rushing, I say:

"The head too, Lord,
not just
the feet"

sufleu de poet

starea poetică
e un bețiv rupt de foame
îmbătat de ego flambat
asaltat de cuvinte crude
care-i fac rău la stomac
şi-atunci
în febra lui fără rezon
le-azvârle-n pagină frenetic
aseptic
toarnă ulei din rodul măslinilor pe care i-a golit de frunze
amestecă flegme acide din dispute anterioare
sărează totul cu sare de lacrimi
îşi sparge ouăle şi adaugă smântână din producția proprie
după care cu ultimele puteri
se ridică în genunchi şi porneşte gazul cu dinții
iată omleta
să vă fi e de bine.

poet souffle

the poetic state
is a drunkard ravished by hunger
drunk with a flaming ego
assaulted by cruel words
which upset his stomach
thus
in his unreasonable fever
he throws them on the page frenetically
aseptically
pouring oil from the olive-trees yield
which he emptied of leaves
mixing acid phlegm from anterior disputes
salting everything with salt and tears
crushes his eggs and adds cream from his own production
after which with the last bits of energy
he raises on his knees and turns on the gas with his teeth
voila the omelette
I hope it serves you well.

RADU VANCU (1978)

lumea nouă (amintire pentru tatăl meu)

Dar, deocamdată, lumea asta:
lumea care a început cândva
între unşpe fără cinci şi unşpe şi cinci
în dimineața de noiembrie, cu strigătul tău mic
anunțând separarea definitivă a vertebrelor
şi erecția mecanică a spânzuraților.

Lumea ta se sfârşea cu marele animal de lemn,
cu piele aspră şi rece, în burta căruia
erai închis. Oameni pricepuți
au aşezat cu grijă în pământ
animalul bej cu puiul în marsupiu
şi au tras pământul deasupra ca o cortină.

Şi aerul s-a tras atunci ca o cortină
şi am văzut lumea nouă: te odihneai în a şaptea ta zi,
cu jumatea de rachiu alb în față, fericit ca un rege,
aşteptându-mă cu paharul pregătit.
Oasele mi s-au topit de fericire şi groază şi am rămas
pe veci îndatorat
animalului care te dusese să te nască acolo.

the new world (a remembrance for my father)

But, for now, this world:
the world which started some time ago
between five to eleven and five past eleven
one November morning, with your small cry
announcing the ultimate separation of the vertebrae
and the mechanical erection of hanged people

Your world was ending with the great wooden animal,
with rugged and cold skin, in whose belly
you were locked up. Skillful people
carefully placed in the ground
the beige animal with its joey in the pouch
and they pulled the earth over it like a curtain.

And the air pulled itself away then, like a curtain
and I saw the new world: you were resting on your seventh day,
with a pint of white brandy before you, happy as a king,
waiting for me with a ready glass.
My bones melted with happiness and dread and I was left
forever in debt
to the animal which took you to give birth to you there.

femeie cu glazură de șarpe

Specia este dependentă de spermă.
Și asta contează, pentru că
de la o vreme, de când visez fără întrerupere
și nu dorm deloc lângă tine,
dumnezeu se îneacă în sevraj.

dacă ți-e frică
o să mă minți și o să mi se facă lene
îmi este lene,
nu îmi vine să fac nimic pentru asta,
mă gândesc la asta prin perspectiva somnului
acestui pescăruș ce rămâne înțepenit în aer
și se scufundă până la capăt, înnăuntrul său personal.

nu îi distrage atenția. Îi distragi atenția
și lasă amprente pe fundul acestui ocean
și pe stele, intrând în conflict cu autoritățile.

așa te răzbuni pe albastru, pe senin,
albind cerul de la rădăcină.
învață-l măcar să te ucidă
și să plângă c-o ploaie acidă.

din camera cealaltă, îmi ceri iertare
și din partea diavolului. Îl iert și pentru
data viitoare.

woman with snake glazing

The species is dependent on sperm.
And this thing matters, because
since a while ago, since I dream without ceasing
and do not sleep at all next to you
god drowns in withdrawal.

if you are afraid
you will lie to me and I will become lazy
I am lazy,
I do no not feel like doing anything for this,
I am thinking of this through the perspective of sleep
of this seagull which stays stuck in the air
and sinks to the end, inside its own self.

do not distract its attention. You distract its attention
and it will leave imprints on the bottom of this ocean
and on the stars, entering into conflict with the authorities.

and so you take revenge on the blue, on the serene,
blanching the sky from the root up.
teach it at least to kill you
and to weep with an acid rain.

from the other room, you ask me for forgiveness
also on behalf of the devil. I forgive him for
the next time too.

te ascult cu atenție sporită
la sfârcurile mici ca niște difuzoare
ce îmi intră cu șperaclul în urechi.

de la cometă până la buric
rezonezi cu totul pe seducție,
la maxim risc.

planeta geloasă se simte bătrână sub tine
când te parcurg terorist cu detonatorul
delirului magnetic pe șine.

a fost un masacru.
soarele s-a spălat pe ochi
cu sângele nostru în această
dimineață a refuzului venit din capătul
opus al uterului.

nu te baza pe uter. Nu te baza pe sicriu
cu siguranță este plin de turiști și nici să
nu te gândești la așa ceva, nu ne înghesuim
să le furăm aparatele de zâmbit.

I listen to you with heightened attention
to the small nipples like some speakers
that enter with a lockpick inside my ears.

from comet to navel
you resonate with everything through seduction,
to the highest risk

the jealous planet feels old beneath you
when I traverse you in terrorist fashion with the detonator
of the magnetic delirium on railway lines

it was a massacre,
the sun washed its eyes
with our blood during this
morning of refusal issued from the other
end of the uterus.

Do not rely on the uterus. Do not rely on the coffin
it is certainly full of tourists and do not even
think about something like this, we do not crowd
to steal their smiling devices.

aproape

Aproape că doare ecoul absenței tale
Aici, pe portativul tăcerilor mele.
Chiar dacă s-au tot deşirat eternități
De când simfonia iubirii
Îmi îndesa pe sub unghii
Aşchii de pian şi de tine.
Îmi plouă iar, vertical şi fără vibrații.
Doar în vechea mansardă,
Un lutier introvertit
Frământă oratorii improvizate
La arcuşul unei viori incomplete.

almost

It is almost hurting the echo of your absence
Here, on the staves of my silences.
Even if eternities kept unravelling
Ever since the love symphony
Jammed under my fingernails
Splints of the piano and of you.
It rains to me again, vertically, without vibrations.
Only in the old attic,
An introverted violin maker
Kneads improvised oratorios
On the bow of an incomplete violin.

Costel

Cu rucsacul militar în spate
Douăzeci de kilograme de haine lenjerie
și șlapi se grăbește să prindă trenul spre
Casă după încă o lună petrecută în spital
Și cancerul care îi roade testiculele
Se grăbește să prindă trenul spre casă

Costel își va spăla hainele și curat
Se va întoarece pentru încă o lună
În care doctorii se vor gândi
Să i le scoată sau nu
Timp în care se va rade
din ce în ce mai rar pe scrotul
umflat din care moartea
poate ejacula oricând

Costel

With the military pack on his back
Twenty kilograms of clothing underwear
and flip-flops he rushes to catch the train
Home after another month spent in the hospital
And the cancer gnawing at his testicles
It also rushes to catch the train home

Costel will wash his clothes and all clean
He will return for another month
In which the doctors will ponder
Whether to remove them or not
Time in which he will shave
less and less on his swollen
scrotum out of which death
may ejaculate at any time.

miracol

Cum te cheamă?
Numele meu, zici?

M-am gândit o vreme. La nume.

Mi s-a dat la început unul,
fără să mă-ntrebe cineva dacă-mi place.
Sau dacă-l vreau.
Nu era nici măcar al meu.
Era numele a doi oameni care s-au găsit —
in a căror oglinda trebuia la rândul meu
să mă găsesc.
S-a spart.

Mi-am luat altul. Împrumut.
„Veșnic împrumutul," m-am gândit.
Nici ăsta al meu.
Era numele cuiva care, la rândul său l-a luat
de la doi oameni care s-au găsit.
Nume nou, în a cărui oglinda trebuia —
după norme, la rândul meu să mă găsesc.
S-a spart.

miracle

"What is your name?"
"My name, you ask?"

I thought for a while. At the name.

I received one – when I arrived,
without being asked if I like it.
Or if I want it at all.
It wasn't exactly mine.
It was the name of two people who found each other –
in their mirror I should have, in turn,
found myself.
It shattered.

I took another one. I borrowed it.
"Borrowing forever," I thought.
Again, not mine.
It was the name of someone who, in turn, took it
From two people who found each other.
A new name, in who's mirror –
after the rules, I should have found myself.
It shattered.

Taina Puțureanu (1980)

Ciudat.
Printre cioburi, nu mai știu sigur unde-am trăit
până-acum. Sau dacă.
Sunt fără nume.
Sau dacă am unul, e o taină.

M-am așezat pe iarba, liniștit.
Pe spate, n-am avut încotro și m-am uitat,
natural, ... în sus.
„Cer. Ciudat cuvânt," mi-am zis.
„Și ce treabă are cu numele meu? Sau lipsa lui?"
Și-am tăcut, încurcată. În afara timpului.

***

Și după mult, mult, mult timp,
în același loc,
cerul care-a-nceput ciudat,
s-a strâns dintr-o mare albastra,
într-o oglinda — care, după milenii,
încă nu s-a spart.

Și-am știut:
Când m-am așezat pe iarba, liniștită,
am început să mă nasc —
în sfârșit, nu din alți muritori.

Strange.
Among those shards, I am not sure where I lived
until now. Or if I did.
I have no name.
Or if I do, it is a mystery*.

I lay on the grass taking my time.
I had no choice but to gaze,
naturally... upwards.
"Heaven. Strange word," I said to myself.
"And what does it have to do with me having a name? Or not?"
And I went quiet, confused. Stepping outside time.

***

And after a long, long, long time,
in the same place,
the heaven which was strange at first,
gathered itself from a blue sea,
into a mirror – which, eternities later,
has still not shattered.

Then I knew:
That when I lay on the grass taking my time,
I started being born,
at last, not from other mortals.

* In Romanian the first name of the poet (Taina) means mystery, or secret.

ANIA VILAL (1981)

prezentare

uneori moartea vine
dacă lumea arde multe lumânări,
dar muribunda asta
nu pricepe,
nu vrea ca inima să-i crape încă și
se tot pune pe partea stangă
ca s-o liniștească,
și urla cât poate:
„sunt vie! de ce plecați?"

presentation

sometimes death arrives
if people burn many candles
but this dying one
does not understand
does not want her heart to crack yet
she keeps turning on her left side
to calm it down
and screams from the top of her lungs:
"I am alive! why are you leaving?"

cîinele din pat

dorm neîntors pentru că sunt foarte obosit.
oboseala îmi face bine. mă face să dorm neîntors.
uneori îl învelesc pe cîine. e greu să înveleşti
un cîine înghețat. doarme în pat cu mine.
nu am încotro. trebuie să-l îngrijesc, trebuie să
obosesc şi eu cumva.
altfel nu aş dormi atît de bine.

îmi place să visez o femeie pe care
o iubesc foarte mult.

pe cîine nu-l iubesc deloc.
se întîmplă să împărțim acelaşi pat.
se întîmplă să-l învelesc cu plapuma.
asta nu cred că-l face mai fericit.

orice aş visa, visez o femeie pe care
o iubesc foarte mult.
să visezi lîngă un cîine înghețat
nu e niciodată puțin lucru.

de un timp, dorm din ce în ce mai bine.
asta pentru că sunt din ce în ce mai obosit.
cîinele nu are încotro: e din ce în ce mai înghețat.
iar pe femeia pe care o visez uneori
o iubesc, bineînțeles, din ce în ce mai mult.

the dog in my bed

I sleep like a log because I am very tired.
Tiredness suits me well. It makes me sleep like a log.
Sometimes I put the blanket on the dog. It is difficult to put a blanket
on a frozen dog. it sleeps in bed with me.
I have no other choice. I must take care of it, I must
get tired somehow.
Otherwise, I would not sleep so well.

I like to dream about a woman whom
I love very much.

the dog I don't love at all.
we happen to share the same bed.
it so happens that I put the blanket over it.
this I don't think makes it any happier.

no matter what I'd dream, I dream about a woman whom
I love very much.
to dream beside a frozen dog is
never an easy thing.

for a while now, I sleep better and better.
that is because I am more and more tired.
the dog has no choice: it is more and more frozen.
and the woman I dream about sometimes
I love more and more, of course.

Adina Huiban (1982)

împrejurări cu fiice și fii

Nu mai sunt
De când am aflat
Cum mă cheamă.
Mă numără pe degete
O moschee pe unde
S-a stins ochiul.

Împrejurări cu fiice și fii
Încă mai desfigurează
Țesuturile pe unde
Nu mai sunt.
S-a făcut
frig
Pentru că mi-au asfințit

Palmele
Pe unde mai sunt
Și s-au recules
Rugăciunile lor.

Cred că mi-e dor
Pe unde nu mai sunt
Mai la deal de
Sufletul stâng.

circumstances with daughters and sons

I am no more
Since I found out
What my name is.
A mosque where
The eye is extinct
Counts me on its fingers.

Circumstances with daughters and sons
Continue to disfigure
The tissues where
I am no more.
It has
Gotten cold

Because my palms
Have set in a place
Where they still remain
And their prayers
Have been soul-searching.

I think I long for
The places I am no more
Up the hill from the
Soul on the left.

(Ulise)

Cine știe ce se va alege de noi
vinul se mai clătina în pahar
când el își dăduse duhul
cenușiu la o chetă de aur
fără monștri noștri marini
fără călătoriile la capătul lumii
vântul amnesic a obosit să ne tot ducă
la Troia
am terminat de ucis și pețitorii. abandonați?
prin coclauri rămășițele noastre spectaculoase
de alabastru măsurate atent de un dinosaur
sihastru (plus-zero. tensiune-zero. diegeză-șoc)
superproducții americane metalizate
fluide mușcată odată accelerația antica!
încă o generație de troieni-Levis la rampă
scumpiți

(Ulysses)

Who knows how we will end up
the wine was still teetering in the glass
when he had just given up the ghost
smoky-grey at a gold collection
without our sea monsters
without the trips to the end of the world
the amnesic wind was tired of carrying us around
to Troy
we finished killing the match-makers. abandoned?
through hollows our spectacular remnants
of alabaster measured attentively by a dinosaur
hermit (plus-zero. tension-zero. diegesis-shock)
fluid American metallic super-productions
bite at once the antique acceleration!
another generation of Trojan-Levis in the limelight
with a price increase.

Alina Celia Cumpan (1983)

prizonieră sub gene

Zbor bătând din gene pe aerostrăzi
inaugurate înainte de noi. Alerg să bat gongul
pe-o nicovală de lună.
Însetată de pulsația aventurii dintre real şi ireal
accelerez de scot radarele din minți,
până le sar penele
prin punctul vamal
al realității.
Zbor...
descălțată de aripi împrumutate,
fâlfâind din gene tot mai alert
spre locul în care
se-nmoaie cerul în pământ.
Acolo, cineva, dar nu oricine,
mi-a luat sub genele lui
prizonieră
o dorință
din penultimul anotimp.

prisoner under the eyelashes

I fly batting my eyelashes on airways
inaugurated before our time. I run to hit the gong
on the anvil of the moon.
Thirsty for the pulsating adventure
between what is real and unreal
I accelerate until all the speed cameras go crazy
until the feathers scatter
across all the border points of reality
that jump out.
I fly...
un-shod of borrowed wings,
eyelashes fluttering ever more alertly
towards the place where
the sky melts into the earth.
In that place where someone, but not just anyone,
imprisoned under his eyelashes
a wish of mine
from the second-last season.

iubesc acel oraş

aş vrea ca dimineaţa asta să aibă mâinile tale
pentru că noaptea a fost adâncă şi rece
„adâncă şi rece", am putea spune ca o gură de filosof
rătăcită printre file întunecate
aş vrea ca dimineaţa asta să aibă spatele tău:
talger acoperit de o piele trandafirie,
sub care pulsează aştrii prietenoşi
iubesc acel oraş îndepărtat
în care au botezat lumina
blândă a înserării
cu numele tău.

i love that city

I wish that this morning would have your hands
since last night was deep and cold
"deep and cold", we could say
like a philosopher's mouth
lost between gloomy pages
I wish this morning would have your back:
cymbal covered by a rose-hued skin
under which friendly stars quiver
I love that faraway city
in which they baptized
the gentle light of eventide
bearing your name.

Diana Geacăr (1984)

coffee break – fragment

diana du-te şi tu să iei
mâncare pentru pisică şi două pâini
cristi o să ducă diseară gunoiul.

tata se joacă supaplex pe calculator
îi pică floricele în cap şi
explodează.

hai nu vă mai certaţi
ce mare scofală du-te şi gata
când te întorci poate faci şi
o poezie despre cât de greu ţi-a fost.

prin cartierul meu
unde şmecherii spun că dacă nu eşti
5 minute deştept rămâi prost
toată viaţa
de fapt.

până la vânzătoarea din colţ care
vai ce ten mişto ai
prin asfaltul care ştie multe.

repet drumul în gând
sar dintr-un picior în altul şotronul
cu fetiţele
iar şi iar.

mă întâmpină mama să
nu pierd cumva restul de bani prin haine şi.
vai diana
ce naiba doar o pisică ai şi tu
nu ştiai că-i place wiscas.

coffee break – excerpt

diana please buy some
food for the cat and two loaves of bread
cristi will take the rubbish out tonight.

dad is playing supaplex on the computer
little flowers fall on his head and
he explodes.

come on stop fighting
what is the big deal go and be done with it
when you return maybe you write
a poem about how difficult this was for you.

in my suburb where
the badasses say that if you are not
smart for 5 minutes you remain stupid
all your life
in fact.

until the checkout chick from the corner who
wow what a cool complexion you have
through the asphalt which knows a lot of things.

i practice the way there in my head
i jump from one leg to another on the hopscotch
with the little girls
again and again.

mum comes to meet me so that
i do not lose the small change in my clothing and.
oh-my-god diana
what the hell you only have one cat
didn't you know it likes wiskas.

ANA DONȚU (1984)

suprapunere

te ridici din fotoliu
şi eu trec chiar prin fața ta
stai la televizor eu
mă întind pe pat şi mă frec de
cearşafuri
când te întorci eu plec
şi deschidem uşa
amândoi cu mâna pe clanță
eu din interior tu din afară
scrutăm nedumeriți spațiul gol din
față
după care ne răzgândim şi ne
întoarcem
casele noastre s-au suprapus
uneori când vin din bucătărie cu o
ceaşcă în mâini
tu treci prin mine ca un strigoi
şi cafeaua mi se varsă pe genunchi

superimposition

you get up from the armchair
and I pass right in front of you
you watch television I
stretch in bed and rub myself
on the sheets
when you return I leave
and we open the door
both with our hand on the door handle
me from the inside you from the outside
we gaze, puzzled, at the empty space in
front of us
after which we change our mind and return
our houses have superimposed
sometimes when I come out of the kitchen
with a
cup in my hands
you pass through me like a ghost
and the coffee spills on my knees

MIRUNA VLADA (1986)

București

așa începe mereu
îmi pun mâna între pulpe
și găsesc ura scobită
o scorbură plină de buruieni putrezite
unde veverițele se sufocă
găsesc o cărare pierdută
o pădure inundată de spaimă
un lindic un lacăt
[...]
s-a luat curentul
și abia acum vedem cum
inimile noastre sunt conectate prin mii de fire la prize
inutil

dar mâna între pulpe îți găsește privirea
înfigându-și și ea mâna între pulpe

Bucharest

this is how it always starts
I put my hand between my thighs
and find the scooped out hate
a hollow full of rotting weeds
where squirrels suffocate
I find a lost trail
a forest flooded with fear
a clitoris a padlock
[...]
the power was cut
and only now we see how
our hearts are connected through thousands of wires to power-points
uselessly

but the hand between the thighs finds your gaze
also sticking its hand between the thighs

Adrian Diniş (1986-2018)

snapshots

5. şi dacă mă vede Georgiana zâmbeşte
ca pisica de cheshire
corpul îi dispare
până îi mai rămâne doar faţa
apoi îi dispare şi faţa
mai rămâne doar un rânjet
pe care-l fixez ore întregi
după ce nu mai e acolo
ca poeziile mele dacă aş scoate-o pe ge din ele
ca în Georgiana şi poza cu riduri
din care am tăiat-o
să-i înţeleg absenţa
când am căzut unul lângă altul
tot decartând albume întregi pe masă
din sertarele minţii
două poze una cu tine una cu mine
una lângă alta ne unea despărţirea
arătăm aşa urâţi când nu suntem împreună
suflete chircite
cărora nu le mai recunoşti zâmbetul
decât după amprenta dentară
cărora nu le mai poţi recunoaşte moartea
în niciun fel

snapshots

5. and if she sees me Georgiana smiles
like a Cheshire cat
her body disappears
until only her face remains
then her face disappears too
only a sneer remains
on which I stay transfixed for hours
after it is no longer there
like my poems, if I'd take ge out of them
like in Georgiana and the picture with wrinkles
from which I cut her
to understand her absence
when we fell next to each other
while discarding full albums on the table
from the drawers of the mind
two photographs one with you one with me
one near the other our separation uniting us
we look so ugly when we are not together
crouched souls
whose smiles you can recognize
only from dental records
whose death you cannot recognize
in any way

mortul în vis înseamnă regrete

de ziua ta te-am visat și m-am gândit să-ți scriu
între noi nu era loc de gesturi
ploua ca în fiecare vis cu tine
stropii ne alintau ne spălau ne învățau tăcerea
călcasem prin spini să ajung la tine erai departe
îmi lingeai rănile tălpilor dar nu știai ce înseamnă dorință
precum cei ce spală morții
înainte de a-i înghiți pământul
și ar dori să îi sărute în secret
taxă de călăuze
un ultim gest furat

am început să dansăm cu obrajii lipiți
un cal alb cu panașuri negre s-a oprit lângă tine
răsuflându-ți pe umăr
mi-am amintit
sunt opt ani
de când ți-au pus monede umede pe pleoape

the dead in a the dream signifies regrets

on your birthday I dreamt about you and thought of writing to you
between us, there was no room for gestures
in every dream, it was raining with you
the drips were cuddling us washing us teaching us silence
to get to you I stepped through thorns you were far away
you were licking the wounds of my soles but did not know what desire meant
like those who wash the dead
before the earth swallows them
and would like to secretly kiss them
a guide's tariff
one last stolen gesture

we started dancing with our cheeks pressed together
a white horse with black-spotted aigrettes stopped near you
breathing on your shoulder
I remembered
eight years passed
since they placed moist coins on your eyelids.

Aura Maru (1990)

dans

târziu, când pe holuri mirosul de
weed coboară spre duşumea, îmi vine
deodată să dansez. să dansez dansul
imigrantului rătăcit. localnicii se dau la
o parte – ei știu că dansul se poate
transforma oricând în lovituri. corpul
imigrantului aruncă astfel la suprafață
tot felul de calcule, frustrări,
comparații. nedreptatea i s-a arătat din
toate unghiurile, ca o curvă într-o
vitrină din amsterdam. nici măcar
nedreptatea: contingența. când corpul
oboseşte în sfârşit, creierul spune că e
bine cum e și găsește motive.
imigrantul bis.

dance

late, when on the hallways the weed
smell descends towards the wooden floor,
I suddenly feel like dancing. the locals
pull back – they know the dance can
transform into punches at any time. thus,
the body of the immigrant throws to the
surface all sorts of calculations,
frustrations, comparisons, injustice was
revealed to him from all angles, like a
whore from a window in amsterdam. not
even injustice: contingency. the body
tires, in the end, the brain says that things
are fine as they are and finds justification
for it. ditto the immigrant

3 ml de Konfidor

Andrușa și cu mine stropim cartofii.
Fiecare avem în spate mașina de stropit.
Gîndacii au format colonii pe
cartofii noștri,
de parcă au descoperit o nouă planetă,
sau o nouă existență lipsită
de agonie, capcane și absurditate.
Stropim curpenii de cartofi cu 3 ml de
Konfidor dizolvat în 10L de apă,
în curînd gîndacii vor cădea, unul cîte
unul,
doar trei ore și gîndacilor li se va face
rău și vor muri;
ei nu pot vomita cînd li se face rău.
Mie și lui Andrușa ne curge otrava pe
spate,
nenorocitele de mașini de stropit sînt
crăpate.
„Auzi Andrușa, nu ți-a trecut prin cap
că acolo sus cineva încearcă să ne extermine
la fel cum noi facem cu acești
gîndaci,
să ne stropească și el cu un fel de otravă,
nu chiar Konfidor,
dar ceva cu efect îndelungat,
să ni se facă rău de tot, dar să nu murim îndată,
și la rîndul lui să-i fie crăpată mașina sa de stropit,
să-i curgă și lui otrava pe spate."

3 ml of Konfidor

Andrusha and I spray the potatoes.
We each have a spraying machine on our back.
The beetles formed colonies on
our potatoes,
as if they've discovered another planet,
or another existence sheltered
from agony, snares, and absurdity.
We spray the potatoes with 3ml of
Konfidor dissolved in 10L of water,
soon the beetles will fall, one by
one,
only three hours and the beetles will feel
nauseated and will die;
they cannot vomit when feeling nauseous.
The poison is flowing down
my back and Andrusha's,
the bloody spraying machines are
cracked.
"Listen Andrusha, did it ever occurr to you
that somewhere up there someone is trying to
exterminate us
in the same way that we are doing with these
beetles,
him spraying us with some kind of poison too,
not quite Konfidor,
but with a longer-lasting effect,
so that we get very nauseated, but do not die
straight away,
and in turn, his spraying machine will also be cracked
and the poison will flow down his back."

Ana Maria Păunescu (1990)

cheia

Să intre-n casă fumul de pe horn,
Să se ascundă-n aşternut cenuşa,
Şi-n ochii tăi cuminte să răstorn
Şi cheia, şi zăvoarele, şi uşa.

Să ningă din albastru roşu pal,
Să se-ofilească veacul ca o floare,
Şi marea să picteze val cu val
Şi despărţiri, şi doruri, şi ninsoare.

Să iasă-n stradă hăul din contur,
Să se topească jarul în tăciune,
Şi-apoi sfios să îmi culegi din jur
Şi lacrimă, şi vis, şi-amărăciune.

Să înceteze dangăte sub prag,
Să ne adoarmă frigul în picioare,
Şi eu de partea noastră să atrag
Şi stoluri, şi compendii, şi culoare.

Să sară-n drum şi închisori şi legi,
Să se confunde azima cu luna,
Iar tu destinul meu să îl alegi
Şi pe moment, şi pentru totdeauna.

the key

My house shall welcome smoke from chimney burn,
And in my bed may ashes find their hiding,
While in your eyes obediently I'll turn
The key, the latches and the door that's sliding.

And from the blue, may pale-red be snowing,
The century may wilt just like a petal,
The sea may paint each wave the wind is blowing
To part, to long, to wait for snow to settle.

The edge of the abyss may prowl the street,
And thaw the glowing cinder from its ember,
While shyly you may gather at my feet
A tear, a dream, too bitter to remember.

The knell beneath the threshold may now cease,
While through our feet the cold may go to sleep,
And as for me, I promise to appease
Compendiums and birds and colors deep.

All jails and laws may jump onto the road,
The wafer and the moon, confused, may soar,
And you may choose my destiny bestowed
Onto the present and forevermore.

Maria Paula Erizanu (1992)

*dragostea ta era despre tine

Dragostea ta – sau ce-o fi fost –
a țâșnit
din patru pământuri
din pietre din roci și din lavă
Dragostea mea – sau ce-o fi fost –
s-a deschis
încet, picătură cu picătură /
când s-a făcut râu
au cântat greierii noaptea întreagă
dimineața, când afară
au început să se audă
mașini și oameni
mergând la piață mergând la birou
a adiat vântul și tu mi-ai zis
nu sunt bun pentru tine
n-ai nevoie de mine
apa mea a mai curs
picătură
cu picătură
apa ta a țâșnit pentru altcineva.

*your love was about you

Your love – or whatever it was –
gushed out
from four earths
from stones from rocks and from lava
My love – or whatever it was –
opened up
slowly, drop by drop /
when it became a river
the crickets sang all night long
in the morning, when outside
you could start hearing
cars and people
going to the markets going to work
the wind breezed and you said to me
I am not good for you
you do not need me
my water continued to flow
drop
by drop
your water gushed for someone else.

(cum folosești tu cuvintele?
le ai gata țesute
într-o eșarfă aurie
o scoți din dulap
mă-nvălui
o scoți de pe cap
o-nvălui
și apoi zici
noi nu am fost iubiți
noi doar am încercat să vedem
dacă putem fi)
*dragostea ta – sau ce-o fi fost – era despre tine
*dragostea mea – sau ce-o fi fost – era despre mine

(how do you use words?
you have them already woven
in a golden shawl
you take it out of the cupboard
you enshroud me
you take it off your head
you enshroud it
and then you say
we were not lovers
we were just attempting to find out
if we could be)
*your love – or whatever it was – was about you
*my love – or whatever it was – was about me

transcendență

în copacii roșii din Patagonia
dorm cele mai mărunte piersici
și cântă cele mai firave păsari
la doar câteva corturi distanță
dansez pe plajă alături de steaua mea
construim case și decojim nuci
ca să râdem când bem cocosul
poate sunt la a treia moarte
iar cercul a prins culoare
am trecut prin multe lumi ca să ajung aici
alături de steaua mea
și vreau să îmi culc ființa
îmbratișând cel mai fin gât al istoriei.

ochi pentru ochi

trăind pe o pată
de pe spatele singurei furnici din lume
îmi descifrez existența captivă în trunchiul unei girafe
când văd paharul cu cel mai dulce vin din roma
ochi pentru ochi până ramanem fără vorbe.

transcendence

in the red trees of Patagonia
sleep the tinniest of peaches
and sing the slenderest of birds
just a few tents away
I dance on the beach beside my star
we build houses and peel walnuts
so that we laugh when we drink the coconut
perhaps I am at my third death
and the circle has gained some color
I passed through many worlds to get here
beside my star
and I wish to put my being to sleep
hugging the slenderest neck of history.

an eye for an eye

living on a stain
on the back of the only ant in the whole world,
I decipher my existence captive inside the trunk of a giraffe
when I see the glass with the sweetest wine of rome
an eye for an eye until we remain speechless.

NOTE CRITICO-BIOGRAFICE DESPRE POEȚI

Bineînțeles că nu este posibil să reduci opera unui scriitor la câteva rânduri. Notele critico-biografice sunt menite să ofere cititorilor interesați, în special celor necunoscători ai limbii române – fără acces facil la informații critice despre scriitorii români –, câteva noțiuni esențiale, mai ales despre caracterul operei poeților reprezentați. Am exercitat un efort serios pentru a ne asigura că informațiile au fost sintetizate din cele mai credibile și autoritare surse de critică și istorie literară. Date fiind limitele de spațiu, acestea nu pot fi exhaustive. Bibliografia inserată după Note reprezintă sursele de istorie și critică literară de unde a fost minată marea majoritate a informațiilor din note. Acolo unde editorii își exprimă propria opinie, care poate fi uneori diferită de critica curentă sau acoperă o lipsă de reprezentare, acest lucru este specificat în textul notei respective.

CRITICAL-BIOGRAPHICAL NOTES ON THE POETS

Naturally, it is not possible to reduce the work of a writer to just a short paragraph. These critical-biographical notes are meant to give the non-Romanian readers – those without easy access to critical information about Romanian writers – some essential notions about the main elements regarding the character of the works of the poets represented. A serious attempt has been made to gather this information from the most credible and authoritative sources of literary criticism and history. However, the space limitation means they cannot be exhaustive. The bibliography following the Notes represents the sources of literary history and criticism from where most of the data has been mined. Where the editors express their own opinion – which might complete some missing coverage or being at odds with current criticism, this is stated.

NOTE CRITICO-BIOGRAFICE

PARTEA I

POEZIA ROMÂNEASCĂ DE LA 1650 LA 1950

•

CRITICAL-BIOGRAPHICAL NOTES

PART I

ROMANIAN POETRY FROM 1650 TO 1950

Constantin Abăluță (8 octombrie 1938 –) – se autoetichetează ca un poet al bananului, dar poezia lui ascunde adesea absurdul realității dure. Abăluță este un poet care propune o perspectivă „textualistă" asupra realului, în care sunt implicate mitologia şi figurile autoreflectorizante ale textualismului (O. Soviany). A fost implicat involuntar într-un scandal literar de proporții, în 2018, când i s-a conferit premiul național de poezie „Mihai Eminescu" (acordat anual de primăria orașului Botoșani cu concursul Uniunii Scriitorilor din România), care i s-a retras apoi pe motivul că nu s-a putut prezenta la ceremonia de înmânare, datorită unor probleme de sănătate ale soției lui.

Vasile Alecsandri (21 iulie 1821 – 22 august 1890) – a fost un poet, dramaturg, folclorist, om politic, ministru, diplomat, academician român, membru fondator al Academiei Române, creator al teatrului românesc şi al literaturii dramatice în România, personalitate marcantă a Moldovei şi apoi a României de-a lungul întregului secol al XIX-lea. Opera poetică a lui Alecsandri este privită, în mod convențional (dar nu unanim) ca punctul de start al epocii moderne în poezia românească (N. Manolescu).

Grigore Alexandrescu (22 februarie 1810 – 25 noiembrie 1885) – a fost poet şi fabulist, considerat „incontestabil cel mai de seamă fabulist al nostru" (D. Popovici). Scrie inițial în manieră lirică, dar poezia lui este, de asemenea, influențată de evenimente politice (a petrecut un timp în închisoare din cauza poemului *Anul 1840*, o chemare la revoluție). Va rămâne cunoscut, în mod predominant, pentru fabule, dintre care unele au o tentă satiric-politică voalată (*Câinele și cățelul*, *Boul și vițelul* etc). A tradus din Lammartine şi Byron.

Ioan Alexandru (25 decembrie 1941 – 16 septembrie 2000) – a fost poet, publicist, eseist și om politic. Poezia lui adresează temele generației sale („geologicul convulsiv", „problematica existențială" etc.), rafinându-le prin spiritual, prin logos, exemplificat în imnurile dedicate Transilvaniei și satului transilvănean arhetipal (Ioan Pachia Tatomirescu). A debutat editorial cu volumul *Cum să vă spun* (1964). Alexandru a tradus din *Rilke*, *Pindar* și *Cântarea cântărilor* – aceasta din limba ebraică. În 1965 a primit Premiul Uniunii Scriitorilor.

George Anca (12 aprilie 1944 – 26 februarie 2020) – scriitor specializat în indianistică, literatura sanscrită și antropologică, traducător, eseist și poet. Dintre volumele de poezie – *Invocații* (1968), *Upasonhind* (1982), *Ardhanariswara* (1982), *Manuscrisele de la Marea Vie* (1996), *Balada Calcuttei* (2000), *Milarepa*, (2001), *Cenușa lui Eliade* (2007), *Târgoviște – India* (2008), *Saraswati* (2018).

Alexandru Andrițoiu (8 octombrie 1929 – 1 octombrie 1996) – nu își găsește tonul la început, scriind poezie „realist-socialistă", cu vers simplist și rimă forțată, dar când va putea scrie și altceva, poezia lui nu mai ascunde intelectualismul, ci face din el un stil. Lumea apare oglindită, lipsită de materialitate, poezia este stilizată, cu texte fin lucrate, purificate de orice dramatism (Alex Ştefănescu). La moartea dictatorului Nicolae Ceaușescu, Andrițoiu a scris o odă liric-romantică, *Ceaușescu Omul*, rămasă faimoasă și, bineînțeles, controversată.

Dimitrie Anghel (16 iulie 1872 – 13 noiembrie 1914) – este considerat „primul simbolist din poezia română" (G. Călinescu). „După Eminescu și Macedonski, înainte de Arghezi și Blaga, Anghel s-a afirmat ca un poet original, dând expresie artistică unor structuri sufletești complexe, moderne" (M. Dragomirescu). A murit de septicemie, în urma unei încercări de sinucidere. S-a împușcat, crezând că a ucis-o pe soția lui în urma unui atac de gelozie (aceasta a supraviețuit, suferind doar o rană minoră).

Petre Anghel (3 februarie 1944 – 3 aprilie 2015) – figură complexă, spirit renascentist cu interese și performanțe diverse, Anghel a fost scriitor, profesor universitar în teologie și conducător de doctorat în domeniul comunicării. Dezvoltat sub influența și tutela lui Marin Preda și prieten de o viață cu eminentul editor și prozator Mircea Ciobanu, Anghel a scris atât proză (romanul *Fratele nostru Emanuel* a fost răsplătit în 1976 cu premiul Uniunii Scriitorilor – Asociația București), cât și poezie. Poezia lui tratează teme romantice și existențial-spirituale. A doua este adesea reprezentată într-o notă psaltică. Orice temă este abordabilă în dialogul poetului cu Dumnezeu – care este unul viguros, antrenant, foarte creativ, fără vreun tabu, dar totuși plin de respect.

Constantin Abăluță (8 October 1938 –) – labels himself as a poet of the banal, but behind this facade, his poetry often hides the absurdity of harsh reality. Abăluță proposes a "textualizing" perspective of reality, employing mythology and the self–reflective figures of textualism (O. Soviany). He was involuntarily involved in a major literary scandal in 2018, when the yearly national prize for poetry "Mihai Eminescu" (conferred by the Botoșani City Council under the umbrella of the Writers Union of Romania) was awarded to him and then promptly withdrawn, as he could not attend the awards ceremony, due of his wife's ill health.

Vasile Alecsandri (21 July 1821 – 22 August 1890) – was a poet, playwright, folklorist, politician, minister, diplomat, founding member of the Romanian Academy and creator of the Romanian theatre and of dramatic literature in Romania. Alecsandri was an important figure initially in Moldova and then in Romania, for most of the XIX century. His poetic work is conventionally regarded as ushering the modern era of Romanian poetry, although this opinion is not unanimous (N. Manolescu).

Grigore Alexandrescu (22 February 1810 – 25 November 1885) – a poet and fabulist, considered "undeniably the most important fabulist of ours" (D. Popovici). He started by writing lyrical poems, but his work is also influenced by political issues (he spent time in jail for the poem *The Year 1840*, a call to revolution). He will remain predominantly known for his fables, some of them being thinly disguised political satire (*The Dog and the Mutt, The Ox and the Calf*, etc). He translated Lammartine and Byron into Romanian.

Ioan Alexandru (25 December 1941 – 16 September 2000) – was a poet, publicist, and politician. His poetry addresses the popular themes of his generation ("geological convulsiveness", "existential questions" etc), which he refines through the use of spiritual symbolism and the Logos, as demonstrated in the hymns dedicated to Transylvania and its archetypal village (I. P. Tatomirescu). His debut volume was *How can I tell you* (1964). He translated from *Rilke, Pindar*, and *The Song of Solomon* (from the original Hebrew). Alexandru was awarded the National Prize of the Writers' Union in 1965.

George Anca (12 April 1944 – 26 February 2020) – writer specialized in Indian studies, Sanskrit literature and anthropology, translator, essayist and poet. From his poetry volumes – *Invocations* (1968), *Upasonhind* (1982), *Ardhanariswara* (1982), *The Manuscripts form the Living Sea* (1996), *Calcutta Ballad* (2000), *Milarepa*, (2001), *Eliade's Ashes* (2007), *Târgoviște - India* (2008), *Saraswati* (2018).

Alexandru Andrițoiu (8 October 1929 – 1 October 1996) – initially struggling to find his voice, he wrote "socialistrealism" poems characterized by simplistic verse and forced rhyme. Later, his poetry no longer hid his intellectualism, but rather using it stylistically. Now the world appears mirrored and almost immaterial; his poetry is stylized, with finely worked texts, purified from any dramatism (Alex Ștefănescu). At the time of the death of dictator Nicolae Ceaușescu, Andrițoiu wrote a famous and understandably controversial lyrical-romantic ode, *Ceaușescu The Man.*

Dimitrie Anghel (16 July 1872 – 13 November 1914) – is considered "the first true symbolist in Romanian literature" (G. Călinescu) "...After Eminescu and Macedonski, before Arghezi and Blaga, Anghel imposed himself as an original poet, giving artistic expression to a variety of complex aspects of the modern soul" (M. Dragomirescu). He died of septicemia, following a suicide attempt – he shot himself believing he killed his wife, following a fit of jealousy (she survived, having only sustained a minor wound).

Petre Anghel (3 February 1944 – 3 April 2015) – a complex, "renaissance" figure – with diverse interests, Anghel was a writer, theology professor, and doctoral supervisor in communication. Developed under the influence and tutelage of novelist Marin Preda and life-long friend of the eminent editor and writer Mircea Ciobanu, Anghel wrote prose (his novel *Our brother Emmanuel* won him the Writers' Union – Bucharest Chapter prize in 1976), as well as poetry. His poems address romantic and spiritual existential themes. The later are often represented in a psalter note. Any subject is accessible in his dialogue with God – which is full of vigor, entertaining and very creative, without any taboos, yet full of respect.

Tudor Arghezi (21 mai 1880 – 14 iulie 1967) – poet, prozator, publicist – este probabil cea mai definitorie figură a literaturii româneşti interbelice şi unul din marii poeţi ai secolului al XX-lea. Personalitate puternică şi complexă, implicat politic prin publicistica lui, a fost arestat şi înainte şi după venirea la putere a regimului comunist. Reabilitarea lui în anii 1950 a dus la acuzaţii de colaborare cu regimul. Dar calitatea poeziei lui Arghezi nu este pusă la îndoială de nimeni. După începuturi uşor simboliste, restabileşte în factură modernistă, printre altele, o fascinantă estetică a grotescului (unii văd aici influenţe baudelairiane). Arghezi explorează, de asemenea, teme adânc spirituale (*Psalmi*), pendulând obsesiv între scepticism şi credinţă, în special cu privire la existenţa lui Dumnezeu (*Psalm IV*). A fost laureat al Premiului Naţional de Poezie (1936 şi 1946), precum şi al Premiului Internaţional de Poezie Johann Gottfried von Herder (1965).

George Astaloş (4 octombrie 1933 – 27 aprilie 2014) – poet, nuvelist, dramaturg, publicist, a trăit o mare parte din viaţă la Paris. În 1948 a avut debutul publicistic cu poezie. A devenit faimos pe plan internaţional după 1970 când piesa lui, *Vin Soldaţii* (având ca subiect invadarea Cehoslovaciei de către trupele sovietice în 1968), este jucată la Constanţa, Bucureşti, Paris, Londra, New York, Bonn, Madrid, Tel Aviv, Viena, Vilnius, Berlin etc. Astaloş a primit Premiul Uniunii Scriitorilor pentru această piesă. Acest lucru a fost posibil datorită poziţiei lui Ceauşescu împotriva invaziei. Astaloş este autorul a peste 40 de volume. Poezia lui a fost publicată în România, Franţa, Italia şi multe alte ţări.

Eugen Axinte (28 iulie 1946 – 28 martie 2013) – poet, publicist, editor şi colaborator la numeroase reviste cum ar fi Echinox, Steaua, România literară, Flacăra, Glasul Bucovinei, Gazeta de Transilvania. Editorial a debutat comparativ târziu, în 2001, primind premiul de debut „Darie Magheru" al Uniunii Scriitorilor (Filiala Braşov) şi pe cel al Festivalului „Magda Isanos-Eusebiu Camilar". În 2010, i s-a decernat Premiul pentru Poezie al USR (Filiala Braşov).

Gheorghe Azap (26 iulie 1939 – 3 noiembrie 2014) – încă de la început, la Azap, atât universul tematic (iubirea şi singurătatea), cât şi limbajul ca atare sunt deplin constituite. Volumele lui, „favorabil întâmpinate de critică, reiau... aceleaşi motive...: suferinţa erotică, disimulată şi intensificată prin persiflare, într-o haină ostentativ (şi aparent) facilă". La Azap, meşteşugul poetic abundă de acrobaţii de versificare, de „...invenţii verbale, expresii argotice, chiar golăneşti, jonglând totodată cu miturile şi eroii sublimi ai literaturii... versurile [lui] celebrează indisociabil iubirea de viaţă şi iubirea de literatură." (crispedia.ro)

A. E. Baconsky (16 iunie 1925 – 4 martie 1977) – a fost scriitor, publicist, teoretician şi traducător. Deşi este criticat ca fiind unul din primii exponenţi ai realismului-socialist proletcultist*, mai târziu (1956) se dezice public de acesta şi scrie în manieră modernist-suprarealistă. Poezia lui are „...distincţie şi rafinament... orgolioasă şi solemnă, poetul nu se confesează, ci oficiază... cu caracter aristocratic" (N. Manolescu). „Versurile sale par nu create, ci confecţionate. Cu profesionalism, uneori şi cu eleganţă, dar niciodată cu acea angajare existenţială..." (Alex Ştefănescu).

Cezar Baltag (26 iulie 1939 – 26 mai 1997) – poet şi traducător, militant împotriva proletcultismului comunist. Creează o poezie narcisistă, intelectualistă, presupunând un cititor cultivat – (Alex Ştefănescu). Baltag şi-a desăvârşit o mitologie şi o muzicalitate proprie, pendulând între manierism şi pitorescul folcloric, cu ecouri de la Ion Barbu, Arghezi şi Anton Pann – (N. Manolescu). Al. Piru consideră că, adesea, Baltag „şi-a încifrat sensurile, ajungând la un ermetism greu traductibil".

---

* Proletcultism – concept şi practică de origine şi inspiraţie ruso-sovietică (proletarskaya kultura = cultura proletară), proletcultismul a reprezentat o mişcare instituţionalizată, aspirând la modificarea exprimărilor artistice existente prin crearea unei noi estetici a clasei muncitoare revoluţionare şi forţând artiştii să se alinieze acesteia. Proletcultismul s-a manifestat în România începând cu ocupaţia sovietică din 1945 şi instalarea ulterioară a unui guvern comunist de către Armata Roşie şi a continuat, într-o formă intensă, până pe la 1960. După o perioadă de oarecare liberalizare (deşi mult restricţionată faţă de Europa de Vest sau SUA etc.), proletcultismul a reapărut într-o formă ceva mai diluată după 1971, după „Tezele din Iulie" ale lui Ceauşescu, care au semnalat o reîntoarcere la totalitarism şi cenzură, continuată, cu mai multă sau mai puţină energie, până la căderea regimului lui Ceauşescu, în decembrie 1989. În practică, guvernul impunea ca arta să fie reprezentată în manieră „realist-socialistă" – în esenţă lăudând realizările Partidului Comunist şi ale liderilor lui, şi susţinând construirea noii societăţi socialiste. Prin contrast, se cerea scriitorilor şi artiştilor, în general, să denunţe şi să renunţe la „idealismul decadent" şi la „tenta morbidă" a artei din epoca burghezo-capitalistă precedentă.

Tudor Arghezi (21 May 1880 – 14 July 1967) – poet, prose writer, editor – is probably the most striking Romanian literary figure of the interwar period, and one of the greatest 20th-century poets. A powerful and complex personality, he implicated politically through his publishing work and was arrested both before and after the installation of the communist regime. He was rehabilitated in the 1950s, which brought accusations of collaboration with the regime. However, the quality of his poetry remains beyond dispute. After an initial nod to symbolism, he positions himself in modernist fashion, with a fascinating aesthetic of the grotesque (some see here a Baudelairian influence). Arghezi also explores deeply spiritual themes (*Psalms*), swinging between scepticism and faith, especially with regards to the existence of God (*Psalm IV*). He was awarded the National Poetry Prize twice (1936 and 1946) and the International Herder Prize for Poetry in 1965.

George Astaloş (4 October 1933 – 27 April 2014) – poet, novelist, playwright, and magazine editor, he lived most of his life in Paris. His publishing debut was in 1940. Astaloş became internationally renowned after 1970 when his play *The soldiers are coming*, about the Soviet invasion of Czechoslovakia in 1968, was performed in Constanţa, Bucharest, Paris, London, New York, Bonn, Madrid, Tel Aviv, Vienna, Vilnius, Berlin etc. The conferring of the Writers' Union Prize for this play was made possible by Ceauşescu's opposition to the invasion. Astaloş wrote over 40 volumes of poetry, prose, theatre, and memoirs. His poetry was published in France, Italy, Romania, and many other countries.

Eugent Axinte (28 July 1946 – 28 March 2013) – poet, publicist, editor or contributor to many literary magazines like Echinox, The Star, Literary Romania, The Flame, The Transylvanian Gazette. His debut was comparatively late, in 2001, and it received the "Darie Magheru" debut prize of the Writers' Union (Braşov) and also de debut prize of the "Magda Isanos – Eusebiu Camilar" Festival. In 2010, he received the Poetry Prize of the Writers' Union (Braşov).

Gheorghe Azap (26 July 1939 – 3 November 2014) – from the very beginning Azap's thematic universe (love, loneliness), as well as his voice, appear entirely constituted. His volumes, "favorably received by the critics, return to... the same motifs: erotic suffering, masked and intensified through irony, into an ostentatiously (apparent) casual coat." Azap's poetic workmanship abounds with acrobatic versification, through "...verbal invention, argotic expressions, even indecent ones, juggling simultaneously the sublime myths and heroes of literature... [his] verses celebrate inseparably the love of life with the love for literature." (crispedia.ro)

A.E.Baconsky (16 June 1925 – 4 March 1977) – was a writer, publisher, theoretician and translator of modernist-surrealist orientation. His poetry possesses "distinction and refinement... is proud and solemn, ... he does not confess – he officiates... in an aristocratic manner." (N. Manolescu). "His verses do not seem created, they appear rather manufactured. With professionalism, sometimes with elegance, but never with an existential engagement..." (Alex Ştefănescu).

Cezar Baltag (26 July 1939 – 26 May 1997) – poet and translator, militant against communist proletcultism*. Creates a narcissistic, intellectualist poetry, assuming it would be read by a cultured reader – (Alex Ştefănescu). He created his own mythology and musicality, swinging between mannerism and picturesque folklore, echoing Ion Barbu, Arghezi and Anton Pann – (N. Manolescu). Al. Piru surmises that Baltag "hermetically codifies his poems, thus becoming difficult to understand."

* Proletcultism – a concept and approach of Russian Soviet origin and inspiration (proletarskaya kultura = proletarian culture) proletcultism represented an institutionally sanctioned movement, aspiring to radically modify existing artistic forms by creating a new, revolutionary working-class aesthetic, and coercing artists to comply with this. Proletcultism manifested itself in Romania starting with the Soviet occupation of 1945 and the installing by the Red Army of a Communist regime and continued in an intense form until about 1960. After a decade of some liberalization (though much more restricted than that of Western Europe, USA etc.) a more subdued form of proletcultism resurfaced after 1971 (Ceauşescu's "July Theses") – which signaled a return to totalitarian censorship and which continued with greater or lesser energy until Ceauşescu's fall in 1989. In a practical form, the government required art to be represented in a "realist-socialist" manner – essentially praising the achievements of the Communist Party and its leaders and supporting the construction of the new socialist society). By contrast, this required writers and artists in general to denounce and renounce the "decadent idealism", and "morbidity" of previous bourgeois-capitalist era.

Ştefan Baciu (29 octombrie 1918 – 7 ianuarie 1993) – debutează la 17 ani cu placheta *Poemele poetului tânăr* (1935), „pline de prospețime descriptivă şi de un energetism cei şade [bine]" (E. Lovinescu). Ele „respiră aerul epocii, fără a fi totuşi tributare unuia sau altuia dintre mai maturii săi contemporani... Prezintă o combinație de stiluri diverse, de la vitalismul Mariei Banuş la histrionismul lui Emil Botta... uneori cu atingeri de tradiționalism, dar împestrițate cu asociații bizare în spiritul avangardist al lui Ilarie Voronca... Poeziile scrise după 1946 [când a părăsit România] sunt interesante, atractive, însă nu extraordinare". (N. Manolescu)

George Bacovia (17 septembrie 1881 – 22 mai 1957) – inițial etichetat ca neosimbolist (de critici precum George Călinescu, în special datorită volumului de debut *Plumb*, 1916), poezia lui Bacovia transcende aceasta cu elemente de modernism, suprarealism, imagism, expresionism și chiar existențialism (Ion Caraion), excelând prin poeme ce exprimă deprimarea, decăderea și descompunerea. Alte volume notabile sunt *Scântei galbene, Bucăți de noapte* (1926), *Cu voi...* (1936), *Poeme* (1957). Bacovia este considerat unul din reprezentanții importanți ai poeziei românești.

Maria Banuş (10 aprilie 1914 –14 iulie 1999) – poetă, eseistă, prozatoare și traducătoare din familie de evrei. Primele volume au fost *Țara fetelor* (1937) și *Poeme* (1939), interzise în timpul celui de-al Doilea Război Mondial, considerate „prea evreiești". După ocupația comunistă a scris poeme „realist-socialiste", pentru care a primit onoruri din partea regimului (Alex Ştefănescu). De pe la mijlocul anilor '60, poeta și–a revizuit atât stilul, cât și temele abordate, prevalând un lirism al inconsistenței, în definitiv al morții (N. Manolescu). Capodopera ei rămâne *Țara fetelor*, exuberând de voluptate adolescentină (G. Călinescu), de un „erotism viguros și totodată delicat, fățiș și secret, promiscuu și candid" (N. Manolescu). I s–a decernat Premiul internațional Herder pentru poezie, în 1989.

Ion Barbu (pseudonim al lui Dan Barbilian, 19 martie 1895 – 11 august 1961) – a fost poet și matematician. Ca matematician, folosește numele de naștere și este cunoscut internațional pentru „spațiile barbiliene", o teorie a geometriei neeuclidiene. A fost unul dintre cei mai importanți poeți români interbelici, reprezentant al modernismului literar românesc. Apreciat în special pentru poezia „ermetică", influențată, după critici, de gândirea sa matematică (vezi volumul *Joc secund*), Barbu este capabil de un adânc lirism filosofic, cel mai bine exemplificat de capodopera fabulativă *Riga Crypto și lapona Enigel*. În acestea, folosește elementele naturale (în acest caz erosului nordic Boreal), pentru a pune în evidență drama nepotrivirii și respingerii.

Horia Bădescu (24 februarie 1943 –) – „este, înainte de toate, un fin degustător de parfumuri lexicale rare, deduse din reverberații poetice exotice... un prețuitor împătimit al poeziei clasice, al prozodiei rânduită după formele fixe ale marilor virtuți creatoare." (C. Cubleșan) În mod aproape similar, după Laurențiu Ulici, Bădescu este tentat uneori de sunetul cu nuanțe de baladă, iar alteori de zvonul cristalin al unui liric de cameră, caracterizat printr-o excelentă dispoziție lingvistică, amintind de aceea a lui Romulus Vulpescu.

Cristian Petru Bălan (27 iunie 1936 –) – este un prozator, poet, dramaturg, editor, traducător și artist plastic român stabilit în Statele Unite ale Americii; profesor, membru al Academiei Româno-Americană de Științe și Arte și al Academiei Româno-Australiene. Fost corespondent din SUA al posturilor de radio Vocea Americii și Europa Liberă. Este autorul primei replici din România a „Statuii Libertății" din New York, ridicat în centrul orașului Boldești-Scăieni, Prahova - 2014, precum și al bustului pilotului erou american Edward Butch O'Hare, de pe aeroportul „O'Hare", Chicago. Printre distincțiile primate: Premiul Academiei Româno-Americane (ARA) pentru literatură, 2013, Diplomă de Apreciere a Universității din New Mexico - pentru contribuții în dezvoltarea culturii, 2008-2009.

Dumitru Băluță (8 noiembrie 1948 –) – poet, regizor de teatru și avocat din Republica Moldova, Băluță „... practică un vers pur, cu inflexiuni aparent naive, asemeni lui Grigore Vieru și Leonida Lari. O poezie a revoltei, dragostei și a dorului de țară, ...poet senin și cu spirit ludic fin, ce a strâns... teme mai rar tratate, cu eleganța unei desăvârșite stăpâniri a canoanelor literare specifice unor abordări contemporane" (Gh. A. Neagu). Băluță a primit Premiul național al Uniunii Scriitorilor din Republica Moldova, 2004.

Ştefan Baciu (29 October 1918 – 7 January 1993) – first published when he was seventeen, with the chapstick *Poems of a young poet* (1935) "full of descriptive freshness and energy which suits him" (E. Lovinescu). Baciu's poems "breath the air of the epoch, without being beholden to one or other of his more mature contemporaries... They present a diverse combination of styles, from the vitality of Maria Banuş to the histrionics of Emil Botta... sometimes with touches of traditionalism, but mixed with bizarre avantgarde associations like Ilarie Voronca... Poems written after 1946 [when he left Romania] are interesting, attractive but not extraordinary." (N. Manolescu)

George Bacovia (17 September 1881 – 22 May 1957) – while initially pigeonholed as a neosymbolist (by critics like George Călinescu, mainly because of the nature of his debut volume *Lead* in 1916), Bacovia's poetry transcended this label through elements of modernism, surrealism, imagism, expressionism, and even existentialism (Ion Caraion) – excelling through poems expressing depression, decadence and decay. Other important volumes are *Yellow Sparks, Slices of Night* (1926), *With You...*(1936), *Poems* (1957). Bacovia is widely regarded as one of the great exponents of Romanian poetry.

Maria Banuş (10 April 1914 – 14 July 1999) – poet, essayist, prose writer, and translator of Jewish origin. Her first volumes, *Girls' Country* (1937) and *Poems* (1939), were banned during the Second World War for being too "Jewish". Following the Communist takeover, she wrote "socialist-realism" poems winning accolades from the regime (Alex Ştefănescu). From the mid-sixties she re-evaluated both her style, themes, and the role of the artist – favouring lyricism of brittleness and death (N. Manolescu). Her masterpiece remains *Girls' Country*, "a work overflowing with exuberant adolescent voluptuousness" (G. Călinescu), "with vigorous, yet delicate eroticism, open yet secret, promiscuous yet candid" (N. Manolescu). Banuş was awarded the Herder International Poetry Prize in 1989.

Ion Barbu (nom de plume of Dan Barbilian, 19 April 1895 –11 August 1961) – was both a poet and mathematician. For the latter, he used his birth name and is internationally known for the "barbilian spaces", a theory in non-Euclidian geometry. He was one of the most important interwar Romanian poets and a representative of the Romanian literary modernism. Appreciated mostly for his "hermetic" poetry, linked by critics to his mathematical mindset (see the volume *Second Play*) – Barbu is capable of a deep philosophical lyricism, best expressed in his fabulative masterpiece *King Crypto and the Lapp Enigel*. Here he employs natural elements (in this case the eros of the Boreal North), underlining the tragedy of difference and rejection.

Horia Bădescu (24 February 1943 –) – "...Bădescu... is, above all, a refined purveyor of lexical perfumes, extracted from exotic poetic reverberations... a passionate valuer of classical poetry, of prosody, organised after the fixed forms of great creative traditions." (C.Cubleşan). Similarly, according to Laurenţiu Ulici, Bădescu is sometimes tempted by the nuanced sound of the ballad, and at other times by the crystalline buzz of chamber lyric, characterized by an exceptional linguistic disposition, reminding us of Romulus Vulpescu.

Crisitan Petru Bălan (27 June 1936 -) – is a writer of prose, poetry, theatre, editor, translator and sculptor settled in the United States of America. A professor, member of the Romanian-American academy of Sciences and Arts and of the Australian-Romanian Academy, he is a former correspondent of the radio broadcasts "Radio Free Europe" and "The Voice of America. He is the author of the first replica of the Statue of Liberty of New York in Romania (in Boldeşti-Scăieni, Prahova – 2014), as well as the bust of American hero Edward Butch O'Hare for the O'Hare international airport in Chicago. Among the distinctions received: The Romanian-American Academy prize for literature – 2013, and the "Diploma of Appreciation of the University of New Mexico – for contributions to the development of culture, 2008-2009.

Dumitru Băluţă (8 November 1948 –) – a writer, theatre director, and lawyer, Băluţă is from the Republic of Moldova. He "... practices a pure verse, with apparently naive inflections, similar to Grigore Vieru and Leonida Lari. A poetry of revolt, love, longing for the country, a serene poet with a ludic spirit which gathered... rarely encountered themes, with the elegance of perfect grasp of literary canons appropriate for the contemporary approach." (Gh. A. Neagu). Băluţă received the National Prize of the Writer's Union of the Republic of Moldova 2004.

Mihai Beniuc (20 noiembrie 1907 – 24 iunie 1988) – poet, prozator și specialist în psihologia animalelor. Este cunoscut, în general, ca poet proletcultist al regimurilor comuniste din România, alături de autori ca A. E. Baconsky sau Maria Banuș. În ciuda acestor lucruri, sau poate datorită lor, Beniuc este capabil mai târziu – după Eugen Simion – de un lirism uneori vindicativ al senectuții și de obsesie a morții (ca în poemul *Ultima scrisoare*) – „o voce autoritară, de neconfundat în poezia românească din ultimile cinci decenii". A activat, de asemenea, ca profesor (specialist în psihologia animalelor) la universitățile din Cluj și, mai târziu, București.

Lucian Blaga (9 mai 1895 – 6 mai 1961) – filosof, poet, dramaturg, traducător, jurnalist, profesor universitar, academician și diplomat – o personalitate imensă în perioada interbelică. A fost concediat din postul de profesor universitar în 1948, deoarece a refuzat să-și exprime suportul față de noul regim comunist, fiind apoi angajat ca bibliotecar. I-a fost interzis să publice volume noi până în 1969, fiind etichetat ca exponent al „idealismului", și nu al cerințelor „realist-socialiste". Considerat un poet al luminii (titlul primului să volum este chiar *Poemele luminii*, 1919), al naturii, dragostei, al liniștii și păcii (George Ivașcu), Blaga este „... poate cel mai original creator de imagini pe care l-a cunoscut literatura română până acum: imagini neașteptate și profund poetice." (E. Lovinescu)

Ana Blandiana (Otilia Valeria Rusan, n. Coman; 25 martie 1942 –) – este o scriitoare (autoarea a 26 de cărți publicate în română, traduse în multe limbi) și luptătoare pentru libertate civică din România. Este considerată drept un reprezentant de seamă al generației șaizeciste – din care fac parte, printre alții, poeți precum Nichita Stănescu, Marin Sorescu, Adrian Păunescu, Cezar Baltag, Petre Stoica și Constanța Buzea. A debutat în 1964 cu volumul *Persoana întâia plural*. A primit numeroase premii și distincții – premiile pentru poezie ale Uniunii Scriitorilor (1969), al Academiei Române (1970), Premiul Herder (1982). Înainte de 1989, au fost perioade ('59 – '64, '85, '88 – '89) când i-a fost interzis să publice. După revoluție s-a implicat politic în lupta pentru democrație, și a realizat Memorialul Victimelor Comunismului și al Rezistenței de la Sighet.

Max Blecher (8 septembrie 1909 – 31 mai 1938) – a fost un scriitor de origine evreiască, care a murit la 28 de ani de morbul lui Pott – boală incurabilă la acea vreme. Analizat oarecum superficial în timpul scurtei sale vieți (proza i-a fost interpretată de unii critici ca un jurnal personal), Blecher este recunoscut azi ca un avangardist de factură autentică, cu rezonanțe din Kafka și Breton, dar și din Kierkegaard și Blake (N. Manolescu). Poezia lui are o tentă simbolistă, dar exprimată în manieră avangardistă. Considerat azi ca fiind unul dintre cei mai originali scriitori din perioada interbelică, Camil Baltazar îl descrie ca pe „... un remarcabil stilist... și prin simțul umorului prin care autorul încearcă să depășească latura tragică a existenței sale".

Geo Bogza (6 februarie 1908 – 14 septembrie 1993) – a fost poet și jurnalist exponent al avangardei, cu convingeri de stânga, comuniste. În anii interbelici, era cunoscut ca rebel și era unul din cei mai influenți suprarealiști români. A fost închis pentru unele din poeme, considerate obscene. După stabilirea regimului comunist, adoptă stilul realismului socialist, devenind una din figurile literare importante în slujba guvernului. Cu timpul, se transformă mai întâi într-un critic subtil al regimului – publicând atitudinile lui neconfortabile ca subtext al unor articole, în aparență inocente – iar mai târziu devine disident pe față. Afară de poezie, Bogza a consacrat reportajul ca gen literar în România.

Dimitrie Bolintineanu (14 ianuarie 1819 – 20 august 1872) – a fost un scriitor român (poezie și proză), om politic, diplomat, participant la Revoluția de la 1848 – de origine aromâno-macedoneană. Opera sa poetică cuprinde ciclurile *Legendele istorice, Florile Bosforului, Basmele, Macedonele* și *Reveriile*. *Legendele istorice*, poeme cu ton naționalist, au hrănit emoțiile pentru unirea dintre Țara Românească și Moldova de la 1859.

Cezar Bolliac (23 martie 1813 – 25 februarie 1881) – a fost o figură politică radicală, revoluționar, jurnalist și poet. Bolliac a fost unul din liderii revoluției de la 1848 în Valahia, petrecând un timp în exil, după intervenția otomano-rusă. La întoarcerea în țară, a luptat pentru unirea dintre Valahia și Moldova, realizată în 1959. În poezie, a fost un exponent al Romantismului.

Mihai Beniuc (20 November 1907 – 24 June 1988) – was a writer and animal psychologist. He is generally known as a proletkultist poet praising the communist regimes in Romania along with authors like A. E. Bakonsky or Maria Banuș. Despite this, or perhaps because of it, Beniuc is later on capable – according to Eugen Simion – of a sometimes vindictive lyricism related to the process of aging and in the obsession with death (like in the poem *The Last Letter*) – "he has... an authoritative and distinctive voice in the Romanian poetry of the last five decades." He also worked as a professor (specializing in animal psychology) at the Universities of Cluj and Bucharest.

Lucian Blaga (9 May 1895 – 6 May 1961) – was a philosopher, poet, playwright, translator, journalist, academic and diplomat – a commanding personality of the interwar period. He held the professorship of cultural philosophy at the University of Cluj until 1948 when he was dismissed for refusing to lend support to the new Communist regime. He was afterward employed as a librarian. Blaga was forbidden from publishing new work until 1969, as he was considered an exponent of "idealism" in poetry, rather than of the required "socialist–realism". Described as a poet of light (the title of his first published volume is *The Poems of Light* – 1919), of nature, love and peace (George Ivașcu), Blaga is "perhaps the most original creator of images known to Romanian literature: images that are surprising and profoundly poetic" (E. Lovinescu).

Ana Blandiana (Otilia Valeria Rusan, nee Coman; 25 March 1942 –) is a writer, author of 26 volumes published in Romanian and translated in many other languages – and a fighter for civil liberties in Romania. She is an important representative of the 60s generation – which produced, among others, poets such as Nichita Stănescu, Marin Sorescu, Adrian Păunescu, Cezar Baltag, Petre Stoica and Constanța Buzea. Her debut was in 1964 with the volume *First Person Plural*. She received numerous awards – the Writers' Union of Romania (1969), the Romanian Academy (1970) poetry prizes, and the Herder Prize (1982). Before 1989 there were several periods ('59 – '64, '85, '88 – '89) in which she was forbidden to publish. After the 1989 revolution, she joined in the political struggle for democracy and established the Memorial for the Victims of Communism and Resistance in Sighet – Maramureș County, Romania.

Max Blecher (8 September 1909 – 31 May 1938) – was a writer of Jewish origin, who died at the age of 28 of Pott disease, which was incurable at the time. Somewhat misinterpreted by critics during his short life – perhaps due to his illness, his prose was regarded more as a personal journal – Blecher was later acclaimed as a genuine representative of the literary avant-garde authenticism, resonant with Kafka and Breton but also Kierkegaard and Blake (N. Manolescu). Although expressed in an avant-garde manner, his poetry is rooted in symbolism. Now considered one of the most original interbellum writers, Camil Baltazar describes Blecher as "... a remarkable stylist... who attempted to transcend the tragedy of existence with humor."

Geo Bogza (6 February 1908 – 14 September 1993) – was an avant-garde poet and journalist, with left-wing communist convictions. In the interwar period, he was known as a rebel and was one of the most influential Romanian Surrealists. Some of his poems led to imprisonment on the grounds of obscenity. After the establishment of the Communist regime, Bogza adopted the socialist realism style, becoming one of the important literary figures in service of the government. With time he turned into a subtle critic of the regime and later an open dissident – publicizing his disquieting attitudes as a subtext of apparently innocent articles. Apart from poetry, Bogza consecrated reportage as a literary genre in Romania.

Dimitrie Bolintineanu (14 January 1819 – 20 August 1872) – of Aromanian origins, Bolintineanu was a writer of poetry and prose, a diplomat and politician. He participated in the revolution of 1848. His poetic work includes the cycles *Historical Legends, The Bosphorus Flowers, Fairytales, Macedonians* and *Reveries. Historical Legends*, a collection of poems of nationalistic overtones, have fuelled patriotic sentiment during the unification of Wallachia and Moldavia in 1859.

Cezar Bolliac (23 March 1813 – 25 February 1881) – was a radical political figure, a revolutionary, a journalist and a poet. He was one of the leaders of the 1848 Wallachian revolution, exiled for a while, after the Ottoman–Russian intervention. Upon his return, Bolliac promoted the unification of Wallachia and Romania, realized in 1859. In poetry, he was an exponent of Romanticism.

Demostene Botez (2 iulie 1893 – 18 martie 1973) – a fost scriitor și traducător. Poemele din primele lui volume (*Floarea pământului*, 1920; *Povestea omului*, 1922; *Zilele vieții*, 1927; *Cuvinte de dincolo*, 1934) combină elemente idilice tradiționale cu stări psihice și elemente simboliste. Ele reprezintă semnificativ partea sentimentală a simbolismului în România. După stabilirea regimului comunist, temele lui Botez se adaptează linei trasate de noile autorități (*Oameni în lumină* –1956, *Bucuria tinereții* –1957).

Emil Botta (15 septembrie 1911 – 24 iulie 1977) – poet, prozator și actor, este unul dintre importanții reprezentanți ai poeziei românești dinainte și de după generația războiului. Tonul poeziei lui Botta poate fi sumbru, dar în același timp exuberant, poetul jucând multe roluri și în poezie, nu doar pe scenă (Alex Ștefănescu). Are o poezie a măștilor (N. Manolescu). „Poezia sa este una întunecată, cu accente expresioniste, îmbibată, în acelaşi timp, de mister şi de un retorism exacerbat" (Doinel Tronaru). Cel mai cunoscut rol din film este cel al profesorului Paveliu în *Reconstituirea* lui Lucian Pintilie.

Emil Brumaru (25 decembrie 1938 – 5 ianuarie 2019) – a fost un scriitor contemporan și medic. După 1975 a renunțat la medicină, dedicându-se exclusiv scrisului. Dificil sau chiar imposibil de catalogat (Alex Ștefănescu), poezia lui Brumaru trece, fără efort aparent, de la fantezia lirică provincială (N. Manolescu) la o ritualizare a voluptății, însă totul totul se petrece într-un mod jucăuș, dar livresc – uneori atinsă, în mod unic, de un fior metafizic și de o deosebită acuitate a simțurilor (Alex Ștefănescu).

Ion Budai-Deleanu (6 ianuarie 1760 – 24 august 1820) – a fost un scriitor, filolog, lingvist, istoric și jurist, exponent de seamă al Școlii Ardelene. Opera sa reprezentativă este prima epopee în limba română, un poem comico-eroice de scară largă (N. Manolescu), *Țiganiada sau Tabăra țiganilor*, 18001812. Poemul tratează alegoric subiectul călătoriei țiganilor, dându-i tendințe comic-satirice antifeudale și anticlericale. Totuși, unii critici percep *Țiganiada*, dincolo de crusta satirico-comică, ca pe un teren al fanteziilor lacome, o odisee a condiției umane în general, marșul țiganilor reprezentând strădania omenirii spre ideal (E. Negrici).

Aurel Buricea (27 octombrie 1943 –) – poet, profesor de matematică, Buricea scrie poeme spirituale, religioase, în special în formă de sonet. Deși rămâne prizonier formei (ambelor variante, petrarchiană și shakespeariană), expresia poemelor lui nu apare desuetă, amestecul de forță și delicatețe dau o nuanță atractivă adâncii spiritualități ai operei lui. Se bucură de distincția de a fi fost inclus într-o antologie universală de matematicieni poeți, alături de marele Ion Barbu (Dan Barbilian). A fost cenzurat și chiar aruncat în închisoare pentru scurt timp de autoritățile comuniste în anii '70.

Benone Burtescu (15 ianuarie 1940 – februarie 2014) – poet creștin, ale cărui poezii erau recitate în bisericile evanghelice din România încă din vremea comunismului. Opera lui este necunoscută publicului larg și a fost ignorată de critica literară – în mod nedrept, în opinia noastră, deoarece talentul lui poetic se situează mult deasupra unor poeți comparabili, precum Traian Dorz sau Costache Ioanid. Spre deosebire de ei, Burtescu a scris și poezie laică. Sigur, multe din poeziile lui sunt mediocre – dar asta se petrece și la poeți faimoși. Asemenea unora dintre aceștia, Burtescu ar beneficia de pe urma unei antologări profesioniste. Însă materialul poetic de mare sensibilitate, profunzime și expresie, dovedit pe alocuri de poeme precum *Locuitorii stelelor așteaptă* sau *Deși niciodată* (Cornel Dărvășan), îi asigură lui Burtescu locul în această colecție.

Leo Butnaru (5 ianuarie 1949 –) – poet, exeget al avangardismului și traducător din Republica Moldova, Butnaru este unul din cei mai importanți poeți de la răsărit de Prut la început de secol XXI. A tradus din Hlebnikov, Maiakovski, Ahmatova, printre alții. „Butnaru ilustrează în mod izbitor voința de emancipare a poeziei basarabene de sub tutela clișeelor tradiționaliste... Cultivat, mobil, dezinvolt, poetul pune accentul pe latura intelectuală a creației... Un prim obiectiv al lui Butnaru îl reprezintă existențialul... abil susținut de fantezie și uneori (auto) ironie" (Gh. Grigurcu.)

Constanța Buzea (29 martie 1941 – 31 august 2012) – poetă, una din reprezentantele importante ale generației șaizeciste (alături de Nichita Stănescu, Ana Blandiana, Marin Sorescu, Petre Stoica, Adrian Păunescu – cu ultimul a fost căsătorită pentru o vreme). Arta ei poetică este descrisă ca „una dintre cele mai șocante și totodată mai subtile", care, la maturitate dezvoltă „o intensitate morală neobișnuită", tratând temele regretului și durerii „cu un patos reținut... cu expresivitatea sigură... limpede... ca respirația unui nou-născut" (N. Manolescu). Din volumele mai importante amintim: *De pe pământ* – 1963; *Răsad de spini* – 1973; *Ultima Thule* – 1990; *Pelerinaj* – 1997.

Demostene Botez (July 2, 1893 – March 18, 1973) – was a writer and translator. His earlier poems from the volumes *Flower of earth*, 1920; *The story of man*, 1922; *Days of life*, 1927; *Words from the other side*, 1934, combine idyllic, traditionalist touches with psychic states and Symbolist motifs. They significantly represent the sentimental side of Romania's Symbolist movement. After the rise of the Communist regime, his themes fit the directives of the newly installed authority (e.g. *People in the light*, 1956; *The joy of youth*, 1957).

Emil Botta (15 September 1911 – 24 July 1977) – was an actor and writer, an important representative of Romanian poetry preceding and following the Second World War. The tone of Botta's work can be both sombre and exuberant at the same time, the poet playing different roles in poetry as he did on stage (Alex Ștefănescu). His poetry is that of masques (N. Manolescu). "He might be tenebrous, with expressionist undertones, imbued, at the same time, with mystery and an exacerbated rhetoric" (Doinel Tronaru). His most famous film role was that of Professor Paveliu in Lucian Pintilie's *The Re-enactment*.

Emil Brumaru (25 December 1938 – 5 January 2019) was a contemporary writer and physician. From 1975 he no longer practiced medicine, dedicating himself exclusively to writing. Brumaru's poetry is almost impossible to categorize as it flows effortlessly from the provincial lyrical fantasy (N. Manolescu) to a ritualization of voluptuousness, where the playful combines with the scholarly. His verses are at times uniquely touched by a metaphysical quiver and a remarkable acuity of the senses (Alex Ștefănescu).

Ion Budai-Deleanu (6 January 1760 – 24 August 1820) – was a writer, philologist, linguist, historian and lawyer, and an important exponent of the Transylvanian School. His most representative work, *Tziganiada or the Camp of the Gypsies* (1800–1812) is the first epic written in the Romanian language and a large-scale poem with a heroic-comical character (N. Manolescu). The poem deals allegorically with the march of the Gypsies, imbuing it with an anti-feudal and anti-clerical comic-satirical slant. However, beyond its satirical-comical crust, *Tziganiada* was deemed by critics to be a playground for fantasies on greed and an odyssey of the human condition, represented in the march of the Gypsies as humanity's strivings for the ideal (E. Negrici).

Aurel Buricea (27 October 1943 –) – poet and mathematics teacher, Buricea wrote religious poems, especially in sonnet form. While he remains beholden to the classical form (both Petrarchian and Shakespearian), Buricea's expression does not feel staid, the blend of power and delicacy lending an attractive shell to the deep spirituality of his work. He was included in a world anthology of mathematician poets alongside the great Ion Barbu (Dan Barbilian). His volumes were censored by the communist authorities in the 1970s and he was even jailed for a short time.

Benone Burtescu (15 January 1940 – February 2014) – was a Christian poet, whose poems were recited in many Protestant churches during the time of communistm. His work is not known to the broader public and has been ignored by literary criticism – wrongly we believe – as Burtescu's poetic talent is superior to comparable religious poets such as Traian Dorz or Costache Ioanid. Different from them, Burtescu also wrote lay poetry. While some of his poems are mediocre –this happened to famous poets too. Like some of these, Burtescu could benefit from professional anthologizing. But his depth, sensitivity, and expression, displayed at times in poems such as *The dwellers of the universe are waiting* and *Although I have never* (Cornel Dărvășan) assure for Benone Burtescu a place in this collection.

Leo Butnaru (5 January 1949 –) – is a poet, analyst of avantgarde and translator from the Republic of Moldova. He is one of the most important poets from the East of the Prut River at the beginning of the XXI century. Translated from Khlebnikov, Mayakovski, Akhmatova, among others. "Butnaru illustrates forcefully the desire for emancipation of Bessarabian poetry from traditionalist clichés... Cultivated, mobile, dashing, the poet underlines the intellectual side of creation... The first objective of Butnaru is the essential..." ably supported by fantasy and (self) irony (Gh. Grigurcu).

Constanța Buzea (29 March 1941 – 31 August 2012) – is an important representative of the "60s generation" of poets (beside Nichita Stănescu, Ana Blandiana, Marin Sorescu, Petre Stoica and Adrian Păunescu – married to the latter for a while). Her poetic art is described as "one of the most shocking and at the same time most subtle", which, in its mature form, develops "an unusual moral intensity", approaching themes such as regret and pain "with a reserved pathos... with a sure-footed expression... limpid... like a newborn's breath" (N. Manolescu). Her most important volumes are *From the earth* – 1963; Seedling of thorns – 1973; *The last Thule* – 1990; *Pilgrimage* – 1997.

Eusebiu Camilar (7 octombrie 1910 – 27 august 1965) – a fost scriitor și traducător, soțul Magdei Isanos și tatăl Elisabetei Isanos. Cunoscut mai mult ca traducător – a tradus din limbile rusă, greacă, latină, persană, sanscrită – poezia lui Camilar este de factură romantică, desuetă, poate, pentru epoca lui. Totuși, în opinia noastră, față de alți poeți ignorați de criticii consacrați, lirica lui Camilar are substanță, temele abordate sunt sofisticate, versul curge competent, provocând simțăminte artistice adânci și nu doar emoții trecătoare și facile.

Mateiu Caragiale (25 martie 1885 – 17 ianuarie 1936) – fiul dramaturgului Ion Luca Caragiale, Mateiu este mai degrabă cunoscut pentru nuvela satirică Craii de Curtea Veche. În poezie, este iubitor de trecut, influențat de plasticitatea lui Jose-Maria Hérédia (E. Lovinescu). Galeria imaginilor sale urmează mai degrabă relieful sculpturii, decât pictura – mod nostalgic și idealist –, dar nu lipsesc caricatura și grotescul care-l prevestesc pe Arghezi (N. Manolescu).

Ion Caraion (24 mai 1923 – 21 iulie 1986) – poet, eseist, critic literar, traducător – aparține, împreună cu Geo Dumitrescu, Radu Stanca, Ștefan Augustin Doinaș și alții, momentului spiritual al anilor 1945-1946, la configurarea cărora iau parte scriitori veniți din mai multe direcții estetice, dar convergând într-o prelungire a suprarealismului. „Un poet de o sinceritate delirantă... este barbar în ipostaza de poet și civilizat în cea de critic literar" (Alex Ștefănescu). Caraion a făcut ani grei de închisoare din cauza opoziției față de regimul comunist – obținând azil politic în Elveția, în 1981.

Nina Cassian (pseudonim al Renée Annie Cassian-Mătăsaru, 27 noiembrie 1924 – 14 aprilie 2014) personalitate artistică complexă și mobilă – poetă, traducătoare, jurnalistă, pianistă și compozitoare. Poezia ei a debutat tranșant, în manieră absurdist suprarealistă (*La scara 1/1*, 1948), condamnată de autoritățile comuniste ca decadentă (N. Manolescu). Speriată, se pare, Cassian se supune cu oarecare entuziasm cerințelor socialismului-realist (1948– 1956). Revine la o voce proprie, de o sclipitoare luciditate cu accente ludice (Alex Ștefănescu), dar fără o fixare anume,iubind toate genurile cu un fel de „nimfomanie poetică" (N. Manolescu). În 1985, se refugiază în SUA, unde obține azil politic.

Otilia Cazimir (pseudonim al Alexandrinei Gavrilescu, 12 februarie 1894 – 8 iunie 1967) – poetă, traducătoare și publicistă, Cazimir este cunoscută ca autoare de versuri pentru copii. „Nota ei particulară este prospețimea de senzații în perceperea înfloririi, dar și a dezintegrării. Universul ei este un imens fruct suav, atât viu, cât și în putrefacție." (G. Călinescu)

Alice Călugăru (4 iulie 1886 – 9 august 1933) – născută la Paris, a publicat poezie în română și franceză. Deși debutează în manieră simbolistă „feminină" (G. Călinescu), originalitatea ei înflorește abia peste câțiva ani, în poeziile publicate prin reviste şi neadunate nici până acum în vreun volum, caracterizate prin lipsa lirismului direct şi a feminității sentimentale, prin observație şi putere descriptivă, prin obiectivitate şi chiar prin oarecare virilitate de expresie (E. Lovinescu).

Petru Cărare (13 februarie 1935 - 27 mai 2019) – este un poet, prozator, publicist și dramaturg din Republica Moldova, cunoscut în special ca scriitor pentru copii, dar și ca autor de parodii și epigrame.

Vasile Cârlova (4 februarie 1809 – 18 septembrie 1831) a fost poet și ofițer. Preromantic sau romantic timpuriu, cu sonorități pastorale (G. Călinescu), Cârlova deschide drumul poeziei românești spre epoca romantică (N. Manolescu), prevestind pe Eminescu (C. Tuchilă). Numai cinci poeme ne-au rămas de la el, dar, precum Nicolae Labiș, Cârlova a rămas în conștiința lumii literare și pentru că deosebitul său talent a fost adus la tăcere de o moarte prematură, în urma unei boli infecțioase (N. Manolescu).

Radu Cârneci (14 februarie 1928 – 9 decembrie 2017) – a fost poet, editor și traducător, autor al unor antologii valoroase. Posedă „...o știință a versului demnă de invidiat, perfecțiune care nu e a veacului nostru agitat... și o sensibilitate și autenticitate... în care ne regăsim, în cazul cel mai fericit, cu intermitențe..." (Dumitru Micu). „Cârneci rămâne unul dintre cei mai reprezentativi poeți români contemporani, care... impune o viziune adâncă asupra existenței." (Mihai Cimpoi)

Eusebiu Camilar (7 October 1910 – 27 August 1965) – was a writer and translator, the husband of poet Magda Isanos and father to poet Elisabeta Isanos. Know better as a translator – he translated from Russian, Greek, Latin, Persian, Sanskrit – Camilar's poetry is of a romantic nature, outdated perhaps for his era. However, unlike other poets ignored by literary critics, in our opinion his lyric has substance, the themes approached are sophisticated, the verse flows skillfully, provoking deep artistic reactions, not simply facile transient emotions.

Mateiu I. Caragiale (25 March 1885 – 17 January 1936) – son of Romanian playwright Ion Luca Caragiale, Mateiu is mostly known for his satirical novel Craii de Curtea Veche (Princes of the Old Court). In his poetry he is loving the past, and is influenced by the plasticity of Jose-Maria Hérédia (E. Lovinescu). He renders images reminding of sculptures, rather than paintings – in a nostalgic and idealist way, but laden with caricature the grotesque anticipating Arghezi (N. Manolescu).

Ion Caraion (24 May 1923 – 21 July 1986) – poet, essayist, literary critic and translator– was, with Geo Dumitrescu, Radu Stanca, Ştefan Augustin Doinaş and others, defined by the spiritual character of the 1945–1946, captured by writers converging from different aesthetic directions – but converging into an extension of surrealism. "A poet of a delirious sincerity... he is barbaric in his poetry and civilized in his literary criticism" (Alex Ştefănescu). Caraion suffered some years of incarceration in a forced labor camp for his opposition towards the Communist regime. He obtained political asylum in Switzerland in 1981.

Nina Cassian (pen name of Renée Annie Cassian-Mătăsaru 27 November 1924 – 14 April 2014) possessed a complex artistic personality – poet, translator, journalist, pianist, and composer. She debuted trenchantly, in an absurdist–surrealist manner (*At the scale of 1/1* – 1948), condemned by the Communist authorities as decadent (N. Manolescu). Seemingly frightened, Cassian submitted, with some enthusiasm, to the demands of socialist-realism (1948–1956). She eventually returned to her own voice, a brilliantly lucid one with ludic accents (Alex Ştefănescu) – without focusing on a single style, rather loving all genres with a kind of "poetic nymphomania" (N. Manolescu). In 1985 she took refuge in the USA.

Otilia Cazimir (pen name of Alexandrina Gaverilescu, 12 February 1894 – 8 June 1967) – was a poet, translator, and publicist. Cazimir is best known for her children poems. "Her particular note is the freshness of sensations in perceiving both flowering but also disintegrations. Her universe is an immense suave fruit, whether alive or decaying." (G. Călinescu)

Alice Călugăru (2 July 1886 – 9 August 1933) – born in Paris, she published poetry in both Romanian and French. Although beginning in a symbolist "feminine" manner (G. Călinescu), her originality flourishes only some years later, in poems published in magazines, not yet gathered in a volume, characterized not by direct lyricism and of feminine sentimentality, rather through powerful description and objectivity, and even a certain virility of expression (E. Lovinescu).

Petru Cărare (13 February 1935 – 27 May 2019) – is a poet, prose writer, playwright and publisher from the Republic of Moldova. Known especially as a writer for children, Cărare also writes parodies and epigrams.

Vasile Cârlova (4 February 1809 – 18 September 1831) – was a military officer and early Romantic poet, with pastoral sonorities (G. Călinescu). Cârlova opens the way for Romanian poetry towards the romantic era (N. Manolescu), forecasting Eminescu (C. Tuchilă). Only five poems of his are known, but, like Nicolae Labiş, Cârlova survived in the consciousness of the literary world also because his talent was cut short by an early death, following an infectious disease (N. Manolescu).

Radu Cârneci (14 February 1928 – 9 December 2017) – was a poet, editor, translator, and author of valuable anthologies. He possesses "an enviable verse science, a perfection not belonging in our agitated times, burned on the inside... a sensibility and authenticity... in which we find ourselves, at best, intermittently..." (Dumitru Micu). "Cârneci remains one of the most representative Romanian contemporary poets... imposing a deep vision on existence." (Mihai Cimpoi)

Arhip Cibotaru (20 februarie 1935 – 4 ianuarie 2010) – a fost dramaturg, editor și director de revistă, poet și prozator român din Republica Moldova, cunoscut în România în special datorită poeziei Au înnebunit salcâmii, făcută cunoscută în România de faimosul cantautor Tudor Gheorghe. Ca redactor-șef al revistei Nistru (1971–1988), a avut un rol important în reabilitarea poeților reveniți din închisori și gulaguri, printre care se numără și Nicolae Costenco, Nicolae Țurcanu, Leonid Grigoriu și alții.

Mircea Ciobanu (13 mai 1940 – 22 aprilie 1996) – a fost scriitor, editor și traducător. Chiar dacă poezia de debut are accente din Ion Barbu și Tudor Arghezi, Ciobanu este de la început un poet deja format (N. Manolescu). Evoluția poeziei sale (de exemplu, în volumul *Patimile* – 1968) tinde spre o viziune eterogenă opusă apolinismului* geometric al lui Ion Barbu (Eugen Simion), în care „lirismul [psaltic] inițiatic, mimează enigma liturgică". (N. Manolescu)

Andrei Codrescu (20 decembrie 1946 –) – este un scriitor româno-american, profesor și comentator pentru National Public Radio. A fost beneficiarul premiului Mac Curdy Distinguished Professor of English la Louisiana State University, din 1984 până la pensionare, în 2009. A publicat în limbile engleză și română.În 1970, volumul poetic *License to Carry a Gun (Permis de port-armă)* a primit premiul Big Table Aware. Dintre multele volume publicate menționăm volume de poezie, precum *Femeia neagră a unui culcuş de hoți* (2007), *Submarinul iertat* (2009, cu Ruxandra Cesereanu), *No time like now* (2018), eseu – *The Devil Never Sleeps & Other Essays* (2000), *The poetry lesson* (2010) și romane – *Messiah, a novel* (1999).
„Cu umor și grație, înțelepciune și delicatețe, Codrescu transformă banalul în miraculos." (Kay Boyle)
„Codrescu trăiește la limita imaginației. Este un poet al speranței și sfidării politice, al exaltării și exuberanței." (Walter Bergen)

Ilie Constantin (16 februarie 1939 –) – este scriitor și traducător. „Poeziile lui de început au impus repede un poet atent la detalii, nuanțe şi un limbaj studiat, fără a lăsa iluzia spontaneității, creând, în schimb, impresia unei supuneri oraculare ori ritualice... Născută din sentimentul solitudinii şi al absenței, poezia lui Ilie Constantin, dincolo de lentă, aproape imperceptibila ei devenire dă sentimentul solidarității cu misterul inaccesibil al trecerii." (Mircea A. Diaconu)

Flavia Cosma (5 iunie 1938 –) – este scriitoare şi traducătoare canadiană de origine română. A publicat – în limbile română și engleză – volume de versuri, proză, memorialistică de călătorii, cărți pentru copii. Unele din volumele Flaviei Cosma au fost selecționate ca material didactic în diferite universități din Canada și SUA. A primit numeroase premii și distincții internaționale pentru poezie, traducere și promovarea culturii. Ca mulți scriitori de succes români stabiliți în străinătate, Cosma a fost ignorată, regretabil în opinia noastră, de critica literară din România.

George Coșbuc (20 septembrie 1866 – 9 mai 1918) – a fost poet, critic literar și traducător. Romantic târziu în metoda poetică, multe din poemele lui au ca subiect peisajul și personajele satului românesc. Este considerat de George Călinescu ca fiind unul din marii poeți români – poemele lui continuă să facă parte din programa școlară, fiind foarte ușor de citit datorită prozodiei perfecte și a dulceții sunetului poetic. Regimul comunist l-a etichetat corespunzător ca „poet al țărănimii", dar N. Manolescu susține despre Coșbuc că este de fapt un mare actor, simulând poetica satului prin vocea personajelor lui: „Când este cel mai mult el însuși, Coșbuc este altul".

Aron Cotruş (2 ianuarie 1891 – 1 noiembrie 1961) – a fost scriitor și diplomat. Debutează în manieră aparent realistă, dar dând deja „semnele unei anume grandiozități... cu unele viziuni colosale... [Poezia lui Cotruș] are pasagii admirabile de vigoare, de beție cosmică"... Dar, mai târziu, adoptă o tenta ideologică, repetându-se supărător și devenind inconsecvent. (G. Călinescu)

Nichifor Crainic (22 decembrie 1889 – 20 august 1972) – a fost teolog, scriitor, ziarist, politician, editor și ideolog de extremă dreaptă. Călinescu descrie poezia lui Crainic ca menținând o line tradiționalistă, uneori de o remarcabilă lapidaridate, cu un aer solemn, profetic, găsind uneori expresii neașteptate, de litanie. Istoric, rămâne o figură controversată, fiind și naționalist ortodox antisemit, ca și – după o suferință de 15 ani în închisoare, condamnat politic – colaborator cu Securitatea regimului comunist.

* apolinism – după Nietzsche, stilul care pune în valuare armonia formei

Arhip Cibotaru (20 February 1935 – 4 January 2010) – was a writer (drama, poetry, prose), editor, and publisher from the Republic of Moldova, best known in Romania for his poem The Wattle Trees are Crazy, put to music by the famous singer-songwriter Tudor Gheorghe. As editor-in-chief of the Nistru literary journal (1971–1988), Cibotaru played an important role in re-establishing poets returning from the Soviet prisons and gulags, such as Nicolae Costenco, Nicolae Ţurcanu, and Leonid Grigoriu.

Mircea Ciobanu (13 May 1940 – 22 April 1996) – was a poet, editor, and translator. While his debut poetry has accents from Ion Barbu and Tudor Arghezi, Ciobanu is al already developed – (N. Manolescu). The evolution of his poetry (for example in the volume *The Passions* – 1968) tends towards a heterogeneous vision opposed to the geometrical apollinism* of Barbu (Eugen Simion), in which psaltic "initiation lyricism mimes the liturgic mystery." (N. Manolescu).

Andrei Codrescu – (20 December 1946 –) is a Romanian-American writer, professor, and commentator for National Public Radio. He was the Mac Curdy Distinguished Professor of English at Louisiana State University from 1984 until his retirement in 2009. He published in both English and Romanian. In 1970, his poetry volume, *License to Carry a Gun*, won the Big Table Award. From his many published volumes we mention poetry volumes such as *The black woman of a thieves lair* (2007), *The forgiven submarine* (2009 with Ruxandra Cesereanu), *No time like now* (2018), essay – *The Devil Never Sleeps & Other Essays* (2000), *The poetry lesson* (2010), and novels – *Messiah, a novel* (1999). "With humor and grace, wisdom and tenderness, Codrescu transforms the commonplace into the miraculous." (Kay Boyle) "Codrescu lives and writes at the edge of his imagination. He is a poet of hope and political defiance, of exaltation and exuberance." (Walter Bargen)

Ilie Constantin (16 February 1939 –) – is a writer and translator. "His poems have quickly revealed a poet attentive to detail, nuances, and a studied language, without the illusion of spontaneity, giving instead the impression of an ocular or ritual submission... Born from a sentiment of solitude and absence, Constantin's poetry, beyond its slow, almost imperceptible development, leaves a sentiment of solidarity with the mystery of the inaccessible and of silence." (Mircea A. Diaconu)

Flavia Cosma (5 June 1938 –) – is a Canadian writer and translator of Romanian origin. She published – in Romanian and English – volumes of poetry, prose, travel journals, children's books. Some of Cosma's volumes have been selected as teaching materials for university courses in Canada and the USA. She received many prizes and awards for poetry, translation, and cultural promotion. Like many successful Romanian writers living abroad, Cosma has been largely ignored by Romanian literary criticism – regrettably so, in our opinion.

George Coşbuc (20 September 1866 –9 May 1918) – was a poet, literary critic, and translator. Late romantic in his approach, many of his poems deal with the landscape and characters of the Romanian village. Hailed as one of the great Romanian poets by George Călinescu, his poems continue to be part of the school curriculum, their perfect prosody and sweet sound making them very recitable. The Communist regime conveniently labeled Coşbuc "the poet of the peasants", but N. Manolescu argues that Coşbuc is rather a great actor, simulating the village landscape through the voice of his characters: "Coşbuc is most himself when he is someone else."

Aron Cotruş (2 January 1891 – 1 November 1961) – was a writer and a diplomat. His debut gave the appearance of realism, but was already displaying "signs of a certain grandiosity... of a colossal vision... One can find [in Cotruş's poetry] admirable passages of cosmic intoxication." Later though, he adopts an ideological tinge, becoming repetitive and inconstant (G. Călinescu).

Nichifor Crainic (22 December 1889 – 20 August 1972) – was theologian, writer, journalist, politician editor, and an ideologue of the extreme Right. Călinescu describes his poetry as maintaining a traditionalist line, sometimes of a remarkable terseness, with a solemn, prophetic air, sometimes finding unexpected expressions, like a litany. Historically he remains a controversial figure – being both a nationalist-Orthodox anti-Semite, as well as – after about 15 years as a political prisoner in jail – a collaborator with the communist regime Securitate (secret police).

* Apollinism – according to Nietzsche, the style emphasizing the harmony of the form

Ioana Crăciunescu (13 noiembrie 1950 –) – este actriță și poetă. „Aparține unei generații de poeți (în special femei) a căror vitalitate constă în exprimarea, cu o franchețe fără precedent, a sentimentului existenței în România contemporană... Unele din volumele ei (*Iarna clinică* – 1983 și *Mașinăria cu aburi* – 1984) vorbesc despre teamă, rușine, eșec, disperare, durere, suicid" și, de asemenea, cu mult înainte de a deveni un concept la modă, de expresii ale masculinității toxice – în special agresiunea verbală masculină (Sanda Golopentia). În 2009, a primit Premiul Național de Poezie „Nichita Stănescu" din partea Ministerului Culturii din România.

Daniela Crăsnaru (14 aprilie 1950 –) – este scriitoare și traducătoare. Asemenea multor colegi de generație, Crăsnaru a debutat cu poezie omagială regimului comunist, însă volumele publicate ulterior ne descoperă un talent de necontestat: în *Spațiul de grație* (1976) și *Arcașii orbi* (1978), poezia ei impresionează prin franchețea liricii. Poeta se opune indiferenței, evaziunii morale, deriziunea, cinismul – și promovează în locul lor pasiunea, loialitatea și curajul. Mai târziu, tonul devine mult mai întunecat, dar cuvintele își păstrează puterea – „Cuvintele acționează încă..." (Sanda Golopentia).

Petru Creția (21 ianuarie 1927 – 14 aprilie 1997) – a fost un profesor de limba greacă, traducător, poet, eminescolog, filosof și eseist – un cărturar cu solidă cultură clasică, căruia scriitori ca Horia-Roman Patapievici, Andrei Pleșu și Gabriel Liiceanu „datorează un anume spirit cărturăresc și moral umanist" (N. Manolescu). Este autorul unora dintre cele mai originale lucrări din literatura română, volumele poetice *Norii și Oglinzile* (Alex Ștefănescu).

Melania Cuc (22 iunie 1946 –) – este scriitoare, jurnalistă și artist grafic. A publicat peste 30 de volume de proză, poezie, eseuri și critică literară. Este laureată a numeroase premii, de exemplu Premiul pentru poezie „George Coșbuc" – Bistrița, Premiul Național „Panait Cerna" pentru poezie, la festivalul „Cântarea României", și Premiul pentru eseu la Concursul Național de poezie și eseu „Octavian Goga".

Adi Cusin (26 ianuarie 1941 – 21 aprilie 2008) – a apărut pe scena poetică precum un meteor. Versurile lui se dezvoltă într-un stil moldovenesc sentimental, romantic, melodios, dar contrabalansate de o atitudine juvenil nervoasă, cu accente teribiliste și cu un fir de tristă resemnare (L. Ulici). Primește de la început premiul revistei Luceafărul pentru poezie, 1966, este etichetat „noul Labiș" de către colegii de generație. Mai târziu, după Ulici, imaginația pare să-și fi pierdut busola, metafora devenind o cârjă.

Ion Cuzuioc (16 septembrie 1949 –) – este medic și scriitor din Republica Moldova. Cuzuioc este membru al Uniunii Epigramiștilor, a Umoriștilor, Cineaștilor, a Uniunii Scriitorilor din Moldova și România, al Confederației Internaționale a Cineaștilor și Federației Internaționale a Jurnaliștilor. Ion Cuzuioc este autor a 35 de volume.

Nicolae Dabija (15 iulie 1948 –) – este un scriitor, istoric literar și om politic din Republica Moldova, membru de onoare al Academiei Române (din 2003) și membru corespondent al Academiei de Științe a Moldovei. În calitate de redactor-șef al săptămânalului Literatura și Arta din Chișinău, are un rol important în lupta pentru renaștere națională din Republica Moldova. Din multele volume de proză, poezie și eseuri menționăm – *Ochiul al treilea* (1975), *Bezna vine de la Răsărit* (2005), *Maraton printre gloanțe* (2008), *Reparatorul de vise* (2016). Dabija a primit multe premii și distincții, printre care – Premiul Academiei Române „Mihai Eminescu" (1995) și Ordinul Steaua României în grad de Comandor (2000).

Traian Demetrescu (3 noiembrie 1866 – 17 aprilie 1896) – a fost un poet pre-simbolist, a cărui poezie a circulat o vreme aproape anonimă – dovadă fiind cunoscuta (și azi) melodie pe versurile lui, „Călugărul din vechiul schit". Dezvoltă un sentimentalism lugubru, sfâșietor, cu imagini sepulcrale, prevestind pe Bacovia. Are simpatie pentru „învinșii de timpuriu", femeile pierdute și triste, refractari. (G. Călinescu)

Zorin Diaconescu (11 Septembrie 1948 –) – s-a născut la Timișoara și a studiat literatura și limba engleză la Universitatea Babeș-Bolyay din Cluj și trăiește în Bistrița. A debuta cu eseuri in reviste importante precum Tribuna, Astra, Luceafărul. Diaconescu, de profesie jurnalist, este un important și prolific traducător, in ambele direcții, din și în limbile română și germană și română și engleză, având lucrări de traducere publicate în România, Austria și Germania. Din propria operă notăm volumele: *Schimbarea la față* - roman; *Undeva, cândva*, 1989 – eseu. Un volum de poezie – *Poeme Neconstituționale*, așteaptă să fie publicat.

Ioana Crăciunescu (13 November 1950 –) – is an actress and poet. She belongs to a generation of poets (mostly women) whose essential strength comes from articulating with unprecedented directness the sentiment of existence in contemporary Romania... Some of her volumes (*Clinical Winter* – 1983 and *Steam Machinery* – 1984) speak about fear, shame, failure, despair, grief, suicide, as well as, long before it became a fashionable concept, expressions of toxic masculinity – especially male verbal aggression (Sanda Golopentia). In 2009 she received the "Nichita Stănescu" National Poetry Award from the Romanian Ministry of Culture.

Daniela Crăsnaru (14 April 1950 –) – is a writer and translator. Like many colleagues of her generation, she debuted by writing poems praising the communist regime, but later volumes revealed incontrovertible talent: *Space of grace* (1976) and *Blind archers* (1978) impress by their lyrical frankness. The poet is opposed to indifference, moral evasion, derision, cynicism – and promotes instead passion, loyalty, and courage. Later her tone becomes a lot darker, but words maintain their power – "Words still act..." (Sanda Golopentia).

Petru Creția (21 January 1927 – 14 April 1997) – was a professor of ancient Greek, translator, poet, eminescologue*, philosopher and essay writer – a scholar of solid classical culture, to whom writers like Horia-Roman Patapievici, Andrei Pleșu and Gabriel Liiceanu "are indebted for a certain scholarly and moral–humanist spirit" (N. Manolescu). He is the author of some of the most original works in Romanian literature, the poetic volumes *The Clouds* and *The Mirrors* (Alex Ștefănescu).

Melania Cuc (22 June 1946 –) – is a writer, journalist and graphic artist. She published over 30 volumes of prose, poetry, essay and literary criticism. She was awarded numerous distinctions, such as the poetry prize "George Coșbuc" – Bistrița, the national prize for poetry "Panait Cerna" at the "Song of Romania Festival", and the prize for essay writing at the National Competition for poetry and essay "Octavian Goga".

Adi Cusin (26 January 1941 – 21 April 2008) – burst on the poetical scene like a meteor. His verses developed a "Moldavian" sentimentalism, romantic, melodic, but this is counterballanced by an juvenile, nervous attitude, with scandalous accents and a thread of sad resignation (Laurențiu Ulici). He receives early on the prize for poetry from the Luceafărul (The Star) magazine, and is labeled by colleagues as "the new Labiș". Later, according to Ulici, his imagination loses direction, his metaphor becoming a crutch.

Ion Cuzuioc (16 September 1949 –) – is a physician and writer from the Republic of Moldova. He is a member of the Epigrammists, Humorists, Writers Unions of Moldova and Romania. He is also a member of the International Confederation of Film Makers and of the International Federation of Journalists. Ion Cuzuioc authored 35 books.

Nicolae Dabija (15 July 1948 –) – is a writer, literary historian, and politician from the Republic of Moldova, honorary member of the Romanian Academy, and corresponding member of the Moldovan Academy for Sciences. As chief-editor of the "Literature and Art" magazine in Chișinău, he plays a pivotal role in the fight for national renaissance. From his many volumes of prose, poetry and essays we mention – *The Third Eye* (1975), *The Darkness Comes from the East* (2005), *Marathon Between Bullets* (2008), *The Repairer of Dreams* (2016). He was awarded many distinctions, among them: The "Mihai Eminescu" prize of the Romanian Academy (1995), and was made Commander of The Order The Star of Romania (2000).

Traian Demetrescu (3 November 1866 – 17 April 1896) – is a pre-symbolist poet, whose poems circulated for a while almost anonymously – proof being the well-known (even today) melody "The monk from the old hermitage". He develops lugubrious sentimentalism, torn, with sepulchral images, foreshadowing Bacovia. Displays sympathy for "those defeated early", lost and sad women, recalcitrant. (G. Călinescu)

Zorin Diaconescu (11 September 1948 –) –was born in the city of Timișoara studied English language and literature at the University Babeș-Bolyay în Cluj, and lives in the city of Bistrița. He debuted with literary essays in magazines such as Tribuna, Astra and Luceafărul. Diaconescu is a noted and prolific translator, in both directions, between Romanian and German and Romanian and English – his work having been published in Romania, as well as Austria and Germany. From own work we note the volumes: *The Transfiguration* – a novel, and *Somewhere, sometime*, 1989 – essays. A poetry collection, *Unconstitutional Poems*, is awaiting publishing.

* eminescologue – specialist in the works of Mihai Eminescu, regarded by many as Romania's most important writer

Leonid Dimov (11 ianuarie 1926 – 5 decembrie 1987) – a fost poet și traducător născut în Basarabia (acum Republica Moldova). Este unul din puținii scriitori care, deși nu disident pe față, a refuzat să laude regimul comunist – ceea ce l-a adus în atenția Securității. Poezia lui Dimov este imposibil de etichetat (N. Manolescu). S-a autointitulat „oniric"* – o mișcare artistică inițiată de el împreună cu Dumitru Țepeneag, în 1964. Alex Ștefănescu îi descrie opera poetică ca pe un caleidoscop magic, care folosește cuvinte uzuale, creând imagini feerice care se desfac și se recompun cu fiecare vers nou, în forme și nuanțe surprinzătoare. Unele dintre versurile lui Dimov au devenit foarte cunoscute datorită cantautorilor Nicu Alifantis și Adrian Ivanițchi.

Mircea Dinescu (11 noiembrie 1950 –) – este cel care a rostit, pe 22 decembrie 1989, la televiziune, faimoasele cuvinte „Am învins!" (Petre Anghel). Este unul dintre puținii intelectuali – și cel mai vehement – care s-a împotrivit pe față regimului comunist – având de suferit din această cauză. Volumul *Moartea citește ziarul* (refuzat de cenzură și publicat la Amsterdam, în 1988) era un atac caustic împotriva autorităților ceaușiste. Dinescu își folosește imensul talent literar ca pe o armă. „Poezia lui a fost de la început subversivă prin frumusețe... este o șampanie lingvistică... nu un ritual savant... ci o erupție de frumusețe." (Alex Ștefănescu) Printre poeții „delicați", rafinați, abstracți și ermetici ai generației '80, Dinescu face figură aparte (N. Manolescu).

Pușì Dinulescu (pseudonim al lui Dumitru Dinulescu, 27 august 1942 – 1 august 2019) – e cunoscut mai mult ca dramaturg și regizor de teatru și film, romancier (a primit Premiul Uniunii Scriitorilor în 1985 pentru nuvela *Îngerul contabil*). În ultimii ani, Dinulescu s-a îndreptat spre poezie. „Amestecul fin dozat de dezinvoltură și gravitate, de amuzament și tristețe, de blazare și pasiune, de indiscreție neînfrânată și delicatețe, de «nesimțire» și adâncă, totuși, simțire – atitudini opuse și până la urmă complementare – acestea îl definesc pe Dinulescu" (L. Raicu).

Ștefan Augustin Doinaș (pseudonim al lui Ștefan Popa, 26 aprilie 1922 – 25 mai 2002) – a fost scriitor, traducător, academician, și politician. Este „un spirit aristocratic... un poet-cărturar în maniera lui Ghoete... Poemul lui cel mai cunoscut, *Mistrețul cu colți de argint*, rămâne ca un meteor, o enigmă a cărei origine e imposibil de descifrat integral" (Alex Ștefănescu). După N. Manolescu, poezia lui Doinaș „îmbracă trei veșminte succesive:... al baladelor (până la 1960)... poezia abstractă (1960–1980) și poezia polemic-moralistă". Alex Șefănescu adaugă o a patra fază, a Psalmilor, după 1989. La o zi după moartea lui Doinaș, soția lui, Irinel Liciu, fostă primă balerină la Opera din București, se sinucide.

Eugen Dorcescu (18 martie 1942 –) – are o construcție poetică care „porneşte de la discriminări – cum ar fi, lupta dintre carne şi duh – şi ajunge la anihilarea acestora în unicitatea ființei, ...denunțând iluzia oricărei dualități şi a oricărei contradicții..." (Mirela-Ioana Brochin). În poezia lui Dorcescu se remarcă distribuția unor forme simbolice puse în circulație, atât de marile religii (creştină, budistă, hinduistă), cât şi de o cultură spirituală universală, îndatorată miturilor, legendelor, dar şi creațiilor literare culte din patrimoniul umanității (Mirela-Ioana Borchin).

Dosoftei (la naștere Dimitrie Barilă, dar cunoscut sub numele monahal Dosoftei; 26 octombrie 1624 – 13 decembrie 1693) – a fost cărturar, mitropolit al Moldovei, poet și traducător. O figură erudită – cunoștea greaca, latina, rusa (I. Neculce), Dosoftei este primul poet român publicat (G. Călinescu, N. Manolescu). Capodopera lui, *Psaltirea*, o formă versificată a Psalmilor biblici, este considerată operă originală datorită folosirii estetice complexe a vocabularului poetic românesc din acele vremuri. Nimeni până la Ion Budai-Deleanu și Eminescu nu va mai depune atâta efort pentru aceasta (N. Manolescu). Poeți importanți ca Eminescu, Arghezi, Vasile Voiculescu, Ion Pillat și Nichita Stănescu au fost influențați de el.

---

* Onirismul a fost o mişcare suprarealistă românească din decada 1960, în urma revoltelor populare din Europa de Est (Ungaria, Cehoslovacia). A fost începută în 1964, la Bucureşti, de Dumitru Țepeneag şi Leonid Dimov, cărora li s-au alăturat, cu timpul, Eugen Barbu, Virgil Mazilescu, Vintilă Invănceanu, Iulian Neacşu, Emil Brumaru, Florin Gabrea, Sorin Titel, Daniel Turcea şi alții. Mişcarea şi publicațiile ei au fost interzise de regimul comunist, iar Țepeneag, Gabrea şi Ivănceanu şi-au găsit refugiu la Paris. Influența lui Dimov (cel mai recunoscut onirist în poezie) se extinde încă în postmodernismul românesc prin unele din lucrările lui Mircea Cărtărescu şi ale altora (en.wikipedia.org/wiki/Onirism).

Leonid Dimov (11 January 1926 – 5 December 1987) – was a poet and translator born in Bessarabia (now the Republic of Moldova). He is one of the few writers who, while not an outright dissident, refused to praise the Communist regime – which brought him to the attention of the dreaded Securitate. Dimov's poetry is impossible to pigeonhole (N. Manolescu). He labeled himself "oniric"* – an artistic current initiated by him together with Dumitru Țepeneag in 1964. Alex Ștefănescu describes his poetry as a magical kaleidoscope, that uses simple words to produce enchanting images which break and recompose with each new verse, into surprising shapes and shades. Some of his verses have become well known to the public through singer-songwriters such as Nicu Alifantis and Adrian Ivanițchi.

Mircea Dinescu (11 November 1950 –) – uttered on television, on 22 December 1989, the famous words "We won!" (Petre Anghel). He was one of the few intellectuals – and the most vehement – who opposed the communist regime, suffering because of this. The volume *Death Reads the Newspaper* (banned by censorship but published in Amsterdam in 1988) was a scathing attack against the Ceaușescu regime. Dinescu used his immense literary talent as a weapon. "His poetry was subversive through beauty... a linguistic champagne... not a scholarly ritual, rather an eruption of beauty." (Alex Ștefănescu). Among the "delicate", refined, abstract and hermetical poets of the 80's generation, Dinescu strikes a separate pose (N. Manolescu).

Puși Dinulescu (pseudonym of Dumitru Dinulescu, 27 August 1942 – 1 August 2019) – is better known as playwright, theatre and film director, and novelist (he was awarded the Writers' Union prize for the novel *The Angel Accountant* in 1985). Dinulescu focused on poetry in the later years. "The finely dosed mixture of nonchalance and gravity, amusement and sadness, tedium and passion, unbridled indiscretion and delicacy, of insensitivity and still, deep sensitivity – these opposing attitudes, at the end complementary – these define Dinulescu." (L. Raicu)

Ștefan Austin Doinaș (nome-de-plume of Ștefan Popa, 26 April 1922 – 25 May 2002) – was a writer, translator, political detainee, academician, and politician. He is "an aristocratic spirit... a scholar-poet in the manner of Goethe... His best–known poem, *The Silver-fanged Boar*, remains a meteor, an enigma impossible to decipher entirely" (Alex Ștefănescu). Doinaș's poetry "wears three successive gowns: that of the ballades (until 1960)... one in an 'abstract' style (1960–1980) and a polemic–moralizing" (N. Manolescu). Alex Ștefănescu adds a fourth phase, that of the Psalms, after 1989. A day after his death, his wife, former prima-ballerina of the Bucharest Opera, Irinel Liciu, commits suicide.

Eugen Dorcescu (18 March 1942 –) – has a "poetic construction which starts from discriminations – such as the conflict between the flesh and the spirit – and arrives at their annihilation in the uniqueness of the Being,... denouncing the illusion of any kind of duality and contradiction..." (Mirela-Ioana Borchin). In the poetry of Dorcescu, it is noticeable the use of forms initiated by the great religions (Christian, Buddhist, Hindu), as well as a universal culture owing to myths, legends, and also to cultivated literary creations from humanity's heritage. (Mirela-Ioana Borchin)

Dosoftei (born Dimitrie Barilă best known by his monastical name Dosoftei, 26 October 1624 –13 December 1693) – was a Moldavian Metropolitan, scholar, poet and translator. An erudite figure, Dosoftei was fluent in ancient Greek, Latin and Russian (I. Neculce), Dosoftei is the first published Romanian poet (G. Călinescu, N. Manolescu). His masterpiece, *The Psalter*, is a versified rendering of the biblical Psalms, which, due to its complex and beautiful use of the Romanian poetic vocabulary of the time, is regarded as an original work. No one, until Ion Budai-Deleanu and Eminescu, would put so much effort into the aesthetics of poetry. He influenced generations of poets such as Eminescu, Arghezi, Vasile Voiculescu, Ion Pillat and Nichita Stănescu.

* Onirism was a surrealist Romanian literary movement established in the 1960s, in the wake of popular uprisings in Eastern Europe (Hungary, Czechoslovakia). It was started in Bucharest in 1964 by Dumitru Țepeneag and Leonid Dimov, who were joined over time by Eugen Barbu Virgil Mazilescu, Vintilă Ivănceanu, Iulian Neacșu, Emil Brumaru, Florin Gabrea, Sorin Titel, Daniel Turcea and others. The movement and its publications were banned by the Communist regime and Țepeneag, Gabrea and Ivănceanu sought refuge in Paris. The influence of Dimov especially (the most iconic onirist in poetry) still extends into Romanian postmodernism through some of the works of Mircea Cărtărescu, among others. (en.wikipedia.org/wiki/Onirism)

Daniel Drăgan (20 decembrie 1935 – 25 martie 2016) – a fost un dramaturg, memorialist, nuvelist, poet și publicist. I s-a acordat de trei ori premiul pentru proză (1984, 2002, 2004) și Premiul Opera Omnia al Uniunii Scriitorilor, filiala Brașov (2006). Printre volumele de poezie reprezentative amintim *Hohote mari auzind* – 1996, *Perimetru magic* – 2010, *Statuie cu lacrimă* – 2013. În opinia noastră, unul din cei mai importanți poeți români de la granița dintre secolele XX și XXI, deși ignorat încă de critica literară.

Mihu Dragomir (pseudonimul lui Mihail C. Dragomirescu, 24 aprilie 1919 – 9 aprilie 1964) – a fost scriitor, publicist și traducător. Primele poeme îi sunt publicate în 1936, dar din 1946 până la moarte va scrie poezie în maniera „realismului socialist" în cea mai mare măsură. Însă poemele care nu laudă regimul, cum este cel mai faimos din ele – *Adolescență* – posedă un lirism vibrant, melancolic, dureros.

Geo Dumitrescu (17 mai 1920 – 28 septembrie 2004) – a fost un poet, publicist și traducător. Inițial, poemele publicate sunt de factură avangardistă, cu teribilismul de rigoare, dar poate nu la nivelul unui Tristan Tzara sau Ion Vinea (N. Manolescu). Este un abil seducător al cititorului, fie prin evocarea emoțională, fie prin curiozitatea intelectuală. Deși nu a scris (prea multă) poezie de factură „realist-socialistă", a pus presiune asupra altora ca să o facă, prin articole din revistele pe care le-a condus.

Mihai Eminescu (15 ianuarie 1850 – 15 iunie 1889) – a fost un poet de factură romantică, romancier și jurnalist, cel mai cunoscut scriitor român, și, în general, considerat cel mai important. Influența lui asupra literaturii și limbii române este de netăgăduit. Încă de la început, Eminescu a fost aclamat drept „poetul național" (George Călinescu) și a pătruns adânc în conștiința națională. După N. Manolescu, opera lui se află în situația periculoasă de a fi hagiografiată, aproape nemaiputând fi supusă criticii. În *Eminescu – Poem cu poem* (2017), Alex Ștefănescu prezintă o analiză mai echilibrată. Confirmând geniul eminescian („Eminescu nu este demodat; noi suntem cei ce trebuie să-l ajungem din urmă"), Ștefănescu nu se ferește totuși să puncteze, în mod obiectiv, și părțile slabe ale operei poetului. De departe cel mai cunoscut scriitor român în afara granițelor României, lucrările lui Eminescu au fost traduse în peste șaizeci de limbi.

Eugen Evu (10 septembrie, 1944 – 20 octombrie 2017) – a fost scriitor și publicist. Ca mulți poeți care au debutat în deceniile 1950-1970, a început prin a scrie poezie slăvind regimul comunist. Dar dincolo de ea, a scris și poezie de valoare, fiind consemnat, printre alții, de Laurențiu Ulici și de Ioan Popescu-Brădiceni. I s-a conferit titlul de Cetățean de Onoare al orașului și județului Hunedoara, locul nașterii lui.

Iulian Filip (27 ianuarie 1948 –) – este un scriitor român din Republica Moldova. „Găsim în poezia lui Iulian Filip o continuitate tematică (rădăcinile, casa, omul și natura, viața, moartea), pigmentată de o manifestare mai accentuată a ludicului... El dă dovadă de o imaginație frumoasă, jucându-se serios cu vorbele, inventând noțiuni și categorii... Scrie jucându-se, aproximează, definește, ironizează și o întoarce în serios, pune întrebări grave..." (Mihai Cimpoi)

Dinu Flămând (24 iunie 1947 –) – este scriitor, jurnalist, traducător și diplomat francez, originar din România, distins, în 2011, cu Premiul Național de Poezie „Mihai Eminescu". După L. Ulici, Flămând debutează în stil expresionist cu reminiscențe din Blaga, dar la care găsește o formulare de o minimă redundanță. „Întâlnim în textele lui supremația limpede a atitudinii poetice... Flămând încorporează deopotrivă sensibilitate și meditație, obținând tensiunea necesară." (L. Ulici)

Ioan Flora (20 decembrie 1950 – 3 februarie 2005) – a fost un scriitor și traducător român născut în Serbia. „Dintr-o învălmășeală de stiluri poetice [Flora] a selectat până la urmă unul norocos, care nu seamănă cu al nimănui altcuiva... întreține o stare conflictuală cu poezia, o pălmuiește ca s-o facă să deschidă ochii la ce se întâmplă în jur... Ca un Jack London al poeziei, Ioan Flora exultă în acțiunea bărbătească și senzualitatea frustă." (Alex Ștefănescu)

Carmen Focșa (6 august 1950 –) – a debutat în revista Amfiteatru. A mai colaborat cu revistele România literară, Luceafărul, Argeș, Ateneu. A publicat poezie – *Păgânească tămâie* (2005), *Confortabila singurătate* (2007), *Cimitirul Zeilor* (2010), *Scrisori de Neiubire* (2015), ca și proză, de exemplu romanul *Sconcșii de duminică* (2014). Focșa a fost premiată, printre altele, cu Premiul Revistei Ateneu (1985) și Premiul Revistei Bucovina literară (2001).

Daniel Drăgan (20 December 1935 – 25 March 2016) – was a playwright, novelist, poet, and publisher. He was awarded the prize for prose three times (1984, 2002, 2004) and the Opera Omnia prize of the Writers' Union, Brașov branch – 2006. Among his most notable collections of poetry are *Great roars hearing* – 1996, *Magical perimeter* – 2010, *Statue with tear* – 2013. Drăgan is, in our opinion, one of the most important poets straddling the XX and XXI centuries, yet ignored by literary critics and historians.

Mihu Dragomir (pen name of Mihail C. Dragomirescu 24 April 1919 – 9 April 1964) – was a writer, publisher, and translator. His first poems were published in 1936, but from 1946 until his death Dragomir mostly employs the "socialist-realism" style. However, in the poems not praising the regime, such as the famous – *Adolescence* – he displays a vibrating, melancholy and aching lyricism.

Geo Dumitrescu (17 May 1920 – 28 September 2004) – was a poet, publisher, and translator. His initial poems are of the avant-garde variety, characterized by rebellious undertones, although perhaps not quite reaching the level of Tristan Tzara or Ion Vinea (N. Manolescu). He is an able seducer of the reader, either through the evocation of emotions or through his intellectual curiosity (Alex Ștefănescu). While he did not write (much) "socialist–realism" poetry, he most definitely coerced others into doing so, for the articles in the magazines that he published.

Mihai Eminescu (15 January 1850 – 15 June 1889) – was a poet, novelist, and journalist, Eminescu is the best-known Romanian writer and generally regarded as the most important. His influence on Romanian literature and language is undeniable. Acclaimed from early on as "Romania's national poet" (George Călinescu), Eminescu is deeply engraved in the national psyche. N. Manolescu believes this places his work in the dangerous position of a hagiography, thus being almost excluded from critical scrutiny. *Eminescu – Poem by Poem* by Alex Ștefănescu (2017) represents a more balanced appraisal. While confirming Eminescu's genius ("Eminescu is not outdated; we are the ones who need to catch up to him"), Ștefănescu does not shy away from dealing with the weaker parts. Eminescu is by far the best-known Romanian writer outside Romania – his works have been translated in over sixty languages.

Eugen Evu (10 September 1944 – 20 October 2017) – was a writer and editor. Like many poets launching their work in the decades 1950-1970, he started by writing poems praising the communist regime. However, beyond this, he also wrote valuable poetry, as recognized by, among others, Laurențiu Ulici and Ion Popescu-Brădiceni. He was made Honorary Citizen of the city and district of Hunedoara, his birthplace.

Iulian Filip (27 January 1948 –) – is a Romanian writer from the Republic of Moldova "We find in Iulian Filip's poetry a thematic continuity (the roots, the house, people and nature, life, death), pigmented by a pronounced manifestation of the ludic... He manifests a beautiful imagination, playing seriously with words, inventing notions and categories... He write-plays, approximates, defines, ironizes and then takes it seriously, asks grave questions..." (Mihai Cimpoi).

Dinu Flămând (24 June 1947 –) – is a French writer, journalist, translator, and diplomat of Romanian origin, awarded in 2011 the "Mihai Eminescu" National Poetry Prize. According to Laurențiu Ulici, Flămând launches in an expressionist style reminiscing of Lucian Blaga, but finds a formula of minimal redundancy. "We encounter in his texts the limpid supremacy of his poetic attitude... Flămând incorporates equally sensibility and meditation, obtaining the necessary tension." (Laurențiu Ulici)

Ioan Flora (20 December 1950 – 3 February 2005) – was a Romanian writer and translator born in Serbia. "From a confusion of poetic styles [Flora] selected a lucky one, which does not resemble anyone else's... he entertains a state of conflict with poetry, smacks it even, to force it to open its eyes to what is going on around it... Like a Jack London of poetry, Ioan Flora exudes manly action and raw sensuality." (Alex Ștefănescu)

Carmen Focșa (6 August 1950 –) – had her debut in the magazine "Ampitheatre" and collaborated with "Literary Romania", "The Morning Star", "Argeș", "Ateneu". She published poetry – *The pagan incense* (2005), *Comfortable loneliness* (2007), *The cemetery of the gods* (2010), *Letters of unlove* (2015), as well as prose, for example the novel *The skunks of Sunday* (2014). Focșa was awarded the Prize of "Ateneu" Magazine (1985) and of the "Literary Bucovina" Magazine, among others.

Şerban Foarţă (8 iulie 1942 –) – s-a ilustrat, încă din primele sale volume de versuri, ca un virtuoz al acrobaţiilor lingvistice – experimentând morfologic, fonetic şi silabic – lansat în căutarea cuvântului „imposibil", constituind... o „limba de rouă", cu ajutorul căreia sunt proiectate „miraje", luxuriante „focuri de artificii". (O. Soviany). „Spectacolul lingvistic ne uimeşte... nu este primul poet român care se joacă savant cu cuvintele... însă el a dus jocul până la ultimele consecinţe." (Alex Ştefănescu).

B. Fondane (B. Fundoianu sau, născut Benjamin Wechsler, folosind şi prenumele Barbu; 14 noiembrie 1898 – 2 octombrie 1944) – a fost poet, critic şi filosof român şi francez. Poezia lui de început a fost, în mod greşit, etichetată ca tradiţionalistă, dar se transfigurase deja prin simbolism – şi, în final, Fundoianu va ajunge să fie considerat, alături de Lucian Blaga, ca fiind singurii poeţi expresionişti români. G. Călinescu consideră poezia sa ca fiind „pură, locuind în interiorul propriului univers". Fundoianu s-a mutat la Paris în 1923, ducând o viaţă precară, continuând să scrie şi să publice. Fiind evreu, a fost arestat în 1944 de trupele germane de ocupaţie şi ucis în camerele de gazare din Birkenau.

Ovidiu Genaru (pseudonim literar al lui Ovidiu Bibere, 10 noiembrie 1934 –) – debutează literar în 1966, în manieră descriptivă – „...avem senzaţia că ne aflăm în spatele unui pictor, care transferă pe pânză peisajul din faţa noastră." (Alex Ştefănescu), Genaru evoluează pe parcursul carierei sale. Volumul *Flori de Câmp* (1984) este „...o carte... surprinzătoare prin îndrăzneala ei artistică, dar şi prin delicateţe, prin cruzimea observaţiei... dar şi prin duioşie... nu seamănă cu nimic din ce s-a scris la noi despre *eternul feminin*". (Alex Ştefănescu).

Tudor George (3 februarie 1926 – 10 ianuarie 1992) – poreclit Ahoe, a fost o personalitate boemă, poet, traducător şi antrenor de rugby. Premiul de literatură sportivă „Tudor George" este numit în cinstea lui. A făcut parte – împreună cu Leonid Dimov, Mircea Ivănescu, Dimitrie Stelaru, George Astaloş, C. Tonegaru, Radu Stanca, Teodor Pîcă – dintr-un grup ce nu s-a aliniat curentului „realist-socialist" din decada 1950. Se întâlneau într-o cârciumă, la subsolul unui bloc din Bucureşti, supranumită „Singapore". George a chiar publicat, în 1970, volumul *Balade Singaporene*, în amintirea acelor timpuri (P. Anghel).

Ion Gheorghe (18 august 1935 –) – este poet, reprezentant al generaţiei resurecţionale şi a paradoxismului. Programul lui poetic este, după Ion Pop „unul dintre cele mai cuprinzătoare ale generaţiei... axat pe explorarea filonului de sensibilitate tradiţională". Tradiţionalismul lui se remarcă „prin capacitatea de a prinde la radioul poeziei zvonurile unui trecut îndepărtat" (Alex Ştefănescu). Gheorghe a rămas un convins susţinător şi cântător al stângii şi al „clasei muncitoare".

Octavian Goga (1 aprilie 1881 – 7 mai 1938) – a fost politician şi scriitor. Un activist acerb al unirii Ardealului cu România, Goga a fost condamnat la moarte, *in absentia*, de autorităţile austro-ungare. A continuat în politică după unirea din 1918, devenind chiar prim-ministru pentru scurtă vreme, cunoscut pentru vederi naţionaliste şi antisemite. Poezia lui Goga posedă un ton profetic, mesianic, inspirat de suferinţa românilor din Transilvania, pe care le-a idealizat şi generalizat (N. Manolescu). G. Călinescu îl consideră pe Goga, după Eminescu şi Macedonski, ca fiind al treilea cel mai important reprezentant al epocii moderne în poezia română.

Gheorghe Grigurcu (16 aprilie 1936 –) – este cunoscut, mai degrabă, pentru calităţile sale excepţionale de critic literar decât pentru poezie (N. Manolescu, Alex Ştefănescu). Ca poet, „Grigurcu este un extraordinar pictor al realului şi, ca George Bacovia, ştie să contrapună imagini groteşti, hilare gesturi. Acestea sunt expuse, parcă nu de dragul lor – ci pentru energia obscură pe care se întemeiază –, imaterialului şi evanescenţei unei locaţii precise." (Mircea A. Diaconu)

Radu Gyr (pseudonim al lui Radu Demetrescu; 2 martie 1905 – 29 aprilie 1975) – a fost un scriitor, jurnalist, conferenţiar universitar şi membru important al Mişcării Legionare. Ultima ipostază a dus la întemniţarea lui de către regimul comunist, care l-a şi condamnat la moarte (condamnare comutată, apoi la muncă silnică) după apariţia poemului *Ridică-te, Gheorghe, ridică-te, Ioane!* (1958), fiind eliberat la amnistia generală din 1964. Adrian Popescu descrie lirica lui Gyr ca brutal de sinceră şi autentică, comparându-l favorabil cu puterea de expresie a lui Arghezi. Versurile scrise în temniţă au accente spirituale profunde: „Gyr l-a coborât pe Iisus de pe cruce şi l-a adus cu noi, în celulă". (Atanasie Berzescu)

Şerban Foarţă (8 July 1942 –) – from his first volumes, Foarţă presents himself as a virtuoso of acrobatic linguistics – experimenting morphologically, phonetically, syllabically – launched in the search of the "impossible", constituting... a "new language" with which one can project a "mirage" or luxurious fireworks. (O. Soviany). "The linguistic spectacle he offers amazes us... he is not the first Romanian poet to play savant with words... but he took this game to its ultimate consequences." (Alex Ştefănescu)

B. Fondane (B. Fundoianu or, born Benjamin Wechsler, first name also Barbu – 14 November 1898 – 2 October 1944) – was a Romanian and French poet, critic and philosopher. His early poetry, though mistaken for traditionalism, was imbued with surrealism, and sometimes with Jewish–Hassidic touches and even expressionism. Alongside Blaga, he is the only other Romanian poet to employ the latter (N. Manolescu). G. Călinescu described his poetry as "pure", living inside its own defined universe. In 1923 Fundoianu moved to France living a precarious existence, as he continued to write and publish. Of Jewish origin, he was arrested in 1944 by the occupying German forces and killed in the gas chambers of Birkenau.

Ovidiu Genaru (literary pseudonym of Ovidiu Bibere, 10 November 1934 –) – is first published in 1966, starting in a descriptive manner – "... it feels like we sit behind a painter who transfers on the canvas the landscape before our eyes" (Alex Ştefănescu). However, Genaru evolves throughout his career. His volume *Wild Flowers* (1984) is "...surprising through its artistic audacity, but also through the tenderness and the cruelness of its observations, but also through affection... it does not resemble anything written in Romania about '*the eternal feminine*'." (A. Ştefănescu)

Tudor George (3 February 1926 – 10 January 1992) – nicknamed Ahoe, George was a pre-eminently bohemian poet, translator, and rugby coach. The sports literature prize "Tudor George" is named in his honor. Together with Leonid Dimov, Mircea, Ivănescu, Dimitrie Stelaru, George Astaloş, C. Tonegaru, Radu Stanca, Teodor Pîcă, he was part of a group which did not submit to the "realist-socialist" current of the 1950 decade. They met in a pub, located in a basement in Bucharest, nicknamed "Singapore". In 1970 George even published a volume called *Singapore Ballads*, in remembrance of those times. (P. Anghel)

Ion Gheorghe (18 August 1935 –) – is a poet, representative of the resurrectional and paradoxical generation. His poetic program is, according to Ion Pop, "one of the most comprehensive of his generation... focused on the exploitation of traditional sensibility". His traditionalism is remarkable "through the capacity of catching on the 'poetry radio' the rumors of a far-away past" (Alex Ştefănescu). Gheorghe remained a convinced supporter and singer of the left and "the working class".

Octavian Goga (1 April 1881 – 7 May 1938) – was a politician and writer. An ardent activist for the unification of Transylvania with Romania, Goga was sentenced to death *in absentia* by the Austrian–Hungarian authorities. He continued his involvement in politics after the unification of 1918, becoming Prime Minister for a short period, and was known as a nationalist and an anti–Semite. His poetry has a prophetic, messianic tone, inspired by the suffering of Romanians in Transylvania, which he idealized and generalized (N. Manolescu). G. Călinescu, considers Goga as the third most important Romanian poet of the modern era, after Eminescu and Macedonski.

Gheorghe Grigurcu (16 April 1936 –) – is known for his quality literary criticism, rather than for his poetry (N. Manolescu, Alex Ştefănescu). As a poet "Grigurcu is an extraordinary painter of the real and, like George Bacovia, he knows how to counterpoint grotesque images, hilarious gestures... These are exposed, not for their own sake – rather for the obscure energy on which they are based – to the immaterial and evanescence of a precise location." (Mircea A.Diaconu)

Radu Gyr (nom-de-plume of Radu Demetrescu, 2 March 1905 – 29 April 1975) – was a writer, journalist, and lecturer. For his adherence to the Legionnaire Movement (an extreme-right group), he was imprisoned by the Communist regime and after the publication of the poem *Rise up now Gheorghe, rise up now Ion!* (1958), he was condemned to death (commuted to hard labor). Gyr was freed as a result of the general amnesty of 1964. Adrian Popescu describes Gyr's lyric as brutally sincere and forceful – comparing it favorably to Arghezi's. The poems written in prison have deep spiritual accents: "Gyr brought Jesus down from the cross and into our cell." (Atanasie Berzescu)

Iulia Haşdeu (14 noiembrie 1869 – 29 septembrie 1888) – a fost o tânără intelectuală supradotată, scriitoare și poetă, inclusiv de limba franceză, fiica savantului Bogdan Petriceicu Hasdeu. Jurnalul și bogata corespondență cu tatăl ei denotă un fin intelectual, o conștiință a epocii sale, precum și o scriitoare cu talent. A scris preponderent poezie, dar și teatru, și povestiri. După moartea ei, la 18 ani, de tuberculoză, B. P. Hasdeu a devenit gardianul activ al operei ei, ocupându-se de postumitatea literară a unicei sale fiice.

Ion Heliade Rădulescu (6 ianuarie 1801 – 27 aprilie 1872) – a fost academician, poet, eseist, memorialist, scriitor de proză scurtă, redactor, revoluționar și politician. A militat pentru folosirea limbii române în educație (se folosea limba greacă la acea vreme) și a avut o influență majoră asupra literaturii și limbii române la intrarea ei în epoca modernă (George Călinescu). Heliade a fost unul dintre primii poeți romantici români, capabil de un romantism în stare pură – ce include radicalism ideologic, coerență vizionară, simț cosmic, misticism biblic și intensitate pasională (N. Manolescu).

Ion Horea (10 mai 1929 – 5 aprilie 2019) – scriitor, secretar al Uniunii Scriitorilor, redactor. Ion Pop consideră lirismul lui Horea bazat, în primul rând, pe „acea supunere la Lege, la un ritm natural al existenței"; pentru Petru Poantă, poezia lui Ion Horea „readuce încrederea în stilul liric, într-o vreme în care lirica este invadată de prozaism". Horea scrie în manieră clasică, cu o bună „ureche muzicală", redescoperind mai târziu psalmii și rugăciunile, fără ostentație (N. Manolescu).

Dumitru Ichim (14 august 1944 –) – scriitor român, stabilit în Canada, preot ortodox în Kitchener, Ontario. „[Deși]... volumul de debut *De unde începe omul* (1970) anunța un poet bântuit de nelinişti existențiale... el dobândeşte identitatea în transcendent prin vocația divinului... Exilul n-a alterat cu nimic această viziune de aspirații teandrice. Dimpotrivă, tot ce a scris Dumitru Ichim după 1975, anul plecării lui din România, stă sub semnul nostalgiei sacrului." (Aurel Sasu)

Ioana Ieronim (9 ianuarie 1947 –) – poetă și traducătoare care „sub aparența unor fragmente descriptiv-narative amestecă observația amănunțită... cu comentariul reflexiv sau cu notația impresionistă. Poeziile ei ascund un climat liric de o rară prospețime... efect al revitalizării vieții afective prin supraveghere intelectuală". (Laurențiu Ulici). Debutând (1979) „în plină campanie de ideologizare a literaturii de către autoritățile comuniste, Ieronim cultivă o poezie lipsită flagrant de ideologie, iar aceasta reprezintă forma ei de protest". (Alex Ștefănescu)

Vasile Igna (4 martie 1944 –) – construiește „o poezie reflexivă, meditativă, tulburătoare în esența ei ideatică, ce decantează, cu o caligrafie de ceremonioasă intimitate, întreaga noblețe atitudinală a autorului... Igna e un contemplativ a cărui privire scrutează, nu neapărat depărtările geografice, cât cele ale traseelor interioare, intime". (C. Cubleșan). „Natura, ca provocare și perpetuă sursă revigorantă a culturii, într-o ideală rivalitate, este substanța rostirii poetice a lui Vasile Igna." (Laurențiu Ulici)

Ștefan Octavian Iosif (11 octombrie 1875 – 22 iunie 1913) – a fost un poet și traducător de origine aromână. Un neo-romantic de tonalitate melancolică (G. Călinescu), originalitatea poeziei lui Iosif constă într-un lirism al naturii nu fără note sociale – melancolia lui „te lasă cu plăcere convins că viața trebuie trăită" (N. Manolescu). A tradus Goethe. Iosif a făcut parte din triunghiul amoros care a implicat-o pe Natalia Negru, soția prietenului său, poetul Dimitrie Anghel.

Magda Isanos (17 aprilie 1916 – 17 noiembrie 1944) – poetă, prozatoare și publicistă, avocată, soția scriitorului și traducătorului Eusebiu Camilar. „Simplitatea poemei și accentul ei de sinceritate ne cuceresc dintr-o dată, lirismul există... în substructură, ca fiind ceva natural... Un intimism din care irizează nu știu ce nostalgic, versul sugerând mai mult decât spune în esență." (Pompiliu Constantinescu)

Elisabeta Isanos (8 iulie 1941 – 11 ianuarie 2018) – „Remarcabilă poetă și prozatoare, are, paradoxal, neșansa de a fi fost unica fiică a unor cunoscuți scriitori [Magda Isanos și Eusebiu Camilar]... de aceea ea s-a impus târziu în peisajul literar contemporan... deși numele său a fost alăturat de al câtorva dintre cele mai prestigioase poete (Ana Blandiana, Constanța Buzea, Ileana Mălăncioiu). În plus, o modestie și discreție rar întâlnite în breasla scriitoricească au făcut să se vorbească puțin despre unele dintre cărțile sale." (Dorina Grăsoiu)

Iulia Hașdeu (14 November 1859 – 29 September 1888) – was a precocious intellectual, writer, and poet, expressing herself in both Romanian and French. She was the daughter of scholar Bogdan Petriceicu Hasdeu. Her diary and extensive correspondence with her father, reveals a refined intellectual, a conscience of her times, and a very talented writer. She mainly wrote poetry, but also theatre, and short stories. After her death at 18 from tuberculosis, B. P. Hasdeu became the active guardian of his daughter's writing, working towards the posthumous publication of her literary output.

Ion Heliade Rădulescu (6 January 1802 – 27 April 1872) – was an academic, poet, essayist, memorialist, short story writer, newspaper editor, revolutionary and politician. He advocated for the use of the Romanian language instead of Greek in education and had a large influence on Romanian literature and language as it entered the modern era (George Călinescu). Heliade was one of the first romantic poets in Romania, capable of a pure romanticism – including a radical ideology, a visionary coherence, a sense of the cosmic, biblical mysticism and passionate intensity (N. Manolescu).

Ion Horea (10 May 1929 – 5 April 2019) – was a writer, secretary of the Writers' Union and editor-in-chief of literary magazines. According to Ion Pop, the lyricism of Horea is based primarily on "that submission to Law, to a natural rhythm of existence"; for Petru Poantă, his poetry "brings back trust in the lyrical style, at a time when lyricism is invaded by the prosaic." Horea writes in classical fashion, having a good "musical ear", later rediscovering the psalms and prayer, in a manner devoid of ostentation (N. Manolescu).

Dumitru Ichim (14 August 1944 –) – Romanian writer and orthodox priest settled in Kitchener, Ontario, Canada. "[Although]...his debut volume, *From where man begins* (1970) announces a poet possessed by existential apprehension... he gains his identity in the transcendent through the vocation of the divine... The exile has not altered this vision of theandric aspirations. On the contrary, all that Ichim wrote after 1975 when he left Romania, remains under the nostalgia of the sacred." (Aurel Sasu)

Ioana Ieronim (9 January 1947 –) – poet and translator, who "under the appearance of some descriptive-narrative fragments mixes detailed observation... with reflexive commentary or with impressionist notations. Her poems hide a lyrical climate of rare freshness... the effect of the revitalization of affective life through intellectual supervision." (Laurențiu Ulici). Debuting (1979) "during a strong ideologizing campaign of literature by the communist authorities, Ieronim cultivates a poetry flagrantly lacking ideology, and this represents her form of protest." (Alex Ștefănescu).

Vasile Igna (4 March 1944) – constructs "a reflexive poetry, meditative, disturbing in its ideation essence, decanting, with a calligraphy of ceremonious intimacy, the attitudinal nobility of the author... Igna is a contemplator, whose gaze searches not necessarily geographical distances, rather those of the interior and intimate journeys." (C. Cubleșan). "Nature as a challenge and perpetual, reinvigorating source of culture in an ideal rivalry, is the substance of poetic discourse for Vasile Igna." (Laurențiu Ulici)

Ştefan Octavian Iosif (October 1875 – 22 June 1913) – was a poet and translator of Aromanian origin. A neo-romantic, of a melancholy timber (G. Călinescu), the originality of Iosif's poetry consists in creating a lyricism of nature is combined with social commentary. His melancholy "is, in fact convincing the reader that life must be lived" (N. Manolescu). He has translated from Goethe. Iosif was part of the love triangle involving Natalia Negru, the wife of his friend, poet Dimitrie Anghel.

Magda Isanos (17 April 1916 – 17 November 1944) – was a poet, prose writer, editor, lawyer, and the wife of writer and translator Eusebiu Camilar. "The simplicity of her poems and her accent on sincerity win us from the start...the lyrical exists... in the substructure... something natural... An intimate realm that exudes a nostalgic je-ne-sais-quoi, the verse suggesting essentially more than it says." (Pompiliu Constantinescu)

Elisabeta Isanos (8 July 1941 – 11 January 2018) – "A remarkable poet and prose writer, she had, paradoxically, the misfortune of being the daughter of famous writers [Magda Isanos and Eusebiu Camilar]... therefore imposing herself very late on the contemporary literary landscape...although her name has oft been associated with other prestigious female poets (Ana Blandiana, Constanța Buzea, Ileana Mălăncioiu). Besides, her uncommon modesty and discretion, seldom found among writers, meant that some of her books were rarely mentioned." (Dorina Grăsoiu)

Nora Iuga (pseudonimul Eleonorei Almosnino; 4 ianuarie 1931 –) – este poetă, romancieră şi traducătoare din limbile germană şi suedeză. Este o scriitoare prolifică de proză şi poezie, laureată a multor premii, printre care Premiul Uniunii Scriitorilor, în 1980, pentru volumul de versuri *Opinii despre durere*, Premiul „Friedrich Gundolf", oferit de Academia pentru Limba şi Poezia Germană (2007).

Vintilă Ivănceanu (26 decembrie 1940 – 7 septembrie 2008) – a fost scriitor, regizor de teatru şi redactor, activând, din 1970, în Austria. Membru al grupului oniric, împreună cu Leonid Dimov, Dumitru Ţepeneag, Virgil Mazilescu – din anii 1960, „era unul din copiii teribili ai mişcării... tineri nonconformişti ca şi el, rebeli... neocolind prilejurile de a se da în spectacol..." (G. Dimisianu). „Niciun alt poet al promoţiei sale n-a dus atât de departe ca Ivănceanu tentaţia deriziunii sarcastice." (Octavian Soviany)

Cezar Ivănescu (6 august 1941 – 24 aprilie 2008) – a fost poet, dramaturg şi director de editură. Deşi la început scrie în mod experimentalist, Cezar Ivănescu descoperă, „...formula unei lirici «atemporale», întoarsă cu faţă spre poezia mistică şi cărţile de înţelepciune ale trecutului..." (Octavian Soviany). Dar deşi „pare preparată în laboratoarele de alchimie poetică din Evul Mediu, ea nu este demodată. Ne atrage deopotrivă prin vechime, cât şi prin noutatea ei radicală." (Alex Ştefănescu)

Mircea Ivănescu (26 martie 1931 – 21 iulie 2011) – a fost poet şi traducător, precursor al postmodernismului în poezia românească. Octavian Soviany îl descrie ca pe autorul celei mai radicale „erezii" din lirica românească: aceea care propunea anecdota cotidiană şi „anti-poezia" drept principiu poetic. Alex Ştefănescu argumentează că Ivănescu „nu vrea să distrugă mirajul poeziei, ci dimpotrivă, să îl protejeze", deghizându-l.

Eugen Jebeleanu (24 aprilie 1911 – 21 august 1991) – a fost poet şi traducător. După începuturi false – ca „fals" avangardist şi apoi lăudător al regimului comunist –, Jebeleanu îşi găseşte propria voce, aceea a unui „profet obosit" (Alex Ştefănescu). Cel mai cunoscut poem al lui rămâne însă *Corul copiilor ucişi*, din volumul *Surâsul Hiroşimei*, aprobat de regim (1958). Acesta reţine „simfonia radioactivă" şi după trecerea timpului (Ştefănescu, Vladimir Streinu). Pe de altă parte, N. Manolescu nu înţelege de ce critici precum Streinu şi Ştefănescu îl apreciază pe Jebeleanu ca poet semnificativ. Noi înţelegem.

Nicolae Labiş (2 decembrie 1935 – 22 decembrie 1956) – supranumit „buzduganul unei generaţii" (Eugen Simion), copilul-minune al poeziei româneşti... o voce poetică pură (N. Manolescu), un nonconformist de un talent şi o autenticitate incredibile (Alex Ştefănescu). Labiş a trecut ca un meteor, a cărui strălucire a fost admirată chiar de marii colegi de generaţie, precum Nichita Stănescu. A scris – convingător şi bine – şi poezie proletcultistă (Alex Ştefănescu), dar aceasta „are oroare de real... Labiş este interesat de extreme, de trăiri radicale, tot ce vedea i se părea crud sau dumnezeiesc" (Petre Anghel). Securitatea avea dosar deschis împotriva lui, datorită opiniilor antiregim exprimate privat. Moartea lui, în urma unui accident de trafic, la numai 21 de ani, rămâne suspectă (Alex Ştefănescu).

Leonida Lari (26 octombrie 1949 – 11 decembrie 2011) – a fost poetă, jurnalistă şi politiciană din Republica Moldova, un avocat puternic pentru reunirea Basarabiei cu România şi pentru folosirea limbii române în Republica Moldova. A publicat 24 de volume de poezie şi proză şi a fost o prodigioasă traducătoare a unor opere semnificative din literatura universală în limba română. Printre multele distincţii acordate se numără Ordinul de Cavaler al Republicii Moldova (1996) şi Premiul pentru Poezie „Mihai Eminescu", oferit de Academia Română.

Zorica Laţcu (17 martie 1917 – 8 august 1990) – a fost poetă, traducătoare şi călugăriţă. Mare parte din poemele ei sunt de factură spiritual-religioasă, unele puse pe muzică şi devenite parte din folclorul religios ortodox. Petrece trei ani (1956–1959) în închisoare în timpul regimului comunist.

Gherasim Luca (23 iulie 1913 – 9 februarie 1994) – este scriitor, reprezentând avangarda târzie în literatura română. Dacă Ion Pop vede la poezia lui note de psihodramă lirică, N. Manolescu este de părere că Gherasim Luca vrea să lase impresia (în stilul lui Geo Bogza) de „golan" care „sfidează normele burgheze, umblând gol şi cu un cuţit în mână prin oraş, certându-se cu familia, şi fiind interceptat de poliţişti".

Nora Iuga (nom-de-plume of Eleonora Almosnino; 4 January 1931 –) – is a poet, novelist, and translator from German and Swedish. She is a prolific writer, recipient of many prizes, among which is the 1980 Prize of the Writers' Union of Romania for the poetry volume *Opinions about pain* and the "Friedrich Gundolf" prize of the Academy for German Language and Poetry (2007).

Vintilă Ivănceanu (26 December 1940 – 7 September 2008) – was a writer, theatre director, and publisher, residing from 1970 in Austria. Member of the oniric group in the mid-1960s, alongside Leonid Dimov, Dumitru Țepeneag, Virgil Mazilescu. "He was one of the 'enfants terribles' of the movement... young people like him, nonconformists... not eschewing the opportunities to show off..." (G. Dimisianu). "No poet of his generation has taken the temptation of sarcastic derision as far as Ivănceanu." (O. Soviany)

Cezar Ivănescu (6 August 1941 – 24 April 2008) – was a poet, playwright, and publisher. Although he began writing experimentally, Cezar Ivănescu discovered, "...the formula of an 'atemporal' lyric, turned towards mystical poetry and the wisdom books of the past..." (Octavian Soviany). "But although it seemed to have been prepared in the alchemy labs of the Middle Ages, it [his poetry] is not old fashioned. It attracts us both with its vintage character as well as with its radical newness." (Alex Ştefănescu)

M**ircea Ivănescu** (26 March 1931 – 21 July 2011) – was a poet, translator, and a forerunner of Romanian postmodernism. O. Soviany describes him as the author of the most radical "heresy" in Romanian poetry for proposing the mundane and "anti-poetry" as poetic principles. Alex Ştefănescu contends that Ivănescu did not set out to "destroy the mirage of poetry but on the contrary, to protect it by disguising it."

Eugen Jebeleanu (24 April 1911 – 21 August 1991) – was a poet and translator. After a couple of false starts – first as a "false" avant-gardist, then as an unconvincing praiser of the Communist regime – Jebeleanu later found his true voice, that of a "tired prophet" (Alex Ştefănescu). His best-known poem however, is *The Choir of the murdered children*, from the regime sanctioned volume *Hiroshima's Smile* (1958), which retains its "symphonic" anti-war "radioactivity" even after many decades (Vladimir Streinu). On the other hand, N. Manolescu does not understand why critics like Streinu and Ştefănescu rate Jebeleanu as a poet of significance. We do.

Nicolae Labiş (2 December 1935 – 22 December 1956) – labeled "the scepter of a generation" (Eugen Simion), "a wonder-kind of Romanian poetry... a pure poetic voice" (N. Manolescu), a non-conformist of incredible talent and authenticity (Alex Ştefănescu), Labiş blazed like a blinding meteorite, admired even by greats of his generation such as Nichita Stănescu. He also wrote – convincingly and well – prolet-kultist poems (Alex Ştefănescu), but he had "a horror of the real... Labiş is interested in extremes, radical feelings, all he could see seemed to him cruel or godly" (Petre Anghel). The Securitate opened a dossier against him, due to his privately expressed opinions against the regime. His death, following a traffic accident at the age of just 21, remains suspicious (Alex Ştefănescu).

Leonida Lari (26 October 1949 – 11 December 2011) – was a Romanian poet, journalist, and politician from the Republic of Moldova. Lari was a strong advocate for the reunion of Bessarabia with Romania, and the use of the Romanian language in her country. She published 24 volumes of poetry and prose and was a prolific translator of significant works from world literature into Romanian. Among the awards she received are The Order of the Knights of the Republic of Moldova (1996) and the "Mihai Eminescu" Prize for Poetry from the Romanian Academy.

Zorica Lațcu (17 March 1917 – 8 August 1990) – was a poet, translator, and nun. Her poetry is mostly of a spiritual and religious nature, some of it has been set to music and included in the Orthodox religious folklore. She was imprisoned by the Communist authorities between 1956–1959.

Gherasim Luca (23 July 1913 – 9 February 1994) – is a writer representing the late avantgarde of Romanian literature. If Ion Pop sees in his poems accents of a lyrical psychodrama, N. Manolescu reckons that Luca wishes to leave the impression (a la Geo Bogza) of a ruffian who "defies bourgeois norms, walks through the city naked and with a knife in hand, fighting with his family and being intercepted by the police."

Alexandru Macedonski (14 martie 1854 – 24 noiembrie 1920) – scriitor și publicist, promovator al simbolismului în literatura română prin revista Literatorul. A fost un precursor al modernismului, iar unii susțin că a fost primul poet care a folosit versul liber în literatura europeană modernă (N. Manolescu). Personalitate dificilă („quixotică" – T. Vianu), a avut polemici cu Eminescu și cu influentul Titu Maiorescu și Junimea, pe care nu le-a câștigat (G. Călinescu). Poezia lui a fluctuat între excelență – părțile care rezistă „sunt ale unui poet mare, tot așa de mare ca Eminescu" – și mediocritate (G. Călinescu). Capodopera lui Macedonski este considerată *Poema rondelurilor* (N. Manolescu).

Darie Magheru (25 octombrie 1923 – 25 octombrie 1983) – a fost un scriitor și actor. Spirit extrem de polemic, atrage nu numai atenția Securității (a fost închis politic între 1950-1951), ci și atenția – nu neapărat pozitivă – a colegilor brașoveni din jurul revistei Astra. Magheru „nu înceta să contrarieze prin gesturile lui pline de truculență" (O. Soviany).„În răspăr cu literatura oficială (și nu numai) de la sfârșitul anilor '60, scrierile lui Darie Magheru au anticipat curajul stilistic al optzeciștilor – ba chiar l-au și întrecut pe alocuri. Obraznice, îndrăznețe, stranii..." (Raul Popescu)

Toma George Maiorescu (8 decembrie 1928 – 6 iulie 2019) – filosof, poet și politician. Ca mai toți colegii de generație (scriitori care și-au început cariera odată cu venirea la putere a regimului comunist), Maiorescu a debutat cu poeme realist-socialiste. Dar mai târziu, poezia lui ia o linie mult mai benefică, cu tendințe avangardiste, contrariant bizară, pitorească și „exotistă", cu juxtapuneri neașteptate, locvace și expansiv, adesea efervescent, cu un joc pur al sonorităților verbale (Nicolae Bârnă, Ion Pop).

Angela Mamier Nache (5 noiembrie 1949 –) – este o scriitoare româncă stabilită în Franța. A scris și publicat în limbile română și franceză, fiind o activă animatoare de cenacluri literare. A debutat poetic în 1977, în revista Luceafărul, iar publicistic, în 1982, cu volumul *Miraculum.*

Adrian Maniu (6 februarie 1891 – 20 aprilie 1968) – a fost scriitor, publicist și traducător. Poezia lui începe în alură simbolistă, dar tradiționalismul este, de asemenea, aparent ca stil și cultură (N. Manolescu). Pentru Maniu, maniera și stilul sunt preponderente, și poeziile lui par asociate cu pictura, iar rădăcinile operei apar vechi, bizantine, chiar. (G. Călinescu) Alex Ștefănescu consideră că Maniu folosește această desuetitudine în mod deliberat.

Riri Sylvia Manor (18 august 1935 –) – scriitoare și traducătoare româncă de origine evreiască, stabilită în Israel. Se specializează inițial în oftalmologie ca medic și profesor universitar (a primit în 2015 Premiul Opera Omnia pentru activitate științifică în Israel). Manor publică poezie în ebraică și română, pentru care este premiată – cu Premiul Ofer Lieder în Israel și cu Premiul Lucian Blaga în România. Înființează, în 2002, Societatea de Scriitori Israel-România.

Angela Marinescu (8 iulie 1941 –) – este o poetă „printre cele mai apăsat originale din poezia contemporană, particularitatea ei fiind dată de fervoarea confesiunii într-o erupție, de scrâșnet existențial amplificat de viziune escatologice transcrise expresionist..." (L. Ulici). Practică o „autoscopie lirică, o veritabilă disecție a sufletului, asemănător cu un examen de sine minuțios și plin de cruzime". (N. Manolescu)

Boris Marian (pseudonim al lui Boris Mehr, 19 noiembrie 1941 –) – este un poet și publicist român de origine evreiască. Publică poezii în revistele literare Luceafărul, România literară, Flacăra (România), Viața noastră și Ultima oră (Israel). A publicat volume de versuri și eseuri. „Avem în Boris Marian un poet-sinteză... un spirit profund, pentru care poezia este un destin... un poet reprezentativ din perioada post-1989" (Răzvan Voncu).

Dumitru Matcovschi (20 octombrie 1939 – 26 iunie 2013) – a fost scriitor, academician și publicist din Republica Moldova și membru titular al Academiei de Științe a Moldovei. Este recunoscut în critica literară pe plan internațional și reprezintă un simbol al mișcării de renaștere națională din Basarabia. Multe din poemele sale au fost puse pe muzică de interpreți faimoși. Matcovschi a fost onorat cu Ordinul Steaua României (2000) și Meritul Cultural (2012).

Alexandru Macedonski (14 March 1854 – 24 November 1920) – writer and publisher, promoted symbolism in Romanian literature via his Literatorul magazine. Macedonski is considered a forerunner of local modernist literature, while some claimed that he was the first to employ free verse in modern European literature (N. Manolescu). A difficult personality ("quixotic" – T. Vianu) he had polemical debates with Eminescu, the influential Titu Maiorescu and his Junimea (Youth) group, coming up second best (G. Călinescu). His work fluctuated between excellence –"his great poems are as good as Eminescu's" – and mediocrity (G. Călinescu). Macedonski's masterpiece is considered to be the *Rondel Poems* collection (N. Manolescu).

Darie Magheru (25 October 1923 – 25 October 1983) was a writer and actor. An extremely abrasive sprit, he not only attracted the attention of the Securitate (he was politically imprisoned in 1950-51) but the ire of colleagues from the Astra magazine, Brașov. Magheru "does not cease to vex through his truculent gestures." (O. Soviany) "Against the grain of official literature, (and not just) at the end of the 1960s, his writings anticipated the stylistic courage of the eighties writers – even surpassed them in patches – insolent, daring, strange..." (Raul Popescu)

Toma George Maiorescu (8 December 1928 – 6 July 2019) – philosopher, poet, and politician. Like most of his generational colleagues – writers, who started their career at the time when the communists took power – Maiorescu debuted with realist-socialist poems. However, later his poetry takes a far more benefice route, in an avant-gardist, style, contrarily bizzare, picturesque and "exoticist" with unexpected juxtapositions, loquacious and expansive, often effervescent, with a pure-play, on verbal sonorities (Nicolae Bârnă, Ion Pop).

Angela Mamier Nache (5 November 1949 –) – is a Romanian writer living in France. She was published in both Romanian and French and is an active organizer of literary circles. She had her first poems published in The Morning Star (1977) and her first volume was *Miraculum* (1982).

Adrian Maniu (6 February 1891 – 20 April 1968) – was a writer, publisher, and translator. His poetry was of a symbolist manner to start with, but traditionalism was also apparent in matters of style and culture (N. Manolescu). For Maniu, style and manner prevail, and his poetry has the feel of paintings, the roots of his work appearing old, Byzantine even (G. Călinescu). To Alex Ștefănescu, this seemingly old-fashioned approach is studied, deliberate.

Riri Sylvia Manor (18 August 1935 –) – is a Romanian writer and translator of Jewish origin, settled in Israel since her youth. She specialized initially in ophthalmology as a doctor and university professor (she received the Opera Omnia prize for scientific activity in Israel in 2015). Manor publishes poetry in both Hebrew and Romanian, for which she is awarded distinctions – the Ofer Lieder prize in Israel and the Lucian Blaga prize in Romania. In 2002 she established the Israel-Romania Writers Society.

Angela Marinescu (8 July 1941 –) is "among the most strikingly original [exponents] in contemporary poetry, her particularity given by the fervor of her confession into an eruption, an existential rasp, amplified by eschatological visions transcribed expressionistically..." (Laurențiu Ulici). She practices a "lyrical autoscopy, a true dissection of the soul, resembling a detailed self-examination full of cruelty." (N. Manolescu)

Boris Marian (19 November 1941 –) – is a Romanian poet and publicist of Jewish origin. Publishes poetry in literary magazines such as The Morning Star, Literary Romania, The Flame (in Romania), Our Life and The Last Hour (Israel). Published poetry and essay. "We have in Boris Marian a synthesis poet... a profound spirit for whom poetry is a destiny... representing the post-1989 period." (Răzvan Voncu)

Dumitru Matcovschi (20 October 1939 – 26 June 2013) – was a writer, academic and publisher from the Republic of Moldova, and a member of the Academy of Sciences of Moldova. Internationally recognized by literary criticism circles, Matcovschi is a symbol of the movement for national rebirth in Bessarabia. Many of his poems have been put to music by famous musicians. He has been awarded the Order the Star of Romania (2000) and The Cultural Merit (2012).

Irina Mavrodin (12 iunie 1929 – 22 mai 2012) – a fost traducătoare, poetă și eseistă. A tradus ciclul de romane *În căutarea timpului pierdut* a lui Marcel Proust. A mai tradus din Camus, Gide, Jean Cocteau, Cioran și Eliade (ultimul din română în franceză). A publicat șase volume de poeme și zece volume de eseuri. Printre numeroase distincții, a primit Premiul Academiei Române, Ordinul Steaua României în 2000, „pentru realizări artistice remarcabile și pentru promovarea culturii" și Ordinul Chevalier des Arts et des Lettres, conferit de guvernul francez.

Ileana Mălăncioiu (23 ianuarie 1940 –) – poetă, eseistă, publicistă, disidentă, „Ileana Mălăncioiu este poeta cea mai tristă din peisajul literaturii române, dar şi cea mai profundă" (Petre Anghel). Dificil de clasificat, cu atingeri de expresionism, „poezia ei se distinge chiar și la o privire din avion" (Alex Ștefănescu). N. Manolescu vede atingeri de simbolism și eminescianism, și notează că poeta, mult mai directă și gravă în descrierea negativă a regimului comunist (spre deosebire de majoritatea poeților din acea vreme care foloseau aluzii îndepărtate), reușește totuși să fie publicată, deși critica vremii recunoaște poezia ei ca pe o „magie a morbidității" (Gh. Grigurcu).

Alexei Mateevici (27 martie 1888 – 24 august 1917) – a fost unul din cei mai reprezentativi scriitori români născuți în Basarabia (Republica Moldova), autor al monumentalului poem *Limba noastră.* Licențiat al seminarului teologic din Chișinău, primele poeme publicate fiind *Țăranі, Eu cânt, Țara*, în ziarul Basarabia, unde a publicat și articole despre folclorul moldovenesc. G. Călinescu declară că „Numai Eminescu a mai știut să scoată atâta mireasmă din versurile poporane". A murit de tifos înainte de împlinirea a 30 de ani.

Virgil Mazilescu (11 aprilie 1942 – 10 august 1984) – a fost scriitor și traducător. Poezia lui este caracterizată de „o melancolie livrescă, exprimată în fraze elegante și încheiate întotdeauna la timp, înainte de a crea impresia de discurs" (Alex Ștefănescu). Netulburat de seismele poetice contemporane, „Mazilescu și-a făcut din stilul propriei poezii un adăpost... refuză alte influențe și rămâne izolat de contextul liricii actuale, dar aceasta nu îl face mai puțin relevant". (L. Ulici)

Gabriela Melinescu (16 august 1942 –) – este scriitoare și traducătoare romancă, stabilită, din 1975, în Suedia. Poezia ei de început, 1965-1975, a fost foarte apreciată (printre altele *Jurământ de sărăcie, castitate și supunere, Împotriva celui iubit*). Dar după revenirea în scena poetică românească, începând cu 1995 – susține Alex Ștefănescu –, Melinescu nu mai atinge standardele inițiale: deși scrie cu umor și are curajul de a fi senzuală, impunându-se ca un spirit liric complex, ea nu mai este angajată profund în actul scrisului.

Veronica Micle (22 aprilie 1850 – 3 august 1889) – a publicat poezii, nuvele și traduceri în revistele vremii și un volum de poezii. E cunoscută publicului larg în special datorită relațiilor ei cu Mihai Eminescu, și bagatelizată din punct de vedere poetic ca scriind în stilul acestuia (G. Călinescu, B. Șt. Delavrancea). Micle este totuși importantă din punctul nostru de vedere, deoarece a influențat în mod distinct (spre exemplu, în 1876) opera celui mai important poet român. Apoi, dacă Micle a fost influențată de Eminescu în scrierile ei, ea se află într-o companie largă și de calitate, care cuprinde numeroși alți poeți de la Alexandru Vlahuță la Nichita Stănescu.

Ion Minulescu (6 ianuarie 1881 – 11 aprilie 1944) – a fost scriitor și jurnalist, „exponentul cel mai integral al simbolismului român" (G. Călinescu). Probabil primul poet român inspirat de peisaje citadine (E. Manu), Minulescu folosește în mod revoluționar vocabularul românesc, despărțindu-se de „tendința de arhaizare a lui Eminescu" și de „limbajul rural al lui Coșbuc" (E. Lovinescu). Este primul poet care cultivă succesul public și comercial (N. Manolescu), uneori în detrimentul artei, după Lovinescu.

Ion Mircea (1 septembrie 1947 –) – scriitor, publicist, unul din membrii fondatori ai influentului grup Echinox din Cluj, în decada anilor 1960. Este un poet ale cărui versuri încă exercită un adevărat magnetism asupra cititorului: „Astfel poate că arborele nu este decât o încarnare a foșnetului/ Astfel poate că moartea nu e decât o încarnare a memoriei" (Alex Ștefănescu). „În poezia lui Ion Mircea... modul cel mai organic vieții se fixează în orizonturi cosmice printr-o permanentă sondare contemplativă a crizelor."
(Mircea A. Diaconu)

Irina Mavrodin (12 June 1929 – 22 May 2012) – was a translator, poet, and essay writer. She translated from Marcel Proust the cycle *Remembrance of things past.* She also translated from Camus, Gide, Jean Cocteau, Cioran and Eliade (the later from Romanian into French). She published six volumes of poems and ten volumes of essays. Among numerous distinctions received is the Prize of the Romanian Academy, the order The Star of Romania "for remarkable achievement in the promotion of arts and culture" and the order Chevalier des Arts et des Lettres, awarded by the French government.

Ileana Mălăncioiu (23 January 1940 –) – poet, essayist, editor, dissident. "Ileana Mălăncioiu is the saddest poet of the Romanian poetry landscape, but also the most profound one" (Petre Anghel). Difficult to classify – with touches of expressionism, "...her poetry is noticeable even from the height of an airplane" (Alex Ştefănescu). N. Manolescu finds traces of symbolism and of Eminescu. He also notes that Malancioiu, compared to most other poets who made veiled allusions, described directly and gravely the failings of the Communist regime and still managed to be published, despite the critique of the times labeling her poetry as possessing "a magic of morbidity." (Gh. Grigurcu)

Alexei Mateevici (27 March 1888 – 24 August 1917) – was one of the most prominent Romanian writers in Bessarabia (Republic of Moldova), and author of the monumental poem *Our Language.* He graduated from the Theological School of Chişinău and published his first poems *Peasants, I sing, The Country,* in the newspaper Basarabia, along with articles on Moldavian folklore. "Only Eminescu knew how to draw so much fragrance from the popular verse" declared G. Călinescu. He died of typhoid fever before turning 30.

Virgil Mazilescu (11 April 1942 – 10 August 1984) – was a writer and translator. His poetry is characterized by "a cultured melancholy, expressed in elegant phrases which finish always on time, before creating the impression of a discourse" (Alex Ştefănescu). Untroubled by contemporary poetical earthquakes, "Mazilescu made a shelter from his poetic style... refusing other influences, he remains isolated in the context of contemporary lyricism, but this makes him no less relevant." (Laurenţiu Ulici)

Gabriela Melinescu (16 August 1942 –) – is a Romanian writer and translator settled in Sweden since 1975. Her initial poetry, published between 1965-1975, was very appreciated (among others *Vow of poverty, chastity and submission, Against the loved one*). However, since her return to the Romanian poetic scene in 1995 – after Alex Ştefănescu – Melinescu no longer reached these earlier standards: though she writes with humor and dares to be sensual, impressing as a complex lyrical spirit, she seems no longer engaged in the profound act of writing.

Veronica Micle (22 April 1850 – 3 August 1889) – published poems, novels, and translations in the literary publications of the time, as well as a volume of poetry. She is better known for her relations with Mihai Eminescu, her poetic work being minimized as miming that of the great poet (G. Călinescu, B. Delavrancea). In our opinion, Micle is important, as she distinctly influenced the work of the most important Romanian poet (for example, in 1876). Besides, if Micle was influenced by Eminescu in her writing, then she finds herself in a large and quality company, which included many other poets from Alexandru Vlahuţă to Nichita Stănescu.

Ion Minulescu (6 January 1881 – 11 April 1944) – was a writer and journalist, known as the most integral exponent of Romanian symbolism (G. Călinescu). Arguably the first poet in his country to be primordially inspired by cityscapes (Emil Manu), Minulescu's use of Romanian was revolutionary through its vocabulary, breaking away from the "archaizing tendency of Eminescu" and the "rural language of Coşbuc" (E. Lovinescu). He is also the first poet to cultivate public and commercial success (N. Manolescu). This has sometimes been to the detriment of his art, according to Lovinescu.

Ion Mircea (1 September 1947 –) – writer and publicist, one of the founders of the influent Equinox literary movement in Cluj, in the 1960s. He is a poet whose verses still exercise a true magnetism upon the reader: "Thus maybe the tree is simply an embodiment of the rustle/Thus maybe death is simply an embodiment of memory" (Alex Ştefănescu). "In the poetry of Ion Mircea... the most organic representation of life settles into cosmic horizons through continual and contemplative exploration of crises." (Mircea A. Diaconu)

Modest Morariu (11 august 1929 – 15 aprilie 1988) – a fost scriitor și traducător. „Comparabil, dintre scriitorii postbelici, cu A. E. Baconsky și Petre Stoica, Morariu a ilustrat egală disponibilitate în poezie, proză, eseistică, traduceri. ...Versurile sale sunt delicate și incisive, sentimentale și sarcastice... Sugerează, sub aparența celor mai obișnuite detalii, gesturi primordiale, semnificative." (referate.com)

Mihai Moșandrei (29 ianuarie 1896 – 1994) – a fost poet și eseist, considerat ca lipsit de originalitate de G. Călinescu. Această etichetare poate fi însă acuzată de o oarecare tendențiozitate, deoarece între Călinescu și Moșandrei au existat numeroase conflicte, cei doi duelându-se în diferite reviste literare. Moșandrei este, în esență, un romantic cu tendințe impresioniste, un poet descriptiv și contemplativ. Ceea ce descrie din lumea înconjurătoare, nu sunt elementele în sine, ci contemplarea lor. (Octav Suluțiu)

Florin Mugur (7 februarie 1934 – 9 februarie 1991) – scriitor de origine evreiască, și-a început cariera scriitoricească într-o manieră realist-socialist mediocră (Alex Ștefănescu). Totuși, mai târziu, N. Manolescu va scrie că „arareori a transcris o scriere exactă o mai mare intensitate de emoție". În mod similar, Alex Ștefănescu descrie poezia lui Mugur ca posedând „...frumusețea unei căderi care, în ultimul moment, devine o alunecare lină".

Adrian Munteanu (21 august 1948 –) – este poet, eminamente sonetist, în stil petrarchian. Este, de asemenea, cunoscut ca un recitator dramatic de excepție, fiind adesea invitat să recite pentru audiențe românești în diferite părți ale lumii. A primit Premiul Uniunii Scriitorilor – Filiala Brașov, precum și Premiul European NUX, la Târgul de Carte de la Milano, în 2012.

Mircea Muthu (1 ianuarie 1944 –) – scriitor și critic literar. Dacă în anumite volume (de exemplu, *Grafii*), Muthu se modulează estetic, incandescența fiind purificată până la înseninare – în altele (spre exemplu, *Caligrafii*) esteticul este substituit de existențial. Dar nu într-un registru familiar: moartea apare „ca fixare într-un timp înghețat, ca înflorire a trandafirului de sânge – astfel, ca imagine purificată de orice exaltare a cărnii. Transferarea angoasei în frescă, iată pariul acestei poezii". (Mircea A. Diaconu).

Gellu Naum (1 august 1915 – 29 septembrie 2001) – a fost considerat cel mai important reprezentant român al curentului suprarealist, deși mai târziu unii critici notează evoluția lui către un „onirism cu ochii deschiși" (N. Manolescu), „o lume, deopotrivă a obiectelor, evenimentelor și cuvintelor" (Ion Pop). M. A. Diaconu consideră că Naum practică „un discurs esențial subiectiv... inițiatic, ascuns celorlalți, adresat sieşi, a cărei finalitate nu e emoția estetică, ci construirea de sine".

Anton Pann (1796/1798 – 2 noiembrie 1854) – a fost poet, profesor și compozitor de muzică religioasă, folclorist, lexicograf și publicist. G. Călinescu notează erudiția lui în materia înțelegerii tradiției orale populare și umorul cu care prelucrează materialul adunat. N. Manolescu consideră că Pann trece dincolo de prelucrarea simplă, dar nu ajunge la creația originală autentică. Este considerat de unii ca fiind autorul melodiei imnului național al României, *Deșteaptă–te române!*

Miron Radu Paraschivescu (2 octombrie 1911 – 17 februarie 1971) – poet, eseist și publicist. Personalitate contradictorie, duplicitară, Paraschivescu este om de încredere al partidului, dar și poet nonconformist (P. Anghel), scrie poezie proletcultistă, dar apoi (în *Jurnalul unui cobai*) denigrează „realizările" comunismului, este oportunist dar și foarte de generos – ajutând mulți poeți tineri la debut. Poetic, rămâne faimos cu volumul *Cânticele Țigănești* (Alex Ștefănescu).

Adrian Păunescu (20 iulie 1943 – 5 noiembrie 2010) – a fost scriitor, publicist, traducător și om politic. Păunescu a avut o personalitate profund charismatică și a fost o figură controversată, acuzat că aduce laude la adresa dictatorului Nicolae Ceaușescu. A avut meritul de a fi promovat, în timpuri tulburi, de artiști de mare talent ca Nicu Alifantis, Adrian Ivanițchi, Marcela Saftiuc, Mădălina Amon, Ștefan Hrușcă și mulți alții – în cadrul Cenaclului Flacăra – care, în timpurile lui de glorie, aduna zeci de mii de tineri. Poezia lui este greu de definit, debutând în manieră modernistă și mitologică, cu o retorică a abstracțiilor, trecând apoi la una de factură mesianică, ale cărei versuri erau cântate de miile de tineri de pe stadioane (Alex Ștefănescu). Este capabil de o sinceritate brutală sau de o contrafacere vizibilă, demonstrând uneori talent excepțional și alteori mediocritate, „trup drăcesc și suflet îngeresc" (N. Manolescu). Deoarece a avut mijloacele să autopublice nediscriminat și a făcut-o, „poezia lui ar beneficia de o antologare profesionistă" (Alex Ștefănescu).

Modest Morariu (11 August 1929 – 15 April 1988) – was a writer and translator. "Comparable, from the postbellum period, with A. E. Baconsky and Petre Stoica, Morariu demonstrated his skill with equanimity in poetry, prose, aesthetics, translation... His poems are delicate and incisive, sentimental and sarcastic... He suggests primordial and significant gestures, under the appearance common details." (referate.com)

Mihai Moșandrei (29 January 1896 – 1994) – is a poet and essay writer, dismissed as lacking originality by G. Călinescu. However, this label could be suspected of bias, as the two had numerous literary "duels" played out in various literary magazines. An essential romantic, with impressionist tendencies, Moșandrei is characterized as a contemplative, descriptive poet. What he describes from the surrounding world, are not the elements themselves, but the contemplation thereof. (Octav Suluțiu)

Florin Mugur (7 February 1934 – 9 February 1991) – a writer of Jewish origin, Mugur started his writing career in a mediocre realist-socialist style (Alex Ştefănescu). Later, however, N. Manolescu will write that "Rarely has such t writing transcribed a bigger intensity of emotion." Similarly, Alex Ştefănescu describes Mugur's poetry as "... the beauty of a fall which, at the last minute, becomes a gentle glide."

Adrian Munteanu (21 August 1948 –) – is a poet, essentially of the Petrarchan sonnet form. He is also well known as an excellent dramatic reciter, being often invited to recite for Romanian audiences around the world. He was awarded the prize of the Writers Union – Brasov Branch, and the NUX European Prize for Poetry of the Milano Bookfair in 2012.

Mircea Muthu (1 January 1944 –) – writer and literary critic. If in some volumes (for example *Graphics*) Muthu exhibits an aesthetic mode, the incandescence being purified until clear – in others (for example... *Calligraphics...*) the aesthetic is substituted for the existential. But not in a familiar register: death appears "as fixated, frozen in time, as a blooming of a blooded rose – therefore as an image purified of any exaltation of the flesh. The transfer of the angst into a fresco, this is the bet placed by his poetry." (Mircea A. Diaconu)

Gellu Naum (1 August 1915 – 29 September 2001) – was considered the most important exponent of surrealism, although later on critics will have observed his evolution towards "an onirism with open eyes" (N. Manolescu), "a world, equally belonging to objects, events and words" (Ion Pop). M. A. Diaconu considers that Naum practices "an essentially subjective discourse... of initiation, hidden from others and addressed to himself, the purpose of which is not aesthetic emotion, but the construction of oneself."

Anton Pann (1796/1798 – 2 November 1854) was a poet, teacher and composer of religious music, folklorist lexicographer and publicist. G. Călinescu notes his erudition in the understanding of popular oral tradition and the humor with which he adapts the gathered material. N. Manolescu considers that Pann transcends the simple adaptation, but might not fully achieve authentic original creation. Pann is considered by some as the author of the melody of the Romanian national anthem *Wake up, you Romanian!*

Miron Radu Paraschivescu (2 October 1911 – 17 February 1971) – was a poet, essayist, and publisher. A contradictory, duplicitous personality, Paraschivescu was a trusted man of the Communist Party but also a non-conforming poet (P. Anghel). He wrote proletcultist poems but at the same time denigrating the Communist "achievements" (*The journal of a lab rat*), was an opportunist but also very generous, helping many young poets with their publishing debut. Poetically, he remains famous for his *Gypsy Songs* (Alex Ştefănescu).

Adrian Păunescu (20 July 1943 – 5 November 2010) – was a writer, publisher, translator, and politician. A profoundly charismatic personality and controversial figure, he stands accused of collaboration but on the other hand persecuted by the regime which considered him dangerous. Păunescu has the merit of promoting, in fraught times, talented artists such as Nicu Alifantis, Adrian Ivanițchi, Marcela Saftiuc, Mădălina Amon, Ştefan Hrușcă and many others – at his Flacăra (The Flame) festivals, which at their height were attended by tens of thousands of young people. His poetry is difficult to define, on debut being both modernist and mythological, couched within abstract rhetoric. Later he moves to a Messianic tone, his verses being sung by thousands of young people in stadiums (Alex Ştefănescu). He is capable of brutal sincerity or visible falsehood, sometimes displaying exceptional talent and at other times, mediocrity, "a devilish body with an angel's soul" (N. Manolescu). Because he had the means able to self–publish indiscriminately and did so, "his poetry would benefit from professional anthologizing" (Alex Ştefănescu).

Ștefan Petică (20 ianuarie 1877 – 17 octombrie 1904) – mort deja la 27 de ani, Petică a fost întâiul poet român simbolist declarat, după G. Călinescu. Cunoscător al lui John Ruskin și Dante Garbiel Rosetti (lucru rar printre poeții români, de obicei francofoni), dar influențat și de Verlaine, Petică prezintă „un voluptuos amestec de senzații... în care tonul se muzicalizează, trecând prin simțuri și gândire cu refrene delicate". (N. Manolescu)

Dușan Petrovici (23 august 1938 –) – este poet și traducător român de origine sârbă. În 1972 a primit Premiul Uniunii Scriitorilor din România pentru volumul *Lebede ale puterii*. „...se impune ca un poet ermetizant, cu o subtilă etică... strecurată în scenarii dark-metafizice, la capătul cărora are de multe ori enunțuri memorabile – ... una dintre principalele calități ale poeziei lui Petrovici este încheierea aproape mereu implozivă sau foarte migălos construită." (Claudiu Komartin)

Alexandru A. Philippide (1 aprilie 1900 – 8 februarie 1979) – a fost poet și traducător. Categorisit de unii critici ca modernist, datorită, în special, întrebuințării frenetice, fără control, a imaginii (E. Lovinescu), poetul este, mai degrabă, un „clasic al substanțelor eterne" (G. Călinescu), dar cu nuanțe de „romantism-realism" cum el însuși s-a intitulat (N. Manolescu).

Ion Pillat (31 martie 1891 – 17 aprilie 1945) – a fost scriitorși editor, considerat ca primul poet român care distilează poezia veche prin prisma celei moderne (N. Manolescu). În genere, este etichetat ca tradiționalist de proveniență clasică, cu intense rădăcini în priveliștea nostalgică de la țară (G. Călinescu, E. Lovinescu), care practică o poezie „pură... țintind, înainte de orice, la frumusețea versurilor, bătute în imagini superbe, ca niște pietre prețioase". (N. Manolescu)

Ion Pop (1 iulie 1941 –) – este profesor universitar, poet și critic literar. „Poate niciunul dintre poeții noștri de azi nu reușește mai mult decât Ion Pop să poetizeze trăirea intelectuală a diurnului [a activităților de zi cu zi]. Lirica sa este îmbrăcată astfel într-o frumoasă mantie de velur de sub care, dacă știi să te apropii, iei seamă cum răzbat convulsiile ponderate, dar vii și autentice, ale unor trăiri pasionale intense, de mari angajamente existențiale." (C. Culbeșan). „Stăpânindu-şi cu rigoare excesele, Ion Pop construieşte prin poezia sa singurul spațiu cu adevărat mărturisitor." (Mircea A. Diaconu)

Adrian Popescu (24 mai 1947 –) – „Remarcabil, cu o limbă de o extremă finețe, artist delicat, suav și ardent, Adrian Popescu este deosebit, în poeme înalt spiritualiste." (N. Manolescu). Dar, după Mircea Iorgulescu, umilința și finețea lui sunt suspecte și ironice – poetul fiind, în realitate, un arhitect al transfigurării spre înălțător, cu o atitudine adânc existențială. „O amintire a ceva frumos și pierdut pentru totdeauna, sau poate amintirea a ceva ce n-a fost trăit vreodată, se reverberează în poezia lui Adrian Popescu." (Alex Ștefănescu). În opinia noastră, Adrian Popescu este unul din cei mai importanți poeți români activi în viață, la timpul publicării acestui volum, dacă chiar nu cel mai semnificativ.

Nicolae Prelipceanu (10 august 1942 –) – „...se impune atenției ca ironist în maniera lui Sorescu..." (N. Manolescu) începând chiar de la titluri, cum ar fi *Un civil în secolul douăzeci*, sau *Fericit prin corespondență:* „nu-l căutați pe poetu ironic în lume/ poetu ironic s-a retras din ea și vorbește singur". Reușește acest lucru prin metamorfoza unor situații din viață. Poezia *Metafora* din acest volum, este un bun exemplu în acest sens. Prelipceanu reușește să schimbe registrul, de la ironic la foarte grav, exemplu fiind volumul *Armata anatomică* (Laurențiu Ulici).

Aurel Rău (7 noiembrie 1930 –) – scriitor, traducător, fost redactor la revista Steaua din Cluj, care în plină eră comunistă reușea să publice poezie de valoare. Al. Piru îl consideră manierist în abordarea poetică, iar Gh. Grigurucu are părerea că Rău este, poate, cel mai reprezentativ poet contemporan al Transilvaniei.

Ștefan Petică (20 January 1877 – 17 October 1904) – Petică was the first declared Romanian symbolist, according to G.Călinescu. He died very young, at 27. He was a student of John Ruskin and Dante Gabriel Rosetti (a rare thing among Romanian poets, usually Francophile), but also influenced by Verlaine, Petică presents "a voluptuous mix of sensations... in which the tone becomes musicalized, passing through senses and thought with delicate refrains." (N. Manolescu)

Dușan Petrovici (23 August 1938 –) – is a Romanian poet and translator of Serbian origin. In 1972 he received the Prize of the Romanian Writers' Union for the volume *Swans of power*. He "... comes across as a hermetic poet, with a subtle ethic, slipped inside dark-metaphysical scenarios, at the end of which there are many memorable utterances – ... one of the principal qualities of Petrovic's poetry is the closing, almost always implosive or very painstakingly constructed." (Claudiu Komartin)

Alexandru A. Philippide (1 April 1900 – 8 February 1979) – was a poet and translator. Categorized as modernist, mainly due to his frenetic and out of control use of imagery (E. Lovinescu), the poet is rather a "classicist of eternal substances" (G. Călinescu), with nuances of "romantic-realism" as he describes himself (N. Manolescu).

Ion Pillat (31 March 1891 – 17 April 1945) – was a writer and editor, considered as the first Romanian poet distilling centuries-old poetry through the modern lens (N. Manolescu). He is generally labeled as a traditionalist of classical essence, expressing an intense nostalgia for the panorama of country life (G. Călinescu, E. Lovinescu), and who practices "pure poetry... valuing, before all, the beauty of the verses, encrusted with superb images, like precious stones" (N. Manolescu).

Ion Pop (1 July 1941 –) – is a university professor, poet, and literary critic. "Perhaps none our poets of today manages, more than Ion Pop, to poetize the intellectual experience of the diurnal [daily activities]. His lyric is coached in a beautiful velour mantle under which, if you know how to approach it, you observe reaching to the surface the balanced, but alive and authentic, convulsions of intense passional experience, of great existential undertaking." (C. Cubleșan). "Guarding rigorously his excesses, Ion Pop builds through his poetry the only truly confessional space." (Mircea A. Diaconu)

Adrian Popescu (24 May 1947 –) – "A remarkable poet, expressing an extreme finesse, a delicate artist, suave and ardent, Adrian Popescu is peculiar, with highly spiritualist poems." (N. Manolescu). However, Mircea Iorgulescu argues that his humility and finesse might be highly suspect and ironic – the poet being, in reality, an architect of the ethereal, with a profoundly existential attitude. "A memory of something beautiful and lost, or maybe a memory of something never experienced, reverberates through his poetry." (Alex Ștefănescu). In our opinion, Adrian Popescu is one of the most important Romanian poets active at the time of the publishing of this volume, if not the most significant.

Nicolae Prelipceanu (10 august 1942 –) – "...gains attention as an ironist in the manner of Marin Sorescu" (N. Manolescu), beginning even with the titles of his volumes, such as *A civilian in the twentieth century* and *Happy by correspondence*. The poem *Metaphor*, included in this volume, is a good examples of this technique. Prelipceanu manages to change registers, from the ironic to the very grave, example being the volume *The Anatomical Army* (L. Ulici).

Aurel Rău (7 November 1930 –) – writer and translator, and former editor-in-chief of the Steaua magazine (Cluj) which, during the Communist era, managed to publish poetry of high quality, without too much realist-socialism. While Al. Piru labels his poetic style as manneristic, Ghe. Grigurcu considers him the most representative contemporary poet of Transylvania.

Doru Râmniceanu (pseudonim literar al lui Cornelius Greising, 1932 – 2016) – a fost medic și poet, practicând medicina la Râmnicu Sărat, de unde pseudonimul. I-au fost publicate două volume de poezie, *Vid irespirabil* (Editura Princeps, 1970) și *Ceasul Fântânii* (Cartea Românească, 1977). Deoarece, pe de o parte, este „sectant" (neoprotestant), iar pe de alta nu este membru de partid și nici al Uniunii Scriitorilor, acest lucru este remarcabil – dovadă a talentului poetic, și șansa unei scurte perioade de liberalizare a culturii de către regimul Ceaușescu. A părăsit România(petrecându-și a doua parte a vieții în Germania) neintrând în atenția criticii literare. În opinia noastră, opera lui, publicată și nepublicată, ar merita-o.

George Roca (14 iulie 1946 –) – scriitor și publicist stabilit în Sydney, Australia, Roca este unul dintre cei mai importanți promotori ai culturii literare românești peste hotare, contribuind ca redactor-șef la reviste tipărite și online cum ar fi Clipa, Observator Cultural, Confluențe Literare, UNU (Oradea), Contemporanul (Ideea europeană).În poezie, a publicat volumele *Evadare din spațiul virtual*, *Căutând insula fericirii* și *Poeme cifrate*, fiind, de asemenea, inclus în numeroase antologii. Printre multele distincții primite, George Roca a fost premiat și de Ministerul pentru Românii de Pretutindeni (2019) pentru promovarea culturii românești peste hotare.

Paula Romanescu (20 noiembrie 1942 –) – traducătoare, poetă de limba română și franceză. I-a tradus în limba franceză, printre alții, pe Eminescu, Arghezi, Blaga, Bacovia, Caragiale și alții. „Versurile ei au marca stilistică a unei poezii moderne, cu o bună stăpânire a construcției lirice... Totul se colorează de eros, interogația subliniază în reflecții, observația firească dublată de reminiscențe livrești, transfigurând trecerea spre cunoaştere şi auto-cunoaştere." (Victor Sterom). Paula Romanescu a primit Ordinul Meritul Cultural din partea guvernului român.

Alecu Russo (17 martie 1819 – 5 februarie 1859) – a fost scriitor, critic literar și publicist. Revista Zimbrul din Iași i-a publicat cea mai cunoscută din lucrări, *Studie Moldovană* în 1851-1852. Este autorul poemei în proză de factură patriotică *Cântarea României*, tipărit anonim, deși nu există dubii asupra paternității lui (N. Manolescu). Poema este scrisă în stil psaltic și apocaliptic (G. Călinescu).

Lidia Săndulescu-Popa (6 iunie 1943 –) – este o poetă stabilită de mai multe decenii în Statele Unite ale Americii. Scrie poezie religioasă dar și laică, fiind publicată în diferite reviste și antologii. Sensibilitatea poetică, precum și lirismul reprezentării nostalgice al stărilor sufletești ale emigrantului – reprezentative pentru un mare număr de români care trăiesc acum în afara României –, i-au impus prezența în acest volum.

Gabriela Schuster (18 februarie 1948 –) – este o scriitoare de limbă română stabilită în Germania, autoare a volumelor *Fata de la oraș* (Paralela 45, 2016) și *Concis* (Editura Vinea, 2019). Schuster a început să publice târziu, la 68 de ani. Este unul din mulții scriitori români de valoare care trăiesc în afara României, dar unul din puținii care au fost recunoscuți și publicați în România.

Marin Sorescu (29 februarie 1936 – 8 decembrie 1996) –a fost scriitor și traducător. Foarte apreciat de public și de critică încă din timpul vieții, scrie versuri imaginative, șocante, realitatea banală fiind așezată teatral (N. Manolescu), este un „scamator" cu elemente ale vieții obișnuite, un maestru al stilului aluziv, cu un teribilism de bun-gust (Alex Ștefănescu). „Structural... Sorescu e un moralist, un spirit ironic prin excelență, persiflant și caustic adesea" (C. Cubleșan). Sorescu este surprinzător, trecând de la sonete, la o manieră realist-naivă în *La Lilieci* – cel mai cunoscut volum, și apoi la poezia scrisă de pe patul de spital – simplă, sinceră, directă, „scheletică" – din volumul *Puntea*, publicat postum (1997).

Cassian Maria Spiridon (9 aprilie 1950 –) – este un scriitor și editor, revoluționar român, organizator și participant la mișcarea revoluționară de la Iași, din 14 decembrie 1989, pentru care a fost arestat (eliberat pe 22 Decembrie 1989). „Poezia lui Cassian Maria Spiridon se situează între admirație și revoltă, dacă nu cumva mai ales în ipostazele deznădejdii... Spiridon a trecut de la admirația disperată în fața germinației universale, la nihilismul melancolic, mai pur." (Mircea A. Diaconu)

Doru Râmniceanu (pseudonym of Cornelius Greising, 1932 – 2016) – was a physician and poet, practicing medicine in the town of Râmnicu Sărat, hence de pseudonym. Published two volumes of poetry, *Unbreathable Vacuum* (Princeps, 1970) and *The song of the Well* (Cartea Românească, 1977). This is remarkable – since he was, on the one hand, a "member of a sect" (neo-protestant), and on the other, not belonging to the Communist Party or the Writers' Union – proof of his poetic talent, and the chance of a short period of liberalization by the Ceaușescu regime. He defected to Germany, not noticed by the Romanian literary critics. In our opinion, his work – published and unpublished – deserves attention.

George Roca (14 July 1946 –) – writer and publicist living in Sydney, Australia, Roca is one of the most significant promoters of Romanian culture overseas, contributing as chief-editor to a number of literary publications (printed and virtual) such as Clipa, Observator Cultural, Confluențe Literare, UNU, Contemporanul (Ideea europeană). In poetry, he published the volumes *Escape from the virtual space, Seeking the island of happiness*, and *Coded poems*. His poems were included in numerous anthologies. Among the many distinctions received, was the certificate received from the Minister for Romanians Everywhere for his contributions to Romanian culture overseas (2019).

Paula Romanescu (20 November 1942 –) – translator and poet writing in French and Romanian. Translated from Eminescu, Arghezi, Blaga, Bacovia, Caragiale into the French language. "Her verses have are in the modern style, with a good grasp of lyrical construction... Everything is colored in eros, the interrogation is underlined in reflection, usual observation is accompanied by cultured reminiscing, transcending towards knowledge and self-knowledge." (Victor Sterom). Romanescu was awarded the Order for Cultural Merit by the Romanian government.

Alecu Russo (17 March 1819 – 5 February 1859) – was a writer, literary critic, and publicist. The Zimbrul (The Bison) literary magazine in Iași published his best-known work, *Moldavian Studies* in 1851-1852. He is the author of the patriotic poem in prose *The Hymn of Romania*, published anonymously, though there is no doubt Russo is the author (N. Manolescu). The poem is written in a psaltic and apocalyptic style (G. Călinescu).

Lidia Săndulescu-Popa (6 June 1943 –) – is a poet who has been living in the United States of America for the last few decades. She writes both religious and non-religious poetry and was published in several magazines and anthologies. Her heightened poetic sensitivity, and the lyrical representation of the nostalgic feelings of immgrants – representative for many Romanians now living abroad, assured her presence in this volume.

Gabriela Schuster (18 February 1948 –) – is a Romanian language writer living in Germany, author of the volumes *The girl from the city* (Paralela 45, 2016) and *Concise* (Editura Vinea, 2019). Schuster is a late starter, being published first at age 68. She is one of the many Romanian writers of value who live outside Romania, but one of the few who has been recognized and published in Romania.

Marin Sorescu (29 February 1936 – 8 December 1996) – was a poet and translator. Very appreciated by the public (and the critics) while still living, he wrote imaginative, shocking poetry, setting up banal reality in theatrical style (N. Manolescu). Sorescu is a "wizard" with every-day elements, a master of allusion, with refined exhibitionism (Alex Ștefănescu). "Structurally... Sorescu is a moralist, an ironical spirit par excellence, often teasing and caustic." (C. Cubleșan). He is surprising, moving from sonnets to the realist-naive manner of his best know volume *To the lilacs* and then to the poetry written on a hospital bed – simple, sincere, direct, "skeletal" – as in *The footbridge*, published posthumously in 1997.

Cassian Maria Spiridon (9 April 1950 –) is a writer and editor, Romanian revolutionary – organizing and participating in the revolutionary activity of 14 December 1989, for which he was arrested (released on 22 December 1989). "The poetry of Cassian Maria Spiridon sits between admiration and revolt, perhaps best settled in aspects of hopelessness... Spiridon moved from desperate admiration for universal germination to a, purer, melancholy nihilism." (Mircea A. Diaconu)

George Stanca (7 mai 1947 – 4 februarie 2019) – a fost poet și publicist. A colaborat la multe reviste literare, ca Săptămâna și Contemporanul. A fost redactor la revista Flacăra, colaborând cu Adrian Păunescu, și fiind responsabil cu descoperirea unor talente cum ar fi Mircea Baniciu, Adriana Ausch, Radu Gheorghe. A publicat numeroase volume de poeme, printre care *Excursie cu liftul, Poeme pricinoase* și *Angel radios*. O personalitate luminoasă, cu un umor debordant, George Stanca era o figură extrem de cunoscută și apreciată în lumea literar-jurnalistică. Poemul lui, *Bal în Salonul Oval*, pus pe note de Mircea Baniciu, a ajuns unul dintre hiturile perene ale muzicii românești.

Radu Stanca (5 martie 1920 – 26 decembrie 1962) – a fost dramaturg, poet, regizor de teatru. Sentimentul teatral penetrează și poezia lui Stanca, ea punând în scenă sentimente și idei, eroii fiind măști în care autorul se travestește, inventându-și decorul (N. Manolescu). Ea se petrece într-o lume medievală, resuscitând baladescul vechi (C. Cubleșan) în haine noi. Este un poet deliberat demodat, „și prin asta devine automat un poet la modă... poezia sa pare scrisă pe mătase". (Alex Ștefănescu)

Zaharia Stancu (5 octombrie 1902 – 5 decembrie 1974) – a fost scriitor și academician, cunoscut în special pentru romanul de propagandă comunistă *Desculț*, tradus în 22 de limbi. N. Manolescu consideră poezia lui ca nefixată între idealismul lui Coșbuc și tradiționalism (E. Lovinescu notează tradiționalismul, datorită un intimism gingaș față de pământ și peisaj). G. Călinescu notează elemente euforic agreste.

Nichita Stănescu (31 martie 1933 – 13 decembrie 1983) – a fost „aproape cu certitudine cel mai important poet român din a doua jumătate a secolului XX" (Petre Anghel). Cuvinte mari, și... aproape sigur... adevărate. Este contestat – „Nichita Stănescu este cea mai mare iluzie a criticii noastre actuale" (Gh. Grigurcu), considerat norocos – „...beneficiază de sentimentul... că totul s-a spus deja" (n.n. în poezie). Dar el apare când există nevoia, vidul, de a spune, în sfârșit, ceva nou și o spune cu strălucire (Alex Ștefănescu). Poezia lui este originală, exuberantă, strălucitoare, dând naștere la figuri de o neasemuită frumusețe (N. Manolescu). „Nichita Stănescu nu seamănă cu alți poeți, ci seamănă cu spiritul poeziei secolului douăzeci, prin dorința (n.n. și priceperea) intensă de a extinde posibilitățile poeziei..." (Alex Ștefănescu)

Dimitrie Stelaru (8 martie 1917 – 28 noiembrie 1971) – a fost scriitor (poezie, proză, memorialistică). Pompiliu Constantinescu a remarcat autenticitatea, prospețimea confesiunii și, mai ales, rolul de întemeietor în literatura română a unei poezii a vagabondajului. Eugen Lovinescu a apreciat vizionarismul poetului, capacitatea de expresie lapidară, muzicalitatea stranie a versurilor. Ion Negoițescu îl așază în fruntea generației sale: „incontestabil, Stelaru domnește peste poezia scrisă de Ion Caraion, Geo Dumitrescu, Miron Radu Paraschivescu, Constant Tonegaru".

Petre Stoica (15 februarie 1931 – 21 martie 2009) – a fost poet, traducător, publicist, este unul dintre întemeietorii spirituali ai „generației 60", cu Nichita Stănescu, Mircea Ivănescu, Cezar Baltag, Modest Morariu. „... visător şi lucid în acelaşi timp, ...reverenţios şi dezabuzat, poetul construieşte decoruri retro unde grația se amestecă cu derizoriul benign." (O. Soviany). „Banalul" lui Stoica posedă un lirism „apolitic polemic și subversiv", sfidând ierarhia impusă de regimul comunist. (Alex Ștefănescu)

Liviu Ioan Stoiciu (19 februarie 1950 –) – a debutat cu volumul *La Fanion* (Ed. Albatros, 1980) câștigând Premiul Uniunii Scriitorilor. N. Manolescu îl vede ca pe un poet autentic de la început... într-o scriitură prozaică cu narațiuni care evocă... spații biografice. Cu următoarele volume, evoluează în manieră mult mai sofisticată, cuprinzând construcții specifice, cu experiențe metafizice ale memoriei, înțesate de simboluri și aluzii.

Carmen Sylva (Pauline Elisabeth Ottilie Luise zu Wied, 29 decembrie 1843 – 2 martie 1916) – a fost prințesă germană, regina României, ca soție a Regelui Carol I, și cunoscută sub numele literar Carmen Sylva. A primit Premiul Botta din partea Academiei Franceze. Scria fluent atât în limba germană, cât și în românește.

Efim Tarlapan (17 mai 1944 – 8 decembrie 2015) – a fost scriitor basarabean, redactor, printre altele, la Literatura şi Arta și Lumina. Printre volumele publicate sunt *Scuzați pentru deranj* (volum de debut, 1974), *Tatuaje* și *Epigrama daco-romană contemporană*. Este autorul antologiilor de umor românesc și universal *Atlas comic, Marea antologie a epigramei româneşti, Zâmbete pentru export*. În 2010, i s-a conferit Ordinul de Onoare al Republicii Moldova.

George Stanca (7 May 1947 – 4 February 2019) – was a poet and publicist. Collaborated with a few literary magazines and was the editor for The Flame. Working there with Adrian Păunescu, Stanca was responsible for discovering talents such as singer-songwriters Mircea Baniciu, Adriana Ausch, and Radu Gheorghe. Stanca published numerous poetry volumes such as *Journey with the elevator, Conflict poems, Radios angel.* A luminous personality with an engaging sense of humor, Stanca was an extremely known and popular figure in the journalistic-literary world. His poem *Ball in the Oval Saloon*, set to music by Mircea Baniciu, became one of the best-known songs of Romanian radio.

Radu Stanca (5 March 1920 – 26 December 1962) – was a playwright, poet, and theatre director. This happens in a medieval world, a resurrection of the balladesque of old times (C. Cubleșan), in new clothes. He is a deliberately old-fashioned poet, "which makes him automatically fashionable... his poems seem written on silk" (Alex Ștefănescu).

Zaharia Stancu (5 October 1902 – 5 December 1974) – was a writer and academic, best known for his novel Communist propagandist novel *Barefoot*, translated in 22 languages. Due to Stancu's tenderly intimist treatment of land and landscape, N. Manolescu and E. Lovinescu consider his poetry as being unfixed, swinging between the idyllic world of Coșbuc and traditionalism. G. Călinescu notes Stancu's euphoric rusticism.

Nichita Stănescu (31 March 1933 – 13 December 1983) – was "almost certainly the most important Romanian poet of the second half of the XX century." (Petre Anghel) Big words... and almost certainly... true. This position is contested – "Nichita Stănescu is the biggest illusion of our current critique" (Gh. Grigurcu), considered fortunate – to benefit from the sentiment that all was already said"(o.n. in poetry). Still, he appeared when there was a need, a vacuum, to finally say something new, and he did it brilliantly (Alex Ștefănescu). His poetry is original, exuberant, brilliant, rendering images of unparalleled beauty (N. Manolescu). "Stănescu does not resemble other poets, rather he resembles the poetic spirit of the twentieth century, through the intense desire (n.n. and skill) to extend the poetical possibilities" (Alex Ștefănescu).

Dimitrie Stelaru (8 March 1917 – 28 November 1971) – was a writer (poetry, prose, memoirs). Pompiliu Constantinescu noted the autheticity and freshness of his confession, and most of all, Stelaru's role as founder of a poetry of vagrancy in Romanian literature. Eugen Lovinescu appreciated his vision, the capacity for lapidary expression, the strange musicality of his verses. Ion Negoițescu places him as a leader of his generation: undeniably, Stelaru reigns over the poetry produced by Ion Caraion, Geo Dumitrescu, Miron Radu Paraschivescu, Constant Tonegaru.

Petre Stoica (15 February 1931 – 21 March 2009) – was a poet, translator, and publisher, one of the spiritual founders of the 60s generation, along with Nichita Stănescu, Mircea Ivănescu, Cezar Baltag, Modest Morariu. "...a dreamer but lucid at the same time... reverent and disabused, the poet builds retro sceneries where grace mixes with benign oblivion." (O. Soviany). The "banal" of Stoica holds a subversive "polemic apoliticism", defying the hierarchy imposed by the communist regime (Alex Ștefănescu).

Liviu Ioan Stoiciu (19 February 1950 –) – launches with the volume *To the flag* (Albatros Publishing, 1980) which wins him the Writers' Union Prize. N. Manolescu regards him as an authentic poet from the beginning, presenting a "prosaic" writing... within some narrative evoking biographical spaces. The next volumes evolve in a far more sophisticated manner, including specific constructions, describing metaphysical experiences of memory, full of symbols and allusions. (N. Manolescu)

Carmen Sylva (Pauline Elisabeth Ottilie Luise of Wied, 29 December 1843 – 2 March 1916) – was of German princely stock and the Queen of Romania, as the wife of King Carol I. She was widely known by her literary name of Carmen Sylva. Recipient of the Prix Botta, of the Académie Française, she wrote fluently in German as well as in Romanian.

Efim Tarlapan (17 May 1944 – 8 December 2015) – was a Bessarabian writer and editor-in-chief at the Literature & Art magazine and The Light publisher. Among his published volumes are *Sorry for disturbing* (debut volume 1974), *Tattoos*, and *Daco-Roman contemporary epigram.* Tarlapan is the author of several collections of Romanian and universal humor such as *Comic Atlas, The great anthology of Romanian epigram*, and *Smiles for export.* In 2010 he was awarded The Order of Honour of the Republic of Moldova.

Al. O. Teodoreanu (cunoscut și ca Păstorel, 30 iulie 1894 – 17 martie 1964) – a fost scriitor, gastronom și iubitor de vinuri, membru de seamă al grupurilor boeme – fratele prozatorului Ionel Teodoreanu. A rămas faimos în literatura română prin epigramele sale. Versurile lui, judecate ca fiind de tip simbolist și pline de originalitate de către G. Călinescu, nu sunt numeroase, dar se desfășoară pe o gamă largă: de la absurdul sufletului înveselit la ironie cu accent macedonskian, la profund romanticism.

George Țărnea (10 noiembrie 1945 – 2 mai 2003) – a debutat în 1974 cu volumul de poezie *Testamentele înțeleptului*. Alte volume notabile sunt *Scrisori de fiecare zi* și *Era muzicii lejere*. Melodicitatea versurilor lui Țărnea a inspirat cantautori precum Mircea Baniciu și Nicu Alifantis să compună cântece devenite foarte apreciate de public. Versurile lui sunt prezintă o estetică dureros-melancolică, fiind, astfel, unele din cele mai citite din poezia contemporană. Aceasta, în opinia noastră, îl impune pe Țărnea înaintea multor „nume mari" de ieri și (mai ales) de azi. Unul dintre colegiile din Râmnicu Vâlcea, orașul unde s-a născut, poartă numele poetului.

Cicerone Theodorescu (9 februarie 1908 – 18 februarie 1974) – a debutat cu volumul *Cleștar*, „care cuprinde tulburarea sufletească în versuri glaciale, săpate încet cu atenția unui giuvaergiu" (O. S. Crohmălniceanu). Este un „artist dificil cu el însuși și cu noi" (E. Lovinescu). Servește o vreme realismul socialist și, apoi, poezia lui devine anemică. Dar revine plină de viață în forma fixă a rondelurilor (A. Sasu).

Gheorghe Tomozei (29 aprilie 1936 – 31 martie 1997) – a fost scriitor și publicist. Debutează tern, neoriginal. Dar, începând cu volumul *Poeziile* (1965), dezvăluie un „meșteșug de bijutier... evocând în maniera unor stampe vechi pagini de istorie – desfășurat în special în domeniul gospodăresc, familial – încărcate de un sentimentalism mai mult ironic" (N. Manolescu). Influențat de Ion Pillat, scrie unele din cele mai bune versuri scurte și haiku-ri din poezia românească.

Constant Tonegaru (26 februarie 1919 – 10 februarie 1952) – a făcut parte din al doilea val al avangardei literare românești și din decadentism. Antifascist și anticomunist, a căzut victimă a regimului comunist (P. Anghel).„...Tonegaru este, mai degrabă, un himeric cu ochii holbați spre Nevăzut. Puțin autoironic, puțin fantasmatic, puțin „desperado", diafan, însă şi aristocratic-desuet, el şi-a creat o aură boemă doar ca să rămână mai bine încifrat după paravan..." (R. Cesereanu).

George Topîrceanu (21 martie 1886 – 7 mai 1937) – a scris, în general, o poezie cu umor și deosebită prestidigitație – poemele lui fiind foarte apreciate în timpul vieții, deși nu sunt bogate în lirism (N. Manolescu). Încă de pe acea vreme, opera lui a dat naștere la atitudini opuse – unii critici considerându-l un poet mare, alții un poet minor. George Călinescu atinge, probabil, punctul de echilibru, etichetându-l pe Topîrceanu ca un mare poet al universului minor – interesul lui poetic manifestându-se, spre exemplu, în lumea anotimpurilor, a insectelor, a evenimentelor de zi cu zi.

Daniel Turcea (22 iulie 1945 – 28 martie 1979) – a murit foarte tânăr. Turcea „este un poet extraordinar... care nu a pierdut, în timp, nimic din puritatea lirică de la debut – descriind o lume cu geometrii catifelate, pietre prețioase, arome și culori" (N. Manolescu). Mai târziu, poemele sale sunt dedicate unei spiritualități religioase extatice – de o puritate transparentă, făcând vizibil sufletul poetului. Limbajul liric al lui Turcea se plasează la opusul logicii – în opinia lui realitatea ultimă ocolește logica, și este descoperită numai poeziei. (Octavian Soviany).

Tristan Tzara (născut Samuel Rosenstock, 16 aprilie 1896 – 25 decembrie 1963) – este recunoscut ca inițiatorul mișcării antistabiliment Dada. A început să scrie în manieră simbolistă sub influența lui Adrian Maniu, având „o incontestabilă ușurință lirică" (G. Călinescu). A scos o revistă, Simbolul, cu Ion Vinea, cu care a și început să scrie poezie experimentalistă. Trecerea la șocantele nonsensuri ale asociațiilor Dada s-a petrecut prin filiera suprarealismului anarhic (N. Manolescu). Chiar dacă, după Manolescu, a împins prea departe antipoezia, influența lui Tzara a străbătut mult mai departe de tărâmul literar, el fiind recunoscut ca inițiator al mișcării avangardiste, și influent în conectarea cubismului și futurismului cu generația beat, situaționismul, precum și cu unele curente ale muzicii rock (Paul Cernat).

Al. O. Teodoreanu (a.k.a. Păstorel/Little Shepherd, 30 July 1894 – 17 March 1964) – writer, gourmet and wine connoisseur, member of bohemian groups, brother of novelist Ionel Teodoreanu. He is famous in Romanian literature for his epigrams. His verse, considered of symbolist nature and full of originality by G. Călinescu, is not voluminous but covers a large palette: from the absurd of the happy soul to an irony like Macedonski, to profound romanticism.

George Țărnea (10 November 1945 – 2 May 2003) – had his literary debut in 1974 with the volume *Testaments of the wise*. Other notable works include *Everyday letters* and *The era of leisurely music*. The melodicity of his verse inspired important songwriters such as Mircea Baniciu and Nicu Alifantis to compose songs that became very popular. His verses are of an achingly-aesthetic melancholy, though not glib, which makes his work one of the most readable among contemporary poets. This, in our view, places him a lot higher than many other "bigger names" of yesterday and (especially of) today. One of the colleges of Râmnicu Vâncea, Țărnea's city of birth, was named after him.

Cicerone Theodorescu (9 February 1908 – 18 February 1974) His debut volume *Cleștar* (*Crystal*) "encloses the soul's turmoil in glacial, pellucid verses, slowly carved with a jeweler's care" (O. S. Crohmălniceanu). He is an "artist difficult with himself and with us" (E. Lovinescu). He served for a while the socialist realism agenda. His poetry then waned for a while but returned vibrantly in the fixed form of rondels (A. Sasu).

Gheorghe Tomozei (29 April 1936 – 31 March 1997) – was a writer and publicist. His debut in unremarkable, unoriginal. However, starting with the volume *The Poems* (1965) he reveals himself as "a master jeweler... evoking pages of history in a manner of old stamps – developed especially in the household and family domains – full of a,mostly, ironic sentimentalism." (N. Manolescu). Influenced by Ion Pillat, Tomozei writes some of the best short versea haiku in Romanian literature.

Constant Tonegaru (26 February 1919 – 10 February 1952) – was part of the second wave of Romanian avantgarde and decadentism. Both anti-fascist and anti-communist, he fell victim of the communist regime (Petre Anghel)."Tonegaru is, rather, a chimeric, his eyes staring into the Unseen. Somewhat self-deprecating, slightly phantasmatic, a little 'desperado' and diaphanous, but also aristocratically outdated, Tonegaru created a bohemian aura, only to remain more cryptical behind his shield." (Ruxandra Cesereanu).

George Topîrceanu – (21 March 1886 – 7 May 1937) wrote, generally, poems full of humor and sleight of hand – which were very appreciated during his life, although not overly lyrical (N. Manolescu). Even back then, his work engendered opposing attitudes among critics – some considering him a great poet, others, a minor one. George Călinescu strikes, probably, the right balance, labelling Topîrceanu as a great poet of a minor universe – his poetic interest manifesting itself, for example, in the world of seasons, insects and everyday events.

Daniel Turcea (22 July 1945 – 28 March 1979) – died very young. "Turcea is an extraordinary poet, who did not lose, over time, anything from his lyrical purity visible on debut – which described a world of velvety geometry, precious stones, aromas, and colour." (N. Manolescu). Later he dedicates his poems to a deep spiritual religious extasy – a translucid purity making visible the soul of the poet. Turcea's lyrical language is placed at the opposite of logical language – in his opinion, ultimate reality eschews logic and is only ever revealed in poetry (Octavian Soviany).

Tristan Tzara (born Samuel Rosenstock 16 April 1896 – 25 December 1963) – is recognized as the initiator of the anti-establishment Dada movement. Influenced by Adrian Maniu, he began as a symbolist with a strong capacity for lyricism (G. Călinescu). Tzara set up the Simbolul magazine with Ion Vinea, with whom he began writing experimentalist poems. The move to the shocking nonsensical Dada associations passed initially through an anarchic surrealist phase (N. Manolescu). While he might have pushed his anti-poetry too far (N. Manolescu), Tzara's influence reached far beyond the literary field. He is credited with initiating the avant-garde movement in art, and influencing the connections of Cubism and Futurism with the Beat Generation, Situationism and even with various currents in rock music (Paul Cernat).

Cornel Udrea (27 martie 1947 –) – este coordonator de programe de divertisment, teatru radiofonic și spectacole cu public. Celebritate lui ca umorist (printre altele *Obiceiuri de nuntă la cangurii șchiopi, Ciroza la țânțari*) a umbrit cumva considerabilul lui talent poetic. Totuși, poezia *Coletul*, pusă pe muzică de Adrian Ivanițchi și interpretată de Cătălin Condurache, a devenit un șlagăr.

Laurențiu Ulici (6 mai 1943 – 16 noiembrie 2000) – critic literar de excepție, Ulici nu a fost numai un erudit, ci și un om cu adevărat îndrăgostit de poezie. Monumentala antologie *1001 de poezii românești* (1995) stă mărturie, precum și volumele de critică – *Literatura română contemporană* (1998). Excepționalul lui poem *Portret*, pus pe note de Nicu Alifantis, este singurul poem de la acest înger păzitor al poeziei românești, și a fost scris pentru marele său prieten, Romulus Vulpescu.

Doina Uricariu (5 octombrie 1950 –) – scriitoare și publicistă de volume de artă. „Încă de la început, versurile Doinei Uricariu deconspiră o natură reflexivă, întoarsă asupra ei însăși cu devoțiune narcisistă... ascunzând un conflict dintre esența critică și dorința de exprimare lirică... Resimțită ca frustrare, această subminare a aspirației lirice de către vocația critică s-a dovedit a fi o bună sursă de tensiune pentru dicția poetică a Doinei Uricariu." (Laurențiu Ulici)

Urmuz (pseudonim literar a lui Demetru Dem. Demetrescu-Buzău, 17 martie 1883 – 23 noiembrie 1923) – este precursorul avangardei literare românești (N. Manolescu) și reprezentant al suprarealismului înainte, și deci independent, de apariția lui în Franța (G. Călinescu). După Manolescu, opera lui Urmuz este în majoritate de factură prozaică. Totuși, în opinia editorilor acestui volum, accentele parodic mașiniste, zoomorfice, comice și absurde conferă operei lui Urmuz un distinct caracter poetic.

Mihai Ursachi (17 februarie 1941 – 10 martie 2004) – a fost poet și traducător. Scrie inițial o poezie solemnă, livrescă, unde fiorul existențial nu este filtrat prin cultură, ci pur și simplu respins și reconstituit printr-un limbaj ezoteric (Alex Ștefănescu). „Precursor al optzeciștilor, el scrie o poezie inteligentă, ludică, plină de ironie intertextuală, savuroasă lexical și în stare de permanentă grație". (N. Manolescu)

Liliana Ursu (11 iulie 1949 –) – scriitoare și traducătoare. Amprenta personală, deja vizibilă de la debut (*Viața deasupra orașului*, 1977), „este de o tonalitate gravă a discursului în proximitatea solemnității; amestecul de notații lapidare, prozaice aproape, cu instantanee ale realului halucinant și cu plăcerea discretă a reflexivității... Întâlnim și tema, frecventă în lirica deceniului opt (n.n. al secolului XX), a orașului devorator, temă care reverberează nuanțat și în volumele următoare". (referatele.com)

Ion Vatamanu (1 mai 1937 – 9 august 1993) – a fost poet, publicist și om politic, savant – doctor în chimie, din Republica Moldova. Încă de la debut (volumul *Primii Fulgi*, 1962), poezia lui Vatamanu a impus o formulă lirică nouă, modernă, deosebită de cea tradiționalistă, cultivată în Basarabia. Datorită acestei atitudini de „reformator", la care se adaugă caracterul național basarabean pronunțat al operei sale, poetul a fost suspectat, de-a lungul întregii vieți, de acțiuni „subversive" împotriva puterii sovietice. După dezintegrarea imperiului sovietic, a fost onorat, printre altele, cu distincțiile Meritul Literar (1992), iar post-mortem cu Medalia Eminescu (1995) și Ordinul Republicii (2010).

Elena Văcărescu (21 septembrie 1868 – 17 februarie 1947) – a fost o scriitoare română stabilită în Franța. Debutează în anul 1886, la Paris, cu volumul *Chants d'Aurore (Cântecele zorilor)*, premiat de Academia Franceză. Guvernul francez îi decernează ordinul de Cavaler al Legiunii de Onoare. Ca urmare, în anul 1925, Elena Văcărescu devine membru de onoare al Academiei Române, fiind prima femeie din România care a primit acest titlu. Este, de asemenea, prima și singura (la acea vreme) femeie ambasador delegat permanent la Liga Națiunilor.

Ienăchiță Văcărescu (1740 – 12 iulie 1797) – a fost demnitar, poet, filolog și istoric din Țara Românească, dintr-o veche familie boierească. Este autorul celei dintâi gramatici românești tipărite (1787), incluzând un mic tratat de prozodie, cu exemple din propriile poezii. Poemele lui Văcărescu au influență populară cu accente erotice, proprii pentru perioada în care a scris. (G. Călinescu)

Cornel Udrea (27 March 1947 –) – coordinated entertainment programs, radio-theater, and public shows. His celebrity as a humor-writer (*The wedding customs of lame kangaroos, Cirrhosis in mosquitoes among others*) overshadowed somewhat his considerable poetic talent. Still, his poem *The Parcel*, (music by Adrian Ivanițchi and interpretation by Cătălin Condurache) became a hit.

Laurențiu Ulici (6 May 1943 – 16 November 2000) – an exceptional literary critic, Ulici was not only an erudite of poetry but also someone genuinely in love with it. His monumental anthology *1001 Romanian poems* (1995) stands witness to this, as do the literary criticism volumes exemplified by *Contemporary Romanian Literature* (1998). His exceptional poem *Portrait* set to music by Nicu Alifantis, is the only poem of this guardian angel of Romanian poetry, and has been written for his great friend Romulus Vulpescu.

Doina Uricariu (5 October 1950 –) – writer, and publicist of art volumes. "From the beginning, Uricariu'sverses reveal her as a reflexive, looking inwardly with narcissistic devotion... hiding a conflict between the criticalessence of her poetry and a desire for lyrical expression... Revealed in the form of frustration, this undermining ofthe lyrical aspiration by her critical vocation ended up being a good source of tension for the poetic diction of Doina Uricariu." (Laurențiu Ulici)

Urmuz (the literary pseudonym of Demetru Dem. Demetrescu-Buzău, 17 March 1883 – 23 November 1923) – was the precursor of the Romanian literary avant-garde (N. Manolescu) a representative of surrealism prior to, and independent of, its appearance in France (G. Călinescu). According to Manolescu, the work of Urmuz is mostly of a prosaic nature. However, in the opinion of the editors of this volume, the parodying mechanistic, zoomorphic, comical and absurdist accents of Urmuz' work, endow it with a distinct poetic character.

Mihai Ursachi (17 February 1941 – 10 March 2004) – was a poet and translator. Initially, he writes solemn and cultivated poetry, where the existential quiver is not filtered through culture, rather simply rejected and reconstituted in an esoteric language – (Alex Ștefănescu). "Precursor of the 1980s generation, he writes intelligent poetry, ludic, full of intertextual irony, with lexical lusciousness and in a state of permanent grace." (N. Manolescu)

Liliana Ursu (11 July 1949 –) – writer and translator. Her personal touch, visible already from the debut (*Life above the city*, 1977), "resounds with a grave tone of discourse in the proximity of the solemn; she mixes terse notations, almost prosaic, with snapshots of the hallucinating reality and with the discrete pleasure of reflectiveness... We also encounter the theme, frequent in the lyric of the eight-decade (o.n. of the XX century), of the devouring city, which reverberates more nuanced in her following volumes." (referatele.com)

Ion Vatamanu (1 May 1937 – 9 August 1993) – was a poet, publicist, politician, and scientist from the Republic of Moldova. From his debut (the volume *First Snowflakes*, 1962), Vatamanu's poetry imposed a new kind of lyric, modern and thus different from the traditionalism cultivated in Bessarabia. Because of this "reformist" attitude, to which one might add the national Bessarabian character of his work, the poet was suspected, throughout his life, of "subversive" activities against the Soviet power. After the fall of the Soviet empire, he was honored with distinctions such as The Literary Merit (1992), and post mortem with the Eminescu Medal (1995) and the Order of the Republic (2010).

Elena Văcărescu (21 September 1868 – 17 February 1947) – was a Romanian writer settled in France. Her literary debut was in 1886 with the volume *Chants d'Aurore (Songs of Dawn)*, which received the prize of the French Academy. The French Government conferred on her the title of Knight of the Legion of Honour, and in 1925 she became an honorary member of the Romanian Academy, the first woman to receive this title. She was also the first and only (at that time) female ambassador (permanent delegate) to the League of Nations.

Ienachiță Văcărescu (1740 – 12 July 1797) – was a dignitary, poet, philologist, and historian hailing from the Romanian Country (Valachia), from an old noble family. He is the author of the first Romanian grammar book (1787), which also contained a small treatise on prosody, exemplified through his own poems. Most of his poetry is influenced by folk elements with erotic accents, which was typical of that period. (G. Călinescu)

Renata Verejanu (22 octombrie 1947 –) – din Republica Moldova, este scriitoare, publicistă, organizatoare neobosită de programe și festivaluri culturale. Nu exagerăm afirmând că Renata Verejanu este o „instituție". Este greu să găsim o comparație în ce privește atât multitudinea eforturilor culturale pe care le întreprinde, cât și de amplitudinea lor. A primit numeroase premii și distincții pentru poezie, publicistică, inițiative în domeniul social și multe altele. În 2010, prin decret prezidențial, a primit distincția de Om Emerit al Republicii Moldova.

Dan Verona (1 iulie 1947 –) – este scriitor și traducător. Primit cu entuziasm la debut de critici precum Lucian Raicu, Laurențiu Ulici sau A. Paleologu (ultimul îl compară cu Hölderlin), poezia lui Dan Verona ar putea fi clasificată drept manieristă (C. Komartin), cu un un profund fond liric, care se retrage cu timpul înspre sacru, cuplat cu denunțul alienării moderne (L. Ulici). A scris texte pentru cantautori precum Ștefan Hrușcă, Victor Socaciu, Vasile Șeicaru, Mircea Baniciu – devenite celebre. După 1989 nu a mai publicat, nedorind, probabil, să se alinieze noului discurs poetic.

Grigore Vieru (14 februarie 1935 – 18 ianuarie 2009) – a fost, probabil, cea mai semnificativă figură literar-politică din Republica Moldova de dinainte și de după 1989. Poezia lui a divizat adânc opinia critică, N. Manolescu și alții considerându-l „depășit". Totuși, Alex Ștefănescu argumentează că, din diferite motive – unele politice –, Vieru a fost interpretat greșit, poezia lui fiind de o excepțională sensibilitate „ca și cum ai atinge o rană deschisă", ocupându-se aproape exclusiv de „esențial" și că, „ceea ce conferă o frumusețe tragică poemelor poeziei lui Vieru este conștiința valorii imense a limbii". Temele care revin, deși nu exclusiv, sunt legate de imaginea sacră a mamei, de cea a adâncului patriotism față de Basarabia și visul de reunificare cu România. În 1994 a refuzat invitația măgulitoare a corpului politic pro-rus să scrie un text pentru a înlocui imnul național *Deșteaptă-te, române!*

Ion Vinea (17 aprilie 1895 – 6 iulie 1964) – a fost un poet al cărui puternic „instinct tropic" i-a permis o gamă foarte largă a registrului poetic. A început în manieră simbolist-elegiacă (G. Călinescu), continuând apoi cu transcrierea tradiționalismului în manieră modernă, atingând uneori elemente avangardiste, dar rămânând un „elegiac în gamă minoră", capabil de comparații de mare frumusețe (N. Manolescu).

Alexandru Vlahuță (5 septembrie 1858 – 19 noiembrie 1919) – a fost scriitor și publicist, apreciat în primul rând ca autor al jurnalului de călătorie *România pitorească*. A înființat, împreună cu George Coșbuc, revista *Sămănătorul*, promovând valori tradiționale și necesitatea culturalizării țărănimii. Poezia lui Vlahuță e descrisă de G. Călinescu ca mimând pe Eminescu, dar păstrând, într-o epocă de mediocritate, o ținută corectă a versului. Alți critici (de exemplu, Costin Tuchilă) subliniază faptul că Vlahuță reușește uneori să creeze versuri memorabile, de mare impact, precum în poemul 1907 („minciuna stă cu regele la masă"). Ambele tipuri de afirmații ni se par valide.

Vasile Voiculescu (27 noiembrie 1884 – 26 aprilie 1963) – începe să își găsească vocea poetică într-o manieră tradiționalist și mistic ortodoxă (G. Călinescu), dar opera lui devine mult prea importantă și vastă pentru a fi circumscrisă doar aici, rămânând totuși adânc spirituală (P. Anghel). Dar poezia lui crește palpabil în calitate după 1947 și culminează în *Sonetele închipuite ale lui Shakespeare* (N. Manolescu). E. Lovinescu apreciază la Voiculescu o posesiune a limbii, oferind o operă de o unică tonalitate și expresie. A suferit patru ani în temnițele comuniste pentru vederile sale politice, fiind arestat la 74 de ani.

Ilarie Voronca (pseudonim al lui Eduard Marcus, 31 decembrie 1903 – 8 aprilie 1946) – futurist, dadaist, suprarealist? Toate și niciuna, declară G. Călinescu, recunoscând la Voronca „o voluptoasă receptivitate senzorială... o aptitudine de a ridica orice percepție la rangul de material poetic", lucru confirmat de E. Lovinescu. Totuși, Ruxandra Cesereanu îl acuză de „obezitate lingvistică". Ceea ce nu se poate nega însă, este contribuția semnificativă a lui Voronca la avangarda poeziei românești, „...merită semnalat sub raportul stilisticii poeziei de avangardă" la un loc cu Vinea și Tzara (N. Manolescu).

Romulus Vulpescu (5 aprilie 1933 – 18 septembrie 2012) – niciunul din giganții critici literare contemporane (N. Manolescu, Alex Ștefănescu) nu se ocupă de poezia lui Vulpescu în grandioasele lor volume – ceea ce este o mare lipsă, în opinia noastră. De acest „unghi mort" nu suferă însă și un mare poet, care-l descrie astfel pe Vulpescu și opera lui: „Romulus Vulpescu este unul dintre foarte rarii scriitori

Renata Verejanu (22 October 1947 –) – from the Republic of Moldova – is a writer, publicist, and tireless organizer of cultural programs and festivals. There is no exaggeration in stating that she is "an institution". It is difficult to find a comparison in terms of the multitude of cultural efforts she undertakes, as well as their amplitude. Verejanu was awarded a multitude of prizes and distinctions for poetry, publishing, initiatives in the social field, and many others. In 2010, through a presidential decree, she was named Emeritus Person of the Republic of Moldova.

Dan Verona (1 July 1947 –) – is a writer and translator, received with enthusiasm on his debut by critics such as Lucian Raicu, Laurențiu Ulici and A. Paleologu (the latter comparing him to Hölderlin). His poetry could be regarded as manneristic (C. Komartin) and based on profound lyricism, from which it retreats into the sacred, coupled with bemoaning the alienation of modernity (Laurențiu Ulici). Verona wrote texts for singers like Ștefan Hrușcă, Victor Socaciu, Vasile Șeicaru, Mircea Baniciu, which became popular. Verona stopped publishing after 1989, possibly from an unwillingness to join the new poetic discourse.

Grigore Vieru (14 February 1935 – 18 January 2009) – was probably the most significant literary-political figure in the pre and post 1989 Republic of Moldova. His work caused deep division, N. Manolescu and others regarding it "passé". However, Alex Ștefănescu argues that, for many reasons, some of them political, Vieru has been misjudged. Ștefănescu regards Vieru's poetry as being of an exceptional sensitivity "like touching an open wound", as it deals almost exclusively with the essential. What confers Vieru's poetry a unique beauty is the immense consciousness for the value of language. The image of the sacred mother, of deep patriotism for his beloved Bessarabia and the dream of unification with Romania, recur in his poems, though not exclusively. In 1994 he famously refused the flattering invitation of the pro-Russian body politic to compose the text for a new national anthem to replace *Wake up, Romanian.*

Ion Vinea (17 April 1895 – 6 July 1964) – was a poet whose powerful "metaphorical instinct" granted him a very broad poetic register. He started in a symbolist-elegiac manner (G. Călinescu), continuing with the transcription of traditionalism into a modern style, sometimes touching on avant-garde elements, but remaining "an elegiac in a minor key", capable of exceedingly beautiful comparisons (N. Manolescu).

Alexandru Vlahuță (5 September 1858 – 19 November 1919) – was a writer and publisher, best appreciated for his travel journal *Picturesque Romania.* Together with George Coșbuc he established the magazine *Sămănătorul (The Sower),* promoting traditional values and the emancipation of the peasant class. Vlahuță's poetry was described as mimicking Eminescu's (G. Călinescu), but retaining a correct stance of verse, in a time of mediocrity. Other critics (e.g. Costin Tuchilă) maintain that Vlahuță manages sometimes to produce very impactful and memorable verses, as in the poem 1907 ("The Lie is always dining with the king"). Both types of assertions seem valid to us.

Vasile Voiculescu (27 November 1884 – 26 April 1963) – finds his poetic voice in a traditionalist mystical-orthodox manner (G. Călinescu), but his poetry becomes too ample and important to be thus circumscribed, although it remains deeply spiritual (Petre Anghel). His poetry grows palpably in quality after 1947, culminating with the *Imagined sonnets of Shakespeare* (N. Manolescu). E. Lovinescu appreciates Voiculescu's mastery of language, offering in his works a unique tonality and expression. He spent four years in communist jails for his political views, having been imprisoned at the age of 74.

Ilarie Voronca (pseudonym of Eduard Marcus, 31 December 1903 – 8 April 1946) – futurist, dada-ist, surrealist? All and none of those, writes G. Călinescu, noting that Voronca has "a voluptuous sensory receptivity... an aptitude to lift any perception at the level of 'poetic material'", this being confirmed by E.Lovinescu. However, Ruxandra Cesereanu accuses him of "linguistic obesity." What cannot be denied is Voronca's significant contribution to the Romanian avant-garde, "...he deserves to be mentioned in relation to the style of avant-garde poetry" alongside Vinea and Tzara (N. Manolescu).

Romulus Vulpescu (5 April 1933 – 18 September 2012) – none of the giants of contemporary Romanian literary criticism (N. Manolescu, Alex Ștefănescu) cover the poetry of Vulpescu in their grand tomes – and this is a major oversight in our opinion. The task of appraisal of Vulpescu's work is left to a great Romanian poet, who does not suffer from this "blind spot": "Romulus Vulpescu is one of the rare writers who is,

care sunt în același timp și propriul lor personaj. Romulus Vulpescu este invenția lui Romulus Vulpescu, așa cum Don Quijote este invenția lui Cervantes... Ceea ce frapează peste tot cu constanță e suavitatea vehementă... angelismul exprimat cu brutalitate... strigătul este acela al sensibilității acute, convertită în parabole, în pilde, în aluzii și uneori în mituri... Fantezia cultivată a scriitorului preferă grotescul gigantic și absurdul cazuistic, umorul negru traversat nu o dată de melancolie". (Nichita Stănescu)

Horia Zilieru (21 mai 1933 –) – este poet și filolog. Originar din Argeș, Zilieru s-a format ca poet în ambianța Iaşului literar, debutând în 1959 cu placheta de versuri *Fluierul*, continuând cu *Florile cornului tânăr*. Dar vocea poetică și-o descoperă cu volumul *Orfeu îndrăgostit*. Poezia lui are un cult al formei, trimițându-ne la poezia parnasiană, pe care se pare că o cunoştea bine. Distingem la el forme lirice din Mallarme, din Ion Barbu, Baconsky şi chiar din Eminescu. (Ion Ionescu-Bucovu)

Ion Zubașcu (18 iunie 1948 – 28 mai 2011) – a fost poet, publicist și cantautor de muzică folk. În ultima ipostază, s-a afirmat în cadrul Cenaclului Flacăra, organizat de Adrian Păunescu. Debutul editorial îl marchează cu volumul de versuri *Gesturi și personaje* (Editura Albatros, 1982). A mai publicat *Omul de cuvînt* (1991); *Întoarcerea la Dumnezeu. Între viață și moarte* (cu Ioan Alexandru 1995), *Omul disponibil* (2000). „Zubașcu are asupra umanității o viziune detașat-generalizatoare – ca și cum Homo sapiens ar fi un ciudat exemplar de studiu, prins în complicate și obscure populații..." (Traian T. Coșovei) „Epopeea lirică, hrănită din mitologia cotidianului dar și din nostalgia unei ontogeneze corupte, este visul poetic al lui Ion Zubașcu. Într-un limbaj smuls din oralitatea diurnă, discreditată ușor prin sarcasm, poetul reface... o genealogie tulbure și convulsivă". (Radu G. Țeposu)

at the same time, his own created character. Romulus Vulpescu is the invention of himself, in the same way Don Quixote is the invention of Cervantes... What strikes us consistently is the suave vehemence... the angelic expressed with brutality... that scream of acute sensitivity, converted into parables, into cautionary tales, into allusions and sometimes into myths... The cultivated fantasy of the writer prefers the gigantically grotesque and casuistic absurdity, black humor traversed more than once by melancholy." (Nichita Stănescu)

Horia Zilieru (21 May 1933 –) – is a poet and philologist. Originally from the Argeş region, he developed in the milieu of The literary Iași magazine. His debut was in 1959, with the chapbook *The flute* and continuing with *Flowers of the young horn.* However, Zilieru finds his voice with the volume *Orpheus in love.* His poetry has a cult for the form, reminding of the Parnassian poetry which he seems to know well. We distinguish lyrical touches from Mallarme, Ion Barbu, Baconsky and even Eminescu. (Ion Ionescu-Bucovu)

Ion Zubaşcu (18 June 1948 – 28 May 2011) – was a poet, publicist and folk singer-songwriter. In the last role he came to prominence as part of Adrian Păunescu's Flacăra (The Flame) Festivals. His editorial debut is in 1982 with the poetry volume *Gestures and characters* (Albatros Publishing, 1982). Other volumes are *A man of his word* (1991), *the return to God. Between life and death* (with Ioan Alexandru, 1995), *The Available Man* (2000). "Zubaşcu has a detached-generalizing view of humanity – as if Homo Sapiens would be a strange study piece, caught inside complicated and obscure populations..." (Traian T. Coşovei) "The lyrical epic, fed by the mythology of every day but also by a nostalgia of a corrupt ontogeny, is the poetic dream of Ion Zubaşcu. In a language torn from daily orality, slightly discredited through sarcasm, the poet restores... a fraught and convulsive genealogy." (Radu G. Ţeposu)

BIBLIOGRAFIE, PARTEA I
BIBLIOGRAPHY, PART I

Anghel, Petre – *Istoria Politică a literaturii române postbelice*, Editura RAO, 2015

Bârna, Nicolae – *Dicționarul general al literaturii române*, L-O, Editura Univers Enciclopedic, Bucureşti, 2005, p. 189

Borchin, Mirela Ioana – *Despre Eugen Dorcescu: volum omagial 75* / coord.: Mirela Ioana Borchin – Timişoara: Mirton, 2017

Brădiceni, Ion Popescu – în revista Luceafărul, nr. 11, 2014

Constantina Raveca Buleu – „Liviu Ioan Stoiciu – Identități contrastante" – „Apostrof", nr. 9 – 2011, reluat în vol. Constantina Raveca Buleu, Geometrizări, Limes, 2019, pp. 197-200

Călinescu, George – *Istoria literaturii Române*, Editura Semne, 2003

Cernat, Paul – *Avangarda românească și complexul periferiei: primul val*, Cartea Românească, București, 2007

Cesereanu, Ruxandra – *Deliruri şi delire*, (Editura Paralela 45, 2000)

Constantinescu, Pompiliu – „Feminitate și poezie a fiziologiei"; „Vremea", iulie 1942

Cubleșan, Constantin – *Poezia de toate zilele* – Editura Limes, Cluj, 2017

Diaconu, Mircea A. – *Biblioteca română de poezie postbelică*, Editura Universității Ştefan cel Mare, 2016

Golopentia, Sanda – *An Encyclopedia of Continental Women Writers, volume 1*, editor Katharina M. Wilson – Garland Inc., New York and London, 1991

Grăsoiu, Dorina – *Dicționarul general al literaturii române* – (coordonator Eugen Simion); „Elisabeta Isanos", Academia Română, 2004

Grigurcu, Gheorghe – *Existența poeziei*, Cartea Românească, 1986

Grigurcu, Gheorghe – *Poezia română contemporană, vol. I*, (Ed. Convorbiri literare, 2000)

Iorgulescu, Mircea – *Scriitori tineri contemporani*, Editura Eminescu, București, 1978

Lovinescu, E. – *Istoria literaturii române contemporane* 1900-1937, Editura Minerva, 1989.

Manea, Irina-Maria – *Nicolae Labiș, poezie și zbucium*, Historia.ro, 5 decembrie 2011

Manolescu, Nicolae – *Istoria critică a literaturii române*, Editura Paralela 45, 2008

Manu, Emil – *Actualitatea lui Ion Minulescu*, Editura Eminescu, București, 1986, p. 5–9

Manu, Emil – *Dimitrie Stelaru*, Editura Cartea Românească, 1984 (ediția a doua, revăzută și adăugită, București, Editura Profile Publishing, 2003)

Neagu, Gheorghe A. – prefață la volumul *Refugiu în a fi – Dumitru Băluță*, Editura Minerva, 2011

Neculce, Ion – *Letopisețul Țării Moldovei*

Paleologu, Alexandru – *Simțul practic*, 1976

Piru, Al. – *Poezia românească contemporană*, 1950 – 1975, București, Editura Eminescu, 1975

Piru, Al. – *Istoria literaturii române*, Ed. Grai și Suflet – Cultura națională, București, 1994, p. 312

Pop, Ion – *Introducere în avangarda românească*, 2007

Pop, Ion – *Poezia unei generații*, Cluj-Napoca, Editura Dacia, 1973

Pop, Ion – „Despre Poezia lui Toma George Maiorescu" – Viața Românească, 8/2018

Rachieru, Adrian – *comunicare directă cu editorii*

Raicu, Lucian – „O tentativă de singularizare" – România literară; p.389 în Fragmente de timp, Ed. Cartea Românească, 1984

Raicu, Lucian – „România literară", nr. 41, 1974 Sasu, Aurel (ed.) – Dicționarul biografic al literaturii române, vol. II, p. 705, Pitești: Editura Paralela 45, 2004

Sasu, Aurel – *Dicționarul scriitorilor români din Statele Unite și Canada* (despre Dumitru Ichim)

Simion, Eugen – *Scriitori români de azi, vol. I*, Editura Cartea Românească, 1974 (ediția I), 1978 (ed. a doua, revăzută)

Smarandache Florentin – *Popasuri scriitoricești pe Olt și Olteț* – Editura Sitech, Craiova, Education Publisher, Columbus – Ohio, SUA, 2013

Soviany, Octavian – *Cinci decenii de experimentalism, Vol. 1 și 2*, Editura Casa de pariuri literare, 2011

Stănescu, Nichita – „Gazeta literară", nr. 51, 1967

Ștefănescu, Alex – *Istoria literaturii române contemporane* (1940-2000), editura Mașina de scris, 2005

Șuluțiu, Octav – *Scriitori și cărți, Mihai Moșandrei, Singurătăți* (Ed. Fundațiilor Regale), în Familia, Seria III, Anul III, Nr. 9-10, nov.-dec. 1936, Oradea, p. 92

Ulici, Laurențiu – *Literatura română contemporană* – Editura Eminescu, 1995

Ulici, Laurențiu – „Contemporanul", nr. 25/1981;

Ulici, Laurențiu – „România literară", nr. 18/1973;

Voncu, Răzvan – *Revista literară evreiască*, nr. 452-453/iunie 2015

RESURSE INTERNET/INTERNET RESOURCES

https://crispedia.ro/gheorghe-azap/ – Gheorghe Azap

https://www.dcnews.ro/benone-burtescu-poet-cre-tin-a-decedat_469032.html – Cornel Dărvășan despre Benone Burtescu – 2 martie, 2015

http://www.uniuneascriitorilor.ro/2019-04-05-in-memoriam-ion-horea – 5 aprilie 2019

https://www.litero-mania.com/darie-magheru-și-a-sa-cărămida-cu-mâner/ – Raul Popescu, 19/01/2019

http://www.referatele.com/referate/romana/Mihai-Moșandrei/index.php

http://www.referatele.com/referate/romana/Modest-Morariu/index.php

http://www.referatele.com/referate/romana/Liliana-Ursu/index.php

https://ocartepezi.wordpress.com/calendar-de-carti/5mai/15-mai-2007-paula-romanescu-%E2%80%9Einsoritregal%E2%80%9C-editura-%E2%80%9Esignata%E2%80%9C-bucuresti-victor-sterom/ Victor Sterom – despre Paula Romanescu

https://usrbacau.ro/carneci-radu/ – Dumitru Micu, Mihai Cimpoi – despre poezia lui Radu Cârneci

http://www.sst.bibliotheca.ro/membri/Filip.htm – Mihai Cimpoi despre Iulian Filip – opinii critice

https://www.lapunkt.ro/2019/02/poemul-saptamanii-dusan-petrovici/ – Claudiu Komartin – despre Dușan Petrovici – revista La Punkt – februarie 2019

https://cititordeproza.wordpress.com/2013/07/30/horia-zilieru-un-orfeu-indrgostit-de-marea-poezie-2/ – Profesor Ion Ionescu-Bucovu

https://www.larousse.fr/dictionnaires/francais/ En.Wikipedia Ro.Wikipedia

NOTE CRITICO-BIOGRAFICE

PARTEA A II-A

POEZIA ROMÂNEASCĂ DE LA 1951 LA 2020

•

CRITICAL-BIOGRAPHICAL NOTES

PART II

ROMANIAN POETRY FROM 1951 TO 2020

George Achim (27 februarie 1960 –) – este profesor de literatură contemporană (Universitatea Tehnică Cluj-Napoca/Centrul Universitar Nord, Baia Mare), conducător de doctorat, critic literar, poet și eseist. În perioada 2008-2012, George Achim a fost profesor invitat la Universitatea din Viena. A fost recepționat pozitiv ca poet cu volume precum *Dinspre ieri spre nicăieri* (1994) și *Dulcețuri din fructe târzii de pădure* (2010). „Cu volumul *Dulcețuri din fructe târzii de pădure*, George Achim se dovedește un alchimist capabil de transformări rafinate, având la dispoziție o uriașă distilerie pentru filtrarea realului, iar poemul pentru el nu este menit doar a da o formă emoției, ci și de a dezghioca sâmburele lucrurilor la o căldură supravegheată." (Liliana Truță)

Constantin Acosmei (1972 –) – „Autorul volumului *Jucăria mortului* ilustrează, cum puțini alții, consecințele extreme ale nihilismului modernității: respingerea transcendenței divine ne lasă pradă iminenței demonicului, lumea dezvrăjită nu se limpezește, dimpotrivă, e bântuită de spectre." (O. Nimigean) „O poezie care creează o stare existențială foarte puternic afectată de o lipsă de rost în viață, o lehamite existențială." (Mihail Vakulovski) „...Constantin Acosmei – Marius Ianuș: iată fața cu două obraze și structura de rezistență a poeziei de azi." (Daniel Cristea-Enache) „Am fost uimit de versul lucid, disperat și întunecat generos al lui Acosmei, așa că am învățat actul marțial al traducerii." (Gene Tanta)

Nicu Alifantis (31 mai 1954 –) – unul din cei mai cunoscuți și mai prolifici cantautori din muzica românească, Alifantis a compus melodii pe versurile unora dintre cele mai frumoase poezii românești. În acest context, faptul căscrie și publică poezie nu este o surpriză. În opinia noastră, deși acum Alifantis scrie poezie aproape „incognito", ea stând în umbra imensă creată de muzica lui, volume precum *Scrisori nedesfăcute* sau *45 poeme la întâmplare* îl vor face cunoscut pe viitor și ca un poet de mare valoare. În 2004 i s-a conferit Ordinul Meritul Cultural.

Adrian Alui Gheorghe (6 iulie 1958 –) – poet, ziarist, profesor. Dintre volumele de poezie – *Poeme în alb-negru* (1987); *Intimitatea absenței* (1992); *Cântece de îngropat pe cei vii* (1993); *Fratele meu, străinul* (1995); *Supraviețuitorul și alte poeme* (1997), *Îngerul căzut* (2001). „Alui Gheorghe adaugă unei neliniști existențiale, venind dinspre Bacovia... o inconfundabilă nevoie de a comunica cu fratele său, evident „cetitorul", pe care, într-un gest disperat, l-ar îmbrățișa și, în final, l-ar strânge de gât." (Mircea A. Diaconu). „Scrie o poezie cu misiune, o poezie care n-a cedat" (Al. Cistelecan). A primit multe premii și distincții, printre care Premiul Uniunii Scriitorilor din România (2001), pentru volumul *Îngerul căzut*, Ordinul Meritul Cultural (2010); Cetățean de onoare al municipiului Piatra Neamț, 2005.

Vasile Andreica (24 aprilie 1978 –) – debutează în ianuarie 2020 cu volumul *O carte de poezie* – operă care emană prospețime, onestitate și direcție, simț al umorului ca și metafore și analogii splendide („Ție, femeie frumoasă cu ochi răcoroşi cum e mierea de izmă,..."). A fost inclus și în antologia de limbă engleză *Lidia Vianu Translates* – 2020.

Liviu Antonesei (25 aprilie 1953 –) – profesor universitar și cercetător în pedagogie, scriitor și publicist. A debutat în poezie cu volumul *Pharmakon* (Cartea Românească. 1989). A urmat volumul *Căutarea căutării*, premiat cu Premiul pentru Poezie al Uniunii Scriitorilor din România în anul 1990. Antonesei este tradus și reprezentat în antologii și în reviste din Ungaria, SUA, Grecia, Italia, Germania, Franța, Spania, Polonia, Olanda, Belgia etc., cu poezii, eseuri, studii, articole.

George G. Asztalos (6 aprilie 1963 –) – poet, jurnalist, artist plastic, autodescriidu-se ca scriitor „infrarealist". Asztalos a publicat volume precum *SIM* (sau *The Second Infrarealist Manifesto*), *The hidden thoughts of Drakula – A bloody Pocket Book*, iar în poezie – *Zoon Poetikon* și *InfraRouge*. „Găsește-ți otrava, gustă puțin câte puțin, așteaptă ca ceilalți să moară..." – acesta este crezul poetic al autorului pentru o viață plină de bucurie, extrăgând ceva bun chiar din cele mai rele întâmplări ale zilei.

George Achim (27 February 1960 –) – is a professor of contemporary literature (Technical University Cluj-Napoca/Northern University Campus, Baia Mare), doctorate supervisor, literary critic, poet, and essayist. Between 2008-2012 he acted as visiting professor at the University of Vienna. He was positively received as a poet for volumes such as *From yesterday to nowhere* (1994) and *Late harvest forest fruits confitures* (2010). "With the volume *Late harvest forest fruits confitures*, George Achim proves himself as an alchemist capable of refined transformations, having at his disposal a huge distillery for filtering the real, and poetry, for him, is not just meant to give shape to emotion, but to decorticate the kernel of matter at a controlled temperature." (Liliana Truță)

Constantin Acosmei (1972 –) – "The author of *The dead man's toy* illustrates, as few can, the extreme consequences of the nihilism of modernity: the rejection of divine transcendence leaves us prey to demoniacal immanence, the world now devoid of magic does not become clear, on the contrary, it is haunted by specters." (O. Nimigean) "A poetry creating a very strong existential state, affected by a lack of purpose in life, existential nausea." (Mihai Vakulovski) "Constantin Acosmei – Marius Ianuș: behold the two cheeked face and the structure of resistance of today's poetry." (Daniel Cristea-Enache) "I was struck by Acosmei's desperate, lucid, and darkly generous verse, so I took up the martial act of translation." (Gene Tanta)

Nicu Alifantis (31 May 1954 –) – One of the best-known singer-songwriters in Romanian music, Alifantis has composed melodies for some of the most beautiful Romanian poems. In this context, the fact that he writes and publishes poetry should not be a surprise. In our opinion, even though right now Alifantis writes poetry almost "incognito", as it stands in the enormous shadow cast by his music, volumes such as *Unopened letters* and *45 random poems* will reveal him in the future as a significant poet. In 2004 he was awarded the Order for Cultural Merit.

Adrian Alui Gheorghe (6 July 1958 –) – poet, journalist, professor. Among his poetry volumes are – *Poems in black&white* (1987), *Intimacy of absence* (1992), *Songs to bury the living* (1993), *My brother, the stranger* (1995), *The survivor and other poems* (1997), *The fallen angel* (1001). "Alui Gheorghe adds to an existential restlessness, coming from Bacovia... an unmistakable need to communicate with his brother, evidently 'the reader', whom, in a desperate gesture, he would embrace, and, finally, would strangle." (Mircea A. Diaconu). "He writes mission poetry, a poetry which hasn't given up." (Al. Cistelecan) He was awarded several distinctions, such as The Prize of the Writers' Union for the volume *The Fallen Angel*, The Order for Cultural Merit (2010), Honorary Citizen of the city of Piatra Neamț, 2005.

Vasile Andreica – (24 April 1978) – had his literary debut in January 2020 with the volume *A book of poetry* – work exuding freshness, honesty and directness, sense of humour as well as splendid metaphors and analogies ("To you, beautiful woman with umbrageous eyes like peppermint honey,...". He was included in the English language anthology *Lidia Vianu Translates* – 2020.

Liviu Antonesei (25 April 1953 –) – is a university professor and researcher in pedagogy, writer and publicist. He had his poetry debut with the volume *Pharmakon* (1989). The volume *The seeking of seeking* followed, which was awarded the prize for poetry by the Romanian Writers' Union for 1990. Antonesei has been translated and represented in anthologies and magazines from Hungary, USA, Greece, Italy, France, Spain, Holland, Belgium, etc. with poetry, essays, studies, and articles.

George G. Asztalos (6 April 1963 –) – is a poet, journalist, plastic artist, self-described as an "infrarealistic" writer. Asztalos authored volumes such a *SIM* (aka *The Second Infrarealist Manifesto*), *The hidden thoughts of Drakula – A bloody Pocket Book*, and also two books of poetry – *Zoon Poetikon and InfraRouge*. "Find your poison, taste it bit by bit, and wait for the others to die..." – this is the author's "ars poetika" to live a joyful life, finding a good experience even in the worst happenings of our day.

Alexandra Balm (29 noiembrie 1974 –) – este scriitoare, cercetătoare în domeniul literar, publicistă și traducătoare stabilită în Noua Zeelandă. A publicat eseuri, studii literare, proză scurtă și poezie în reviste din Noua Zeelandă, România, America și Australia – de exemplu Takahe, Exquisite Corpse, Double Dialogues, Inter-textes, Echinox, Tribuna şi Creier, Cognitie. Balm a editat, și a fost inclusă, în mai multe antologii de poezie.

Ștefan Savatie Baștovoi (4 august 1976 –) – este o figură spirituală influentă, foarte popular on-line. Este teolog, scriitor, editor și prezentator TV, originar din Republica Moldova. Volumul de poezie *Elefantul promis* (1996) a fost distins cu Premiul de debut al Uniunii Scriitorilor din Moldova. Alte volume de poezie: *Cartea războiului* (1997), *Peștele pescar – o poveste* (1998), *Casa timpului* (1999). A fost pasionat de Freud și Nietzsche, atitudinea lui nefiind conservatoare tipică monahilor ortodocși. Scrisul lui Baștovoi se remarcă prin imaginația uneori delirantă și asociațiile neordinare, puse în evidență de tonul cel mai adesea cald și reținut. Monahul Savatie și-a renegat multe din scrierile semnate cu numele Ștefan Baștovoi, ca fiind dăunătoare pentru suflet.

Cristian Bădiliță (27 martie 1968 –) – este teolog (greco-catolic), eseist, traducător și poet român contemporan, care trăiește la Paris. Deține doctoratul în Istoria Creștinismului decernat de Universitatea Sorbona. Afară de multele volume de cercetare (de autor sau colective), Bădiliță a publicat și mai multe volume de poezie, cum ar fi: *Poeme pentru păsări şi extratereştri* (2007), *Regele cu o harfă în mâini* (2007), *Străpungeri* (2017). Ignorat, în mare, de critica literară din România, acest exponent al autointitulatului „suprarealism/metarealism ortodox" este, în opinia noastră, un poet care revine, în mod original și cu succes, la imixiunea expresiei cu semantica spirituală într-o modalitate profund lirică – lucru ce nu s-a mai regăsit în poezia românească de la Ioan Alexandru. A contribuit, de asemenea, la o ediție modernizată a poemului epic *Țiganiada sau Tabăra Țiganilor* a lui Ion Budai-Deleanu.

Daniel Bănulescu (31 august 1960 –) – este romancier, poet și dramaturg. Unul din poeții de marcă ai generației actuale. Printre distincțiile primite – Premiul pentru de Debut în Poezie, acordat de către Uniunea Scriitorilor pentru volumul *Te voi iubi pân' la sfârșitul patului* (1993); Premiul Academiei Române acordat pentru romanul *Cei șapte regi ai orașului București* (1998); Premiul European pentru Poezie (2005). „Poet de forță – spunând asta, am în vedere austeritatea şi siguranța expresiei – Daniel Bănulescu stăpâneşte, în aceeaşi măsură, sarcasmul, ironia amară, scena grotescă sau delirul grațios, în poeme despre moarte, iubire şi Dumnezeu." (Mircea A. Diaconu). „...acest spațiu e teatrul alchimiei malefice... converteşte spiritul în cea mai abjectă visceralitate. Iar proiectul evaziunii dintr-o asemenea lume apocaliptică se desfăşoară după rețeta parodiei sinistre." (Octavian Soviany)

Mircea Bârsilă (19 octombrie 1952 –) – poet și profesor universitar de literatură. „Poezia lui Mircea Bârsilă... respiră un duh al pământului... autorul recreează un original spațiu spiritual, un tărâm inițial al cunoașterii locurilor de unde se trage." (Elisaveta Novac) Temele lui „se aşază şi se dispun astfel încât să haşureze un spațiu rural-ideal, o Arcadie autohtonă recompusă şi descompusă în elementele fundamentale... Şi pentru că Arcadia aceasta e definitiv pierdută şi imposibil de regăsit în lumea exterioară, tumultuoasă, zgomotoasă, poetul o interiorizează." (Daniel Cristea-Enache)

Andrei Bodiu (27 aprilie 1965 – 3 aprilie 2014) – a fost poet și critic literar. Colecțiile lui poetice *Cursa de 24 ore* (1994), Poezii patriotice (1995), *Studii pe viață și pe moarte* (2000), *Oameni obosiți* (2008), *Firul alb* (2014). „...unul dintre cei mai curajoși poeți de după 1990... Bodiu rămâne totuși (est)european prin amănuntul că nu vrea totuși să renunțe la poeticitate. O poeticitate aproape insesizabilă, fără markeri stilistici, lipsită de orice urmă de emfază și de patos, dar care, odată sesizată, se instilează în fiecare text... Esențială e neutralitatea de ton, al cărei rol e acela de a da senzația că totul e înregistrat în priză directă... vocea lui Bodiu e albă (ca «firul alb», firește), astfel încât evenimentele relatate se imprimă instantaneu și pregnant pe fondul ei, de la sine." (Radu Vancu)

Adrian Bodnaru (4 octombrie 1969 –) – este poet și editor. A debutat cu *bodnaru și alte verbe* (1994), urmat de *noi și purtate* (1996), *toate drepturile rezervate, inclusiv Suedia și Norvegia* (2000) – care a primit Premiul Uniunii Scriitorilor, filiala Timișoara, *versuri și alte forme fixe* (2002), *O legătură de chei* (2010). „Adrian Bodnaru pare-a scrie «la spartul nunții, în cămară», la ceasul zorilor mahmuri, în cenușiu și abandon. Universu-i este unul familiar, anodin, prozaic, fără «glorie» – dar, ca în poezia lui Bacovia, generator al unei atmosfere stranii și înlănțuitoare, aproape magice, de neuitat." (Șerban Foarță)

Alexandra Balm (29 November 1974 –) – is a Romanian writer and literary scholar, publicist and translator living in New Zealand. She published essays, literary studies, short stories, and poetry, in magazines as far as New Zealand, Romania, America and Australia – for example, Takahe, Exquisite Corpse, Double Dialogues, Inter-textes, Echinox, Tribuna şi Creier, Cognitie. She has edited and was included in several anthologies of poetry.

Ştefan Savatie Baştovoi (4 August 1976–) – is an influential spiritual figure, very popular online. He is a theologian, writer, editor and TV presenter, originating from the Republic of Moldova. His poetry volume *The promised elephant* (1996), awarded the Debut Prize of the Moldovan Writers' Union. Other poetry volumes: *The book of war* (1997), *The fisherman fish – a tale* (1998), *The house of time* (1999). He was fond of Freud and Nietzsche, his attitude being non-conservative, atypical for an Orthodox monk. Baştovoi's writing stands out through a sometimes delirious imagination and unusual associations, underlined by a warm and restrained tone. Savatie, the monk, has repudiated many of the writings signed as Ştefan Baştovoi, for being damaging to the soul.

Cristian Bădiliţă (27 March 1968 –) – is a theologian (Greek-Catholic), essayist, translator and Romanian poet living in Paris. He holds a Ph.D. in the ancient history of Christianity at the University Paris IV Sorbonne. Apart from his numerous individually authored and collectively coordinated scholarly studies, Bădiliţă published several poetry volumes, such as: *Poems for birds and extraterestrians* (2007), *The king with a harp in his hands* (2007, *Piercings* (2017). Largely ignored by Romanian literary critics, this exponent of the self-described "orthodox surrealism/meta-realism" is, in our opinion, a poet who returns, in his own original way, successfully to the combination of expression with the spiritual semantic – in profoundly lyrical manner – something not seen in Romanian poetry since Ioan Alexandru. He contributed a modernized edition of the epic *Ţiganiada or The Camp of the Gypsies* by Ion Budai-Deleanu.

Daniel Bănulescu (31 August 1960 –) – is a novelist, poet, and playwright, one of the most important poets of the current generation. Among distinctions received – The Debut Prize of the Writers' Union for the volume *I will love you to the end of the bed* (1993); The Prize of the Romanian Academy for the novel *The seven kings of the city of Bucharest* (1998); The European Prize for Poetry (2005). "A powerful poet – and in saying that, I consider the austerity and assuredness of his expression – Bănulescu equally masters sarcasm, bitter irony, the grotesque scene or gracious delirium, in poems about death, love, and God." (Mircea. A. Diaconu). "...this theatrical space of malefic alchemy... converts the spirit in its abject viscerality. And the project of escaping from such an apocalyptic world happens according to the recipe of sinister parody." (Octavian Soviany)

Mircea Bârsilă (19 October 1952 –) – is a poet and professor of literature. "The poetry of Mircea Bârsilă... breathes a spirit of the land... the author recreates an original spiritual space, an early realm of understanding of the places of his origins." (Elisaveta Novac) His themes "dispose of themselves in such a way as to crosshatch an ideal rural space, an Arcadia recomposed and decomposed into its fundamental elements... And because this Arcadia is definitively lost and impossible to retrieve in the exterior world, tumultuous, noisy, the poet internalizes it." (Daniel Cristea-Enache)

Andrei Bodiu (27 April 1965 – 3 April 2014) – was a poet and literary critic. His poetry offers *The 24 hour race* (1994), *Patriotic poems* (1995), *Life or death studies* (2000), *Tired people* (2008), *The white thread* (2014). "...one of the most courageous poets after 1990... Bodiu remains, still, an (Eastern) European through the fine point that he does not wish to renounce poetization. An almost elusive poetry, without stylistic markers... The neutrality of tone remains essential and has the role of creating the impression that everything is recorded live... Bodiu's voice is white (like the white thread, of course) so that the depicted events are instantly and strikingly recorded on its background, naturally. (Radu Vancu)

Adrian Bodnaru (4 October 1969 –) – is a poet and editor. His debut was with *bodnaru and other verbs* (1994) followed by: *new and used* (1996), *all rights reserved, including Sweden and Norway* (2000) which was awarded the Prize of the Writers' Union, Timişoara branch, *verses and other fixed forms* (2002), *a bunch of keys* (2010). "Adrian Bodnaru seems to write 'at the wedding's closing, in the cellar', at the hangover hour of sunrise, in a gray abandonment. His universe is familiar, dull, prosaic, without 'glory' – but, as with Bacovia's poetry, generating a strange and gripping atmosphere, almost magical, unforgettable." (Şerban Foarţă)

Hanna Bota (7 iulie 1968 –) – este poet, etnolog și teolog, prezentând un caracter aproape renascentist, dar substratul rămâne cel poetic. Dintre volumele de poezie publicate, menționăm *Candidați pentru ploaia târzie* (1994), *Dincolo de sine* (1997), *Ultimele poeme închipuite ale lui VV în transcriere imaginară de...* (2003), *Elogiul pietrei* (2004), *Don't play with the snakes* – antologie de poezie tradusă în engleză (2008). „Hanna Bota ne propune o călătorie extraordinară, cum făceau, odinioară, eroii lui Jules Verne... «aventurierul» trăiește intens. Descoperirea... itinerarul pe care ni-l propune scriitorul, antropologul și omul religios Hanna Bota este o premieră absolută." (Cornel Ungureanu). Printre distincțiile primite, Premiul pentru poezie Octavian Goga (2003); Premiul Uniunii Scriitorilor, Filiala Bacău, pentru poezie (2003).

Romulus Bucur (11 mai 1956 –) – este poet, critic literar, publicist și traducător. Debutul său fiind în perioada optzeciștilor, Bucur începe prin a renunța nu numai la gândirea metafizică, ci și la retorica metaforică tradițională, preferând expresia simplă, prozaică, de o austeritate care, deşi dobândeşte relief şi savoare în construcția textului, anticipează minimalismul estetic contemporan... Dar, într-un volum din 2009, *O seamă de personaje secundare*, Bucur dovedeşte a fi evoluat, abordând temele (de exemplu, computerul, sexul) şi modul de scriitură ale poeţilor douămiişti. Bucur surprinde spiritul vremii noastre, întâlnindu-se cu cei mai tineri poeți şi influențându-se reciproc se pare. (Dumitru Chioaru)

Florica Bud (21 martie 1957 –) – este scriitoare și publicistă. A devenit cunoscută literaturii românești cu romanul *Bărbatul care mi-a ucis sufletul într-o joi*, pentru care a primit Premiul Asociației Scriitorilor Bucureşti (2005), dar și cu mai multe volume de poeme, printre care *Cu taxă inversă, iubirea* – 2013 și *Selected Poems* – 2014. „În scrisul său se manifestă voluptatea și emoția întâlnirii cu magia limbajului." (Paul Aretzu). „Cele mai bune poezii ale Floricăi Bud sunt invocații și ofrande. Poeta cheamă iubirea (mai degrabă decât un iubit), pe toate vocile şi din toată inima. O lirică pe muchie de cuțit între senzualitate şi conştiință morală." (N. Manolescu)

Ion Buzu (7 octombrie 1990 –) – este scriitor din Republica Moldova. A debutat în 2013 cu volumul de versuri *3ml de Konfidor* (2013). A fondat în 2014, împreună cu alți oameni de artă, revista literară Lolita. Prezent în antologia *Best European Fiction* of 2016, publicată la editura Dalkey Archive Press și *Nase arcadlo (Oglinda noastră)*, antologie cehă de povestiri, publicată de Milan Hodek.

Daniela Caurea (7 iulie 1951 – 4 martie 1977) – o poetă de mare talet, dispărută la 26 de ani, ca urmare a cutremurului din martie 1977, din București. I-au fost publicate antum volumele *Primejdii lirice* (Editura Junimea, 1973) și *Cartea anotimpurilor* (Editura Ion Creangă, 1976), și postum *Adalbert Ignotus* (Editura Junimea, 1977) și *Văzduhul de cuvinte* (Editura Eminescu, 1979). I-a fost acordat post-mortem titlul de Cetățean de Onoare al orașului Târgu-Ocna.

Andrei Căpățînă (1 noiembrie 1997 –) – este cel mai tânăr poet din această colecție. Dacă ar fi să-l comparăm, să-i dăm un punct de referință, o ancoră – cu tot riscul asumat al acestora – Andrei Căpățînă apare ca un Cristian Popescu cu o tentă mult mai post-modernă (poate post-post-modernă) cum stă bine cuiva din a treia decadă a secolului XXI, în loc de ultima decadă a secolului XX. Dacă va continua să scrie poezie, noi îi prevedem un viitor strălucitor.

Mircea Cărtărescu (1 iunie 1956 –) – este romancier, poet, critic literar și eseist. „Cărtărescu înlocuiește sentimentul crizei și starea agonică cu o exuberanță a formelor, transformând nihilismul lucidității în rafinament al ei. Deși pare un poet al vederii, căci ochiul punctează luxurianța amănuntelor, el este în aceeași măsură un poet al verbului, imaginația lui părând a fi mai degrabă una lexicală. Sinteza este posibilă, întrucât totul – narativul, politicul, socialul, arhitecturalul – stă sub semnul himericului și fantasmaticului. Totul este realitate şi iluzie, imagine concretă şi viziune." (Mircea A. Diaconu). I s-au acordat numeroase distincții, printre care Premiul Uniunii Scriitorilor (1990), Premiul Internațional pentru Literatură (2012), Premiului Statului Austriac pentru Literatură Europeană (2015), Premiul Thomas Mann (2018).

Hanna Bota (7 July 1968 –) – is a poet, ethnologist, and theologian, presenting an almost renaissance character, whose substrate remains poetic. From her volumes of poetry, we mention *Candidates for the latter rain* (1994), *Beyond self* (1997), *The last imagined poems of VV in an imaginary transcription by...* (2003), *Eulogy to the stone* (2004), *Don't play with the snakes* – an anthology of poetry translated into English (2008). "Hanna Bota proposes an extraordinary journey, like one of the heroes of Jules Verne undertook once upon a time... 'the adventurer' lives the Discovery intensely... the itinerary proposed by the writer, anthropologist and religious person Hanna Bota, is an absolute premiere." (Cornel Ungureanu). Among the awards she received are The Octavian Goga Prize for Poetry (2003) and the Prize for Poetry of the Bacău Branch of the Writers' Union (2003).

Romulus Bucur (11 May 1956 –) – is a poet, literary critic, publisher and translator. Debuting in the "80s" group of poets, Bucur started by renouncing not only metaphysical thought, but also traditional metaphoric rhetoric, preferring the simple, and prosaic expression, an austerity which despite having gained prominence and flavor in the process of text construction, anticipates contemporary aesthetic minimalism... However, in a volume *A few secondary characters* (2009), Bucur proves to have evolved, approaching the themes (e.g. computers, sex) and the mode of writing of the 2000 generation. Bucur captures the spirit of our times, meeting with younger poets, and seemingly influencing each other. (Dumitru Chioaru)

Florica Bud (21 March 1957 –) – is a writer and publicist. She became known in Romanian literature with the novel *The man who killed my soul on a Thursday*, for which she was awarded the Prize of the Bucharest Writers' Association (2005), but also with poetry volumes, among which *Reverse charge, the love* (2013) and *Selected Poems* (2014). "Her writing reveals the voluptuousness and emotion of encountering the magic of language." (Paul Aretzu). "The best poems of Florica Bud are invocations and offerings. The poet calls for love (rather than for the loved one), in all tones and from the bottom of her heart. A lyricism on a knife's edge between sensuality and moral conscience (N. Manolescu)

Ion Buzu (7 October 1990 –) – is a writer from the Republic of Moldova. His debut was with the poetry volume *3ml of Konfidor* (2013). In 2014, together with other artists, he founded the literary magazine Lolita. He is included in the anthology *Best European Fiction* of 2016 published by Dalkey Archive Press and *Nase arcadlo (Our mirror)*, a Czech anthology of stories published by Milan Hodek.

Daniela Caurea (7 July 1951 – 4 March 1977) – a greatly talented young poet deceased at 26 years of age in the earthquake of March 1977 in Bucharest. Before her death she published the volume's *Lyrical dangers* (1973) and *The book of seasons* (1975), and posthumously the volumes *Adalbert Ignotus* (1977) and *The sky with no words* (1979). Also posthumously, Caurea was granted the title of Honorary Citizen of the city of Târgu-Ocna.

Andrei Căpățînă (1 November 1997) – is the youngest poet of this collection. If we were to compare him, to give him a point of reference, an anchor – with all the risks involed – Andrei Căpățînă appers like a Cristian Popescu with a more post-modern bent (perhaps post-post-modern) as it befits someone writing in the third decade of the twenty-first century, instead the last decade of the twentieth. If he sticks to writing poetry, we predict a bright future for him.

Mircea Cărtărescu (1 June 1956 –) – is a novelist, poet, literary critic, and essayist. "Cărtărescu substitutes the sentiment of crisis and states of agony with an exuberance of forms, transforming the nihilism of lucidity with its refinement. Although a poet of vision, since the eye is the one discerning the abundance of details, he is at the same time a poet of the verb, his imagination seemingly being rather lexical. Synthesis is possible because everything – the narrative, the politic, the social, the architectural – sits under the sign of the chimeric and of the phantasmagorical. All is reality and illusion, concrete image and vision." (Mircea A. Diaconu). Cărtărescu was awarded many awards, among which the Romanian Writers' Union Prize (1990), the International Literature Award (2012), the Austrian State Prize for European Literature (2015), the Thomas Mann Prize (2018).

Mirela Câmpan (4 august 1977 –) – nu a publicat încă un volum de poezie, în ciuda încurajărilor admiratorilor talentului ei poetic. Publică on-line, iar unele poeme i-au fost preluate în antologia *Am zidit iubirea* (Editura Pim, 2013). Câmpan este inclusă în *Dicționarul Scriitorilor Români* de după 1989 (Editura Socrate, 2013). Noi o apreciem mai mult decât pe unii din poeții cu „nume", care au CV-uri literare voluminoase.

Magda Cârneci (28 decembrie 1955 –) – poetă, critic de artă și publicist, fiica poetului Radu Cârneci. „Poezia necesară azi, crede Magda Cârneci, este ceva creat deopotrivă sub zodia consumabilului, dar şi sub semnul absolutului. Un discurs simplu şi totuşi înspăimântător de profund." În fond, pentru Magda Cârneci, responsabilitatea poetului, deci misiunea lui, ţine de un anume vizionarism, care înseamnă vederea „imaginii lăuntrice a lumii" şi salvarea ei prin ceea ce eu aş numi reificare poetică." (Mircea A. Diaconu). „...poezia ei îşi extrage totuşi esenţele cele mai tari din fascinaţia provocată de semn şi de mişcarea neliniştită a textului ce se defineşte ca o adevărată stare de existenţă..." (Octavian Soviany)

Svetlana Cârstean (18 februarie 1969 –) – este scriitoare și jurnalistă. A publicat inițial într-un volum de grup, pentru ca, în 2008, să debuteze cu volumul *Floarea din menghină* (2008), bine primit de critică, acordându-i-se Premiul National Mihai Eminescu pentru Poezie Opera Prima, 2008. A mai publicat *Gravitație* (2015) și *Trado*, carte scrisă împreună cu poeta suedeză Athena Farrokhzad. „Svetlana Cârstean aduce în literatura română o autoare cu o scriitură directă, dar şi rafinată, cu un ton satiric şi liric în acelaşi timp, combinaţie care o face inconfundabilă." (Simona Popescu) „...şi-a întârziat cu zece ani debutul doar ca să se arate azi într-o haină mai originală şi mai strălucitoare... poeta aduce din amintirea unei poezii trecute (aromele anilor '90) sofisticarea întunecată a *Florii din menghină*, un poem arhetipal de mare forță, dar o completează cu gestualismul şi nevoia de sinceritate a poeziei de după anul 2000."
(Mircea Cărtărescu)

Maria Cernegura (pseudonimul literar al Ramonei M. Covrig, 26 august 1970 –) – este psiholog și poet. A debutat cu poezie în revista Bucureștiul Literar și Artistic, în 2013. Volumul ei de debut, *Pasăre în devenire*, a primit o Menţiune Specială la Concursul Naţional Ars Poetica (2015). A mai publicat *De-a v-aţi ascunselea cu singurătatea* (2017), precum și o versiune bilingvă română/franceză a volumului *Pasărea în devenire/Le devenir d'un oiseau* (2018, traducerea în franceză de Ion Roșioru).

Ruxandra Cesereanu (17 august 1963 –) – „...una dintre cele mai originale personalități poetice, afirmată în perioada post-decembristă, este Ruxandra Cesereanu, cu un verb viguros, năbădăios adesea, cu o expresie francă, explozivă și nonconformistă... într-o manieră lirică de neconfundat. Volumele sale au șocat prin cruzimea imaginilor terifiante ale unei lumi degenerate, ale unor realități degradate până la morbid, evocate și translate într-o viziune frizând fantasticul, oniricul* și mai cu seamă grotescul." (Constantin Cubleșan) „...la limita dintre tenebros şi demonic, se construieşte în poezia Ruxandrei Cesereanu un spaţiu anume, copleşitor prin autoritatea sa stranie, venit dinspre medieval şi baroc, dinspre carnavalesc şi labirintic, spaţiu ciudat, pulsând de fascinaţia androginului şi de beţia descompunerii organice a materiei." (Mircea A. Diaconu)

Lucia Cherciu (19 februarie 1972 –) – este profesor universitar de limbă engleză la State University of New York. Este autoarea a două cărți de poezie în limba engleză: *Edible Flowers* (2015) – finalistă pentru premiul de poezie Eugene Paul Nassar –, și *Train Ride to Bucharest* (2017). De asemenea, a publicat trei cărți de poezie în limba română: *Lepădarea de limbă* (2009), *Altoiul râsului* (2010) și *Lalele din Paradis* (2017).

* Onirismul a fost o mișcare suprarealistă românească din decada 1960, în urma revoltelor populare din Europa de Est (Ungaria, Cehoslovacia). A fost începută în 1964, la București, de Dumitru Țepeneag și Leonid Dimov, cărora li s-au alăturat, cu timpul, Eugen Barbu, Virgil Mazilescu, Vintilă Ivănceanu, Iulian Neacșu, Emil Brumaru, Florin Gabrea, Sorin Titel, Daniel Turcea și alții. Mișcarea și publicațiile ei au fost interzise de regimul comunist, iar Țepeneag, Gabrea și Ivănceanu și-au găsit refugiu la Paris. Influența lui Dimov (cel mai recunoscut onirist în poezie) se extinde încă în postmodernismul românesc prin unele din lucrările lui Mircea Cărtărescu și ale altora. (en.wikipedia.org/wiki/Onirism)

Mirela Câmpan (4 August 1977 –) – has not yet published her poetry in volume form, despite encouragements from admirers of her poetic talent. She publishes online, and some of her poems have been published in the anthology *We built love* (Pim Publishing, 2013). Câmpan is included in *The Dictionary of Romanian Writers* after 1989 (Socrates Publishing, 2013). We appreciate her more than we do some of the established poets with voluminous literary CVs.

Magda Cârneci (28 December 1955 –) – is a poet, art critic, and publicist, daughter of poet Radu Cârneci. "The poetry that is necessary today, believes Magda Cârneci, is something created equally under the star sign of the consumable, but also that of the absolute. A simple discourse, yet frighteningly profound." "In essence, for Magda Cârneci, the responsibility and mission of the poet belongs to a certain visionary view, which means the perception of 'the inner image of the world' and its salvation through what I would call poetic reification." (Mircea A. Diaconu) "...her poetry extracts its strongest essences from the fascination provoked by the restless sign and movement of the text which defines itself as a state of being." (Octavian Soviany)

Svetlana Cârstean (18 February 1969 –) – is a writer and journalist. She published initially in a group volume, her individually-author debut volume being in 2008 with *The flower in the vice*. This was well received by the critics and was awarded the National Mihai Eminescu Prize for Poetry Opera Prima, 2008. She also published *Gravitation* (2015) and *Trado*, a volume written with the Swedish poet Athena Farrokhzad. "Svetlana Cârstean brings to Romanian literature a direct, but refined, style of writing, with a satirical and at the same time lyrical tone, a combination making her unmistakable." (Simona Popescu) "... she delayed her debut by ten years simply to appear today in a more original and brilliant coat... the poet brings from the memory of past poetry (the scents of the 90s) the dark sophistication of a *Flower in the vice*, an archetypal poem of great force, but completes this with expressionism and a need for the sincerity of the post-2000 poetry." (Mircea Cărtărescu)

Maria Cernegura (the literary pseudonym of Ramona M. Covrig, 26 August 1970 –) – is a psychologist and poet. Her poetry first appeared in the magazine Literary and Artistic Bucharest, 2013. Her debut volume, *Bird in the making*, was awarded a Special Mention at the National Competition Ars Poetica (2015). She also published *Hide and seek with loneliness* (2017), as well as a bilingual Romanian/French version of the volume *Bird in the Making/ Le devenir d'un oiseau* (2018, translation in French by Ion Roșioru).

Ruxandra Cesereanu (17 August 1963 –) – "...one the most original poetic personalities of the (post-December) post-Decembrist (1989) period, is Ruxandra Cesereanu, with a vigorous verb, often whimsically feisty, a franc expression, explosive and nonconformist... in an unmistakable lyrical style. Her volumes shock through the cruelty of terrifying images of a degenerate world, of realities degrading to the point of morbidity, evoked and translated in a vision on the verge of the fantastic, the oniric*, and most of all the grotesque." (Constantin Cubleșan) "...between the tenebrous and the demonic, Ruxandra Cesereanu builds a strange space within her poetry, overwhelming through its strange authority, stemming from the medieval and the baroque, from the chivalrous and the labyrinthine, pulsating with androgynous fascination, and the inebriation of the organic decomposition of matter." (Mircea A. Diaconu)

Lucia Cherciu (19 February 1972 –) – is a Professor of English at State University of New York. She is the author of two poetry volumes in English: *Edible Flowers* (2015) – finalist of the Eugene Paul Nassar poetry prize – and *Train Ride to Bucharest* (2017). She also published three books in Romanian: *The Renouncement of Language* (2009), *The Graft of Laughter* (2010) and *Tulips in Paradise* (2017).

---

* Onirism was a Romanian surrealist literary movement established in the 1960s, in the wake of the popular uprisings in Eastern Europe (Hungary, Czechoslovakia). It was started in Bucharest in 1964 by Dumitru Țepeneag and Leonid Dimov, who were joined over time by Eugen Barbu Virgil Mazilescu, Vintilă Ivănceanu, Iulian Neacşu, Emil Brumaru, Florin Gabrea, Sorin Titel, Daniel Turcea and others. The movement and its publications were banned by the Communist regime and Țepeneag, Gabrea and Ivănceanu sought refuge in Paris. The influence of Dimov especially (the most iconic onirist in poetry) still extends into Romanian postmodernism through some of the works of Mircea Cărtărescu, among others. (en.wikipedia. org/wiki/Onirism)

Ion Chichere (11 decembrie 1954 –) – poet și publicist. „...poezia lui Ion Chichere se întemeiază pe un straniu amestec de imagini mistico-creștine și reprezentări ale absurdului cotidian." (Nicolae Oprea) „... radiografiază cu grație lirică crispările unei ființe fragile care tatonează – cu un soi de politețe existențială – tulburările vieții." (Radu G. Țeposu) „Profet pe care nu-l aude nimeni, din cauza huruitului de tramvaie și a casetofoanelor date la maximum, Ion Chichere continuă să avertizeze umanitatea asupra riscului de a-și falsifica existența prin îndepărtarea de natură." (Alex Ștefănescu)

Gabriel Chifu (22 martie 1954 –) – poet şi prozator, vicepreşedinte al Uniunii Scriitorilor din România și director executiv la revista România literară. A publicat numeroase volume de poezie și proză, primind numeroase distincții, printre care Premiul Uniunii Scriitorilor din România pentru debut (*Sălaş în inimă*, în 1976), pentru roman (*Maratonul învinşilor*, în 1997) şi pentru poezie, în două rânduri (*La marginea lui Dumnezeu*, în 1998 şi *Însemnări din ținutul misterios*, în 2011). A primit Ordinul Meritul Cultural.

Dan Mircea Cipariu (7 septembrie 1972 –) – este un scriitor și jurnalist. Din poemele publicate: *Mahalaua de azi pe mâine*, *Poeme trăite* (de Dan Mircea Cipariu și Traian T. Coșovei, 2000), *Virusul romantic. Acum cu 20% mai multă poezie* (2001), *Poarta Schei nr. 4* (2005), *Tsunami* (2006), *Poemul matriță* (2008), *Singurătatea vine pe facebook* (2012).

Florina Sanda Cojocaru (13 iulie 1971 –) – este unul dintre puținii poeți reprezentați în acest volum cu mai mult de un poem. Din volumele publicate, menționăm *Vise de scrum* (2013), *Nebunia lui Ili* și *Păpuși* (2019). „Poezia Florinei Cojocaru este un exil voit, o evadare, o poartă de salvare, drum al înțelepciunii, o transă care duce la solitudinea creatoare. Poezia o fascinează prin latura ei magică, omniprezentă în sufletul sensibil.... poeta trăiește melancolia ca o bucurie de a fi tristă, pentru a intra în transă în castelul rimelor, surghiunite în inimă şi suflet." (Angela Mamier Nache)

Iurie Colesnic (12 august 1955 –) – scriitor, publicist, director artistic de film și istoric literar din Republica Moldova. Din vasta lui operă literară *Învăț să zbor* (1992) și *Ce visează leul* (2004) – volume pentru copii. Pentru adulți, a publicat volume precum *Arta Memoriei* (1987), *Spirala lui Arhimede* (1992), *Născocitorul de Orizonturi* (2014). A scris și scenarii de film, printre care *Binecuvântare* (1989) și *Copii Gulagului* (2010).

Denisa Comănescu (4 februarie 1954 –) – poetă, editoare și traducătoare. Conduce una din cele mai prestigioase case de editură din România. „Denisa Comănescu instituie cu orice vers un tărâm luminos şi o alchimie a transmutării oricărui fapt, nu doar în imagine şi semnificaţie, ci în atitudinea care organizează existenţa muzicală... Evocând cu detaşare şi neconfesiv, retrăgându-se din faţa limbajului ca şi a lumii, Comănescu transformă excepţionalul în firesc, dând stărilor de graţie naturaleţea gesturilor comune." (Mircea A. Diaconu). În 1979 i-a fost acordat Premiul de debut al Uniunii Scriitorilor, pentru volumul de poezie *Izgonirea din Paradis*.

Traian T. Coşovei (28 noiembrie 1954 – 1 ianuarie 2014) – „Există în poezia lui Traian T. Coşovei o ironie afectată, cochetă, făţişă, un aer de teatralitate nonconformistă... În lumea lui de carnaval și circ, nimic nu e simplu şi gratuit, iar ludicul e doar o impresie. Căci o violenţă abia întrevăzută reduce lumea la replici scârbite şi şocante, prinse în firescul lor de o vocaţie a înregistrării veriste a cotidianului grotesc." (Mircea A. Diaconu). A primit Premiul Uniunii Scriitorilor (1979) și Premiul Academiei Române (1996).

Gabriela Crețan (7 decembrie 1955 –) – psiholog și poet. Dintre volumele de poezie menționăm: *Mic tratat despre arta trădării* (1994), *Infern cu floarea-soarelui* (2003), *Și-n toate opaițele arde grăsimea copiilor Tăi* (2004), *Kenoma* (2010). „O foarte mare poetă este, indiscutabil, puțin mediatizata Gabriela Crețan, în ale cărei poeme pulsează substanțele romantismului tenebros, cristalizându-se (încă din volumul de debut, *Mic tratat despre arta trădării*) în veritabile ceremonii scripturale." (Octavian Soviany). „Poezia ei e o sărbătoare gravă ca un ritual și pot s-o declar... unică în spațiul literar european..." (Cezar Ivănescu). „Tendința poetei este o exacerbare a materiei, o hiperbolă a acesteia, ca o negare demonstrativ metaforică a spiritului... Comediei umane i se adaugă una cosmică." (Gh. Grigurcu)

Dumitru Crudu (8 noiembrie 1967 –) – este poet, prozator, dramaturg, jurnalist, originar din Republica Moldova. A terminat Facultatea de Filologie la Brașov, avându-i ca profesori pe Al. Cistelecan, Gheorghe

Ion Chichere (11 December 1954 –) – is a poet and publicist. "...the poetry of Ion Chichere is based on a strange mix of mystical-Christian images with a representation of the everyday absurd." (Nicolae Oprea). "...provides a lyrically graceful radiography of a fragile being which probes – with a kind of existential politeness – the troubles of life." (Radu G. Țeposu) "A prophet whom nobody hears, because of the tram's rattle and of sound systems with volumes dialed to the max, Ion Chichere continues to warn humanity about the risk of falsifying existence through estrangement from nature." (Alex Ștefănescu)

Gabriel Chifu (22 March 1954 –) – poet and novelist, vice president of the Writers' Union of Romania and Executive Director for Literary Romania. He published numerous volumes (poetry and prose) and was awarded a number of awards: the Prize of the Writers' Union for his debut (*Abode of the heart*, 1976); for novels (*The marathon of the defeated*, 1997) and twice for poetry (*On the edge of God*, 1998 and *Notes from the mysterious realm*, 2011). He was also awarded the Order for Cultural Merit.

Dan Mircea Cipariu (7 September 1972 –) – is a writer and journalist. From his published work: *The suburb from today to tomorrow. Lived Poems* (by Dan Mircea Cipariu & Traian T. Coșovei – 2000), *The romantic virus. Now with 20% more poetry* (2001), *The Schei gate nr. 4* (2005), *Tsunami* (2006), *The matrix poem* (2008), *Loneliness arrives on facebook* (2012).

Florina Sanda Cojocaru (13 July 1971 –) – is one of the few poets in this volume represented with more than one poem. From the volumes published, we mention *Dreams of cinder* (2013), *The insanity of Ili* and *Dolls* (2019). "The poetry of Florina Cojocaru is a deliberate exile, an escape, a door to salvation, a road of wisdom, a trance taking her to creative solitude. Poetry fascinates her through its magical quality, omnipresent in the sensitive soul... the poet lives melancholy as a joy of being sad, entering in a trance in the castle of rhymes, banished to the heart and the soul." (Angela Mamier Nache).

Iurie Colesnic (12 August 1955 –) – is a writer, publisher, artistic film director, and literary historian. Selections from his vast literary works include children's books – *I learn how to fly* (1992) and *What the lion dreams* (2004). Then for adults, he wrote *The Art of Memory* (1987), *The Spiral of Archimedes* (1992) and *The Inventor of Horizons* (2014). He also wrote film scripts, for example, *Blessing* (1989) and *The Children of the Gulag* (2010).

Denisa Comănescu (4 February 1954 –) – is a poet, editor, and translator. She leads one of the prestigious Romanian publishing houses. "Denisa Comănescu institutes in every verse a luminous realm and an alchemy of transiting every fact not just in image and significance, but in an attitude, organizing existence in a musical fashion... Evoking in a detached and non-confessional way, retreating from language and the world, Comănescu transforms the exceptional into normalcy, conferring to states of grace the natural feel of common occurrence." (Mircea A. Diaconu) In 1979 she was awarded the Debut Prize for Poetry for the volume Expulsion from Paradise.

Traian T. Coșovei (28 November 1954 – 1 January 2014) "There is in the poetry of Traian T. Coşovei a studied irony, coquettish, obvious, an air of nonconforming theatricality... In his world of carnival and circus, nothing is simple or gratuitous, and the ludic is simply an impression. Because a barely noticed violence reduces the world to disgusted and shocking retorts, pinned in their natural state by a vocation of the truthful recording of the grotesque quotidian." (Mircea A. Diaconu)

Gabriela Crețan (7 December 1955 –) – psychologist and poet. From her volumes, *Small treaty on the art of treason* (1994), *Inferno with sunflower* (2003), *And in all their lamps burns the fat of Your children* (2004), *Kenoma* (2010). "A great poet is, indisputably, (little) rarely-publicized Gabriela Crețan, in whose poems pulsates the substances of dark romanticism, crystallized (from her debut volume *Small treaty on the art of treason*) in veritable scriptural ceremonies." (Octavian Soviany). "Her poetry is a celebration, grave as a ritual, and I can declare it... unique in the European literary space." (Cezar Ivănescu). "The tendency of the poet is an exacerbation of matter, a hyperbola of this, like a demonstratively metaphorical negation of the spirit... The human comedy is joined by a cosmic one." (Gh. Grigurcu)

Crăciun, Alexandru Mușina. Printre volumele publicate – *Falsul Dimitrie* (1994), *E închis, va rugăm nu insistați* (1994), *Eșarfe* (2012), *La revedere, tată* (2015), *Strigătele de sub apă* (2015). Dumitru Crudu a argumentat pentru o poezie cu rădăcini puternic etice, în care scrisul să fie integrat în mod autentic cu biografia. Este câștigător al Concursului de dramaturgie Cea mai bună piesă românească a anului, organizat de Uniunea Teatrală din România (2003).

Alina Celia Cumpan (9 iunie 1983 –) – este poetă și promovatoare a culturii, fondatoare a Authentic Society for Language and Romanian Culture la Chicago (SUA). Alina Celia Cumpan face mai mult pentru promovarea culturii românești în afara granițelor, decât multe organizații ale guvernului român care sunt finanțate pentru aceasta... Scrie o poezie sensibilă și curajoasă în același timp cu un talent debordant – exemplificat de volumele bilingve (română/engleză) *Har risipit/Wasted Gift* (2016) și *Selfie Altruist/Altruist Selfie* (2017). Din nou, avem de-a face cu un artist român care, nelocuind și neactivând în România, este ignorat de lumea literară de pe Dâmbovița.

Margareta Curtescu (22 septembrie 1960 –) – este poetă, eseistă, critic literar din Republica Moldova. Predă literatura română și universală la Universitatea Alecu Russo, din Bălți. Printre volumele publicate amintim: *Simple bluesuri* (2003); *Iubirea altfel* (2013). „Ascultându-i pașii însingurați și glasul, și inima, poeta își sculptează eroina... după chipul și asemănarea sa... Rezultatul e că textele se scriu ca și cum autoarea i-ar inculca cititorului un fel de neutralitate a rostirii... O eroină memorabilă, amintind de marile eroine literare, fără ostentație însă, fără ifosele erudiției, cu numai simțirea. Și cu talent!" (Nicolae Leahu)

Adina Dabija (15 octombrie 1974 –) – este poetă și dramaturg, stabilită la New York, unde practică medicina orientală. Primul ei volum, *poezia-păpușă*, a primit premiul Asociației Scriitorilor din București. Al doilea volum, *Stare nediferențiată*, a primit Premiul Tomis. *Beautybeast*, tradusă de Claudia Serea și publicată de North Sore Press, în 2012, este prima colecție poetică în limba engleză. „Aceste poeme mi-au trezit de îndată dispoziția și apetitul pentru poezie, precum nasul unui urs trezit de aroma mierii în august. Sunt frumoase, neastâmpărate, pline de viață și foarte inteligente." (Andrei Codrescu)

Theodor Damian (28 decembrie 1951 –) – este preot, profesor universitar, scriitor și organizator cultural stabilit în New York, SUA, din 1988. Ca poet, Damian este descris ca „un hermeneut al sacrului în varii ipostaze". (M. N. Rusu) „Poezia lui Damian este rezultatul unei sincerități lirice de reală autenticitate, fără să își propună răsturnarea vreunor tipare sau mode" (Gellu Dorian). „Theodor Damian e un poet al abisului celest şi al lutului transfigurat." (Aurel Sasu).

Nichita Danilov (7 aprilie 1952 –) – profesor, muzeograf, redactor, scriitor. Poezia lui a fost tradusă în diverse limbi și inclusă în numeroase antologii din România și străinătate. Danilov ilustrează cazul, destul de rar întâlnit, al imposibilității de fixare (N. Manolescu). Dintre numeroasele distincții primite, menționăm Premiul Uniunii Scriitorilor din România (1980) și din Republica Moldova (1995, 1999).

Ştefan Doru Dăncuş (4 august 1968 –) – este directorul general al Grup Media SINGUR (care editează și revista SINGUR). A debutat cu volumul *Dormi în pace, Doamne! Antidiavolul* (1996). Alte volume de poezie *Apocalipsa după Dăncuș, Întoarcerea poetului risipitor, Scrum.* A scris și proză, de exemplu, romanele *Sex cu femei* (în colaborare cu Adrian Suciu) și *Povești pentru Gabriela.*

Gabriel H. Decuble (25 mai 1968 –) – este director al Departamentului de limbi și literaturi germanice la Universitatea din București, unde predă literatură germană modernă, literatură comparată și teoria traducerii. Este scriitor și traducător. A fost în mai multe rânduri profesor invitat la Universitatea din Heidelberg şi la Universitatea Humboldt din Berlin. Afară de scrieri de specialitate, a publicat poezie – spre exemplu, *Epistole şi alte poeme* (2001) și *Eclectica* (2007), romanul *Tu n-ai trăit nimic* (2014), precum și proză scurtă. Decuble este reprezentat într-un număr de antologii poetice.

Cristian Ovidiu Dinică (1963 –) – a debutat cu poezie în 1983, fiind prezent mai apoi în multe publicații printre care Convorbiri Literare, România Literară, Oltart, Povestea Vorbei, ca și în mai multe antologii. Din volumele propria menționăm – *Roșu Alternativ* (2012), *Amintirile toamnei* (2014), *Vitrina cu Vise* (2018), *Nevoia de a fi Blând* (2019).

Dumitru Crudu (8 November 1967 –) – is a poet, prose writer, playwright and journalist from the Republic of Moldova. He graduated from the Faculty of Philology Brașov, where he (had) studied under (with) professors such as Al. Cistelecan, Gheorghe Crăciun and Alexandru Mușina. Among his volumes we mention *The False Dimitrie* (1994), *It is closed please do not insist* (1994), *Scarf* (2012), *Good bye father* (2015) and *Cries from underwater* (2015). Crudu argues for poetry with strong ethnic roots, in which the writing is authentically integrated with the biography. He was awarded the prize "Best Romanian play of the year" by the Theatre Union from Romania (2003).

Alina Celia Cumpan (9 June 1983 –) is a poet and cultural promoter, founder of the Authentic Society for Language and Romanian Culture (la) in Chicago (USA). Alina Celia Cumpan achieves a lot more for the promotion of Romanian culture abroad than many Romanian government official organizations, set up and financed for this purpose... She writes very sensitive yet courageous poetry, with a florid talent – as exemplified by the bilingual volumes (Romanian/English) *Wasted Gift/Har Risipit* (2016) and *Altruist Selfie/ Selfie Altruist* (2017). Again, we have here a Romanian artist, who, because she does not live and is not active in Romania, is overlooked by the literary world on the shores of the Dâmbovița river.

Margarta Curtescu (22 September 1960 –) – is a poet, essayist and literary critic from the Republic of Moldova. She teaches Romanian and Universal Literature at the Alecu Russo University in Bălți. Among the volumes published: *Simple blues* (2003); *A different love* (2013). "Listening to her lonely steps, to her voice, to her heart, the poet (sculptures) sculpts her heroine... in her likeness... The result is texts that are written as if the author endeavor to inculcate the reader with a kind of neutrality of utterance... A memorable heroine, recalling the great literary heroines, without ostentation, without the foppery of erudition, rather only with feeling. And with talent!" (Nicolae Leahu)

Adina Dabija (15 October 1974 –) – is a poet and playwright living in New York, where she practices oriental medicine. Her first book, *poezia-păpușă (poetry-doll)*, was awarded the Bucharest Writers' Association Guild Prize. Her second book, *Stare nediferențiată (Undifferentiated state)*, won the Tomis Award. *Beautybeast*, translated by Claudia Serea and published by North Shore Press in 2012, is her first collection of poetry appearing in English. "My disposition and appetite for poetry were immediately aroused by these poems, like a bear's nose awakened by the scent of honey in August. They are beautiful, fresh, naughty, full of life, and highly intelligent." (Andrei Codrescu)

Theodor Damian (28 December 1951 –) – is an orthodox priest, university professor, writer, and cultural events organizer, living in New York, USA since 1988. As a poet, Damian is described as "a hermeneut of the sacred in various guises" (M. N. Rusu). "The poetry of Damian is the result of lyrical sincerity, of real authenticity, without planning to upend any templates of fashions." (Gellu Dorian) "Theodor Damian is a poet of the celestial abyss and the transfigured clay." (Aurel Sasu)

Nichita Danilov (7 April 1952 –) – professor, museum curator, editor, writer. His poetry was translated in several languages and included in many anthologies in Romania and abroad. Danilov represents the rare case of incapacity for fixation on a particular template (N. Manolescu). From the many distinctions received, we mention the Prize of the Writers' Union of Romania (1980) and the Republic of Moldova (1995, 1999).

Ștefan Doru Dăncuș (4 August 1968 –) – is the publisher of the literary magazine *Singur (Alone)*. His debut volume was *Sleep peacefully Lord! The antidevil* (1996). Other poetry volumes include *The apocalypse according to Dăncuș, The return of the prodigal poet, Cinders.* He also wrote prose, for example, the novels *Sex with women* (in collaboration with Adrian Suciu) and *Stories for Gabriela.*

Gabriel H. Decuble (25 May 1968 –) – is the director of Germanic Languages and Literature at Bucharest University, where he teaches modern German literature, comparative literature and theory of translation. He is a writer and translator. He was at various times visiting professor at the Heidelberg University and the Humboldt University in Berlin. Besides scholarly writings, Decuble has published poetry – for example, *Epistle and other poems* (2001) and *Eclectica* (2007), the novel *You have not lived anything* (2014), as well as short prose. He is represented in several anthologies.

Cristian Ovidiu Dinică (1963 –) – debuted with poetry in 1983, subsequently being published in several magazines such as Convorbiri Literare, România Literară, Oltart, and Povestea Vorbei, as well as several anthologies. From his volumes: *Alternative Red* (2012), *Autumn Memories* (2014), *The Window with Dreams* (2018), *The Need to be Kind* (2019).

Adrian Diniş (4 iulie 1986 – 2018) – a murit la 32 de ani în urma unui accident vascular. A fost foarte apreciat de alţi poeţi (Claudiu Komartin, Radu Vancu, Paul Vinicius), atât pentru talentul lui, cât şi pentru personalitatea lui luminoasă. Poemele i-au fost publicate în reviste precum Convorbiri literare, Luceafărul, Dacia literară, Suplimentul Tribuna. A debutat editorial cu volumul *Poeme odioase de dragoste* (2010) şi este inclus în mai multe antologii. „E multă tinereţe şi multă candoare autentică în versurile îndrăgostite şi vulnerabile ale lui Diniş, care atinge în textele sale cele mai bune acel «subton dureros» despre care vorbea Tudor Vianu." (Claudiu Komartin)

Caius Dobrescu (22 ianuarie 1966 –) – este scriitorşi profesor universitar specialist în teoria literaturii. Din volumele poetice menţionăm – *Efebia* (1994), *Spălându-mi ciorapii* (1994), *Odă liberei întreprinderi* (2009). „Dobrescu cultivă, cu un remarcabil simţ al caricaturii absurde, un himerism în cheie ironică. Replică parodică a voiajului fabulos, invocat de atâtea ori în textele lui Dimov, poemul e un «mister buf»... «paznicii pragurilor» iau fizionomia medicilor groteşti, desprinşi parcă dintre paginile unei farse molliereşti. Disponibilitatea poetului pentru satiră şi ironie îşi găseşte ilustrarea, aproape desăvârşită, în volumul *Odă liberei întreprinderi*... Ţinta deriziunii demistificatoare este aici, desigur, «lumea liberei întreprinderi», dar şi poezia însăşi, deoarece, aşa cum se întâmplă cu majoritatea poeţilor experimentalişti, autorul şi-a pierdut apetitul pentru formulele poetice consacrate." (Octavian Soviany)

Ana Donţu (1 decembrie 1985 –) – originară din Republica Moldova este scriitoare stabilită în România. A publicat poezie în mai multe reviste literare (Echinox, Corpul T, Hyperion) şi în antologia colectivă *Zona Nouă* (2011). În 2015, a fost printre cei şase tineri scriitori selectaţi pe lista lungă a Concursului internaţional PEN New Voices. Tot în 2015, publică volumul *Cardul 25*, cu care câştigă Concursul Naţional de Poezie Aurel Dumitraşcu, din Piatra Neamţ.

Gellu Dorian (13 octombrie 1953 –) – scriitor şi iniţiatorul Premiului Naţional de Poezie Mihai Eminescu, acordat în fiecare an la 15 ianuarie – ziua de naştere a lui Eminescu –, la Botoşani, oraşul de baştină a lui Dorian. Dorian reuşeşte să schimbe registrul poetic, modificând „textura spaţiului [poetic] deşi conservă coordonatele" pe parcursul demersului poetic. Pendulează „între a se retrage în sine sau a privi în afară (a cădea din/în real)... poetul... redă o poveste-stare, o trăire în imaginaţie. „Imaginaţia face, de fapt, tot jocul «într-o lume închisă în lume»." (Constantina Reveca Buleu)

Rodian Drăgoi (1 februarie 1951 – 9 noiembrie 2018) – „Avea acel rar talent de a prinde în puţine cuvinte adevăruri pe care alţii le rosteau în multe cuvinte, dacă le rosteau vreodată, şi să le aşeze în vers, dureroase, lovindu-ţi sufletul." (Peter Sragher) „Poate că numai un Serghei Esenin şi un Cezar Ivănescu au mai reuşit să transmită cetitorului avizat atâta fină şi diabolică tulburare estetică/ideatică/emoţională" (Ion Zimbru). „În faţa minimalismului în floare, gălăgios-ofensiv şi productiv, Rodian Drăgoi – ca actant poetic – se furişează sfios în culise; de acolo însă, la anumite intervale, ne trimite semnale lirice luminate de har." (Adrian Rachieru)

Elena Dulgheru (15 noiembrie 1963 –) – cunoscută mai mult drept specialist în cinematografie, Elena Dulgheru este şi poet (*Pentru trecerea zării şi alte poeme, Erotico-Apocaliptica – Poeme din Templul Tatălui).* „...poate scrie în câte feluri vrea. Şi totuşi, acest aranjament de formule devine chiar felul ei de a scrie; nu cu o originalitate dedusă din combinarea formulelor şi din interferenţa scriiturilor, ci cu una substanţială." (Al. Cistelecan) „Avem astfel de-a face cu o lirică de o remarcabilă fineţe, care contrazice tot ce este acum zgomot. Scrisă fără ostentaţie ori înverşunare, nu este neapărat o poezie religioasă, deşi sentimentul religios este perceput ca o infuzie discretă. În poezia aceasta, avem seminţe din care poate creşte mai târziu planta unei noi generaţii poetice." (Dan Stanca)

Aurel Dumitraşcu (21 noiembrie 1955 – 16 septembrie 1990) – „poet al angoaselor disimulate într-un discurs distorsionat, ce mizează pe deviaţii şi fracturi ale coeziunii, Aurel Dumitraşcu uneşte un lirism premonitoriu cu o scriitură care bravează în gratuitate." (Laurenţiu Ulici) „...în spirit experimentalist, Dumitraşcu îşi extrage esenţele din categoria agonicului – existenţa, ca şi literatura, luând încă de timpuriu ipostaza «jocului cu moartea», care... mărturiseşte despre destinul unei fiinţe de deconcertantă fragilitate, ce resimte prin toate fibrele ameninţarea exterminării potenţiale, legată de însăşi condiţia lui homo apocalipticus şi de ontologia mortalităţii." (Octavian Soviany).

Adrian Diniş (4 July 1986 – 2018) – died at 32 years of age from a stroke. He was greatly appreciated by other poets (Claudiu Komartin, Radu Vancu, Paul Vinicius) for his talent as well as for his luminous personality. His poems have been published in magazines such as Literary Conversations, Luceafarul, Literary Dacia, The Tribune Supplement. He debuted editorially with the volume *Odious poems of love* (2010) and has been included in several anthologies. "There is much youthfulness and authentic candor in the enamored and vulnerable verses of Diniș, who in his best texts attains that particular 'painful undertone' about which spoke Tudor Vianu." (Claudiu Komartin)

Caius Dobrescu (22 January 1966 –) – is a writer and university professor specialized in the literary theory. From his poetry volumes – *Efebia* (1994), *Washing my socks* (1994), *Ode to free enterprise* (2009). "Dobrescu, cultivates, with a remarkable sense of absurdist caricature, a chimeric quality in the ironic key. A parodic reply to the fabulous voyage, often invoked in the texts of Dimov, the poem is 'a buff mystery'... 'the guards of the fences' take the physiognomy of the grotesque physicians from some farce by Moliere. The disposition of the poet towards satire and irony finds its almost perfect illustration in the volume *Ode to free enterprise...* The object of demystifying derision is, of course, 'the world of free enterprise', but also poetry itself, because, as it happens to most of the experimentalist poets, the author has lost his appetite for established poetic formulae." (Octavian Soviany)

Ana Donțu (1 December 1985 –) – originally from the Republic of Moldova, is a writer now living in Romania. She published poetry in several literary magazines (Echino, Corpul T, Hyperion) and in the collective anthology *New Zone* (2011). In 2015 she was among the six young writers selected for the PEN New Voices International Competition. Also in 2015, she published the volume *Card 25,* the latter winning the National Poetry Competition Aurel Dumitrașcu, in Piatra Neamț.

Gellu Dorian (13 October 1953 –) – is a writer and initiator of the National Poetry Prize Mihai Eminescu awarded yearly on the 15th of January – Eminescu's birthdate –, in Botoșani, Dorian's birth town. Dorian manages to change the poetic register, modifying "the texture of the [poetic] space, even though he retains the coordinates" along the poetic journey. He oscillates between "retreating in the self or looking outside (to fall out of / and into the real)... the poet... retells a story-state, dwelling within the imagination. 'Imationation is, in fact, making the whole play in 'a world closed inside the world'." (Constantina Reveca Buleu)

Rodian Drăgoi (1 February 1951 – 9 November 2018) – he had the rare talent of capturing in few words truths that others would express in many words if they ever could, and to set them to verse, achingly, striking your soul (Peter Sragher). Maybe only a Sergei Esenin and a Cezar Ivănescu have managed to transfer to the educated reader such fine and diabolical aesthetical/ideation/emotional torment (Ion Zimbru). "Opposed to the fashionable poetic minimalism, loudly-offensive and productive, Rodian Drăgoi – as a poetic actor – sneaks timidly behind the scene; from there, at some intervals, he sends us lyrical signals enlightened by grace." (Adrian Rachieru)

Elena Dulgheru (15 November 1963 –) – although known more as a specialist in cinematography, Elena Dulgheru is also a poet (*For the crossing of horizons and other poems, Erotico-Apocalyptica – Poems from the Father's Temple*). "...she can write in whatever style she wishes. And yet, this array of formulae becomes her very mode of writing; it is not originality issuing from the combination of these formulae or from interferences of writing styles, but rather a substantive one." (Al. Cistelecan) "We deal with a lyricism of remarkable finesse, contradicting all that is now noise. Written with no ostentation or fierceness, it is not necessarily religious poetry, although the religious sentiment is perceived as a discrete infusion. We have, in this poetry, the seeds out of which can grow the plant of a new poetic generation." (Dan Stanca)

Aurel Dumitrașcu (21 November 1955 – 16 September 1990) – a poet of dissimulated anxiety that he presents in a distorted discourse, counting on the deviations and fractures of cohesions, Dumitrașcu unites a preempting lyricism with writing distinguished by its largesse (Laurențiu Ulici). "... with an experimentalist spirit, Dumitrașcu extracts essences from agony – existence as well as literature taking from early on the stance of 'playing with death', which... confesses about the destiny of a being of disconcerting fragility, sensing with every fiber the threat of potential extermination, linked to the very condition of homo apocalypticus and the ontology of mortality." (Octavian Soviany)

Teodor Dume (4 aprilie 1956 –) – poet, redactor, conducător de cenaclu literar. Dintre poemele de poezie: *Quand les ombres traversent la rue* – (Franța, 2019), *Cineva mi-a răpit moartea* (2018), *Azil într-o cicatrice* (2015), *Adevărul din cuvinte* (1985). „Poezia lui Teodor Dume este una puternică şi originală, chiar dacă uneori alunecă dincolo de nevăzutul altor scrieri de excepție... O poezie ancorată cu tact şi profesionalism, ținând cont de vârsta încă tânără a autorului în momentul descoperii lui de către Gheorghe Grigurcu în urbea de pe Criș și i-a prefațat volumul *Adevărul din cuvinte*." (Florin Mugur)

Teodor Dună (6 martie 1981 –) – a publicat *Trenul de treieșunu februarie* (2002), *Catafazii* (2005), *De-a viul* (2010), *Obiecte umane* (2015). „Teodor Dună se prezintă astfel drept cel mai apocaliptic dintre poeții grupului 2000. El nu împărtăşeşte fobia de metafizic a autenticității, încearcă să valorifice pozitiv experiențe lirice mai vechi... Locul lui e printre vizionarii promoției." (Octavian Soviany) „Lectura poemelor lui Teodor Dună mi-a arătat ca poezia există și trăiește, ca ea poate, pe neașteptate și atunci când nu mai părea posibilă vreo minune." (Mircea Ivănescu)

Maria Paula Erizanu (2 mai 1992 –) – licențiată în Istorie, Literatură şi Istoria Artelor la New College of the Humanities – London, Erizanu este scriitoare și jurnalistă, originară din Republica Moldova. Primul ei volum, *Aceasta e prima mea revoluție: Furați-mi-o*, a fost distins cu Premiul Internațional UNESCO pentru cea mai frumoasă carte a anului 2011, acordat la Târgul de Carte de la Leipzig. A mai publicat volumul de poeme *Ai grijă de tine* (2015).

Liliana Filişan (2 august 1964 –) – a publicat, printre altele, volumele *Luna Amară* (2007) și *Femeia Sixtină* (2015). „Poezia Lilianei Filișan aduce în prim-plan femeia independentă, încercând să se autodefinească din punct de vedere spiritual, moral, existențial. Într-o lume plină de prejudecăți, Liliana Filișan înfruntă teoria potrivit căreia femeia este doar un instrument folosit de bărbați sau un rău necesar... Ea continuă să creadă în arta de a te dărui total, chiar și atunci când îți vinzi trupul... Poeta își asumă rolul femeii fără scrupule, care trăiește așa cum îi dictează simțul, indiferent de consecințe." (Claudia Minela Petre). „... scriitura sa este atât de personală, încât e imposibil de încadrat în vreo direcție literară, [poeta] este, sunt absolut sigur, iubită cu patimă de Dumnezeul Poeților." (George Mihalcea)

Carmen Firan (29 noiembrie 1958 –) – este poetă, romancieră, jurnalistă și dramaturgă care locuiește la New York. A publicat douăzeci de volume de poezie, romane, eseuri și povestiri. Scrierile ei apar, în traducere, în multe reviste literare și antologii din Franța, Israel, Suedia, Germania, Marea Britanie și SUA. Volume recente, publicate în SUA, includ *Interviews and Encounters: Carmen Firan in dialogue and poetry with Nina Cassian* și *Inferno*. Dintre volumele de poezie, menționăm *Sertarul cu albine (Bees in a Drawer)* (2015), *Rock and Dew* (2010), *Cuvinte locuite (Inhabited Words)* (2006) și *Cuceriri disperate (Desperate Conquests)* (2005) – colecție bilingvă. Carmen Firan a coeditat, de asemenea, un număr de antologii, spre exemplu, *Born in Utopia (An Anthology of Romanian Modern and Contemporary Poetry)*.

Al Francisc (4 martie 1958 –) – poet român, stabilit în Canada. Motivul pentru care a început să scrie poezie a fost tragedia orbirii în 2006. Faptul că nu locuiește în România și startul literar relativ târziu au făcut ca poezia lui Al Francisc să fie ignorată de critica literară românească, în ciuda volumelor publicate într-un timp relativ scurt: în SUA a publicat *Shorties* (2011), iar în România *Pomelnic de lemn* (2012), *Versuri cu chirie* (2015), *Minunea minunilor* și *Singur* (2016). Suntem de părere că lirismul puternic al lui Al Francisc, adesea cuplat cu finalizări surprinzătoare, vor ține ridicat interesul cititorilor – justificând locul lui în această colecție.

Traian Furnea (14 aprilie 1954 – 3 august 2003) – poet și caricaturist. În calitate de caricaturist, a primit Premiul Uniunii Artiștilor Plastici din România pentru caricatură, în anul 1978. Furnea caută imagini (și le găseşte!) și în poezia lui (*Caut, caut imagini!*). „Sfios şi pătimaş, subtil şi tranşant, pierdut în visări nesfârşite sau foarte trăitor ale celor de fiecare zi, Traian Furnea... rămâne... în actualitatea, sever orânduită, a adevăraților creatori de frumos esențial şi durabil." (Ștefan Ciobanoff). I-au fost publicate volumele de poezie *Legitimație de poet* (1982), *Steaua secretă* (1985) și volumul de opere complete *Niște poezii* (2013).

Teodor Dume (4 April 1956 –) – poet, editor, literary circle leader. From his poetry volumes: *Quand les ombres traversent la rue* – France – 2019, *Someone kidnapped my death* – 2018, *Asylum in a scar* (2015), *The truth from the words* (1985). "The poetry of Teodor Dume is strong and original, even if it sometimes slips beyond the unseen of other exceptional writings... poetry anchored with tact and professionalism, taking into account the age of the author at the moment of his discovery by Gheorghe Grigurcu in the city on the river Criş, who prefaced his volume *The truth from the words.*" (Florin Mugur)

Teodor Dună (6 March 1981 –) – published *The train for the thirty-first of February* (2002), *Cathapazias* (2005), *Playing alive* (2010), *Human objects* (2015). "Teodor Dună presents as the most apocalyptic of the poets from the 2000 group. He does not share the phobia of the metaphysical inherent in and attempts to exploit older lyrical experiences... His place is among the visionaries of his promotion." (Octavian Soviany) "The lecture of Dună's poetry showed me that poetry is alive, that it is potent, unexpectedly, when one thinks a miracle is no longer possible." (Mircea Ivănescu)

Maria Paula Erizanu (2 May 1992 –) – with a degree in History, Literature and Arts History from the New College of Humanities – London, Erizanu is a writer and journalist from the Republic of Moldova. Her first volume *This is my first revolution: steal it* from me was awarded the International UNESCO Prize for the Best Book of 2011, conferred to her at the Leipzig Book Fair. Subsequently, she published the poetry volume *Look after yourself* (2005).

Liliana Filişan (2 August 1964 –) – has published, among others, the volumes *Bitter Moon* (2007) and *The Sixtine Woman* (2015). "Her poetry brings forward the independent woman, trying to define herself, from a spiritual, moral and existential standpoint. In a world full of prejudice, Liliana Filişan confronts the theory that the woman is simply an instrument used by men or a necessary evil... She continues to believe in the art of total surrender, even when selling one's body... The poet assumes the role of a woman without scruples who lives by the dictates of her senses, no matter the consequences." (Claudia Minela Petre). "...her writing is so personal, that it makes it impossible to force into a literary direction, she is, I am absolutely sure, loved passionately by the God of Poets." (George Mihalcea)

Carmen Firan (29 November 1958 –) – is a poet, novelist, journalist, and playwright, living in New York City. She has published twenty books of poetry, novels, essays, and short stories. Her writings appear in translation in many literary magazines and in various anthologies in France, Israel, Sweden, Germany, UK and the USA. Her recent books and publications in the United States include Interviews and Encounters: *Carmen Firan in dialogue and poetry with Nina Cassian* and *Inferno.* From her volumes of poetry, we mention *Sertarul cu albine (Bees in a Drawer)* (2015), *Rock and Dew* (2010), *Cuvinte Locuite (Inhabited Words)* (2006), *Cuceriri Disperate (Desperate Conquests)* (2005) – a bilingual collection. Carmen Firan has also coedited several anthologies, such as *Born in Utopia (An Anthology of Romanian Modern and Contemporary Poetry).*

Al Francisc (4 March 1958 –) – is a Romanian poet settled in Canada. He commenced writing due to the tragic loss of his eyesight in 2006. The fact that he does not live in Romania and his relatively late literary debut, means that the poetry of Al Francisc has been ignored by Romanian literary criticism, despite the volumes published in a relatively short time: in USA, *Shorties* (2011), and in Romania, *Wooden Memorial* (2012), *Verses for hire* (2015), *The Wonder of Wonders* and *Alone* (2016). We believe that the impressively powerful lyricism of Al Francisc – often coupled with surprising endings which keeps the reader interested – warrants a place in this collection.

Traian Furnea (14 April 1954 – 3 August 2003) – was a poet and cartoonist. In this latter role, he was awarded the Plastic Artists Union Prize for Caricature in 1978. Frunea seeks images (and finds them!) in his poetry as well (*I seek, I seek, images!*). "Timid and passionate, subtle and trenchant, lost in endless dreams or very much alive in the day-to-day happenings, Traian Frunea... remains... in the actuality of the severely ordered hierarchy of true creators of essential and durable beauty." (Ştefan Ciobanoff). He had published the poetry volumes *Poet Identity Card* (1982), *Secret Star* (1985) and the complete works volume *Some Poems* (2013).

Iulian Fruntașu (5 iunie 1970 –) – după o carieră în diplomație (a fost, printre altele, ambasador al Republicii Moldova în Marea Britanie, între 2011-2016), lucrează în media, fiind prezentatorul programului „Conexiuni", la TVR Moldova. Primul lui volum de poeme, *Beata în Marsupiu*, i-a fost publicat în 1996 și premiat de Uniunea Scriitorilor din Republica Moldova. I-au mai fost publicate *God's Ear/Urechea lui Dumnezeu* (Londra, 1998), *O Istorie Etno-Politică a Basarabiei 1812-2002*, care a primit din partea Uniunii Scriitorilor din Republica Moldova premiul Cea mai Bună Carte de Istorie a Anului în 2002, și *Să fi fost totul o mare păcăleală?* (2016).

Mihail Gălățanu (11 septembrie 1963 –) – implicat într-un caz bizar – cetățeni români din America de Nord au deschis dosar de urmărire penală lui Mihail Gălățanu pentru „ofensă adusă sentimentului patriotic național și moralei creștine". Criticii Nicolae Manolescu și Alex Ștefănescu au reușit, se pare, să convingă parchetul să nu se amestece în probleme literare. De ce, oare, aceste controverse? „...Lirica lui Gălățanu este ca un jet de plasma, străbate tot, dizolvă convențiile... are o expresivitate pe care nu am mai întâlnit-o de la *Jurnalul de sex* al lui Geo Bogza și o vitalitate menită a detabuiza limba. Bardul nostru are discursul fierbinte, lasciv, robust." (Gheorghe Grigurcu) „Gălățanu e un original scriitor maximalist. Când sunt rele, versurile lui sunt foarte rele. Dar atunci când sunt bune, sunt foarte bune..." (Daniel Cristea-Enache)

Horia Gârbea (10 august 1962 –) – este dramaturg, romancier și poet, cunoscut pentru teatrul experimentalist și contribuția postmodernă la literatura română. Dintre volumele poetice, *Creșterea iguanelor de casă* a atras atenția pentru transferul intertextualului și a parodiei într-un format liric. După Alex Ștefănescu, poezia lui Gârbea este „mai bună decât a celor mai mulți contemporani ai săi care, cu emfază, se autorecomandă ca poeți". „Poezia lui Horia Gârbea se distinge, cu evidență, în peisajul liric contemporan, prin tocmai simplitatea rostirii, prin eleganta reverență a verbului, menit a transla metaforic o stare de spirit grav contemporană, surdinizată oarecum discret, într-un dramatism al candorilor sufletești." (Constantin Cubleșan)

Vasile Gârneț (3 februarie 1958 –) – este poet, publicist, romancier, traducător din Republica Moldova. Se remarcă în poezie cu volume precum *Peisaje bolnave* (1990), *Personaj în gradina uitată* (1992 – Premiul Uniunii Scriitorilor din România); *Cîmpia Borges* (2002 – Premiul Uniunii Scriitorilor din Republica Moldova). „Există în Basarabia câțiva poeți care stau pe primul raft al poeziei româneşti contemporane... acesta este cazul lui Vasile Gârneț... [care]... stăpâneşte perfect articulațiile poemului negrevat de ecouri ideologice ori afectiv-patetice, văzut în arhitecturi care pulsează prin detalii semnificative, în scenarii construite cu rigoare de bijutier." (Mircea A. Diaconu)

Diana Geacăr (9 ianuarie 1984 –) – este scriitor şi traducător. A publicat volumele de poezie: *bună, eu sunt diana şi sunt colega ta de cameră* (2005), primind Premiul Mihai Eminescu pentru debut, *Frumusețea bărbatului căsătorit* (2009) şi *Dar noi suntem oameni obişnuiți* (2017). A scris, de asemenea, proză scurtă şi proză pentru copii. „Capabilă astfel să poetizeze pe mai multe registre, trecând cu nonşalanță de la lirica de notație la lirica de viziune, posedând o admirabilă ştiință de «tăia» versul... astăzi Diana Geacăr pare să justifice entuziasmul cu care Adrian Urmanov îi saluta, în 2005, cartea de debut. De atunci, poezia ei a câştigat în substanță şi profunzime." (Octavian Soviany)

Liviu Georgescu (7 aprilie 1958 –) – este scriitor și medic roman, stabilit la New York din 1990. „Poezia sa are o inaderență imediat vizibilă și frapantă, nu neapărat la poezia românească, ci la poezia... pământească... Trebuie explorată cu multă răbdare și într-o stare de alertă a gândirii. Dar satisfacția este cu atât mai mare. Cititorul victorios are sentimentul că surprinde, după o lungă aşteptare, înflorirea unui cactus." (Alex Ștefănescu). „[Poezia lui Georgescu] este un amestec nu foarte ușor întâlnit în poezia românească a deceniilor din urmă, de expresionism și suprarealism. De la expresioniști vin apocalipticul, sumbrul, fiziologicul; de la suprarealiști aleatoriul, absența centrului, dinamica internă." (N. Manolescu)

Iulian Fruntașu (5 June 1970 –) – after a diplomatic career (he was among other things, the Ambassador for the Republic of Moldova to the UK, 2011-2016), Fruntașu works in the media, presenting the "Conexiuni" program at TVR Moldova. His first volume, *Beata în Marsupiu* was published in 1996 and awarded by the Writers' Union of the Republic of Moldova. Among other published volumes are: *God's Ear/ Urechea Lui Dumnezeu* (London, 1998), A*n Ethno-Political History of Bessarabia 1812 – 2002*, which was awarded de prize for the Best History Book of the Year, by the Writers' Union (2002), and *Was it all just a big joke?* (2016).

Mihai Gălățanu (11 September 1963 –) – Implicated in a bizarre case – Romanian citizens from North America took him to court for "offenses against national patriotic sentiment and Christian morality." It seems the intervention of literary critics Nicolae Manolescu and Alex Ștefănescu convinced the prosecuting authorities not to interfere in literary matters. Why, perhaps, these controversies? "The lyric of Gălățanu is like a plasma jet, piercing through everything, dissolving convention... it has an expressivity not encountered since *The Sex Journal* of Geo Bogza and a vitality meant to un-taboo the language. Our bard has a hot, lascivious and robust discourse." (Gheorghe Grigurucu) "Gălățanu is a maximalist writer. When his verses are bad, they are very bad. But when they are good, they are very good..." (Daniel Cristea-Enache)

Horia Gârbea (10 August 1962 –) – is a playwright, novelist, and poet, known for experimentalist theatre and his contribution to Romanian post-modernist literature. Among his poetic work, *Raising domestic iguanas* drew attention for transferring intertextual and parodic conventions into a lyrical format. According to Alex Ştefănescu, Gărbea's poetry is "better than that of most contemporary authors who emphatically recommend themselves as poets." "His poetry distinguishes itself, on evidence, from the contemporary lyrical landscape, exactly through simplicity of utterance, its elegance and reverence of the verb, meant to metaphorically translate a grave-contemporary feeling, somewhat discreetly muted, into a dramatism of soul ingenuity." (Constantin Cubleșan)

Vasile Gârneţ (3 February 1958 –) – is a poet, publisher, novelist and translator from the Republic of Moldova – notable in poetry through volumes such as *Sick Landscapes* (1990), *A Character in the Forgotten Garden* (1992 – awarded The Writers' Union of Romania Prize), *Borges Field* (2002 – awarded The Writer' Union of Moldova Prize). "There are poets in Bessarabia who are on the top shelf of contemporary Romanian poetry... one of them is Vasile Gârneț... [He] masters perfectly the articulation of poems, unaffected by ideological or emotional-pathetic echoes, evident in architectures pulsating with significant details, in scenarios build built with the precision of a jeweler." (Mircea. A. Diaconu)

Diana Geacăr (9 January 1984 –) – is a writer and translator. She published the poetry volumes: *hi, I am diana and am your room-mate* (2005) which was awarded the Mihai Eminescu prize for her debut, *The beauty of the married man* (2009), and *Only we are normal people* (2017). She also wrote short prose and children's literature. "Capable of poetizing in several registers, passing nonchalantly from notation lyric to vision lyric, possessing an admirable science of 'cutting' the verse... today Diana Geacăr seems to have justified the enthusiasm which Adrian Urmanov greeted, in 2005, her debut book. Since that time her poetry has gained both substance and depth." (Octavian Soviany)

Liviu Georgescu (7 April 1958 –) – is a Romanian writer and (physician) physician settled in New York since 1989. "His poetry has an immediately noticeable lack of adherence, not just with Romanian poetry, but with... early poetry... It must be explored with patience, with an alert state of mind. However, the satisfaction is that much greater. The victorious reader has the feeling of intercepting, after a long wait, the flowering of a cactus." (Alex Ștefănescu) "[Georgescu's poetry] is a strange mix in the Romanian poetry of the last few decades, of expressionism and surrealism. From the expressionists come the apocalyptic, the somber, the physiological; from the surrealists the randomness, the absence of a center point, the internal dynamic." (N. Manolescu)

Bogdan Ghiu (5 iulie 1958 –) – este poet, eseist, traducător și teoretician al traducerii. „Nu ştiu dacă există vreun alt poet care să exerseze cu aceeaşi acuitate ca Ghiu ruptura dintre poet şi poezie şi, prin urmare, sentimentul inutilității." (Mircea A. Diaconu). „...se precizează la Bogdan Ghiu formula unui intimism caligrafic și reflexiv. Nu însă ironic, mai curând sentimental..." (N. Manolescu). A primit Premiul Uniunii Scriitorilor pentru volumele de poezie *Poemul cu latura de un metru și Arta consumului* (1996), pentru traducerile din Charles Baudelaire și Henri Bergson (2002), precum și Ordinul Meritul Cultural.

Adela Greceanu (16 mai 1975 –) – este o voce semnificativă a generației poetice actuale. A debutat în 1997 cu volumul de poezie *Titlul volumului meu, care mă preocupă atât de mult...*, pentru care a primit Premiul Asociației Scriitorilor din Sibiu și Marele Premiu Cristian Popescu. Au urmat *Domnișoara Cvasi* (2001), apoi *Înțelegerea drept în inimă* (2004), *Și cuvintele sunt o provincie* (2014). „Poezia Adelei Greceanu are rigoareși viziune... Și ceva rar întâlnit în poezia feminină: un umor excentric." (Marin Malaicu-Hondrari) „...femeia-copil a Adelei Greceanu devine o Evă serafică, sub al cărei travesti se manifestă energia semnificantă a matricelor scripturale...lumile ei paradisiace sunt travestite intempestiv de viziuni coşmăreşti, iar «femeia-copil» se transformă într-un monstru devorator." (Octavian Soviany)

Adina Huiban (23 noiembrie 1982 –) – este poetă, jurnalistă și prezentatoare de televiziune. A publicat volumele de versuri *La izvorul gândului, Săgetătorul, Strângere din umeri* şi *Augusta.* I-au fost decernate premiul Cel mai tânăr laureat şi premiul revistei Fețele culturii la Concursul Național de Poezie Nicolae Labiş (1995), premiul I la Concursul Național de Poezie George Coşbuc. „Ea construiește, din abstracții, un fel de castele de nisip, pe care cititorul le vede mereu năruindu-se pentru a fi înlocuite de altele... ne oferă un spectacol dinamic, al inventivității risipitoare." (Alex Ștefănescu)

Marius Ianuş (24 decembrie 1975 –) – este poet și jurnalist, inițiatorul „fracturismului", împreună cu Dumitru Crudu – „ideea directoare fiind aceea de «fractură» în raport cu unitatea socială, culturală și artistică". (Octavian Soviany). Este un poet care a creat, în decursul timpului, opinii polarizate: „Cel mai bun și mai puternic poet afirmat la noi în ultimii 20 de ani." (Paul Cernat) „...cel mai bun poet al generației tinere." (Daniel Cristea – Enache) „Poezia lui ne întoarce în vremurile în care literatura... era o armă de persuasiune și cucerire." (Mircea Cărtărescu) „E nevoie, sunt convins, doar de puțin timp până când nu vom mai auzi de un ins certat cu logica și cu bunăcuviința ca Ianuș." (Nicolae Manolescu). În 2010 și-a renegat opera anterioară din motive de credință (a devenit călugăr).

Florin Iaru (24 mai 1954 –) – volubil și bulevardier, „Florin Iaru textualizează cotidianul în cheia «simțului enorm» și al «văzului monstruos», dar fără gustul caricaturilor «sângeroase» ale lui Caragiale, oferindu-ne in definitiv o parodie a caragialismului, peste care e altoit uneori tonusul bonom al feeriilor dimoviene". (Octavian Soviany). Unul din registrele poeziei lui este „acela al cântecului de lume, vesel... suav mitocănesc"... având ceva din „neurastenia bacoviană". (N. Manolescu)

Vasilica Ilie (2 aprilie 1953) – a debutat literar în 2002 (revista „As") și este o scriitoare prolifică de poezie, proză, inclusă în manuale școlare. A primit a un număr de premii literare (printre care „Cartea Anului" 2012 pentru proză scurtă pentru volumul *Pete de culoare* – din partea Ligii Scriitorilor). Alte volume : *Reflecții-* 2012 (poezie), *Paşii singurătății – triste scrisori de iubire* – 2014 (poezie), *Poveste la început de primăvară* – 2015 (roman), *Frusina* – 2019 (roman). Opera ei este inclusă în nuneroase antologii.

Daniel Ioniță (16 ianuarie 1960 –) – este poet și traducător stabilit în Sydney, Australia. „...scrie într-o manieră tranșantă, cu o metodă lingvistică directă și o mare expresivitate... ironia și autoironia par a fi definitorii pentru poet... Poemele spirituale par inspirate din Nietzche și Dostoievki." (Ștefan Ion Ghilimescu) „...dificil de etichetat... confortabil în mai multe stiluri... cu un ton liric care confruntă... fără complexe, cum sunt mulți poeți contemporani." (Constantin Cubleșan) „Daniel Ioniță redescoperă poezia... fără să imite pe nimeni, mai degrabă reinventând spectacolul liric – cu exuberanță și prospețime." (Alex Ștefănescu). Daniel Ioniță a condus proiectul *Testament – Antologie de poezie românească* cu scopul de a reprezenta poezia românească în mod comprehensiv în mediul limbii engleze.

Bogdan Ghiu (5 July 1958 –) – is a poet, essayist, translator and translation theoretician. "I don't know if there is another poet to exercise with the same acuity as Ghiu the split between the poet and poetry and thus by the sense of uselessness." (Mircea A. Diaconu). "...Ghiu presents a formula for a calligraphic and reflexive intimism. However not ironical, rather sentimental..." (N. Manolescu). He was awarded the Writers' Union Prize for the volumes *The poem with the side of one meter and The art of consumption* (1996) and for translating Baudelaire and Henri Bergson (2002), as well as the Order for Cultural Merit.

Adela Greceanu (16 May 1975 –) – is one of the significant voices of the current poetic generation. Her debut was in 1997 with *The Title of My Collection, which Preoccupies Me So Much...*, which was awarded The Prize of the Writers' Association, Sibiu, and the Grand Prize Cristian Popescu. Following were *Miss Quasi* (2001), *The understanding straight into the Heart* (2004) and *The Words are a Province too* (2014). "The Poetry of Adela Greceanu has rigor and vision... And something rarely encountered in feminine poetry: eccentric humor." (Marin Malaicu-Hondrari) "Her woman-child becomes a seraphic Eve, under whose travesty the energy of scriptural matrices manifest themselves... her paradisiacal worlds are tempestuously disguised in nightmarish visions, and 'the woman-child' becomes a devouring monster." (Octavian Soviany)

Adina Huiban (23 November 1982 –) – is a poet, journalist, and television presenter. She published the poetry volumes *At the spring of thought, The archer, Shrug of the shoulders,* and *Augusta.* She was awarded The youngest laureate poet prize at the National Poetry Competition Nicolae Labiş (1995), and First Prize at the National Poetry Competition George Coşbuc. "She builds, from abstractions, some kind of sandcastles, which the reader sees continuously collapsing, only to be substituted by others... she offers a dynamic spectacle, of extravagant inventiveness." (Alex Ştefănescu)

Marius Ianuş (24 December 1975 –) – is a poet and journalist, who initiated "fracturism" together with Dumitru Crudu – (Octavian Soviany) Ianuş is a poet who polarized opinion, over time: "The best and strongest of the poets consecrated in our parts over the last 20 years." (Paul Cernat) "... the best poet of the young generation." (Daniel Cristea-Enache) "His poetry takes us back to the times when literature... was a weapon of persuasion and invasion." (Mircea Cărtărescu) "I am convinced that there is but a short time before we will not hear about an individual in conflict with logic and common sense, like Ianuş." (Nicolae Manolescu) In 2010, he repudiated all his previous work on grounds of faith (he became a monk).

Florin Iaru (24 May 1954 –) – loquacious and fashionable, "Florin Iaru textualizes the mundane through the prism of 'enormous feeling' and of the 'monstrous look', but without the taste of the 'bloody' caricatures of Caragiale, offering us in fact a parody of Caragialism, over which is sometimes grafted the good-natured tonus of Dimov's faeries." (Octavian Soviany). One of the registers of his poetry is "that of the worldly song, joyful... suavely grobian"... touched somewhat by "Bacovia's neuroticism." (N. Manolescu)

Vasilica Ilie (2 April 1953) – had her literary debut in 2002 ("Ace" magazine) and is a prolific writer of poetry and prose, her work being included in school manuals. She has been awarded a number of distinctions, for example "The book of year 2012" for short prose, from the Writers League or Romania. Other volumes: *Reflections* (2012 – poetry), *The steps of loneliness – sad poems of love* (2014 – poetry), *Story from the beginning of spring* (2015 – prose), *Frusina* (2019 – prose). Her work has been included in several anthologies.

Daniel Ioniţă (16 January 1960 –) – is a poet and translator living in Sydney, Australia. "... writes in a trenchant manner, with a direct linguistic approach and high expressivity... irony and especially self-irony seems to be defining of the poet... His spiritual poems draw from Nietzche and Dostoyevsky." (Ştefan Ion Ghilimescu). "...difficult to pigeonhole... conversant across several styles... a confronting lyrical tone... with no hang-ups, unlike many contemporary poets." (Constantin Cubleşan). "...Daniel Ioniţă rediscovers poetry... without imitating anyone, rather reinventing lyrical performance – with exuberance and freshness." (Alex Ştefănescu). Daniel Ioniţă has led the project *Testament – Anthology of Romanian Verse* aiming to bring a comprehensive representation of Romanian poetry into English.

Nuța Istrate Gangan (15 noiembrie 1968 –) – este scriitoare și jurnalistă română, stabilită în Statele Unite ale Americii. Colaborează cu New York Magazine și Curentul Internațional, precum și cu alte publicații literare. Poemele Nuței Istrate Gangan au fost incluse într-un număr de antologii, printre care și *Testament – Anthology of Romanian Verse – American Edition* (Editor Daniel Ioniță, 2017). A publicat volume de poezie și proză scurtă, unele din ele traduse în limba engleză de Adrian Săhlean, printre care amintim *Melancolii, no one dies of a broken heart no one lives, poems* (bilingual edition), *Heart Tango* (with Adrian Păpăruz), *Insomnii.*

Erika Kantor (27 august 1971 –) – scrie poezie încă din copilărie, unele poeme fiind incluse în diferite antologii. Pe cât de talentată (și noi ne alăturăm acestei opinii), pe atât de nesigură – convinsă că scrie doar pentru ea. Ne alăturăm părerii unor critici care, pe bună dreptate, au afirmat că poeziile ei trebuie să fie publicate într-un volum.

Claudiu Komartin (7 august 1983 –) – este poet, traducător și editor. Volumul de poezie *Păpușarul și alte insomnii* (2003) a primit Premiul național de poezie Mihai Eminescu pentru debut, în 2003. Alte volume: *Circul domestic* (2005), *Un anotimp în Berceni* (2009), *cobalt* (2013), *Maeștrii unei arte muribunde. Poeme alese* 2010-2017 (2017). Este coeditor al mai multor antologii poetice. „...o poezie care ar trebui să despice «pustiul acesta de umanitate», hrănindu-se din existenţă şi nu din stil, din adevărurile unei etici aspre şi nu din «Adevărurile Supreme îndesate de filosofi în pepeni», o poezie echivalentă nu «frazelor geniale», ci «dinamitei din gură», iată ce scrie Claudiu Komartin. Sunt argumente suficiente pentru un poet care nu are nevoie de niciun fel de recomandare." (Mircea A. Diaconu)

T. S. Khasis (22 ianuarie 1975 –) – a debutat cu placheta *Farmacia cuvintelor* (1992). Alte volume sunt *arta scalpării* (2005) și *pe datorie* (2011). A primit premiul pentru debut al Uniunii Scriitorilor – Arad. „Pentru T. S. Khasis, poezia se defineşte ca o «artă a scalpării», ca o operațiune «pe viu», care îşi propune exfolierea, smulgerea tuturor «crustelor» care compun o identitate mereu problematică, alcătuită dintr-o diversitate de «fețe» care funcționează după principiul caleidoscopului: «sunt o copie a acelor fețe continue/revăzută şi adăugită»." (Octavian Soviany) „...cu Khasis sunt într-un film care se va termina atunci când unul din actori va muri. Îl iubesc pentru că nu s-a autopromovat niciodată." (V. Leac)

Florin Lăiu (19 ianuarie 1952 –) – poet și profesor de ebrică și greacă veche. Lăiu este un poet al transcendentalului, cu convingerea că va deveni „însumi poem, /suma înțeleaptă / a tot ce am scris şi voi scrie." Nu subscrie teoriei umaniste că omul e măsură a tuturor lucrurilor, ci totul, omul şi opera depind de o forță supraumană, pe care nu o numeşte – şi bine face, fiindcă o poezie nu trebuie să spună totul, ci doar să sugereze, lăsându-i şi cititorului un spațiu pentru imaginație şi completare: «Mie,/ poemului meu/şi omului. Dacă vrea»." (Petre Anghel) În opinia noastră, Florin Lăiu este, alături de Adrian Popescu, unul din marii poeți ai sacrului, încă în viață. Marea critică literară, cu excepția lui Petre Anghel, rămâne însă, în continuare, profund mioapă față de opera lui.

V. Leac (3 iunie 1973 –) – a debutat în 2001 cu volumul *Apocrifele lui Gengis Khan*, pentru care a fost premiat cu Premiul de Debut al Uniunii Scriitorilor din România, filiala Arad. Din alte volume: *Seymour: sonata pentru cornet de hârtie* (2006), *Dicționar de vise* (2006), *Lucian* (2009), *Toți sunt îngrijorați* (2010), *Unchiul este încântat* (2013), *Monoideal* (2018). „Lapidaritatea pare a fi nota distinctivă a poeziei lui V. Leac, autor sensibil și totuși cerebral, artificial și totuși autentic. Poezia lui nu e dusă până la capătul rândului. Îi permite cititorului provocarea (sau bucuria) de a-i umple, în imaginație, spațiile goale." (Bogdan Crețu) „...meritul major al lui volumului [*Monoideal*] este luciditatea și precizia cu care surprinde acest aer al timpului." (Cezar Gheorghe)

Ion Bogdan Lefter (11 martie 1957 –) este poet, eseist și critic literar. Criticul literar îl umbrește pe poet – (Alexandru Ivasiuc). Din volume: *Păsările* (1986), *Din istoria unei „bătălii" culturale* (2000), *A Guide to Romanian Literature*, (volum în limba engleză, 2000), *Bacovia – un model al tranziției* (2001). Dar Lefter se dovedește un poet de talent, după cum o demonstrează volumul *Globul de Cristal*, pentru care a primit Premiul de debut al Uniunii Scriitorilor din România (1983).

Nuța Istrate Gangan (15 November 1968 –) – is a Romanian writer and journalist living in the United States of America. She collaborates with New York Magazine, and Curentul Internațional, as well as other literary publications. The poems of Nuța Istrate Gangan have been included in several anthologies, for example, *Testament – Anthology of Romanian Verse – American Edition* (Editor Daniel Ioniță, 2017). She published volumes of poetry and short prose, some of them translated into English by Adrian Săhlean, among them: *Melancholias, no one dies of a broken heart no one lives, poems* (bilingual edition), *Heart Tango* (with Adrian Păpăruz), *Insomnias.*

Erika Kantor (27 august 1971 –) – writes poetry (from) since childhood, some of her poems having been selected for various anthologies. Although very talented (in our opinion) Erika is very unsure of herself, convinced that she should write poetry just for own enjoyment. We join our voices to that of some critics who, understandably, have called for her poems to be finally published in a volume.

Claudiu Komartin (7 August 1983 –) – is a poet, translator, and editor. His poetry volume *The Puppeteer and other insomnias* (2007) was awarded the National Prize for Poetry Mihai Eminescu, (2003, at his debut). Other volumes: *The domestic circle* (2005), *A season in Berceni* (2009), *The masters of a dying art. Selected poems 2010-2017* (2017). Has co-edited several poetry anthologies. "...a poetry which should slice 'the desert of this humanity', feeding of existence and not of style, from the ethical truths and not from 'Supreme truths heaped by philosophers into watermelons', a poetry equivalent not with 'genius phrases', but of 'dynamite in the mouth', this is what Claudiu Komartin writes. These are arguments sufficient for a poet who needs no other recommendation." (Mircea A. Diaconu)

T. S. Khasis (22 January 1975 –) – had his debut with the chapbook *The Pharmacy of words* (1992). Other volumes: *the art of scalping* (2005) and *on credit* (2011). He was awarded the debut prize of the Writers Union – Arad. "For T.S.Khasis poetry is defined as an 'art of scalping', 'live' surgery proposing the exfoliation, the tearing of all 'crusts' composing an always problematic identity, made up of a diversity of faces, functioning on the principle of a kaleidoscope: 'I am a copy of those continual faces, revised and completed'." (Octavian Soviany) "...with Khasis I am in a movie which will only end with the death of one of the actors. I love him because he never self-promoted." (V. Leac)

Florin Lăiu (19 January 1952 –) – is a poet and professor of ancient Hebrew and Greek. Lăiu is a poet of the transcendental, convinced that he will become "a poem myself / the wise sum/ of all I have written and will write." He does not subscribe to the humanist theory that 'man is the measure of all things', rather than all, humans and their work, depend on a supernatural force, which he does not name – and he does well in doing, as a poem needs not say everything, rather suggest, leaving the reader the space for imagination and completion: 'To me/ to my poem/ and to the man. If he wishes'." (Petre Anghel) In our opinion, Florin Lăiu is, along with Adrian Popescu, one of the great living poets of the sacred. Literary critics, Petre Anghel apart, continue to remain profoundly blind to his work.

V. Leac (3 June 1973 –) – had his debut in 2001 with the volume *The Apocrypha of Genghis Khan*, for which he was awarded the Debut Prize by the Writers Union of Romania, Arad branch. From the other volumes: *Seymour: sonata for a paper hornet* (2006), *Dream dictionary* (2006), *Lucian* (2009), *Everybody is worried* (2010), *The uncle is enchanted* (2013), *Monoideal* (2018). "His lapidary style seems to be the distinctive note of his poetry – Leac is sensitive and yet cerebral, artificial and yet authentic. His poetry is not always finalized to the end of the line. This allows readers the challenge (or the joy) to fill up the empty spaces with their imagination." (Bogdan Crețu) "... the major merit of the volume [*Monoideal*] is the lucidity and precision capturing the atmosphere of the times." (Cezar Gheorghe)

Ion Bogdan Lefter (11 March 1957 –) – is a poet, essayist and literary critic. The literary critic overshadows the poet (Alexandru Ivasiuc). From his volumes: *The Birds* (1986), *From the history of a cultural battle* (2000), *A Guide to Romanian Literature*, (volume in English, 2000), *Bacovia – un model al tranziției/a model of transition* (2001). But Lefter demonstrated poetic talent – the volume *The Crystal Globe*, for which he was awarded the debut Prize of the Writer's Union (1983) bears witness to that.

Adrian Lesenciuc – (21 august 1975 –) – Profesor universitar, poet, prozator, critic literar, Doctor în ştiinţe militare. Din 2013 - Preşedinte al filialei Braşov a Uniunii Scriitorilor din România. Dintre volumele de versuri: *Antifilosofia* (1998); *Laocoonia* (2000); *Coliba de sânge* (2014); *gEneida* (2019). Dintre distincţiile primite: Premiul Filialei Braşov a Uniunii Scriitorilor din România pentru proză (2009); Marele Premiu la Concursul Naţional de Poezie „Octavian Goga"(2017).

Mihaela Malea Stroe (17 iunie 1957 –) – scriitoare şi critic literar. „Mihaela Malea Stroe lasă să se întrevadă o stare de spirit uneori exuberantă, dar cel mai adesea reţinută, discretă, şi rezistentă la vidul existenţial interior. Dacă nostalgia traversează aceste strofe, ea nu se lasă doborâtă de iremediabil. Poeta traversează cu un indubitabil talent podul suspendat al pericolelor şi contemplărilor de tot felul din cotidian... Ea preferă o anumită vigoare, o conduită de femeie modernă, curajoasă, ce refuză să cedeze panicii existenţiale." (Angela Nache Mamier). A primit Premiul Darie Magheru, acordat de Uniunea Scriitorilor din România – filiala Braşov, pentru volumul *Fatimata*, 1997.

Lilia Manole (26 octombrie 1972 –) – este poetă, publicistă, critic literar, profesor şi traducător, din Republica Moldova. Din 2016, este redactor la Ziarul Românilor de pretutindeni – Radio Metafora. Debutează editorial, în aprilie 2015, cu volumul de poeme *Cuvinte nestinse*. Este coautor la peste zece antologii, printre care *Valsând printre cuvinte, Antologie de poezie şi eseuri, Dincolo de veşnicie*. În 2016, Liliei Manole i s-a decernat premiul I şi Trofeul la Festivalul Internaţional de Poezie Renata Verejanu.

Monica Manolachi (15 februarie 1976 –) – poetă, eseistă, traducătoare, producătoare de volume de interviuri – interesele Monicăi Manolachi cu privire la literatură sunt pe cât de adânci, pe atât de extinse. Dintre volumele ei: *Poveştile Fragariei către magul Viridis* (2012), *Joining the dots/Uniţi punctele* (volum de poezie bilingv engleză/română, 2016), *Antologie de poezie din Caraibe* (traducere, 2016), *Table Talk/Taifasuri* (volume de interviuri, 2018). Despre poet... „Monica Manolachi nu se sfieşte să practice un discurs asumat şi de modă veche, căruia încă îi găseşte un farmec indiscutabil... Neîndoios că există pe alocuri şi colaje postmoderne... (poezia ei) este impregnată de patos, melos, etos şi o voluptate feminină secretă." (Mihail Gălăţanu)

Andrada Maran (1 aprilie 1969 –) – a publicat până acum patru volume de poezie – P*ortret de femeie, Al cincilea anotimp/The fifth season* (volum biling română/engleză), *Poeme de dragoste şi poeme de septembrie* şi *Pantofii mamei*. „Andrada Maran propteşte versurile pline de metafora transcendenţei din liric feminin fix într-o îndumnezeire de suflet aristocrat, dar războinic... jonglează la masa de joc cu orice încercare de a-şi păcăli crupierul pentru a-şi picta în vers desfătarea unui suflet..." (Cristina Maria Firoiu)

Aura Maru (27 ianuarie 1990 –) – a făcut studii de licenţă la Universitatea din Bucureşti, Bard College (New York) şi Bard College (Berlin). În prezent este doctorandă în literatură comparată la University of Berkeley. Volumul *Du-te free* i-a fost publicat în 2015.

Ciprian Măceşaru (7 septembrie 1976 –) – scriitor, muzician şi ilustrator de carte, Ciprian Măceşaru este un spirit „renascentist", interesele lui literare fiind vaste: scrie poezie, eseu, roman, volume de interviuri, carte pentru copii. Este, de asemenea, inclus în numeroase antologii de valoare. Din volumele de poezie: *Străzi interioare* (2011), *Roşu pentru pietoni* (2012), *Debaraua cu simţuri* (2013), *Locul în care n-am ajuns niciodată* (2015). „Diferenţa dintre poezia celor mai mulţi dintre poeţii „indignării" generaţiei 2000 şi cea a lui Măceşaru este, mutatis mutandis, cea dintre muzica hip-hop şi saxofonul lui John Coltrane." (Tudorel Urian)

Liviu Măţăoanu (14 ianuarie 1968 –) – scriitor, publicist, realizator de radio şi televiziune. Volumul de debut a fost *Pauză de o ţigară* (1994). Alte volume: *Umbra personajului* (1999, 2019), *Poeme urbane* (2015), *Deasupra lui Hans* (2016). Este publicat în mai multe volume colective, dintre care *Despărţirea de cotidian* (1997), *Plagiator* (1998), *#Rezist! Poezia* (2017), *Antologie – Poetica* (2018, Germania).

Adrian Lesenciuc – (21 August 1975 –) – University Professor, poet, prose writer, literary critic, Doctor in Military Sciences. From 2013 President of the Brașov chapter – Romanian Writers Union. From his poetry volumes: *Antifilosofia* (1998); *Laocoonia* (2000); *Blood Cottage* (2014); *gEneida* (2019). Among distinctions received: 2009 Prize of the Brașov Chapter of the Romanian Writers Union for prose; 2017 Grand Prize of the National Poetry Competition "Octavian Goga".

Mihaela Malea Stroe (17 June 1957 –) – is a writer and literary critic. "Mihaela Malea Stroe exudes an occasionally exuberant state of mind but is more often restrained, discreet, and resistant to the existential vacuum. If nostalgia crosses these verses, she does not allow herself to be irremediably defeated. The poet traverses, with indisputable talent, the suspension bridge made up of all kinds of dangers and contemplations from daily life... She favors a certain vigor, a modern woman's deportment, courageous, refusing to surrender to existential panic." (Angela Nache Mamier). She was awarded the 1997 Darie Magheru prize of the Writers Union – Brașov branch, for the volume *Fatimata*.

Lilia Manole (26 October 1972 –) – is a poet, publisher, literary critic, professor and translator from The Republic of Moldova. Since 2016 she is the editor of the Journal of Romanians from Everywhere – Radio Metaphor. Her debut was in April 2015 with the poetry volume *Unextinct Words*. She co-authored over ten anthologies, among them *Waltzing between words, Anthology of poems and essays* and *Beyond the Everlasting*. In 2016, Lilia Manole was awarded the first prize and the trophy of the International Festival of Poetry Renata Verejanu.

Monica Manolachi (15 February 1976 –) – a poet, essayist, translator, producer of interview volumes – the literary interests of Monica Manolachi are spread deep and wide. From her volumes: *The fairytales of Fragaria to the wizard Viridis* (2012), *Joining the dots/Uniți punctele* (bilingual English/Romanian poetry volume, 2016), *Anthology of poetry from the Caribbean* (translation, 2016), *Table Talk/Taifasuri* (interview volumes, 2018). About the poet:... "Monica Manolachi is not shy to practice deliberate old-fashioned discourse, for which she still finds an indisputable charm... Undoubtedly there are, here and there, post-modern collages... [her poetry] is impregnated with pathos, prosody, ethos and a secretly feminine voluptuousness." (Mihai Gălățanu)

Andrada Maran (1 April 1969 –) – published four volumes of poetry – *A woman's portrait, The fifth season* (bilingual volume Romanian/English), *Love poems and Poems of September* and *Mother's shoes*. "Andrada Maran props the verses replete with the metaphor of transcendence from a feminine lyricism precisely into deification of an aristocratic, but warrior, soul... she juggles at the playing table resorting to any attempts to deceive her dealer so that she may paint in verse the delight of a soul..." (Cristina Maria Firoiu)

Aura Maru (27 January 1990 –) – received her degrees from the University of Bucharest and Bard College (New York) and Bard College (Berlin). She is now studying for a Ph.D. in comparative literature at the University of Berkeley. Her volume *du-te free/Go free* was published in 2015.

Ciprian Măceșaru (7 September 1976 –) – a writer, musician, book illustrator, Ciprian Măceșaru has a "Renaissance" spirit, his literary interest being broad: he writes poetry, essays, novels, interview volumes, books for children. He is included in many valuable anthologies. From his poetry volumes: *Interior streets* (2011), *Red for pedestrians* (2012), *The (closed) closet with feelings* (2013), *The place I have never reached* (2015). "The difference between the poetry of most 'indignation' poets and that of Măceşaru is, mutatis mutandis, that between hip-hop music and the saxophone of John Coltrane." (Tudorel Urian)

Liviu Mățăoanu (14 January 1968 –) – is a writer, publicist, and a radio and television producer. His debut volume was *Smoko break* (1994). Other volumes: *The shadow of the character* (1999,2019), *Urban poems* (2015), *Above Hans* (2016). Mățăoanu is also included in several collective volumes, such as *Parting from the everyday* (1997), *Plagiator* (1998), *#Rezist! Poezia* (2017), *Poetica Anthology* (2018, Germany)

Mariana Marin (10 februarie 1956 – 31 martie 2003) – „Versurile ei sunt croite din materialul liricii tragice a marilor doamne ale poeziei moderne, printre care își găsește locul nefericita iubită a lui Eminescu." (N. Manolescu) „Apetitul pentru aspectele burleşti ale cotidianului... este străin de poemele Marianei Marin... Pentru ea, faptul poetizării este un act de o gravitate superlativă, presupunând implicarea totală, lipsită de menajamente, aproape sinucigaşă în mişcarea nimicitoare a scriiturii." (O. Soviany) „Printre textualişti, autoarea volumului *Mutilarea artistului la tinerețe* este una dintre prezențele cele mai consistente, conştient de sine până la demență." (Mircea A. Diaconu)

Adriana Meşter (17 iunie 1976 –) – are doctoratul în filologie și activează în domeniul educației. Adriana Meşter este însă și un poet de talent, după cum dovedește volumul *Jurnalul din oglindă/A diary in a mirror* (bilingv română/engleză, Editura Limes, 2018). „Regăsirile sufletești se pot petrece în moduri multiple, dar puține vor fi mai frumoase și mai profunde decât acelea a Adrianei Meşter din volumul *Jurnalul din oglindă*. Ghidată de un înger (fiecare din noi, poeții, avem câte un înger!), poeta ne invită să-i traversăm sufletul, ca martori ai jurnalului ei. Face asta fără ostentație, cu naturalețea artistului dispus să-și reveleze vulnerabilitățile, folosind cu măiestrie un expresionism concret și plin de miez, înviorător și proaspăt, prin comparație cu abstracționismul afectat al multor poeți de azi." (Daniel Ioniță)

Anca Mizumschi (24 noiembrie 1964 –) – este scriitor și psiholog, stabilită la Portland, Oregon. Este autoarea unei serii de volume de poezie: *Est* (1993), *Opera Capitală* (1996), *Poze cu zimți* (2008), *Arca lui Noe* (2009), *Vers(o)es* (2010), *În înaltul cerului* (2012), dar și de proză – *Țara mea suspendată* (2019).

Lelia Mossora (26 iunie 1951 –) – este profesoară de limba și literatură romană și franceză, dar și poetă. După George Roca – redactorul revistei Agero, Stuttgart –, „dincolo de seninătatea frumuseții lor, poemele au o blândețe, un aer duios, construcțiile ei lirice vin dintr-o superioritatea indulgentă – frumusețe drept continuum divin". Mossora este inclusă în mai multe volume antologice, printre care: *Șansele poeziei* (2008), *Esențe de primăvară* (2010), *Vrăjitorul cuvintelor* (2012).

Ion Mureșan (9 ianuarie 1955 –) – profesor de istorie, editor și poet. Volumul de debut, *Cartea de iarnă* (1981), a fost distinsă cu Premiul Uniunii Scriitorilor. „Lirica lui Mureșan consemnează încleștarea spiritului cu lumea şi a poeziei cu viața, ajungând să transcrie în cele din urmă un... terific şi totuşi seducător infern al cuvintelor..." (O. Soviany) „Realitatea ia chipul poetului, un chip sfârtecat de... Moarte. Prin portița aceasta pătrunde în poezia lui Ion Mureşan spectaculosul hilar. Dar hilar din cauza disperării." (M. A. Diaconu) „Aflat printre cei ce au, în egală măsură, conştiința damnării şi dorința de mântuire, Mureşan se impune ca o voce de primă mărime. Demersul său nu e unul foarte canonic, dar se pare că sfințenia se găseşte de obicei undeva în imediata apropiere a ereziei." (O. Soviany)

Alexandru Mușina (1 iulie 1954 – 19 iunie 2013) – Radu G. Țeposu îl descrie pe Mușina ca pe „un sentimental educat la şcoala sarcasmului şi a ironiei, cu gustul persiflării şi al demitizării". Critica literară a remarcat de la început caracterul reprezentativ al poeziei lui, dar şi nota individuală extrem de pregnantă (Mircea A. Diaconu). „Inteligența remarcabilă" şi „capacitatea lui de a folosi registrele limbii" (Nicolae Manolescu) sunt consecința unei lucidități şi a unei perspective ironice asupra realului, „fotografiat" cu rafinat cinism. Muşina „este mai ales poetul unor stări de spirit, construite (la rece?!) cu o evidentă ştiință a efectelor". (Mircea A. Diaconu)

Irina Nechit (1 ianuarie 1962 –) – este poetă și jurnalistă din Republica Moldova. Din volumele publicate: *Șarpele mă recunoaște* (1992), *Un viitor obosit* (1998), *Gheara* (2003), *Copilul din mașina galbenă* (2010). „Irina Nechit are darul de-a putea da glas dramatismului inaparent al existenței de toate zilele..." (Gheorghe Grigurcu). „...pe de o parte, poeta face o poezie proaspătă, în bună parte simultană, impresionistă sau în stilul vremii, iar pe de altă parte, ea nu renunță la achizițiile poetice anterioare – expresivitate şi expresionism, la tabloul bine conturat şi bine înrămat." (Mircea V. Ciobanu)

Ioana Nicolaie (1 iunie 1974 –) – este o scriitoareși profesoară de literatură și scriere creativă. Este o notabilă scriitoare pentru copii. A debutat editorial cu volumul de versuri *Poză retușată* (2000). Din celelalte volume de poezie menționăm *Nordul* (2002), *Credința* (2003), *Cerul din burtă* (2005), *Cenotaf* (2006), *Autoimun* (2013). A fost inclusă în numeroase antologii și volume colective. „Ioana Nicolaie e una dintre cele mai valoroase tinere poete afirmate în ultimii ani. Dacă în trecut a făcut poezie frumoasă, acum o interesează reconstituirea, adevărul despre spațiul în care s-a format – și rezultatul e o carte complicată, sincopată, de aceea misterioasă, impresionantă." (Ion Bogdan Lefter). „Incomodarea și seducerea cititorului sunt pariul câștigat de tânăra și neconvențională autoare." (Sanda Cordoș)

Mariana Marin (10 February 1956 – 31 March 2003) – "Her verses are cut from the lyrical material of the grand dames of modern poetry, among whom we can count the unhappy lover of Eminescu." (N. Manolescu). "The appetite for the burlesque aspects of everyday... is not common for the poems of Mariana Marin... For her, the poetic act is one of superlative gravity, presupposing total implication, with nothing being spared, almost suicidal in the devastating movement of writing." (O. Soviany). "Among textualists, the author of the volume The mutilation of the artist in his youth is one of the most consistent presences, self-conscious to the point of insanity." (Mircea A. Diaconu)

Adriana Meşter (17 June 1976 –) – has a Ph.D. in philology and works in education. But Adriana Meşter is also an accomplished poet as demonstrated by the volume *Jurnalul din oglindă/A diary in a mirror* (bilingual Romanian/English, Editura Limes, 2018). "Rediscoveries of the soul can take place in many ways, but few are more beautiful and profound than Adriana Meşter's in the bilingual volume *A diary in a mirror.* Guided by an angel (each one of us poets has a guardian angel) the poet invites us to travel across her soul as a witness of her journal. She does so without ostentation, with the naturalness of the artist comfortable in revealing their responsibilities, skillfully using concrete and meaningful expressionism, energizing and fresh, when compared with the histrionic abstractionism of many of today's poets." (Daniel Ioniță)

Anca Mizumschi (24 November 1964 –) – a Romanian writer and psychologist living in Portland, Oregon. She is the author of a series of poetry books: *East* (1993), *Capital Work* (1996), *Jagged pictures* (2008), *Arca lui Noe* (2009), *Vers(o)es* (2010), *In the Height of the Sky* (2012), and prose – *My suspended country* (2019)

Lelia Mossora (26 June 1951 –) – is a teacher (Romanian and French languages and literature) and poet. According to George Roca (editor of Agero-Stuttgart magazine) "Beyond the clarity of their beauty, her poems possess" a kindness, a sweet atmosphere, her lyrical constructs stem from an indulgent superiority – beauty as a divine continuum. Mossora is included in several anthologies, such as *The chances of poetry* (2008), *Spring Essences* (2010), *The word wizard* (2012).

Ion Mureşan (9 January 1955 –) – teacher of history, editor and poet. His debut volume Winter book (1981) was awarded the Prize of the Writers' Union. "Mureşan's lyricism notes the struggle of the spirit with the world and that of poetry with life, managing to transcribe, in the end... a terrifying yet seductive inferno of the words..." (O. Soviany). "The reality takes the image of the poet, an image mauled by... Death. Through this small door enters a spectacular hilarity in the poetry of Ion Muresan. But a hilarity issued from desperation." (M. A. Diaconu). "Being among those who have, in equal measure, a consciousness of their damnation and the desire for salvation, Mureşan represents a voice of utmost importance. His enterprise may not be canonical, but it seems that holiness finds itself usually somewhere close to heresy." (O. Soviany)

Alexandru Muşina (1 July 1954 – 19 June 2013) – Radu G. Țeposu describes Muşina as "a sentimentalist educated in the school of sarcasm and of irony, with the taste of persiflage and demystification." Literary criticism has recognized from the start, the representative character of his poetry and also the extremely strong individual note. (Mircea A. Diaconu) "His remarkable intelligence" and "the capacity for using language registers" (N. Manolescu) are the consequences of an ironic lucidity and of a perspective on reality, "photographed" with a refined cynicism. Muşina "is mostly the poet of certain dispositions, built (in cold blood?!) with an evident knowledge of their effect." (Mircea A. Diaconu).

Irina Nechit (1 January 1962 –) – is a poet and journalist from the Republic of Moldova. From her volumes: *The snake recognizes me* (1992), *A tired future* (1998), *The claw* (2003, *The child from the yellow car* (2010). "Irina Nechit has the quality of voicing the inapparent drama of everyday existence..." (Gheorghe Grigurcu) "... on the one hand, the poet produces poetry that is fresh, and in great part, simultaneously impressionist, or in the style of the times, and on the other hand she does not renounce her prior poetic acquisitions – expressivity and expressionism, at the well contoured and well-framed image." (Mircea V. Ciobanu)

Ioana Nicolaie (1 June 1974–) – is a writer and professor of literature and creative writing. She is a notable children's writer. Nicolaie debuted with the poetry volume *Retouched photo* (2000). From her other poetry work, we mention *The north* (2002), *Faith* (2003), *Heaven in the belly* (2005), *Cenotaph* (2006), *Autoimmune* (2013). She was included in many anthologies and collective volumes. "Ioana Nicolaie is one of the truly worthy young poets consecrated in the last few years. If in the past she would write beautiful poems, now her interest lies in reconstituting, in the truth about the space which shaped her – and the result is a complicated, syncopated, mysterious and impressive book." (Ion Bogdan Lefter) "Awkwardness and seduction are the bet won by the young and unconventional author." (Sanda Cordoş)

Dinu Olăraşu (18 februarie 1962 –) – este poet şi cantautor de muzică folk. Cunoscut publicului cu un număr de hituri, versurile lui au fost preluate şi de alţi cantautori renumiţi, cum ar fi Nicu Alifantis. Dar Olăraşu nu poate fi desconsiderat ca un simplu textier. Mai degrabă, precum un Bob Dylan şi Leonard Cohen, sau în România un Nicu Alifantis, el este un poet autentic, versurile lui fiind de o mare sensibilitate şi profunzime. De unde utilizarea lor de către alţi muzicieni.

Aurel Pantea (10 martie 1952 –) – poet şi critic literar. „În poezia lui Aurel Pantea, aspră, austeră, rigidă, subiectul îşi interoghează în permanenţă identitatea. Poezia este, în accepţiunea lui, un mijloc de înţelegere a subiectului ca obiect, ba chiar o exegeză a lui." (Mircea A. Diaconu). „...Pantea ilustrează un fel de expresionism, sugerând o tensiune exacerbată a trăirii, transmisă corpului textual, unei sintaxe greu de articulat, în care fiinţa e resimţită ca «bâlbâindu-se în limbaj»." (Ion Pop)

Andrei Păunescu (3 mai 1969 –) – este muzician, scriitor, jurnalist, lector universitar, fiul poeţilor Adrian Păunescu şi Constanţa Buzea. A debutat artistic ca muzician în Cenaclul Flacăra, organizat de Adrian Păunescu. Scrie prolific – cursuri universitare şi volume de specialitate, eseu, jurnalistică, roman şi poezie. Din ultima categorie menţionăm volumele *Doctoratul în tristeţe* (2002), *Zodiacul cu femei* (2012, 2013, 2015), *Iobag la patron, iobag la stat* (2012, 2013, 2015). După moartea lui Adrian Păunescu, Andrei Păunescu continuă să organizeze evenimente Remember Cenaclul Flacăra.

Ana-Maria Păunescu (25 decembrie 1990 –) – fiica cea mică a lui Adrian Păunescu este, după opinia noastră, deja dezvoltată ca poet, moştenind talentul nativ a tatălui ei, şi găsindu-şi, încet-încet, propria voce. A publicat câteva plachete, dar un volum de debut este desigur necesar. Ana-Maria Păunescu este, de asemenea, un promotor cultural de succes, conducând, împreună cu soţul ei Daniel Şerban, Centru Cultural A. Păunescu din Bucureşti.

Ovidiu Pecican (8 ianuarie 1959 –) – este un scriitor, istoric realizator TV şi publicist. Cunoscut în primul rând ca istoric, Pecican este şi un poet de talent. Autoironia poeziei în proză a lui Pecican (care aminteşte de Cristian Popescu) este prezentată cu vervă, dar şi cu o analiză fină propriilor reacţii la lumea înconjurătoare şi situaţiile surprinzătoare pe care ni le poate prezenta la fiecare pas. Pecican reuşeşte să ne transporte împreună cu el în aceste „călătorii" în sufletul propriu, şi prin aceasta ne ajută să înţelegem mai bine propriile noastre reacţii – în esenţă natura umană – pe calea artei lui poetice.

Mircea Petean (2 februarie 1952 –) – este poet şi cunoscut editor (director al editurii Limes din Cluj). „Petean este unul dintre liderii incontestabili ai generaţiei '80. Poezia sa reflexivă este însoţită de un profund filon emoţional, ce ne evocă atmosfera anilor de aur ai «Echinoxului»". (Traian T. Coşovei). „Petean are o puternică imaginaţie a insolitului. Această imaginaţie a bizarului creează un univers aproape expresionist... o anume îndrăzneală în invenţie, insolitul metaforelor care se ţin tocmai de aceea minte." (N. Manolescu). Posesor al multor premii şi distincţii, printre care Ordinul Meritul Cultural (2003).

Marta Petreu (14 martie 1955 –) – profesoară universitară, scriitoare şi editoare, formată în ambianţa intelectuală a mişcării literare „Echinox" din Cluj. „Poezia ei, este aceea a unor trăiri dramatice, sincere, răscolitoare de amintiri şi de suferinţe intime, provocator aruncată, adesea cu accente de revoltă, în faţa lumii care o înstrăinează... Aceasta o impune pe Marta Petreu, distinctă şi solitară desigur, în arealul liricii noastre actuale." (Constantin Cubleşan). „...Marta Petreu are... nu doar curajul numirii fără rezerve a lucrurilor dure... ci şi o anumită voluptate reţinută a atrocelui, o pasiune a răului identificat în enunţuri care lasă să se întrevadă devotamentul faţă de poezie." (Mircea A. Diaconu). Printre multele distincţii şi premii, i-a fost acordat şi Premiul Uniunii Scriitorilor din România de două ori (1981, 1997).

Ioan Es. Pop (27 martie 1958 –) – este poet şi publicist. De la debut (*Ieudul fără ieşire*, 1994) este bine primit de critica literară: „de unică forţă şi frumuseţe în poezia noastră de după 1989" (Dan C. Mihăilescu), „un poet extraordinar" (Nicolae Manolescu). „Poezia lui Ioan Es. Pop a exercitat o mare putere de fascinaţie asupra grupului 2000, care şi-a recunoscut în autorul *Ieudului* un maestru şi un model." (Octavian Soviany) „Poezia lui Pop şochează printr-o sinceritate debordantă în exprimarea stărilor emoţionale copleşitoare într-un univers social curent, perceput în dominantele sale groteşti, abrutizante, fatal lipsite de şansa vreunei realizări superioare la care aspiră." (Constantin Cubleşan). Premiul Uniunii Scriitorilor din România i-a fost acordat de mai multe ori (1994, 1999, 2003).

Dinu Olărașu (18 February 1962 –) – is a poet and folk singer-songwriter. Known to the public for several hits – his verses have been picked up and put to music by other famous Romanian interpreters such as Nicu Alifantis. However, Olărașu cannot be dismissed as a simple text-writer. In the tradition of a Bob Dylan and Leonard Cohen, or in Romania of Nicu Alifantis, he is an authentic poet, his verses displaying true sensitivity and depth – therefore their appeal to other musicians.

Aurel Pantea (10 March 1952 –) – is a poet and literary critic. "In the poetry of Aurel Pantea, rugged, austere, rigid, the subject continually interrogates his identity. Poetry is, in his vision, a means of understanding the subject as object, or even as an exegesis of it." (Mircea A. Diaconu)"... Pantea illustrates a kind of expressionism, suggesting an exacerbated tension of the experience, transmitted to the text body, to a syntax difficult to articulate, in which being is felt as if "stuttering through language". (Ion Pop)

Andrei Păunescu (3 May 1969 –) – is a musician, writer, journalist, university lecturer, the son of poets Adrian Păunescu and Constanța Buzea. His artistic debut was as a musician in the Flacăra festivals organized by Adrian Păunescu. He is a prolific writer – from courses and scholarly volumes to essay, journalism, novel, and poetry. From the latter, we mention the volumes *Doctorate in sadness* (2002), *Horoscope with women* (2012, 2013, 2015), *Iobag la patron, iobag la stat* (2012, 2013, 2015). After the death of Adrian Păunescu, Andrei Păunescu continues to organize Remember Flacăra Festival events.

Ana-Maria Păunescu (25 December 1990 –) – the younger daughter of Adrian Păunescu is, in our opinion, and already accomplished poet, inheriting the native talent from her father, and slowly finding her own voice. She has published a few chapbooks, but a larger debut volume is surely due. Ana-Maria Păunescu is also a successful cultural event promoter, managing together with her husband, Daniel Șerban, the Cultural Centre A. Păunescu in Bucharest.

Ovidiu Pecican (8 January 1959 –) – is a writer, historian, TV producer, and publicist. Known primarily as a historian, Pecican is also a talented poet. The self-irony of his poetry-in-prose (he reminds us here of Cristian Popescu) is presented with verve and refined analysis of his reaction to the surrounding world and the surprising situations presenting at almost every step. Pecican manages to transport us with him on these "journeys" inside his soul (and ours). This helps us to better understand our reactions – in essence, our human nature – through the path of his poetic art.

Mircea Petean (2 February 1952 –) – is a poet and a well-known editor (director of Limes Publishing, Cluj). "Petean is one of the indisputable leaders of the 80s generation. His reflective poetry is accompanied by a deep emotional undercurrent, evoking the golden age of «Equinox»" (Traian T. Coșovei). "Petean has a strong imagination for the unusual." This imagination for the bizarre creates an almost expressionist universe... a certain daring for invention, unusual metaphors that are therefore memorable." (N. Manolescu). He received several (distinctions) awards, among which the Order for Cultural Merit (2003).

Marta Petreu (14 March 1955 –) – university professor, writer, and editor, developed in the intellectual ambiance of the "Equinox" literary movement in Cluj." Her poetry is that of dramatic experiences, sincere, agitating memories and intimate sufferings, thrown provocatively, often with accents of revolt, in front of an alienating world... this imposes Marta Petreu, solitary and distinguished in the characteristic field of our current lyricism." (Constantin Cubleșan) "...Marta Petreu has... not just the courage to unreservedly name the difficult things... but also a certain restrained voluptuousness for the atrocious, a passion for evil identified in enunciations which betray her devotion to poetry." (Mircea A. Diaconu). Among her many distinctions, she was twice awarded the Romanian Writers' Union Prize (1981, 1997).

Ioan Es. Pop (27 March 1958 –) – is a poet and publicist. From his debut (*No way out of Hadesburg*, 1994) he was well received by literary critics: "a unique force and beauty in our poetry after 1989" (Dan C. Mihăilescu), "an extraordinary poet" (Nicolae Manolescu). "The poetry of Ioan Es. Pop has exercised a great fascination on the poets of the 2000 group, who recognized in the author of *Hadesburg* a master and model."(Octavian Soviany) "The poetry of Pop shocks through an exuberant sincerity in expressing overwhelming emotional states in a current social universe, perceived in its grotesque and brutalizing dominants, lacking the chance of any superior achievement to which it might aspire." (Constantin Cubleșan) Pop has received several times the Prize of the Romanian Writers Union (1994, 1999, 2003).

Cristian Popescu (1 iunie 1959 – 21 februarie 1995) – „Deşi s-a stins prematur (la 36 de ani) şi a lăsat în urmădoar trei volume, Cristian Popescu este unul dintre cei mai importanţi poeţi contemporani... Încă de când trăia, era considerat liderul incontestabil al generaţiei '90, iar stilul cu totul novator al poemelor lui a influenţat hotărâtor şi poezia colegilor lui de generaţie." (Cezar Paul-Bădescu). „Popescu e precupat de reconectarea poeziei la sacru, aspiră să recupereze dimensiunile mistice ale experienţei poetice, transcrise în registrul unei arte minimaliste, pe care o numeşte, mai în glumă, mai în serios Arta Popescu." (Octavian Soviany) „...de ce scria Cristian Popescu?! Pentru că „povestea e un mod de a învăţa moartea"... Fără a fi teribilist, el declară „Scriu din aceleaşi motive din care există şi lumea". Aceasta este miza şi forţa poeziei lui Cristian Popescu. (Mircea A. Diaconu)

Graţiela Popescu (pseudonimul literar al scriitoarei Graţiela Popescu-Giuvara, 1982 –) – este o poetă – autoarea, printre altele, a volumului *Cronograful Popescu* – care prezintă un postmodernism jucăuş, o poezie „scenarizată". Scrie, de asemenea, critică literară, precum şi eseuri în domeniul sociologiei şi politologiei.

Simona Popescu (10 martie 1965 –) – este eseistă şi poetă. „...autobiografismul Simonei Popescu funcţionează în cheie ingenuă, evocând scene din copilărie şi adolescenţă şi extrăgându-şi sevele lirice din experienţa traumatizantă a maturizării. Lumea „bătrânilor" este privită fără simpatie, poeta elaborând caricaturi ale maturităţii pedante, care consemnează, cu un real simţ al detaliului ridicol, automatisme verbale sau comportamentale, reducţia la mecanic a existenţei." (Octavian Soviany). „Chiar dacă postmodernismul a încetat să mai fie în ultimii ani la mare căutare, *Lucrări în verde* este un volum excepţional... o epopee get-beget, cu nimic mai prejos decât *Levantul* lui Mircea Cărtărescu." (Andrei Terian)

Alexandru Potcoavă (11 septembrie 1980 –) – a publicat volumele *alexandru potcoavă iar bianca sta-n alex* (poezie, 2001), *Pavel şi ai lui* (roman, 2005), *Şoimii patriei trebuie să fie întotdeauna veseli!* (roman, 2011), *Ce a văzut Parisul* (proză scurtă, 2012), *Într-o zi nu ne vom mai recunoaşte* (poezie, 2016). Textele sale au apărut în antologii şi reviste din România şi alte ţări. „Alexandru Potcoavă... surprinde o nostalgie insuportabilă în sine, «îndulcită» prin autoironie şi dispoziţie convivială, prin râsu'-plânsu' şi haz-de-necaz, dar care trasează liniile de forţă ale unei poezii mult mai puternice, prin tragismul ei subiacent, decât poate părea la o primă vedere." (O. Nimigean) „*Într-o zi nu ne vom mai recunoaşte* e-o carte pe care o citeşti pe nerăsuflate, şi vine la un deceniu şi jumătate după volumul de poezie foarte promiţător cu care debuta, la numai 21 de ani. Era şi timpul." (Claudiu Komartin)

Eva Precub (5 iulie 1986 –) – a publicat volumele *aici nu mai locuieşte nimeni* (2010), *dacă ţi se face teamă de întuneric* (2012) şi *unde luna acoperă ţărâna* (2014). „Maşinăriile de joacă ale Evei Precub strigă la unison după stările tale ascunse şi în timp ce dormi vin şi te trag de picioare. Ştii tu ce se întâmplă când închizi ochii şi auzi tot felul de zgomote. Prin întuneric, teama e singurul prieten imaginar." (George Chiriac) „Poezia Evei Precub e ca valurile tulburi şi grele ale unui ocean de la capătul lumii. Un pas greşit şi a murit." (A. R. Deleanu)

Ofelia Prodan (12 ianuarie 1976 –) – a publicat în majoritatea revistelor literare importante din România. Poezii ale ei au fost traduse în engleză, franceză, portugheză, spaniolă, italiană, olandeză şi maghiară. Este laureată a Premiului Internaţional Napoli Cultural Classic pentru poezie, 2013. Din volumele de poezie amintim *Elefantul din patul meu* (volum de debut, 2007), *Ruleta cu nebun* (2008), *Şarpele din inima mea* (2016), *Elegie allucinogene/Elegii halucinogene* (volum bilingv, traducere în limba italiană de Mauro Barindi, 2019). „...în acest nevinovat şotron jucat cu moartea, singura certitudine lăsată cititorului este că, pentru Ofelia Prodan, graniţa dintre viaţă şi poezie a fost de mult – şi definitiv – desfiinţată." (Dan Liviu Boeriu)

Taina Puţureanu (16 septembrie 1980 –) – este o poetă de mare talent la început de drum, carea publicat în diferite reviste universitare. În present completează un Masters în scriere creativă la George State University, SUA. În virtutea începutului, credem că publicarea unui volum va fi încununată de success.

Camelia Radulian (4 decembrie 1967 –) – este, în opinia noastră, una din cele mai semnificative voci lirice contemporane. „Poezia Cameliei Radulian reabilitează lirismul, într-un context literar dominat de scepticism ironic şi dezabuzare. Autoarea are curajul să se caute în fiecare experienţă fundamentală... În oglinzile ei poetice regăsim nu numai trăsăturile, gesticulaţia şi romantismul unei individualităţi deja pronunţate, ci şi figura noastră interioară, pe care o credeam bine ascunsă." (Daniel Cristea-Enache) „Extraordinară poeta Camelia Radulian, cu versatilitatea ei tematică şi lirică, cu abisurile şi vârfurile sentimentale ale poemelor ei, te poartă, ca într-un labirint, pe cele mai imprevizibile drumuri, pentru a te scoate la liman exact când, posibil, ai pierdut speranţa şi sensul căutării." (Andra Tische)

Cristian Popescu (1 June 1959 – 21 February 1995) – "Although he died prematurely (at 36) and left behind only three volumes, Cristian Popescu is one of the most important contemporary poets... Ever since he was alive he was considered the indisputable leader of the 90s generation, and his innovative style had a deciding influence on the poetry of his generational colleagues." (Cezar Paul-Bădescu) "Popescu is preoccupied with reconnecting poetry to the sacred, aspiring to recuperate the mystical dimensions of poetic experience, transcribed into a register of minimalist art, which he calls, half-jokingly, 'The Popescu Art'." (Octavian Soviany) "... why did Popescu write?! Because 'the story is a way of learning to die'... Without showing off, he declares 'I write for the same reason the world exists'. This is the stake and force of Popescu's poetry." (Mircea A. Diaconu)

Grațiela Popescu (the pseudonym of writer Grațiela Popescu-Giuvara, 1982 –) – is a poet – and author, of the volume *The Popescu Chronograph*, among others – presenting a playful post-modernism, a "screenplay" poetry. She also writes literary criticism and essays in the fields of sociology and political science.

Simona Popescu (10 March 1965 –) – is an essayist and poet. "... the autobiographism of Simona Popescu functions in an ingenue register, evoking childhood and adolescence scenes, and extracting its lyrical sap from the traumatizing experience of maturing. The world of 'old people' is regarded without sympathy, the poet sketching caricatures of pedantic maturity, recording, with a real sense of ridiculous detail, verbal or behavioral automatisms, the reduction of existence to its mechanics." (Octavian Soviany) "Even if postmodernism has ceased to be in vogue over the last few years, *Works in green* is an exceptional volume... an authentic epic, nothing short of Mircea Cărtărescu's *The Levant.*" (Andrei Terian)

Alexandru Potcoavă (11 September 1980 –) – published the volumes *alexandru potcoavă and bianca stayed in alex* (poems, 2001), *Pavel and his people* (novel, 2005), *The motherland's hawks must always be joyful!* (novel, 2011), *What Paris has seen* (short prose, 2012), *One day we will no longer recognize ourselves (anymore)* (poems, 2016). His texts have been included in anthologies and magazines in Romania and abroad. "Alexandru Potcoavă... captures an unbearable nostalgia, 'sweetened' through self-irony and a convivial disposition, through 'cryin'-laughin'" and laughing about one's misfortunes. But which traces strong lines of much more forceful poetry, through its underlying tragic, than can be observed at first sight." (O. Nimigean) "*One day we will not recognize ourselves* is a book you read in one go, and it arrives a decade and a half after his very promising debut volume at 21. About time." (Claudiu Komartin)

Eva Precub (5 July 1986 –) – published the volumes *here no longer lives anyone* (2010), *if you become frightened of the dark* (2012) and *where the moon covers the dirt* (2014). "The playing machines of Eva Precub shout in unison for your hidden moods, and while you sleep, they will come to pull your feet. You know what happens when you close your eyes and hear all sorts of noises. In the dark, fear is your only imaginary friend." (George Chiriac) "The poetry of Eva Precub is like the murky waves of an ocean at the end of the world. One wrong step and you die." (A. R. Deleanu)

Ofelia Prodan (12 January 1976 –) – was published by most of the literary magazines in Romania. Her poetry was translated in English, French, Portuguese, Spanish, Italian, Dutch and Hungarian. She was awarded the International Prize Napoli Cultural Classic for Poetry, 2013. From her poetry volumes *The elephant in my bed* (debut volume, 2007), *Roulette with a psycho* (2008), *The snake from my heart* (2016), *Elegie allucinogene/Elegii halucinogene* (bilingual volume, translation in Italina by Mauro Barindi, 2019). "... in this innocent hopscotch with death, the only certainty left for the reader is that, for Ofelia Prodan, the border between life and poetry has been definitively, and long ago – erased."
(Dan Liviu Boeriu)

Taina Puțureanu (16 September 1980 –) – is a poet at the beginning of her journey, who has published in various university magazines. Presently she is completing a Masters in Creative Writing with Georgia State University, USA. Given this start, we believe that the publishing of her first volume will be successful.

Camelia Radulian (4 December 1967 –) – is, in our opinion, one of the most significant lyrical contemporary voices. "The poetry of Camelia Radulian rehabilitates lyricism in a context dominated by ironical skepticism and disillusion. The author dares to seek herself in each fundamental experience... In her poetic mirrors we find, not just the features, gesticulation and romanticism of an already pronounced individuality, but also our internal image, which we thought well hidden." (Daniel Cristea-Enache) "The extraordinary poet Camelia Radulian, with her thematic and lyrical versatility, with emotional abysses and peaks, takes you, as if in a labyrinth, on the most unpredictable roads, to see you through, possibly when you lost the hope and sense of seeking." (Andra Tischer)

Puiu Răducan (28 iulie 1951 –) – începându-și cariera ca inginer, Puiu Răducan a publicat în ultimile decade multe volume de poezie, proză, istorie și eseuri. Este deasemenea un organizator plin de energie al multor evenimente literare din orașul lui, Râmnicu Vâlcea. A fost publicat în mai multe reviste literare, iar lucărirle lui au fost incluse în 14 antologii colective. Puiu Răducan a primt numeroase premii și dinstincții, din care menționăm Premiul Ligii Scriitorilor (2015) și Diploma de Onoare a Universității de Stat Pitești. Este membru al Academiei Australiano-Române.

Vitalie Răileanu (25 martie 1959 –) – este istoric și critic literar, directorul bibliotecii Onisifor Ghibu din Chișinău – Republica Moldova și cercetător științific la Institutul de Filologie al Academiei de Științe din Moldova. Din volume publicate: *Chei pentru labirint* (2009), *Poeme de pe faleze* (2015), *Străin printre ape* (2016), *Singurătate în vid* (MediaTon, Tronto, Canada, 2018). Printre multele premii și distincții primite: Premiul pentru Debut din cadrul Salonului Internațional de Carte, Chișinău, 2009 și Premiul pentru Critică Literară acordat de Uniunea Scriitorilor din Republica Moldova, în 2011.

Georgeta Resteman (24 august 1960 –) – autoare a trei volume de poezii (*Descătuşări-Fărâme de azimă* – 2011, *Rătăcite anotimpuri* – 2012, *Poeme pentru un vis* – 2012), Georgeta Resteman este un mesager al iubirii şi al frumuseţii. Se defineşte, într-unul din poemele sale, ca fiind umbra şi visul creat din esenţa cuvântului. Suavitatea aceasta nu înseamnă că poezia ei este „uşoară". Ea se păstrează proaspătă prin problematică și contradicții, care-i conferă solemnitate: „Mă arde-un dor tainic dor, mă viscoleşte/... Mireasma dulce-a lacrimilor mele" (Dorul).

Rudy Roth (13 august 1979 –) – pseudonimul lui Eduard Rudolf Roth – poet, ziarist, grafician și cercetător român stabilit la Palma de Mallorca (Spania). A debutat cu volumul *Geometriile contradictorii ale singurătății* (2019). Poemele i-au fost traduse în franceză, germană, portugheză, spaniolă, turcă. A fost inclus în antologia de poezie românească în limba franceză *Pluie d' étoiles/Ploaie de stele* (2020).
Este director fondator al revistei culturale „Leviathan".

Adrian Sângeorzan (1 ianuarie 1954 –) – medic ginecolog, romancier, memorialist și poet stabilit la New York, soțul scriitoarei și editoarei Carmen Firan. În proză sunt notabile volumele *Circul din fața casei* și *Între două lumi: Povestirile unui doctor de femei*, ultimul primind un premiu pentru ficțiune în România, în2004. În poezie a fost publicat în limba română dar și în engleză, în traducere, cu volume precum *Anatomia lunii, Tatuaje pe marmură, Over the life-line*, precum și *Voices on the razor's edge*, volum scris împreună cu Carmen Firan.

Robert Şerban – (4 octombrie 1970 –) – scriitor și jurnalist. Dintre volumele de poezie: *Excelsior* (1994) pentru care a primit Premiul de Debut al Uniunii Scriitorilor, *Cinema la mine-acasă* (2006), *Moartea Parafinată* (2010). Din comentariile critice: „O poezie spirituală scrie Robert Şerban, pe cât de inteligentă, pe atât de plastică. Există... ceva care îl împinge către ludic și umor. Jocul nu este de-a literatura, ci cu literatura... Admirabile versuri. " (Nicolae Manolescu).

Octavian Soviany (23 aprilie 1954 –) – este scriitor, critic literar și profesor de literatură romană și universală. „Deşi printre contemporani pare izolat în efortul său de a recupera versul clasic, Soviany ştie că aparține în fond acelei direcții poetice care, înainte de orice altceva, pune la mare cinste rafinamentul: al prozodiei, al metaforei, al lexicului şi, fără doar şi poate, al trăirii... Colocvialitatea discretă... şi intrarea «stihuitorului» în ficțiune transformă poezia lui Soviany în cântec... Până la urmă, e o armonie anume pe care poezia aceasta o construieşte cu multă ştiinţă, dar şi un devotament total față de atitudinea ludică." (Mircea A. Diaconu)

Ion Stratan (1 octombrie 1955 – 19 octombrie 2005) – „Cu inteligența şi cu cinismul unui autor care stăpâneşte bine sentimentele, punându-le în ecuații imprevizibile, Ion Stratan face figura unui damnat care vede poezie oriunde, şi în nişte psalmi («reali», evident), şi într-un «cimitir de maşini», ori într-o «partidă de cărți»". (Mircea A. Diaconu) „Poezia lui Ion Stratan, se detașează în mod categoric de cea practicată de optzeciștii pursânge, impresionează prin luciditatea cu care încearcă să pătrundă dincolo de cuvinte, dincolo de această lume... Este o poezie a Genezei (a desfacerii) și a Apocalipsei (a desfacerii desfacerii), o poezie a neantului, în care strigătul poetului se reduce la ecoul unei tăceri." (Raul Popescu). Stratan s-a sinucis în apartamentul lui din Ploiești, în 2005. Avea 50 de ani.

Puiu Răducan (28 July 1951 –) – an engineer in his youth, Puiu Răducan has, over the last decades published a number of volumes of poetry, prose, history, and essays. He is also an energetic organizer of arts and literature festivals and events in his native city of Râmnicu Vâlcea. He has been published in numerous literary magazines and his work has been included in 14 anthologies. Puiu Răducan has been awarded several prizes and distinctions such as The Writers' League Prize (2015) and the Honorary Diploma of the State University Pitesti. He is a member of the Australian-Romanian Academy.

Vitalie Răileanu (25 March 1959 –) – is a literary historian and critic, director of the Onisifor Ghibu Library in Chișinău – the Republic of Moldova – and researcher at the Institute of Philology of the Academy for Sciences in Moldova. From the published volumes: *The keys for the labyrinth* (2009), *Poems for the esplanade* (2015), *Stranger between waters* (2016), *Loneliness in a vacuum* (2018). Among the many distinctions received: The Debut Prize from the International Book Salon, Chişinău, 2009 and the Prize for Literary Criticism awarded by the Moldovan Writers' Union, 2011.

Georgeta Resteman (24 August 1960 –) – author of three volumes of poetry (*Liberation – Crumbles of Wafer* – 2011, *Lost seasons* – 2012, *Poems for a dream* – 2012) Georgeta Resteman is a messenger of love and beauty. In one of her poems, she describes herself as the shadows and dreams created from the essence of the word. Suaveness like this does not mean that her poetry is "light". It remains fresh though problematic and contradiction, which gives it gravitas: "A mysterious longing burns me, storms me/... The sweet scent of my tears." (Longing)

Rudy Roth (13 August 1979 –) – is the pseudonym of Edward Rudolf Roth – poet, journalist, graphic artist and researcher, living in Palma de Mallorca (Spain). His debut volume was *Contradictory geometries of loneliness* (2019). His poems were translated into French, German, Portuguese, Spanish, and Turkish. He was included in the anthology of Romanian poetry in French *Pluie d' étoiles"/ „Ploaie de stele* (2020). He is founding director of the cultural magazine "Leviathan."

Adrian Sângeorzan (1 January 1954 –) – is a gynaecologist, novelist, and memoir writer and poet living in New York, the husband of the writer and editor Carmen Firan. Notable in prose are the volumes *The circus from in front of our house* and *Between two words: tales of a women's doctor*, the latter being awarded the prize for fiction in Romania (2004). His poetry was published in both Romanian and English in *Anatomia Lunii (The anatomy of the moon), Tatuaje pe marmură (Tattoos on marble), Over the life-line, as well as Voices from the razor's edge,* which he co-authored with Carmen Firan.

Robert Şerban – (October 1970 –) is a writer and journalist. From his poetry volumes: *Excelsior* (1994) which received the debut prize of the Romanian Writers Union, *Cinema at my home* (2006), *Paraffinated Death* (2010). From the critical reviewes: "Robert Şerban writes a spiritual poetry, intelligent as well as expressive. There is... something pushing him towards the ludic and toward humor. He does not play at literature, rather with literature... Admirable verses." (Nicolae Manolescu)

Octavian Soviany (23 April 1954 –) – is a writer, literary critic, and professor of Romanian and Universal Literature. "Although he is isolated among his contemporaries in his effort to recover the classical verse, Soviany knows that he belongs basically to the poetic direction which, highly honors above all else the refinement: of prosody, of metaphor, of the lexicon, and without doubt, of the experience... A discrete colloquiality ... and the entrance of the 'versifier' into fiction transforms Soviany's poetry into song... In the end, there is a certain harmony which this poetry builds with great skill, but also with faithfulness for a ludic attitude." (Mircea A. Diaconu)

Ion Stratan (1 October 1955 – 19 October 2005) – "With the intelligence and cynicism of an author who has a good control over sentiments, placing them in unexpected equations, Stratan appears as a damned man who sees poetry everywhere, in psalms ('real', evidently), as well as in a 'car cemetery' or in a 'game of cards'." (Mircea A. Diaconu) "The poetry of Stratan detaches itself categorically from the pureblood '80s generation', impressing with a lucidity that attempts to reach beyond words, beyond this world... It is a poem of Genesis (undoing) and the Apocalypse (the undoing's undoing), a poetry of the void in which the poet's scream is reduced to an echo of silence." (Raul Popescu) Stratan committed suicide in his apartment in Ploiești. He was 50 years old.

Anca Stuparu (31 martie 1974 –) – finalizează un doctorat în medicină la Universitatea Minnesota (SUA) și este adânc implicată în acest domeniu (a primit titlul de Ambasador Cultural pentru munca ei la Misiunea de Sănătate pentru Femei în Spanish Town, Jamaica). De asemenea, Anca Stuparu a publicat, în 2018, volumul de debut (bilingv, română/engleză) *From another shore/De pe alt mal*. Colaborează cu mai multe reviste literare din America și România, precum Humanities, Phoenician Bird: Orizont/Horizon și Scrisul Românesc/Romanian Writing.

Arcadie Suceveanu (16 noiembrie 1952 –) – este poet și jurnalist. Din 2010, este președinte al Uniunii Scriitorilor din Republica Moldova. Poemele lui Arcadie Suceveanu au fost incluse în numeroase antologii. „Suceveanu mânuiește cu aceeași siguranță și dezinvoltură metafora cu substrat metafizic și ironia, biografismul avangardist și scepticismul... acestea se impun pentru că poetul, pe lângă o necesară și deloc exclusivă cultură poetică, stăpânește din plin ceea ce s-ar putea numi știința versului." (Mircea A. Diaconu) Suceveanu este, în prezent, președintele Uniunii Scriitorilor din Republica Moldova.

Adrian Suciu (21 decembrie 1970 –) – este poet și prozator. Este președintele Asociației Culturale Direcția 9, care are scopul de a sprijini, editorial și financiar, poeții debutanți, dar și de a revaloriza și a reintroduce în circulație unii poeți consacrați. Dintre volumele de poezie – *E toamnă printre femei și în lume* (1993), *Din anii cu secetă* (2005), *Profetul popular* (2015). „...[volumele inițiale] ne-au făcut cunoscut un poet grav, cu o sensibilitate acută, tensionată şi interogativă... degajând o anume cruzime a viziunii, o exasperare ţinută-n frâu şi un sunet de alarmă a fiinţei aflate în impas... mai apoi avem urgenţa mesajului... poetul lasă la o parte orice artificiu de construcţie poetică. Ceea ce rămâne este un concentrat, dar nu unul abstract, mohorât şi arid, ci unul purtând semnele unei certe vocaţii poetice." (Ion Moldovan)

Eugen Suciu (22 august 1952 –) – „Poezia lui Eugen Suciu este una a trăirilor în intimitatea cea mai vibrantă a individului marcat de o actualitate dezolantă, depresivă, în care «brancardieri analfabeți/ au încuiat viitorul». E un poet al notației succinte, aproape aforistice." (Constantin Cubleșan) „În ciuda abstractismului aparent al recuzitei, versurile sale freamătă de o extraordinară senzualitate a imaginației, de o tensiune a asocierilor imprevizibile... procedând prin esențializare, prin reducția fenomenalului la arhetip." (Radu G. Țeposu)

Daniela Șontică (23 martie 1970 –) – este poetă, jurnalistă și publicistă. A publicat versuri în majoritatea revistelor literare din România. În prezent, este redactor la Ziarul Lumina și realizatoare la Radio Trinitas. Volume de poezie publicate: *Arlechini într-o pădure sălbatică* (1995), *Uitați-vă prin mine* (2007), *Iubita cu nume de profet* (2014), *Privilèges de femme de lune* (2015, trad. în franceză de Claudiu Soare). I-a fost acordat premiul I la concursul de poezie Ion Vinea, în 1995. „...în istoria literaturii române, doar Magda Isanos a avut grația unei asemenea forțe lirice delicate." (Alex Ștefănescu)

Cătălin Stanciu (31 martie 1978 –) – este psihoterapeut, poet, eseist, jurnalist. A publicat poezie, cronică literară și eseu în revistele Hyperion, Observator Cultural, Tribuna, Libris, Tiuk, Urmuz ș.a. A debutat în volum, în 2007, cu *Ceartă cu îngeri*. Alte volume: *Viața e un drum pe jos* (2014); *Deliruri* (2017), *Drag-o-Stea* (2019).

Romeo Tarhon (2 octombrie 1953 –) – poet, romancier, jurnalist, editor. Ca ziarist, a scris numeroase articole sarcastice, în maniera pamfletului politic îndreptat împotriva sistemului postdecembrist, a impostorilor și nonvalorilor care guvernează România. În poezie, se remarcă prin volume precum *Toamnă fatală* (2014), *Și îngerii au îngeri păzitori* (2014) și *Îngeri blestemați* (2017).

Valentina Teclici (21 ianuarie 1952 –) – este scriitoare și publicistă româncă stabilită în Noua Zeelandă. A publicat 18 cărți, incluzând lucrări de sociologie, versuri şi povestiri pentru copii, poezie. Creația ei este tradusă în franceză, engleză şi Te Reo (maoră). Poezii şi fragmente din creația ei pentru copii sunt incluse în manuale şcolare pentru învățământul primar şi gimnazial din România. A tradus și editat volumele 1 şi 2 ale antologiei bilingve română-engleză de poezie *Poetical Bridges – Poduri lirice* (2016, 2018).

Anca Stuparu (31 March 1974 –) – is pursuing a Doctoral Degree in Women's Health at the University of Minnesota (USA) and has an abiding interest in this field (she was awarded the title Cultural Ambassador for her work at the Women's Health Mission in Spanish Town, Jamaica). However, Anca Stuparu has published her first bilingual (English/Romanian) poetry volume *From another shore/De pe alt mal* in 2018. She collaborates with several American and Romanian literary magazines such as Humanities, Phoenician Bird: Orizont/Horizon and Scrisul Românesc/ Romanian Writing.

Arcadie Suceveanu (16 November 1952 –) – is a poet and journalist. From 2010 he is president of the (Writer's) Writers Union of the Republic of Moldova. His poems have been included in many anthologies. "Suceveanu manipulates with confidence and ease the metaphor with a metaphysical substrate as well as irony, the avant-gardist biographism, and skepticism... these impose themselves because the poet, besides a necessary and in no way exclusive poetic culture, commands in full what one could call the science of the verse." (Mircea A. Diaconu)

Adrian Suciu (21 December 1970 –) – is a poet and prose writer. He is the president of the Cultural Associaton Direction 9, set up to help (editorially and financially) new poets, but also reintroducing into "circulation" older poets. From his poetry volumes: *It is autumn among women and in the world* (1993), *From the drought years* (2005), *The popular prophet* (2015). "... [the initial volumes] revealed to us a grave poet, with an acute, tensioned and interrogating sensitivity... with certain cruelty of vision, a restrained exasperation and a warning sound of a being in trouble... later there is the urgency of the message... the poet leaves aside any artifice of poetical construction. What remains is a concentration, but not an abstract one, sad and arid, rather one bearing the markers of a true poetic vocation." (Ion Moldovan)

Eugen Suciu (22 August 1952 –) – "The poetry of Eugen Suciu is one experiencing the most vibrant intimacy of the individual affected by a stark, depressive, reality, in which 'illiterate stretcher-bearers/ have locked up the future'. He is a poet of succinct notation, almost aphoristic." (Constantin Cubleşan) "Despite the apparent abstractionism of his poetry's stage props, his verse quivers with an extraordinary sensuality of imagination, of a tension of unpredictable associations... proceeding through essentializing, through the reduction of the phenomenon to its archetype."(Radu G. Ţeposu)

Daniela Şontică (23 March 1970 –) – is a poet, journalist, and publicist. Her poems were published in most of the literary magazines in Romania. Presently she is an editor at the Lumina newspaper and producer for Radio Trinitas. Volumes of poetry published: *Clowns in a wild forest* (1995), *Look at me* (2007), *The loved one with a name of a prophet* (2015, translated in French by Claudiu Soare). She was awarded the first prize at the Ion Vinea Poetry Competition (1995). "...in the history of Romanian literature, only Magda Isanos had the grace of such delicate lyrical force." (Alex Ştefănescu)

Cătălin Stanciu (31 March 1978 –) – is a psychotherapist, poet, essayist, journalist. He published poetry, literary criticism and essays in magazines such as: Hyperion, Observator Cultural, Tribuna, Libris, Tiuk, Urmuz. His debut volume was *Argument with angels* (2007). Other volumes: *Life is a road on foot* (2014), *Deliriums* (2017), *Drag-o-Stea* (2019).

Romeo Tarhon (2 October 1953 –) – is a poet, novelist, journalist, and editor. As a journalist he is known for his biting and sarcastic writing, pamphlet articles against the post-December 1989 political system, its imposters and good-for-nothing individuals governing Romania. In poetry, he stands out with volumes such as *The fatal autumn* (2014), *Angels have their guardian angels too* (2014) and *Cursed angels* (2014).

Valentina Teclici (21 January 1952 –) – is a Romanian writer and publicist living in New Zealand. She published 18 volumes including works of sociology, children's stories, and verse, poetry. Her work has been translated into French, English and Te Reo (Maori). Poems and excerpts of her work for children are included in school manuals for primary and middle school in Romania. Teclici edited and translated volumes 1 and 2 of *Poetical Bridges – Poduri Lirice*, a bilingual Romanian-English anthology (2016, 2018).

Maria Timuc (15 decembrie 1968 –) – a debutat la vârsta de 17 ani în prestigioasa revistă ieșeană Convorbiri literare. A publicat zece volume, între care biografie – *Personalități și destine*, patru cărți de spiritualitate și trei volume de poezie: *Oul de lut* (1998), *Și Dumnezeu Dumnezeiește pe aici* (2001) și *Iubire de nisip* (2015). „Poeziile Mariei Timuc sunt fremătător-feminine și, în același timp, de un dramatism al ideilor care reverberează îndelung în conștiința mea... Pe unele le-am parcurs de două ori... iar o poezie – *Și în tristețe îngerii există* – am învațat-o pe de rost." (Alex. Ștefănescu)

Alex Tocilescu (25 noiembrie 1977 –) – este scriitor, jurnalist și muzician. Este fiul regizorului de teatru Alexandru Tocilescu. Din volumele publicate: *Eu et al.* (2005), *Carne crudă* (2007) și *Standard* (2009).

Maria Tonu (25 februarie 1955 –) – este scriitoare, editoare din Republica Molodva, stabilită în Toronto, Canada, din 2007. Aici a fondat Cenaclul Grigore Vieru și editura MediaTon, prin care promovează literatura română în Canada și în lume. I-au fost publicate volume de poezie precum *Cerc* (2004) și *Cercuri concentrice* (2018). Dintre antologiile bilingve menționăm *Relief Stelar* (Ed. Armonii culturale, 2016), *Metafore Românești* (MediaTon, Toronto, 2017) și *Basarabia Sufletului Meu – o colecție de poezie din Republica Moldova* (Mediaton, Toronto, 2018), coeditată împreună cu Daniel Ioniță. În 2017, a primit distincția Canada: 150 de ani, oferită de Parlamentul Canadian.

Marius Tucă (29 iulie 1966 –) – este jurnalist, analist și om de afaceri. Tucă jurnalistul, analistul acerb în dezbateri, îl eclipsează deocamdată pe poet. În opinia noastră, poezia (predominant de dragoste) a lui Marius Tucă este mai mult decât notabilă. Ea extrage temele universale, deci vechi de când lumea – ale patosului dragostei în toate aspectele ei – reciclându-le în maniera contemporană, post-post-modernă. Desigur, Tucă nu este nici primul, nici singurul care face acest lucru în poezia românească, dar aplombul, lirica directă (nu lipsită însă de poezie) și diversitatea deschiderilor tematice sunt remarcabile.

Laurențiu Ciprian Tudor (27 septembrie 1973 –) – este poet, eseist şi jurnalist. Volumele lui de versuri: *Teama de cerc şi fuga după aripi* (2003), *Memoria clipei sărutate – 70 cupidopoeme* (2004), *Apostolul verilor* (2007), *Capul cu păsări* (2012), *Nervi* (2014). „Aflat la a treia sa carte de versuri, Laurențiu-Ciprian Tudor este (comentatorii săi au remarcat aceasta fără şovăire) un poet tânăr care confirmă." (A.I. Brumaru) „Tudor dovedește multă siguranță şi o bună stăpânire a metaforelor şi expresiilor poetice, jonglând printre idei ca un adevărat spadasin. Poezia lui... se desparte, asemenea apelor care se despart de uscat, de poezia scrisă şi publicată (din nefericire) de colegii lui de generație, de hohotismul, teribilismul şi, de cele mai multe ori, pornoculturismul lor." (Emilian Marcu)

Nicolae Tzone (10 mai 1958 –) este redactor de carte și poet. Conduce editura Vinea, care în ultimii ani a publicat mulți din marii poeți contemporani – cu tentă avangardistă. Printre volumele de referință se numără *Manualul de literatură, antologie de versuri* (care îi include pe Daniel Bănulescu, Mihail Gălățanu, Ioan Es. Pop, Cristian Popescu, Lucian Vasilescu, Floarea Țuțuianu – 2004). Dar Tzone este, el însuși, un poet de valoare după cum o dovedesc volumele *Nicolae Magnificul* (2000) și *Rugina timpului oare greșesc dacă o numesc rugina timpului* (2004). „....ambiguitatea, balansarea de la o extremă la cealaltă, voluptatea gesturilor şi a măştilor lirice contradictorii... mărturisesc despre o conştiinţă neliniştită, care pendulează între jubilație şi melancolie cu o rară senzualitate a travestiurilor." (Octavian Soviany)

Eugenia Țarălungă (18 august 1967 –) – este poetă și redactor de carte la Editura Muzeului Literaturii Române. Dintre volumele publicate: *mici unități de percepție*, 2002, care a primit premiul de debut al Uniunii Scriitorilor; *rabatabil la cerere*, 2014, distins cu Premiul Cartea Anului, secția poezie, filiala București a Uniunii Scriitorilor. „Eugenia Țarălungă ştie să se joace cu cuvintele – precum cu nişte pietricele, sau grăunți de nisip, sau chiar pietre prețioase sau stele. Ea este intrigată de golul cuvintelor şi, pentru a pătrunde misterul lor, le ciocneşte, încearcă să le spargă, le potriveşte în constelații organizate de hazard... Poemele sale sunt la frontiera între dadaism şi Urmuz, dar cu tonalitatea profetică a Sfântului Ioan Gură de Aur sau a unui Iov femeie." (Basarab Nicolescu)

Maria Timuc (15 December 1968 –) had her debut at 17 in the prestigious literary magazine Literary Dialogues from Iași. She published ten volumes, among them a biography – *Personalities and destinies*, four books on spirituality, and three poetry volumes: *The egg of clay* (1998), *God too, is Godding around here* (2001), and *Love of sand* (2015). "The poetry of Maria Timuc is charmingly-feminine, and at the same time, of a dramatism of ideas that reverberates for a long time in my conscience... Some of them I read twice... and the poem *Angels exist even in sadness* – I learned it by heart." (Alex Ștefănescu)

Alex Tocilescu (25 November 1977 –) – is a writer, journalist and musician, the son of theatre director Alexandru Tocilescu. From his volumes, we mention *Me et al.* (2005), *Raw meat* (2007), and *Standard* (2009).

Maria Tonu (25 February 1955 –) – is a writer and editor from the Republic of Moldova, settled in Toronto, Canada since 2007. Here she founded the Grigore Vieru literary circle and MediaTon publishing, through which she promoted Romanian literature in Canada and the world. Has published the poetry volumes *Circle* (2004) and *Concentric circles* (2018). From the bilingual anthologies we mention *Stellar Relief* (Ed. Armonii Culturale, 2016), *Romanian Metaphors* (Mediaton, Toronto, 2017), and *The Bessarabia of My Soul – a collection of poetry from the Republic of Moldova*, coedited with Daniel Ioniță. In 2017 she was awarded Canada: 150 years medal by the Canadian Parliament.

Marius Tucă (29 July 1966 –) – is a journalist, media analyst, and businessman. Tucă the journalist and acerbic analyst eclipses, for now, the poet. In our opinion, his poetry is more than simply notable. It extracts the universal themes (and thus is as old as time) – of the pathos of love in all its aspects – recycling it in a contemporary, post-post-modernist manner. Of course, Tucă is not the first, nor the only poet to do this in Romanian poetry, but his aplomb, direct lyricism (although not lacking in poetry) and the diversity of themes approached are remarkable.

Laurențiu Ciprian Tudor (27 September 1973 –) – is a poet, essay writer, and journalist. His poetry volumes are *The fear of a circle and running after wings* (2003), *The memory of the kissed moment – 70 cupidopoems* (2004), *The apostle of summers* (2007), *The head with birds* (2012), *Nerves* (2014). "Being at this third volume of verse, Laurențiu-Ciprian Tudor is a young poet who confirms." (A. I. Brumaru) "Tudor displays a lot of assurance and a good command of metaphor and poetical expression, juggling between ideas like a true fencer. The poetry written by him separates itself, as the waters from dry ground, from the poetry written and published (unfortunately) by his generational colleagues, from their squeals of laughter, from their posturing, and often from their porno-cultism." (Emilian Marcu)

Nicolae Tzone (10 May 1958 –) – is a publisher and poet, leading Vinea Publishing, which in the last years has published many avantgarde contemporary poets. Among the notable volumes is *The Manual of literature, an anthology of verse* (including Daniel Bănulescu, Mihai Gălășanu, Ioan Es. Pop, Cristian Popescu, Lucian Vasilescu, Floarea Țuțuianu – 2004). But Tzone is a poet in his own right, testimony being volumes such as *Nicolae the Magnificent* (2000) and *The rust of time am I mistaken calling it the rust of time* (2004). "...ambiguity, the balancing act from one extreme to the other, the contradictory voluptuousness of lyrical gestures and masks... testify about a restless consciousness, swinging between jubilation and melancholy with a rare sensuality of travesty." (Octavian Soviany)

Eugenia Țarălungă (18 August 1967 –) – is a poet and book editor at the Romanian Literature Museum Publishing House. Among her published volumes are: *mici unități de percepție (small units of perception)*, 2002 – for which she was awarded The Writers Union of Romania Debut Award; *rabatabil la cerere/turn-up upon request*, 2014, which received The Romanian Writers Union Award, Bucharest, The Book of the Year Award for Poetry. "Eugenia Țarălungă knows how to play with words – as if they were some pebbles, sand grains, or even jewels or stars. She is intrigued by the void of words and so that she penetrates their mystery, she attempts to crack them, organizing them in constellations organized by chance... Her poems are on the border between dada and Urmuz, but possessing the tonality of a Saint John Chrysostom or a female Job." (Basarab Nicolescu)

Vasile Ursache (19 septembrie 1959 –) – poet, redactor și boem – cunoscut pentru spiritul lui deschis și erudit, în lumea literară a Bucovinei natale. A publicat volume de poezie – *Epistole către Hefaistos*, și *Primire la Regină*. „Ursache dialoghează cu Hefaistos, zeul urât din subpământ... deoarece pune un semn de identitate absolut între Poet și Meșter, între a scrie și a făuri... Acest volum ne aduce dovada grăitoare a unui poet ce și-a găsit măsura și care îl reprezintă cel mai bine – forma epistolară turnată în tipare exacte și scânteind de gânduri." (Mihai Cimpoi) „Poet întârziat, zgârcit în cuvinte și riguros cu traseul ideilor prin simțirile sale lirice, Vasile Ursache ne încântă cu autenticitatea versului și cu unele rezonanțe străvechi, care pătrund anumite sentimente strict contemporane. Ceea ce demonstrează că e un poet de primă linie!" (Corneliu Leu)

Radu Vancu (13 iulie 1978 –) – este poet, profesor universitar și traducător. Începând cu 2002, a publicat șapte volume de poezie – *Epistole pentru Camelia* (2002), *Biographia litteraria* (2006), *Monstrul fericit* (2009), *Sebastian în vis* (2010), *Amintiri pentru tatăl meu* (2010) și *Frânghia înflorită* (2012), pentru care i-au fost decernate mai multe premii,naționale și internaționale. Împreună cu Claudiu Komartin a coeditat mai multe antologii – *Cele mai bune poeme ale anului* (2010, 2011, 2012). „Vancu se distanțează atât de poezia «mizerabilistă», a desperados-ilor de cafenea, cât și de cea zis neoexpresionistă, a (pseudo)ruralilor rătăciți prin crâșmele marilor orașe. Mai exact spus: se detașează din «plutonul douămiist», impunându-se ca unul dintre cei mai importanți poeți români de azi." (Alexandru Mușina)

Mihail Vakulovski (10 august 1972 –) – este un scriitor, publicist și traducător originar din Basarabia, dar care trăiește și activează în România. Dintre volumele de poezie publicate: *Nemuritor în păpușoi* (1997), *Tatuaje* (2003), *Riduri* (2013). Vakulovksi a tradus din operele multor scriitori ruși. „Scrie cu o voluptate care ușor poate deveni contaminantă pentru cititor. În spatele acestei plăceri ar putea să ne scape aspecte serioase și chiar grave... Amestecul de umor, ironie și realitate brută, neîndurătoare – este uneori lipsit de pudoare, dar niciodată gratuit." (Constantin Cheianu) Printre distincțiile primite: Premiul Uniunii Scriitorilor din Republica Moldova pentru volumul de poezie *Nemuritor în păpușoi* (1997) și Premiul revistei Tomis pentru cel mai bun traducător (2008).

Traian Vasilcău (2 aprilie 1969 –) – este scriitor, publicist și traducător, primind în 2016 Premiului Național pentru Artă și Cultură din Republica Moldova. Printre volumele publicate: *Poemele regretelor târzii* (1995), *Zeii nu mor în cer* (1997), *Poeme de pe timpul tăcerii de aur* (1999), *Sfeșnic în rugăciune* (2012). Este reprezentat în numeroase antologii precum *Testament – Antologie de poezie română modernă*, versiune bilingva română/ engleza, ediția a doua, (Editura Minerva, București, 2015) și *Basarabia Sufletului Meu* (editori Daniel Ioniță și Maria Tonu, Editura MediaTon, Toronto, Canada, 2018).

Lucian Vasilescu (23 octombrie 1958 –) – este, împreună cu Mircea Dinescu, Adrian Popescu, Ileana Mălăncioiu, Ana Blandiana și Ioan Es Pop, unul din cei mai semnificativi poeți români în viață la timpul publicării acestei colecții. „Lucian Vasilescu e o piesă de bază în existența sau inexistența – după cum devine cazul – generației '90. De fapt, fie că aceasta există, fie că nu există, el rămâne o piesă de bază în noua poezie, oricum ar fi ea împărțită pe căprării şi generații." (Al. Cistelecan) „Verva deconstructivă a lui Lucian Vasilescu nu este decât reversul unei melancolii, născute din nostalgia unei lumi coerente și a unei stări paradiziace a cuvântului. Sentimentul absurdului se naşte astfel dintr-o sensibilitate violentată de comedia cotidianului, pe care poetul o transpune în comedie a limbajului şi a literaturii." (Octavian Soviany)

George Vasilievici (3 iunie 1978 – 10 aprilie 2010) – poet și jurnalist. Volumele lui de poezie: *Gabi 78* (2001), *Featuring* (2004), *Cerneală* (2004), *O cameră cu două camere* (2006). A fost inclus de Marin Mincu în antologia *Generația 2000*, iar poezia lui a fost tradusă în mai multe limbi. „Plecat dintre noi prin propria lui voință, în 2010, Vasilievici lasă în urma lui o creație ce se cuvine periodic redescoperită. Într-un text cu evidente, dar şi ingenue valențe de artă poetică din volumul *Cerneală*, el concepea poezia ca pe un organism magic, destinată să convertească dualitatea în unitate (Poezia aparține totului. Întregului general valabil şi sfînt./ Este instrumentul acestui întreg), iar producerea ei e ridicată la dimensiunile unui exorcism, prin care mintea umană îşi neutralizează partea de umbră." (Octavian Soviany). S-a sinucis în 2010, când era pe culmea efortului creativ.

Vasile Ursache (19 September 1959 –) – is a poet, editor, bohemian – known for his open, erudite spirit in the literary world of his native Bukovina. Published the poetry volumes *Epistles to Hephaistos* and *Reception at the Queen's*. "Ursache dialogues with Hephaistos, the ugly god of the underground... because it sets an absolute sign of identity between the Poet and the Mastér, between writing and forging... This volume brings the telling proof of a poet who found the measure that suits him best – the epistle form forged in precise patterns and sparkling with thoughts." (Mihai Cimpoi). "A belated poet, thrifty with words and rigorous with the trajectory of ideas through his lyrical feelings, Vasile Ursache enchants us with the authenticity of his verse and with some old resonances, penetrating strictly contemporary sentiments. Which demonstrates that he is a top-shelf poet!" (Corneliu Leu)

Radu Vancu (13 July 1978 –) – is a poet, associate professor, and translator. Starting with 2002, he has published seven books of poems, *Letters for Camelia* (2002), *Biographia litteraria* (2006), *The Happy Monster* (2009), *Sebastian in Dream* (2010), *Memories for My Father* (2010) and *Blooming Rope* (2012), for which he was awarded several prizes, both national and international. Together with Claudiu Komartin, he is the co-editor of the anthologies *Best Romanian Poems of the Year* (2010, 2011, and 2012). "Vancu distances himself both from the 'miserabilist' poetry of the pub desperadoes, as well as the so-called neo-expressionist one, those (pseudo) rural dwellers lost in the tavernas of the big cities. More exactly: he separates from the '2000 peloton', asserting himself as one of the most important of today's poets." (Alexandru Mușina)

Mihail Vakulovski (10 August 1972 –) – is a writer, publicist, and translator, originating from Bessarabia (today The Republic of Moldova) who lives in Romania. From his published poetry volumes: *Immortal in the maize* (1997), *Tattoos* (2003), *Wrinkles* (2013). Vakulovski has translated into Romanian the works of many Russian authors. "He writes with a voluptuousness which can become addictive for the reader. Behind this pleasure, we could lose the serious and grave aspects... The mix of humor, irony and brutal, unmerciful reality – is sometimes impudent, but never gratuitous." (Constantin Cheianu) Among the awards received: The Prize for Poetry of the Writers Union of the Republic of Moldova for *Immortal in the maize* (1997) and the Prize of the Tomis Magazine for the best translator (2008).

Traian Vasilcău (2 April 1969 –) – is a poet, publicist, and translator, being awarded in 2016 the National Prize for Arts and Culture of the Republic of Moldova. Among published volumes: *Poems of late regrets* (1995), *The gods don't die in heaven* (1997), *Poems from the time of golden silence* (1999), *Candlestick in prayer* (2012). He is represented in many anthologies, such as *Testament – Anthology of Modern Romanian Verse*, bilingual Romanian/English, second edition (Minerva, Bucharest, 2015), and *The Bessarabia of My Soul* (editors Daniel Ioniță and Maria Tonu, Toronto, Canada, 2017).

Lucian Vasilescu (23 October 1958 –) – is, together with Mircea Dinescu, Adrian Popescu, Ileana Mălăncioiu, Ana Blandiana, and Ioan Es. Pop one of the most significant Romanian poets alive at the time of the publication of this collection. "Lucian Vasilescu is a key piece in the existence or non-existence – as the case might be – of the 90s generation. In fact, whether this exists or not, he remains a key piece for the new poetry, no matter how it is divided generationally." (Al. Cistelecan) "The deconstructive verve of Lucian Vasilescu is simply the reverse of a melancholy, born of the nostalgia of a coherent world and a paradisiac state of the word." (Octavian Soviany)

George Vasilievici (3 June 1978 – 10 April 2010) – poet and journalist. His poetry volumes: *Gabi 78* (2001), *Featuring* (2004), *Ink* (2004), *One room with two rooms* (2006). He was included by Marin Mincu in the anthology *Generation 2000*, and his poetry was translated in several languages. "Having left us of his own volition in 2010, Vasilievici leaves behind a creation that needs to be periodically rediscovered. In a text characterized by the obvious and original valences, both evident and ingenue, of the poetic art, such as *Ink*, he conceives of poetry as a magical organism, destined to convert duality into unity (Poetry belongs to the whole. To the whole, generally true and holy./ It is the instrument of this whole) and its production is lifted to the dimensions of exorcism, through which the human mind neutralizes its shadow part." (Octavian Soviany). Vasilievici committed suicide in 2010 when he was at the top of his creative effort.

Lucian Vasiliu (8 ianuarie 1954 –) – scriitor și redactor. „Poezia lui Vasiliu surprinde printr-un soi de anecdotică metafizică, ce are încorporată în dinamica sa ideatică profunzimea unui vizionarism dramatic, pardoxal... Nu e dispus la meditații... filosoficești pentru că, din perspectiva sa, întregul univers... se recompune din metafore." (Constantin Cubleșan) „Vasiliu practică, nu numai atunci când e ludic, ci şi atunci când contemplă înfiorat spectacolul lumii, umilința. Dar este umilința celor care... se află în posesia adevărului, având deopotrivă revelația inutilității lui. Dublată de aură, această inutilitate este chiar miezul poeziei sale." (Mircea A. Diaconu)

Ania Vilal (28 decembrie 1981 –) – din volumele publicate: *Eu, mama mare și tu* (2011, publicată și în limba franceză – *Moi, la mère forte et toi, în 2014), Inimă dată la maximum* (2013). Este inclusă în diferite antologii, cum ar fi *Cele mai frumoase poeme din 2011* (Editura Tracus Arte). „*Eu, mama mare şi tu* este un titlu aparent aberant, cum derutant e tot volumul debutantei Ania Vilal: ca o carceră, când atroce, când ocrotitoare, în care poeta este captivă ca într-un uter matern. Complexele personale, frustrările, iubirea şi ura, naşterea şi moartea, totul pare prizonier acestui uter uriaş. Ania Vilal are o scriitură lapidară, albă, cerebrală, pare o linie pe care o lasă silexul pe o piatră. O poetă tânără care-şi refuză «poezia» ca să-şi rostească tăcerea." (Nora Iuga)

Paul Vinicius (24 ianuarie 1953 –) – poet și redactor media. „Vinicius lăsa impresia unui ironist care contemplă cu detaşare comedia cotidianului, poetizează la modul narativ, cu «personaje» şi «întâmplări», are vocația portretelor în manieră caricaturală... Tonul lui devine grav doar atunci când încearcă presentimentul morții... Aici lirica lui se defineşte ca o «trântă cu moartea», prin care subiectul uman îşi afirmă inepuizabilele resurse de vitalitate... configurându-se în cele din urmă într-una eroică." (Octavian Soviany)

Matei Vișniec (29 ianuarie 1956 –) – este un poet și dramaturg român, și radio jurnalist, stabilit în Franța, unde a obținut azil politic în 1987, când una din piesele lui, *Caii la fereastră*, i-a fost interzisă. La plecarea lui la Paris, Vișniec lăsa culturii române o operă deja semnificativă, un roman, foarte multe piese și câteva volume de poezie. Intră în cultura franceză prin poezie, *Le sage à l'heure du thé* este distins cu premiul Cea mai Bună Carte de Poezie. „Vişniec rămâne unul dintre poeții importanți ai grupului '80, un poet care prin textele sale autoreferențiale, în care este vizat metapoeticul, se situează în imediata vecinătate a textualismului. Încorporându-şi principalele elemente ale mitologiei textualiste, ea transcrie coliziunea cu limitele limbajului şi cu maşinăria infernală a textului." (Octavian Soviany)

Miruna Vlada (17 august 1986 –) – a debutat în 2004 cu volumul *poemextrauterine*, urmat, în 2007, de *Pauza dintre vene* și, în 2014, de *Bosnia. Partaj*. „Textele Mirunei Vlada (autoare a «manifestului extrauterin») circumscriu topografia unei paradoxale *țări a fetelor* (vezi Maria Banuș), unde candoarea coexistă cu turpitudinea, puroiul și zăpada iradiază aceeaşi putere de fascinație, autosupliciul poate căpăta frisonări orgasmice, în timp ce oroarea de sordid devine voluptate a maculării." (Octavian Soviany). „Energia mărturisirilor Mirunei Vlada, de nu va fi consumată de automatismele sumbrului amor, poate cuceri teritorii poetice remarcabile." (Aurel Pantea)

Călin Vlasie (21 mai 1953 –) – este poet și prolific editor. „Plasat în contextul generației nouăzeciste (după clasificarea propusă cândva de Laurențiu Ulici), Călin Vlasie se individualizează fără echivoc, fiind poate singurul care exprimă atât de tranșant angoasa trăirii sub efectul unei realități încarnată în cerebralitate. Rămâne totuși, în esența firii sale, un romantic discret, sensibil și chiar şăgalnic, atâta cât să nu alunece niciodată în desuetudine. Poezia este confortabilă, în tonalități (false) de lied, iar discursul e tulburător prin sinceritatea mărturisirii de sine." (Constantin Cubleșan)

Gelu Vlașin (30 august 1966 –) – este scriitor român stabilit în Spania, considerat a fi principalul reprezentant al deprimismului în poezia românească, creatorul platformei on-line Rețeaua Literară. Dintre distincțiile obținute – Diploma Forum Intercultural – Madrid, 2012 și 2013, și Ordinul Meritul Cultural, 2012. „Versurile au o grafică delicată... Cea mai mare calitate a acestei poezii, care nu pare a unui începător, este egalitatea cu sine, tonul neschimbat, nivelul pretutindeni înalt al emoției lirice." (Nicolae Manolescu) „...autorul şi-a găsit dintru început un discurs şi un timbru numai al lui... [Scrie] o poezie adevărată, plăcută la lectură şi, până la urmă, foarte umană." (Paul Cernat)

Lucian Vasiliu (8 January 1954 –) – writer and editor. "The poetry of Vasiliu surprises through a kind of metaphysical anecdote having incorporated into its dynamism of ideas, the depth of a dramatic, and paradoxical, vision... He is not predisposed to philosophical meditation... because in his view the whole universe... recomposes itself through metaphor." (Constantin Cubleşan) "Vasilescu practices – whether he is ludic, or when he quivers while contemplating the world's spectacle – humility. However, it is the humility of those who... possess the truth, having at the same time the revelation of its uselessness. Doubled by its aura, this uselessness is precisely the kernel of his poetry." (Mircea A. Diaconu)

Ania Vilal (28 December 1981 –) – from her published volumes: *I, grandmother and you* (2011, translated in French, *Moi, la mère forte et toi* in 2014). Her poems are included in various anthologies such as *The most beautiful poems* of 2011 (Tracus Arte Publishing). "*I, grandmother and you* is an apparently aberrant title, as is the whole volume of debutant Ania Vilal. It is disorienting like a prison-cell, atrocious at times, protective at other times, in which the poet is captive as if inside a maternal uterus. Personal complexes, frustrations, love and hate, birth and death, all seems prisoner in this huge uterus. Ania Vilal has lapidary writing, white, cerebral, as a silex trace on a stone. A young poet who refuses herself the 'poetry' so that she can utter her silence." (Nora Iuga)

Paul Vincius (24 January 1953 –) – is a poet and media editor. "Vinicius leaves the impression of an ironist who contemplates with detachment the comedy of the quotidian, poetizes narratively with 'characters' and 'happenings', he has the vocation of caricatural portraits... His tone becomes grave only when he addresses the premonition of death... Here his lyric is defined as a 'wrestle with death', through which the human subject affirms its inexhaustible resources of vitality... setting itself up in the end as heroic." (Octavian Soviany)

Matei Vişniec (29 January 1956 –) – is a poet, playwright radio journalist settled in France, where he was granted political asylum when his play *The horses from the window*, was banned. On his departure to France, Vişniec had already a significant body of work, a novel, several plays, and a few poetry volumes. He enters French culture through poetry, the volume *Le sage à l'heure du thé* was awarded Best Poetry Book. "Vişniec remains one of the important poets of the 80s group, one who through his self-referencing text, in which he touches the meta-poetic, is positioned in the very proximity of textualism. Incorporating the principal elements of textual mythology, it transcribes the collision with language and the infernal machinery of the text." (Octavian Soviany)

Miruna Vlada (17 August 1986 –) – debuted in 2004 with the volume *extrauterinepoems*, followed in 2007 with *The pause between the veins*, and in 2014 with *Bosnia. Separation.* "The texts of Miruna Vlada (author of the 'extrauterine manifesto') circumscribe the topography of a paradoxical *country of girls* (see Maria Banuş), where candidness coexists with turpitude, puss and snow irradiate the same fascination, self-torture can gain orgasmic frissons, while the horror of sordidness becomes voluptuousness of maculation." (Octavian Soviany). "The energy of Vlada's confessions, if not consumed by the automatisms of sombre love, could conquer remarkable poetic territories." (Aurel Pantea)

Călin Vlasie (21 May 1953 –) is a poet and prolific editor. "Placed in the context of the 90s generation (according to the classification proposed by Laurenţiu Ulici), Călin Vlasie stands out without a doubt, being perhaps the only one who expresses so trenchantly the anxiety of living in a reality embodied by the cerebral. He remains though, in the essence of his character, a discreet romantic, sensitive and even comical, enough to avoid obsolescence. His poetry sits comfortably in (false) lied tones, and the discourse is beguiling through the sincerity of confession." (Constantin Cubleşan)

Gelu Vlaşin (30 August 1966 –) – is a Romanian writer living in Spain, considered the principal representative of "deprimism" in Romanian Poetry, creator of the online magazine The Literary Network. From the awards received – The Diploma Forum Intercultural – Madrid 2012 and 2013, The Order for Cultural Merit, 2012. "His verses possess a delicate graphic... The best quality of this poetry, which does not seem that of a beginner, is the inner equality, the even tone, the poetry has a consistently high level of lyrical emotion." (Nicolae Manolescu) "...the author found from the beginning a tone which is just his... [He writes] true poetry, pleasant to read, in the end very human." (Paul Cernat)

Radu Voinescu (8 decembrie 1958 –) – este poet, scriitor, publicist și critic literar. Este președinte en titre al Filialei București – Critică și Istorie Literară a Uniunii Scriitorilor din România. A debutat cu poeme în Luceafărul în 1989. „Poezia lui Radu Voinescu din volumele *Hierofantul* și *Poezii*, deschide un drum în literatura română – urmat la câțiva ani distanță de Ruxandra Cesereanu, dar și de alți câțiva poeți mai tineri. Teme clasice într-un veșmânt poetic original, exprimate cu un limbaj și o tehnică de inspirație modernă... un barochism bine temperat, pus în serviciul unei stilistici ce poate fi considerată de avangardă prin legătura pe care cuvântul și muzicalitatea stranie a versurilor o realizează între concret și metafizic. O astfel de poetică nu ezită să calce pe teritoriile abisale ale psihicului, mediind între carnal și divin." (Mihai Gregor Codreanu)

Daniel Vorona (5 octombrie 1956 –) – poet, jurnalist, promotor cultural. Autor al volumelor *noi și bunul Dumnezeu* și *eu, tu și bunul Dumnezeu*, ca și al antologiei *Vama Literară*, „Daniel Vorona a inventat un univers poetic absolut original şi este autorul unei scriituri noi şi inconfundabile" (Mircea Bârsilă, 2011). „Un tânăr dăruit ce poate mişca întru Cuvânt verbul, se adevereşte în această culegere *noi şi bunul Dumnezeu*, ce am străbătut dintre manuscrisele lui Daniel Vorona. Cât va reuşi să strămute spirit din inima lui în cuvinte va adeveri Timpul." (Ioan Alexandru).

Varujan Vosganian (25 iulie 1958 –) – este un politician, economist, eseist și poet român de origine armeană. Volumele lui au fost traduse în multe limbi – engleză, franceză, germană, armeană, ebraică, suedeză, printre altele. Printre volumele de poezie se numără *Șamanul albastru* (1994), *Ochiul cel alb al reginei*, bilingv (română-engleză) (2001), și *Iisus cu o mie de brațe* (2005). Dintre distincțiile primite menționăm Marele Premiu pentru Poezie Nichita Stănescu (Chișinău – Republica Moldova) – 2006, Premiul Academiei Române pentru dezvoltarea științei și culturii românești – 2006, și Medalia de Aur pentru Cultură, prezentată de Guvernul Armeniei în 2006 și 2013.

Radu Voinescu (8 December 1958 –) – is a poet, publicist and literary critic. He is the current president of the Literary Criticism and History of the Romanian Writers Union – Bucharest branch. His poetry debut was in 1989 (Luceafărul/The morning star magazine). "The poetry of Radu Voinescu, from the volumes *The Hierophant* and *Poems*, opens a way into Romanian literature – followed some years later by Ruxandra Cesereanu and other younger poets. Classical themes are coached in an original garment, expressed in the language of modern inspiration and technique... a well-tempered baroque, servicing a style which could be considered as avant-garde,through the link which the word and the strange musicality of verse realize between the concrete and the metaphysical. Such poetic expression doesn't hesitate to tread on the abyss of the psyche, mediating between the carnal and the divine."(Mihai Gregor Codreanu)

Daniel Vorona (5 October 1956 –) – is a poet, journalist, cultural promoter. Author of the volumes *we and the gracious God* and *me, you and the gracious God*, as well as the anthology *Literary Customs*, "Vorona invented an absolutely original poetic universe and is the author of a new and unmistakable writing (Mircea Bărsilă, 2011). "A gifted young man who can move, the verb within the Word, has proven himself in this collection *we and the gracious God*, which we covered among the manuscripts of Daniel Vorona. How much he will manage to transmute the spirit from his heart into words, time will tell." (Ioan Alexandru).

Varujan Vosganian (25 July 1958 –) – is a Romanian politician, economist, essayist and poet of Armenian origin. His books have been translated in many languages – English, French, German, Armenian, Hebrew, Swedish, among others. His published poetry volumes include *Șamanul Albastru (The Blue Shaman)* – 1994, *Ochiul cel alb al reginei (The White Eye of the Queen)*, bilingual (Romanian – English) – 2001, and *Iisus cu o mie de brațe (Jesus with a Thousand Arms)* – 2005. Among distinctions awarded to Vosganian are The Great Prize for *Poetry Nichita Stănescu* (Chișinău, Republic of Moldavia) – 2006, Romanian Academy Award for the contribution to the development of Romanian science and culture – 2006 and the Gold Medal for Culture, awarded by the Government of Armenia, in 2006 and 2013.

BIBLIOGRAFIE, PARTEA A II-A
BIBLIOGRAPHY, PART II

Anghel, Petre – O istorie politică a literaturii române postbelice, Editura RAO, 2015

Buleu, Constantina Raveca – Gellu Dorian – Cafeneaua Kafka. în „Steaua", nr. 6, iunie, 2004, reluat în vol.

Constantina Raveca Buleu, Critică și empatie, Ideea Europeană, București, 2017, pp. 232-234

Chioaru, Dumitru – „Fișa personală a lui Romulus Bucur" – Revista Ramuri – 4/2010. Cernat, Paul – posfață la volumul Tratat de Psihiatrie de Gelu Vlașin – Editura Vinea, 1999

Ciobanoff, Ștefan – „Traian Furnea, poetul care căuta imagini" – „Liber să spun", 13 Martie 2014 –

http://libersaspun.3netmedia.ro/traian-furnea-poetul-care-cauta-imagini/

Cimpoi, Mihai – Prefața la volumul Epistole către Hefaistos, de Vasile Ursache

Cistelecan, Alexandru – Postfață la volumul Institutul de Poezie Legală, de Lucian Vasilescu, Editura Vinea, 2010

Cistelecan, Alexandru – Prefață la volumul Poezii Alese (Adrian Alui Gheorghe, Editura Conta, 2006)

Codreanu, Mihai Gregor – „Scriitori de azi – Radu Voinescu" – Nomen Artis, anul V, nr.12 (52) 2015, pp. 21-22

Cordoș, Sanda – prefață la volumul Cenotaf, de Ioana Nicoilae, Editura Paralela 45, 2006

Coşovei, Traian T. – Ziua literară, 11 decembrie 2004

Cristea-Enache, Daniel – „Prea poet" – rubrica Critica Literară, Ziarul de Duminică, 28 aprilie 2010

Cristea-Enache, Daniel – „Naștere ușoară" – cronică despre poezia lui Mihai Gălășanu, Ziarul de Duminică, 2 iulie 2009

Cristea-Enache, Daniel – prefața la Oglinzi volumul 2 – Orașul în care tace Dumnezeu – Camelia Radulian,

Editura Tracus Arte, 2016) Cristea-Enache, Daniel – prefață la volumul Jucăria mortului, de Constantin Acosmei, Casa de Pariuri Literare, 2012

Cubleşan, Constantin – Poezia de toate zilele, Editura Limes, Cluj, 2017

Cubleşan, Constantin – Poezia de zi şi noapte – manuscris

Cubleşan, Constantin – „Poet român în Australia" – revista Vatra, nr. 11/2017

Diaconu, Mircea A. – Biblioteca română de poezie postbelică – Editura Universităţii Ştefan cel Mare, 2016

Dorian, Gellu – „Plus. Theodor Damian", Convorbiri literare, august 1999

Foarţă, Şerban – prefaţă la volumul O legătură de chei, de Adrian Bodnaru, Editura Cartea Românească, 2010

Gheorghe, Cezar – „Entropie şi contingenţă", Observatorul Cultural, nr. 961, 8 martie 2019

Grigurcu, Gheorghe – „Poezia română contemporană", Editura revistei Convorbiri literare, 2000

Grigurcu, Gheorghe – „Un gheizer liric" – revista România literară, din 29 decembrie, 1988

Grigurcu, Gheorghe – prefaţă la volumul România cu prostii, Mihail Gălăţanu, Editura Vinea, 2002

Ghilimescu, Ştefan Ion – „Un poet român la antipozi", revista Argeş, nr. 9/423, septembrie 2017

Ioniţă, Daniel – postfaţă la volumul Jurnalul din oglindă/A diary in a mirror, de Adriana Meşter, Editura Limes, 2018

Ivănescu, Cezar – „Luceafărul", 10/1987 – Gabriela Creţan Lefter, Ion Bogdan – prefaţă la volumul Nordul, de Ioana Nicolaie, Editura Paralela 45, 2002

Leu, Corneliu – posfaţă la volumul Epistole către Hefaistos, de Vasile Ursache Malaicu-Hondrari, Marin – prefaţa la volumul Şi cuvintele sunt o provincie, de Adela Greceanu, Editura Cartea Românească, 2014

Manolescu, Nicolae – Istoria critică a literaturii române (cinci secole de literatură), Editura PARALELA 45, 2008

Manolescu, Nicolae –„Trei debuturi", în revista România literară, nr. 15/1982

Manolescu, Nicolae – Pierd monopolul iubirii, coperta IV, 2010

Manolescu, Nicolae – prefaţă la volumul Tratat la psihiatrie, de Gelu Vlaşin, Editura Vinea, 1999

Mihalcea, George – prefaţă la volumul Femeia Sixtină, de Liliana Filişan – Editura Minela, 2015.

Mugur, Florin – „Teodor Dume (poetul din «urbea» de pe Criş) la linia de sosire" – „Confluenţe Literare", ediţia nr. 3068 – 26 mai 2019 (https://confluente.org/teodor_dume_1558877444.html)

Nicolescu, Basarab – prefaţă la volumul rabatabil la cerere, Eugenia Ţarălungă, Editura Tracus Arte, 2014

Nimigean, O. – postfaţă la volumul Jucăria mortului de Constantin Acosmei, ediţia a doua, Editura Vasiliana, 1998

Novac, Elisaveta – „Scriitori români cu satul în glas", revista Satul Natal, anul IV, Nr. 10, 2004

Oprea, Nicolae – „Vatra", nr. 3/1998, Ion Chichere Paul-Bădescu, Cezar – „Poezia morţii", revista Cultura, 13 februarie, 2011

Popescu, Raul – „Ion Stratan – Poetul Desfacerilor", în Literomania, 25/01/2019

Sasu, Aurel – „Lumină Lină", 4/99, Hyperion Soviany, Octavian – Cinci decenii de experimentalism (compendiu de poezie română contemporană), vol. II, epoca postcomunistă, Editura Casa de pariuri literare, 2010

Soviany, Octavian – „Luceafărul", 25/2000, Gabriela Creţan

Soviany, Octavian – „Yoyo sau omul cu două suflete" (despre Georger Vasilievici), Observatorul Cultural, nr. 859, 10/02/2017

Ştefanescu, Alex – Istoria literaturii române contemporane 1941-2000, Editura Maşina de Scris, 2005

Ştefănescu, Alex. – «Flăcara», nr. 8/1999 – Ion Chichere Ştefănescu, Alex – postfaţă la volumul Agăţat între stele/Hanging Between the Stars – Daniel Ioniţă, Editura Minerva, 2013

Ştefănescu, Alex – „Un preaplin al inspiraţiei – o voioşie literară" – despre Horia Gârbea, Editura LiterNet, 13 iunie, 2007

Tanta, Gene – Introduction to the volume Last Psalm by Constantin Acosmei (Band of Bears, Chicago, 2006)

Terian, Andrei – Simona Popescu „Existenţa ca mod de poezie", Ziarul de Duminică, 26 ianuarie 2007

Ţeposu, Radu G. – Istoria tragică şi grotescă a întunecatului deceniu literar, Editura Eminescu, 1993

Ţeposu, Radu G. – „Cuvântul", nr. 6/1997 – Ion Chichere

Truţă, Liliana – „Dulceaţa vieţii sub sabia morţii", revista Familia, nr. 9, septembrie 2010

Ulici, Laurenţiu – Aurel Dumitraşcu, revista România literară, nr. 51, 1984

Urian, Tudorel – revista Acolada nr. 1, 2013 – despre volumul Roşu pentru pietoni, de Ciprian Măceşaru

Vancu, Radu – „Andrei Bodiu. Despre sărăcia şi curajul poeziei", revista Poesis International, nr. 1 (23), 2019

Zimbru, Ion – „Rodian Drăgoi şi poezia universală", revista Viaţa liberă, 21 noiembrie, 2018

RESURSE INTERNET/INTERNET RESOURCES

www.agero-stuttgart.de – George Roca despre

Lelia Mossora www.en.wikipedia.org www.ro.wikipedia.org

https://www.fitralit.ro/30-11-2018-rodian-dragoi-sau-cum-renaste-poetul-in-moarte/

https://jurnalul.antena3.ro/cultura/arte-vizuale/sa-ne-cunoastem-scriitorii-aurel-pantea-118067.html – Ion Pop despre Aurel Pantea

https://www.viata-libera.ro/divina-tragedia/118731-rodian-dragoi-si-poezia-universala-i – Ion Zimbru despre Rodian Drăgoi https://theodordamian.wordpress.com/ – despre Theodor Damian

http://www.referatele.com/referate/romana/Aurel-Dumitrascu/index.php

https://arhivamonitorcultural.wordpress.com/%E2%96%BC-puncte-de-vedere/angela-mamier-%E2%80%9Edespre-mihaela-malea-stroe-o-vizionara-a-realului-incandescent%E2%80%9C/ – Angela Nache Mamier despre Mihaela Malea Stroe

https://www.yumpu.com/ro/document/view/51669900/intre-avangardism-si-postmodernism-florica-bud – Aretzu, Paul – Între avangardism şi postmodernism – Florica Bud

http://www.cartier.md/carti/iubirea-altfel/1091.html – Nicolae Leahu despre Margareta Curtescu

http://www.gandaculdecolorado.com/georgeta-minodora-resteman-anotimpul-poeziei/ – despre Georgeta Resteman https://atelier.liternet.ro/articol/4654/Alex-Stefanescu-Horia-Garbea/Un-prea-plin-al-inspiratiei-o-voiosie-literara.

html – „Un preaplin al inspiraţiei – o voioşie literară", Alex Ştefănescu despre Horia Gârbea, Editura LiterNet, 13 iunie, 2007

https://www.zf.ro/ziarul-de-duminica/cronica-nastere-usoara-4612242/ – Daniel Cristea Enache despre Mihai Gălăţanu

https://alcupone.ro/poezie/erotico-apocaliptica-poeme-din-templul-tatalui-elena-dulgheru/ – Al. Cistelecan despre Elena Dulgheru

https://www.anacronic.ro/lansare-pentru-trecerea-zarii-si-alte-poeme-elena-dulgheru/ – Dan Stanca despre Elena Dulgheru

https://nationaltranslationmonth.org/adina-dabija/ – despre Adina Dabija

http://www.northshorepressalaska.com/Dabija.html – Andrei Codrescu despre Adina Dabija

http://poesisinternational.com/andrei-bodiu-despre-saracia-curajul-poeziei/ – Radu Vancu despre Andrei Bodiu

https://www.zf.ro/ziarul-de-duminica/existenta-ca-mod-de-poezie-3048573/ – Andrei Terian despre Simona Popescu

https://bel-esprit.ro/nu-te-am-iubit-camelia-radulian/ – Andra Tischer Podie despre Camelia Radulian, 17 februarie, 2019

http://metropotam.ro/evenimente/Intilnire-cu-poeta-Svetlana-Carstean-eve8643621346/ – Mircea Cărtărescu și Simona Popescu despre poezia Svetlanei Cârstan

https://www.poezie.ro/index.php/article/14095059/„femeia_sixtina – Claudia Minela Petre despre Liliana Filișan

https://bibliotecadepoezie.wordpress.com/category/carti-care-conteaza/jucaria-mortului-constantin-acosmei/ – Mihail Vakulovski despre Constantin Acosmei

https://www.goodreads.com/book/show/12441227-tovar-i-de-camer – Constantin Cheianu despre Mihail Vakulovski

http://www.sst.bibliotheca.ro/membri/tudor.htm – A. I. Brumaru și Emilian Marcu despre Laurențiu Ciprian Tudor

https://www.goodreads.com/book/show/7630445-dic-ionar-de-vise – Bogdan Crețu despre V. Leac

https://ro.wikipedia.org/wiki/Marius_Ianu%C8%99 – Mircea Cărtărescu, Daniel Cristea-Enache, Paul Cernat, Nicolae Manolescu despre Marius Ianuș

http://www.uniuneascriitorilorarad.ro/usr/28_khasis.htm – V.Leac despre T. S. Khasis

https://www.poezie.ro/index.php/author/0006836/Savatie_Bastovoi#bio – despre Ștefan Savatie Baștovoi

https://www.goodreads.com/book/show/38907602-pove-tile-fragariei-c-tre-magul-viridis – Mihai Gălățanu despre Monica Manolachi

https://www.goodreads.com/book/show/28869757-arpele-din-inima-mea – Dan Liviu Boeriu despre Ofelia Prodan

https://www.goodreads.com/book/show/17342959-eu-mama-tare-i-tu – Nora Iuga despre Ania Vilal

https://ro.wikipedia.org/wiki/Teodor_Dun%C4%83 – Mircea Ivănescu despre Teodor Dună

https://www.amazon.com/Iubire-Nisip-Romanian-Maria-Timuc/dp/6066644904 – Alex Ștefănescu despre volumul Iubire de Nisip de Maria Timuc.

http://www.romanianliteraturenow.com/authors/radu-vancu/ – despre Radu Vancu

https://www.goodreads.com/book/show/15828837-franghia-inflorita?from_search=true – Alexanru Mușina despre Radu Vancu

https://maxblecher.ro/alexandru_potcoava.php – O. Nimigean și Claudiu Komartin despre Alexanru Potcoavă

https://adevarul.ro/locale/vaslui/vaslui-portret--adina-huiban---mostenitoarea-nichita-stanescu-1_50ae47957c42d5a6639b485b/index.html – despre Adina Huiban

https://www.blogger.com/profile/16097738924762636385 – despre Diana Geacăr

https://www.goodreads.com/book/show/13283816-pauza-dintre-vene – Aurel Pantea despre Miruna Vlada

https://www.goodreads.com/book/show/17252524-poezii-odioase-de-dragoste – Claudiu Komartin despre Adrian Diniș

https://www.goodreads.com/book/show/21409252-dac-i-se-face-team-de-ntuneric – George Chiriac despre Eva Precub

https://www.goodreads.com/book/show/20929758-unde-luna-acoper-r-na – A. R. Deleanu despre Eva Precub

INDEX

C

D

E

F

G

H

I

J

K

L

M

N

O

P

R

S

Ș

T

Ț

U

V

Z

CUPRINS

CONTENTS

PARTEA a II-a | Poezia românească – peisaj contemporan 1951-2020

PART II | Romanian Poetry - Contemporary Landscape 1951-2020

CPSIA information can be obtained
at www.ICGtesting.com
Printed in the USA
BVHW060535250521
607999BV00008B/2277

9 780995 350281